우리 문화재 수난일지 3

우리 문화재 수난일지 3

2016년 11월 27일 초판 1쇄 인쇄
2016년 11월 30일 초판 1쇄 발행

글쓴이 정규홍
펴낸이 권혁재

편집 김경희
출력 CMYK
인쇄 한일프린테크

펴낸곳 학연문화사
등록 1988년 2월 26일 제2-501호
주소 서울시 금천구 가산동 371-28 우림라이온스밸리 B동 712호
전화 02-2026-0541~4
팩스 02-2026-0547
E-mail hak7891@chol.net

책값은 뒷표지에 있습니다.
잘못된 책은 바꾸어 드립니다.

ISBN 978-89-5508-356-9 94910
ISBN 978-89-5508-353-8 (SET)

우리 문화재 수난일지

3

정규홍

학연문화사

목차

우리 문화재 수난일지

1911년

1911년 1월 10일

전 궁내부를 이왕직으로 관제를 개정하다.[1]

1911년 1월 12일

고물 조사 통첩

내무부에서는 각도 관하 각 군에 있는 대한제국 시대의 물품 중 학술과 공예에 상당한 자료가 될 수 있는 것들을 조사 보고하라 하다.[2]

1911년 1월 19일

1911년 1월 사학회 본회례회

1911년 1월 19일 도쿄제국대학 법과대학에서 개최한 《사학회 본회례회》에서 세키노 타다시關野貞는 「남선여행담」이라는 제목으로 강연을 하였다. 세키노는 1910년 9월부터 12월까지 조선에서 행한 고적조사 내용을 설명하고, 조사 과정에서 획

1 『朝鮮總督府官報』 1911년 1월 9일자.
2 『每日申報』 1911년 1월 12일자.

득한 유물도 제시하였는데 그 수량이 얼마나 되는지는 알 수 없다. 단지 평양 남부의 한 고분에서 '대강원년大康元年' 명의 와를 얻었다는 것과 고령 대가야 왕궁지와 문묘 근처에서 채집한 와를 언급하고 있다. 또 고령 주산성, 함안의 성산성, 창령의 수미산성 부근에서 무수한 고분이 산재하고 그 곳에서 2, 3의 고분을 발굴했다는 내용과 마지막으로 진주에서 발굴한 대고분의 석곽의 양식 및 그 발굴물을 소개했다는 것으로 보아 상당수의 반출 유물을 진열 소개한 것으로 보인다.[3]

1911년 1월

내무부에서 전라북도장관에게 통첩하여 무주군 적상산사고에 있는 각종 책자를 조속히 인계하여 보관하라 하다.[4]

1911년 2월 1일

이왕직 사무분장규정 공포 및 징계위원 임명

'이왕직李王職 사무분장규정事務分掌規程'을 정하여 시행하다. 그 내용은 다음

3 「彙報」, 『史學雜誌』 제22편 제2호, 1911년 2월
4 『每日申報』 1911년 1월 12일자.

과 같다.[5]

이왕직 사무분장규정事務分掌規程

제1조 이왕직李王職에 다음의 각계各係를 두어 사무를 분장한다. 서무계庶務係 회계계會計係 장시계掌侍係 장사계掌祀係 장원계掌苑係이다.

제2조 서무계는 다음의 사무를 관장한다.

1. 증답贈答에 관한 사항

2. 왕가王家의 보첩譜牒, 사장詞章, 고인古印 및 부책류簿册類를 맡아 지키는 일에 관한 사항

3 장관長官 차관次官의 관인官印 및 직인職印을 관수管守하는 데 관한 사항

4 궁궐 규칙이나 기타 중요한 공문서의 기초起草 및 심사에 관한 사항

5 공문서류의 접수, 발송, 편찬, 보관 및 통계 보고에 관한 사항

6 도서의 보관, 출납 및 종람縱覽에 관한 사항

7 직원의 진퇴進退와 신분에 관한 사항

8 앞의 각호各號 외에 다른 계係에 속하지 아니한 사항

제3조 회계계는 다음의 사무를 관장한다.

1. 출납 및 용도에 관한 사항

2 재산에 관한 사항

3 영선營繕에 관한 사항

4 궁제宮第, 정원庭苑 및 창덕궁昌德宮 내에 있는 청사廳舍와 아울러 그 부속

---

5 『純宗實錄』 1911년 2월 1일자.

물 관수에 관한 사항

제4조 장시계는 다음의 사무를 관장한다.

1. 창덕궁의 신변에 관한 사항

2 창덕궁의 진후診候와 조약調藥 및 위생에 관한 사항

3 창덕궁 나인內人에 관한 사항

4 창덕궁의 공선供繕 및 향연에 관한 사항

5 의식儀式이나 빈객 접대 및 거마車馬 사용에 관한 사항

제5조 장사계는 다음의 사무를 관장한다.

1. 제사에 관한 사항

2 묘廟, 전殿, 궁宮 및 분영墳塋의 관수에 관한 사항

3 아악雅樂에 관한 사항

제6조 장원계는 다음의 사무를 관장한다.

1. 박물관에 관한 사항

2 동물원에 관한 사항

3 식물원에 관한 사항

제7조 이태왕부李太王附 직원은 다음의 사무를 관장한다.

1. 덕수궁의 신변에 관한 사항

2 덕수궁의 진후와 조약 및 위생에 관한 사항

3 덕수궁의 서무 회계에 관한 사항

4 덕수궁 내에 있는 궁제宮第(석조전石造殿 및 돈덕전惇德殿을 제외한다)

청사廳舍와 아울러 그 부속물 관수에 관한 사항

5 기타 덕수궁에 관한 일체의 사항

제8조 왕세자부 직원은 다음의 사무를 관장한다.

1. 창덕궁 약궁若宮의 신변에 관한 사사항

2 창덕궁 약궁의 진후와 조약 및 위생에 관한 사항

3 서무 회계에 관한 사항

제9조 공족부公族附 직원은 각 공족 집안의 서무 회계를 관장한다.

본 규정은 1911년 2월 1일부터 시행한다.

이어 이왕직직원 징계위원을 선정하여 임명했는데 그 명단은, 총독부 정무총감 야마가타 이사부로山縣伊三郎, 이왕직장관 자작 민병석閔丙奭, 이왕직차관 고미야 미호마츠小宮三保松, 조선총독부 내무부장관 우사미 가쓰오宇佐美勝夫, 조선총독부 내무부 인사국장 고쿠분 쇼타로國分象太郎 등이다.

1911년 2월 14일

사찰 소유 보물조사

조선총독부 내무장관은 각도장관에 명하여 각 사찰소유의 보물목록을 제출케 하다.

1911년 2월 14일 자로 각도 장관에게 '사찰보물목록첩寺刹寶物目錄牒'을 작성하여 보고하게 하였다.[6] 그 내용은 사찰에서 소장하고 있는 고문서古文書, 고서화古書畵, 고기물古器物 등으로 역사의 고증考證이 되거나 문예, 학술, 미술의 진보 발달에 도움을 줄 만한 자료를 상세히 조사하여 '사찰보물목록첩寺刹寶物目錄牒'을 만들고 이를 보고하라는 것이다.

사찰보물목록첩 작성과 관련하여 『매일신보』 1911년 3월 1일자에는 다음과 같은 기사가 있다.

사찰고물보존

전북도청 오쿠보大久保 내무부장은 사찰의 실물목록 작성 건에 대하여 관하 부윤, 군수에게 통첩하여 각 관하 사찰에 소장한 고문서, 고서화, 고기물 등으로 역사적 고증이 되고 또는 문예학술 및 미술의 진보에 자료가 불소하므로 그 산일을 방지하고 감수를 엄중히 하여 각사에서 고물목록의 정부본 2부를 만들어 참고케 하라 하였다.

●寺刹古物保存 全北道廳大久保內務部長은寺刹의實物目錄調製의件에關ᄒᆞ야管下府尹郡守에게通牒ᄒᆞ되各管下寺刹에所藏ᄒᆞᆫ古文書, 古書畵, 古器物等으로歷史에考徵이되고又ᄂᆞᆫ文藝學術及美術의進步에裨益될資料가不少ᄒᆞᆷ으로其散逸을防ᄒᆞ고監守를嚴重히ᄒᆞ야各寺에셔永存의方法을設定ᄒᆞᆯ것은勿論이니各寺刹로ᄒᆞ야곰古物目錄의正副本二件을調製ᄒᆞ야參考케ᄒᆞ라ᄒᆞ얏다더라

6 관통첩 제6호(1911년 2월 14일), '사찰보물목록첩 조제의 건', 『慶南日報』, 1911년 2월 15일자; 1911년 2월 23일자.

1911년 2월 20일

환구단의 건물과 부지가 모두 총독부에 인계되다.[7]

1911년 2월 27일

덕수궁 석조전 앞에 대정원을 만들기 위하여 선 이사실, 평성문, 전위병소를 철거하기로 27일 정오에 입찰을 마쳤는데, 이 대정원은 모두 외국식으로 하여 분수지, 식수植樹의 배열 및 정원 내를 통하는 도로 등은 외국 대정원을 모방하기로 했다.[8]

1911년 2월

고승어록(高僧語錄) 매수

내무부 지방국에서는 참고 자료로 삼기 위해 고려, 조선의 고승어록高僧語錄을 넓게 찾아 매수하였는데, 그 서적의 목록은 아래와 같다.

『천봉집千峰集』, 『죽간집竹磵集』, 『원감집圓鑑集』, 『나옹집懶翁集』, 『원감국사어록圓鑑國師語錄』, 『청허당집淸虛堂集』, 『태고어록太古語錄』, 『사명당집四溟堂集』, 『태고어

7 『京城府史』 第3卷, 朝鮮鐵道史.
8 『每日申報』 1911년 2월 28일자.

太古語』,『정명국사시집靜明國師詩集』,『운곡집雲谷集』,『선탄사집禪坦師集』,『백곡집白谷集』,『호산록湖山錄』,『설암난고雪岩亂稿』,『계정집桂庭集』,『허정집虛靜集』,『식영암집息影庵集』,『자파집自波集』,『기암집奇岩集』[9]

이왕직 사무관 스에마쓰 구마히코末松熊彦는 박물관 진열품 충당을 위해 각 지방 사찰 에 있는 불상과 기타 신구 각종 물품을 다수 매입하다.[10]

평안남도부윤군수회의에서 건조물, 기구, 화상, 서화 및 재산을 조사하여 대장을 작성하고 그 등본謄本은 부윤 군수가 보존 감독케 했다.[11]

취조국의 도서 정리

취조국이 설치되자 일제는 1911년 2월에 규장각도서奎章閣圖書를 조선총독부의 도서로 점유占有하기로 결정하고, 도서 정리 작업에 들어갔다.[12] 한국의 왕실 및 정부소유도서는 총계 약 12만 권으로 이 중 강화도, 무주 및 그 외 2개 사고에 보관된 것이 약 2만권(1개소 약 5천권)인데, 무주분은 규장각에 합치하여 규장각분은 약 11만 1천여 권이 되었고 이 중 왕실 소속분 2만 2천 권은 왕실로 인계되었다.

『매일신보』 1911년 2월 11일자에는 다음과 같은 기사가 있다.

9 『每日申報』 1911년 2월 11일자.
10 『每日申報』 1911년 2월 4일자.
11 『每日申報』 1911년 2월 4일자.
12 朝鮮總督府中樞院,『朝鮮慣習制度調査事業概要』, 1938, p.25.

조선의 도서정리
구한궁정 및 동 정부에 속한 도서는 약 12만권의 다수에 달하였으나 당시는 궁중 부중의 구별이 무한 고로 전 규장각 및 강화도, 무주 및 기타 2개소의 사고에 보관한 지라 사고에 장치한 분은 약 2만권인 고로 5천 권씩 4개소에 분치하였는데 그 도서는 중요한 것이 많고 4개소의 사고가 모두 동일한 도서이니 이는 화재 기타 재해를 우려하여 동일류를 4개소에 분치함이라. <중략>
데라우치 총독은 통감으로 착임하였을 시에 조속히 도서정리에 대하여 적당히 처치할 지旨를 명한 고로 보처에서는 즉시 정리에 착수하되 제1칙수로 무주의 분은 규장각에 수용하고, 강화도의 분은 구한국정부로부터 통감부에 인계 완료하여 문서과에서 정리 중이오. 기타 2개소의 사고에 장치한 분은 의구존치依舊存置하였다더라. 규장각의 도서는 현금 약 11만 1천여 권 중에 구한국 황실에 속한 분 2만 2천권은 이왕가에 인계하고 기타 구한국정부에 속한 분은 즉시 취조국에서 정리하여 장래에 완전한 도서관을 설립하여 완전한 보존 방법을 강구한다는데 그 종류에 의하여는 일반의 열람도 허하케 하리라더라.

환구단에 봉안하였던 위패는 매안埋安하고, 사직단社稷壇의 위패는 불태웠다.[13]
사직단은 태조 3년에 건축한 것으로, 사社는 땅의 신령에 제사를 지내는 것으로 동에 있고 직稷은 곡물의 신, 즉 곡신에게 제사를 지내는 것으로 서에 있었다. 양단신좌兩壇神座는 모두 남좌북향南坐北向으로 중앙에 방저원정方底圓頂의

13 『每日申報』 1911년 2월 14일자.

사직동의 사직단(1909년의 모습, 국립중앙박물관 유리건판 사진)

돌이 있고 단의 외방에는 3단의 석단으로 둘렀다.

사직단은 임진왜란으로 건물들이 모두 불타버리고 단만 남았다가 전쟁이 끝난 이후에 다시 설치하였다.

1911년 2월에 위패를 불태운 후 3월에는 사직단 내의 가옥들을 공매했다.[14]

영정 도난

경기도 포천군 내북면 신평리 서원촌에 있는 용연서원龍淵書院은 한음 이덕형(李德馨, 1561~1613)선생과 용주 조경(趙絅, 1586~1669)선생을 배향한 서원

14 『每日申報』 1911년 3월 4일자.

이다. 이곳에 모신 두 석유碩儒의 영정을 도난당했다.[15]

1911년 3월 2일

기상통계표 확인

인천관측소장 와다 유지和田雄治는 3월 2일에 고미야 미호마츠小宮三保松 차관의 주선으로 구 규장각에 들어가 이왕가의 기록을 열람했다. 와다가 열람한 승정원일기承政院日記는 인조3년(1623)부터 1908년까지, 일성록日省錄은 영조24년(1759)부터 1908년까지 매일의 기상을 기록하였음을 확인했다. 이보다 수 일전에는 구 학부창고에서 천변초등록天變抄謄錄과 풍운기風雲記 등을 발견하였는데, 이 기록에 의하여 1750년 이후의 경성 기상의 대략적 통계를 얻었다고 한다. 그러나 이 기록은 중간에 결루된 부분이 많아 54년간의 우일雨日과 우량雨量의 조사 기록만 나타나 있었다.

이왕가의 기록과 구 학부창고에서 발견한 기록을 대조한 와다는 "실로 귀중한 재료를 얻은지라 이로 인하여 기왕 결루된 바를 보충하고 또 조사를 완성하면 288년간의 기상통계를 알 수 있겠다"고 한다.[16]

『경남일보』 1911년 4월 29일자에는 다음과 같은 기사가 있다.

---

15 『每日申報』 1911년 2월 24일자.
16 『每日申報』 1911년 3월 5일자.

●氣象統計表發見

仁川觀測所長和田雄治氏ᄂᆞᆫ近者舊學部倉庫에셔天變抄謄錄、風雲記等을發見ᄒᆞ얏ᄂᆞᆫ딕此로依ᄒᆞ야西曆千七百五十年以後의京城天候ᄂᆞᆫ大略統計的으로硏究홈을得ᄒᆞ얏다ᄒᆞᄂᆞᆫ지라然이나中間에缺漏가多ᄒᆞ야五十四年間의雨日雨量을調査홈에不過ᄒᆞᆫ故로同氏ᄂᆞᆫ二日에前奎章閣에出頭ᄒᆞ야小宮內官의斡旋으로李王家의記錄을閱覽홈을得ᄒᆞᆫ結果에承政院日記ᄂᆞᆫ仁祖三年(西曆千六百二十三年)브터隆熙二年ᄭᆞ지日省錄은英祖二十四年(西曆千七百五十九年)브터隆熙二年ᄭᆞ지每日天候를記錄ᄒᆞ얏스니實로貴重ᄒᆞᆫ材料를得ᄒᆞᆫ지라此로因ᄒᆞ야已往의缺漏된바를補充ᄒᆞᆯ지오且該調査를完成ᄒᆞ면既往二百八十八年間의氣象統計를可知ᄒᆞ겟더라

와다가 학부창고에서 천변초등록(天變抄謄錄)과 풍운기(風雲記)를 발견했다는 기사
(『매일신보』1911년 3월 5일자)

기상학 재료氣象學 材料. 와다和田 인천관측소장은 금회 이왕가의 고서古書 중 250년래의 기상氣象에 취就하여 발견하였는데 동서중同書中에는 하레—성星의 출현出現하고 기타 천변지이天變地異의 일체一切를 망라하며 수殊히 강우량도 기입記入하여 세계에 유일의 기록이 되므로 목하目下 차此를 연구 중인데 결료結了한 후에는 기상학상氣象學上에 다대多大의 공헌貢獻이 되리라더라.

『신한민보』1911년 4월 5일자에는 다음과 같은 기사가 있다.

보배로운 기록. 일인들은 한국의 고적을 조사하여 보배스러운 책을 많이 들쳐 내었는데 전 학부 곳간에서는 천변초출록과 풍운기라는 책을 얻었음으로 서력 1750년 이후 전기를 력력히 알겠고 3월 2일에는 인천관측소장일인 화전웅치가 궁내부 규장각 책고를 헤치고 승정원일기를 내어 왔는데 이는 인조대왕 이후로 융희2년까지 정사를 기록한 고로 280년간의 기상을 통계할 수 있다더라.

1911년 3월 22일

경성서화미술원 개원

우리나라 최초의 미술학교인 서화미술회書畵美術會는 그 전신이 경성서화미술원京城書畵美術院으로 1911년에 윤영기가 설립하였다. 윤영기가 미술원을 만든 의도는 고금 서화를 수집, 진열하여 미술 문화 발전에 기대할 수 있는 근대적인 미술관의 기능을 목표로 한 것이었다. 좀더 거슬러 올라가면, 1909년 남산 왜성대에서 이토 히로부미伊藤博文가 한국 인사들을 초대한 적이 있었다. 이때 윤영기도 초대를 받았는데 이 자리에서 윤영기는 미술원 취지를 말하고 운영자금을 요구하여 이토로부터 긍정적인 답을 들었다. 여기에는 서화회를 표방하여 문화적인 회유정책을 쓰기위한 정략적인 계산이 있었을 것으로 보인다. 하지만 이토가 안중근의 거사로 쓰러지자 이 일은 계속되지 못하였다.

문제는 운영자금이었다. 1911년에 와서 이완용, 조중응, 조민희 등 친일 세도가들이 후원금을 내놓으면서 미술원 안에 회원제의 미술회를 둔다는 조건을 붙여 후진양성으로 기울었다. 서화미술회의 건물은 당시 이왕직으로 넘어가 있던 이지용의 사저이다. 한일합방 후 인심이 흉흉한 터라 일제는 소위 문화정책을 내세워 이왕직과 손잡고 이를 후원한 것이다. 그렇게 하여 1911년 3월 22일 윤영기, 방한덕 등의 발기로 20명의 학생을 뽑아 개원식을 거행하였다. 조선총독부는 합방에 공이 컸던 이완용을 교장격인 회장자리에 앉혀 놓았다. 그를 내세워 서화에 취미가 있는 선비, 소위 문화계 인사를 포섭하자는 의도가 깔려 있었던 것이다. 이완용은 매국노 소리를 듣던 터라 반기는 사람이 별로 없었다.

그는 글씨도 잘 썼을 뿐 아니라 그림에도 취미가 있어 이곳에 자주 나왔다. 간혹은 서예 지도도 하였는데, 김은호, 이한복, 오일영, 이병희 등은 효자동의 이완용 집에 드나들면서 글씨를 배우기도 하였다.

윤영기는 1912년 이후 운영진에서 물러났다. 경성서화미술원이 개원된 지 반년 후인 9월에는 명칭을 서화미술회로 개칭하였다. 지도 교사로는 조석진趙錫晉, 안중식安中植, 정대유丁大有, 강진희姜璡熙, 김응원金應元, 강필주姜弼周, 이도영李道榮등 7명이었다. 1회 졸업생으로는 오일영, 이한복, 이용우, 이용걸 등이 있었다. 이후 김은호, 박승무, 이상범, 노수현, 최우석 등을 배출하였다.[17]

1911년 3월 26일

《조선고서전람회》

1911년 3월 26일 도쿄외국어학교 졸업식 때 가나사와 쇼사부로金澤庄三郎는 자신의 수집 도서로 《조선고서전람회》를 개최하여 일반인들이 관람할 수 있도록 했다. 『삼국사기三國史記』(판본 8책)는 1901년 가나사와가 경성에서 발견했다고 한다(종래 일본에 있는 것은 前田本-刊本, 近衛본, 毛利본, 神田本 모두 寫本). 『용사일록龍蛇日錄』(사본 1책)은 임진왜란 때 경상도 감사 김수약金睟若의 가문에서 만들어진 것으로 임진년 4월부터 7월까지의 경상도 정황을 알 수 있는 귀중한 자료이다. 그 외 『공

17 金殷鎬, 『書畵百年』, 中央日報社, 1981.

우록控于錄』(사본 1책)과 『청령국지蜻蛉國誌』(사본 2권)도 아주 귀중한 사료라고 소개하고 있다.[18] 그 외 귀중서는 어떤 것이 진열되었는지 구체적인 서목은 알 수 없다.

가나사와 쇼사부로金澤庄三郎는 1898년부터 1901년까지 4년간 일본 문부성文部省 유학생으로 한국에서 한국어 연구에 종사하였던 자로서[19] 그간에 상당한 조선본 귀중서를 수집하였다. 1911년에는 수집목록蒐集目錄인 『조선서적목록朝鮮書籍目錄』까지 발행했다. 이 중에는 귀중서로 지정된 『서서서목첨록西序書目籤錄』 필사본筆寫本은 규장각 장서를 연구하는데 필수적인 자료가 되고 있다.[20]

가나사와는 1900년과 1901년 두 차례에 걸쳐 한국 전 지역을 여행한 것으로 나타난 것으로[21] 보아 이 당시에 이미 전국의 조선서적에 대해 조사를 한 것으

18 「彙報」, 『歷史地理』 제17권 5호, 歷史地理學會, 日本歷史地理學會, 1911년 5월.

19 일본이 1870년대에 육군참모본부를 설치하고 이곳에서 1890년대까지 만주, 한국 등지에 밀정을 파견하였던 바, 그곳에는 어학생으로 가장하여 파견시킨 것도 상당하였던 사례를 미루어 본다면 金澤도 그러한 성격이 짙은 것으로 보인다.

20 南權熙, 「西序書目籤錄 解題」, 奎章閣12, 서울대학도서관, 1982에 의하면,
『西序書目籤錄』은 정조16년(1792)에 서고를 改建하고 서적을 移置한 뒤 편찬한 것으로 추정되는 규장각 한국본에 관한 書目이다(당시의 원본은 소실되었으며 현재 金澤의 필사본만 남아있다).
駒澤大學圖書館에 소장되기 전에 金澤이 大本山 永平寺라는 절에 기증되었다가 그가 1966년에 죽고 난 뒤 1974년 11월 12일 영평사에서 駒澤大學圖書館으로 보존을 기탁 의뢰했다.
이 서목이 언제 金澤에게 입수되었는지는 정확히 알 수 없으나 그가 한국어 유학생으로 종사할 당시에 구득했을 것으로 여겨진다고 한다.

21 문서번호 訓令 第二十號
발송일 光武四年十月十三日(1900년 10월 13일)
발송자 議政府贊政外部大臣 朴齊純
접수일
수신자 沿途[自京畿忠淸全羅慶尙黃海至平安道]各郡守 座下
결재자 主任 交涉 局長 課長大臣 協辦
日本公使 照稱 當地留學 文部省 留學生 金澤庄三郎 來十六日離發當地 遊歷京畿忠淸全羅慶尙黃海 及平安各道 等因이기로 準此訓令ᄒᆞ니 該員이 到境ᄒᆞ거든 妥爲保護가 爲可.
議政府贊政外部大臣 朴齊純 沿途[自京畿忠淸全羅慶尙黃海至平安道]各郡守 座下 主任

로 나타난다. 가장 중요한 서적들은 이 때 수집한 것으로 추정된다. 이후에도 가나사와는 한국에 자주 건너와 조선총독부 촉탁, 교과서조사위원회 위원으로 활동하면서 한국의 귀중서를 많이 수집하여 일본으로 반출했다.

1911년 3월 28일

구한국 국새 반출

우리의 국새는 일본이 1905년 대한제국의 외교권을 박탈한 다음 조선통감부에 억류하였던 것으로 알려지고 있다. 이후 이왕직의 사무분장규정事務分掌規程(1911년 2월 1일)에 따라 왕가의 보첩譜牒, 사장詞章, 고인古印 및 부책류簿册類 등

交涉 局長 課長大臣 協辨 光武四年十月十三日 光武四年十月十三日 起案.

제목 일본 문부성 유학생의 여행길 보호할 것
문서번호 訓令 第二號
발송일 光武五年三月二十三日(1901년 03월 23일)
발송자 議政府贊政外部大臣 朴齊純
접수일
수신자 沿道[京畿 江原 咸鏡 平安 黃海道]各郡守 座下
결재자 主任 文涉 局長 課長大臣 協辨
駐京日本公使 林權助 照稱 文部省留學文學士 金澤庄三郎 旅行 京畿 江原 咸鏡 平安 黃海等地等因이기로 此를 准ᄒᆞ야 護照룰 繕發ᄒᆞ고 玆에 訓令ᄒᆞ니 該員이 到境이어든 妥爲保護ᄒᆞ야 毋令阻滯홈이 爲可.
議政府贊政外部大臣 朴齊純 沿道[京畿 江原 咸鏡 平安 黃海道]各郡守 座下 主任 文涉 局長 課長大臣 協辨 光武五年三月二十三日 光武五年三月二十三日 起案
출처 : 국사편찬위원회 한국사데이터베이스 http://db.history.go.kr.

은 이왕직 서무계에서 관장했다. 이 중 이왕직에 보관 중이던 국새는 1911년 3월 3일부로 총독부로 인계가 되었는데, 『순종실록』 1911년 3월 3일조에 따르면, 이왕직 차관次官 고미야 미호마츠小宮三保松가 가지고 있던 옛 국새國璽와 보새寶璽를 총독부에 인계했다는 기사가 보이고 있다. 이때 총독부로 인계한 것은 대한국새大韓國璽 1과顆, 황제의 보새寶璽 1과, 대원수大元帥의 보새 1과, 제고制誥의 보새 1과, 칙명勅命의 보새 1과, 칙령勅令의 보새 1과이다. 이는 대한국새 등을 일본으로 반출하기 위한 것으로, 데라우치 총독이 곧 바로 일본 총리대신에게 국새를 비롯한 옥새 8과를 보내고 일본 궁중에 두게 하라고 한 문서에서 심작할 수 있다.

1911년 3월 28일 데라우치寺內 총독이 일본 총리 가쓰라 타로桂太郎에게 보내어 일본 궁중에 보관하도록 올린 문서의 내용은 다음과 같다.[22]

> 구한국 대한국새大韓國璽와 그 밖에 7과顆 및 위 진헌進獻에 관한 조선총독 上表 右 삼가 어람하시기 바랍니다.
>
> 이어서 본 인장은 궁중에 어유치御留置하여 주시기 바랍니다.
>
> 明治44년(1911) 3월 28일
>
> 내각총리대신 후작 가쓰라 타로桂太郎 수결
>
> 명치44년 3월 28일 내각서기관 우시즈카牛塚, 히라오카平岡
>
> 구한국 대한국새와 7과 및 위 진헌에 관한 조선총독 상표上表

22 서지학자 이종학 선생이 가지고 있는 1911년 3월 28일 데라우치(寺內) 총독이 일본 총리 가쓰라(桂)에게 보내어 일본 궁중에 보관하도록 올린 문서의 복사본 내용으로, 손보기, 이종학의 「되돌아온 國璽의 문제」(『日本이 掠奪한 朝鮮의 國璽와 書籍』, 혜안, 2001)에서 옮겨옴.

이 같이 일본 궁중으로 반출된 국새는 해방 후 1946년 맥아더사령부에서 다시 압수하여 1946년 8월 15일자로 맥아더 사령부로부터 한국에 반환된다.

일본으로부터 반환받은 국새는 국치 조약문서의 원본들과 함께 1949년 1월 23일부터 국립박물관에서 전시되었다.

하지만 이는 나중에 일부 분실되었다.

1911년 3월

『조선사찰사료(朝鮮寺刹史料)』 2책(冊)을 간행하다.

한반도 각지에 있는 모든 사료 수집에 박차를 가하여 1910년 5월에는 각도의 사찰 소장유물所藏遺物을 조사하고, 1910년 8월부터 1911년 3월까지 약 8개월에 걸쳐 경기도, 충청북도, 전라남도, 경상남북도, 강원도, 평안도, 황해, 함경남도의 현존現存 사찰寺刹에 있는 비문碑文, 사적事蹟, 중수기重修記, 현판懸板, 상량문上樑文 등의 자료資料를 수집하여 1911년 3월에 조선총독부朝鮮總督府 내무부內務部 지방국地方局에서 『조선사찰사료朝鮮寺刹史料』 2책冊을 간행하였다.

이왕가박물관에 소장하고 있는 고려자기 18점, 고려시대에 제작된 완륜경腕輪鏡과 장식품 등 19점 및 근래 제작된 낭분문대莨盆文臺 등 3점을 교토박람회에 출품하였다.[23]

---

23 『純宗實錄』 1911년 3월 7일자.

1911년 4월 26일

불상 도난

경북 영해 육장사六藏寺에는 대성전에 각 불의 화상畵像을 걸어두었는데 4월 26일 밤에 도둑이 들어 이를 모두 훔쳐 달아났다.[24]

1911년 4월

취조국에서는 조선사서를 편찬하기로 계획하고 이에 착수했다.[25]

평양 만수대 및 을밀대 부근 성벽의 석담을 지방민 등이 매일 그 석담을 파괴하여 몰래 매각하여 칠성문밖부터 을밀대까지 석성이 남지 않아, 평양경찰서에서 4월 19일 수명의 경관을 배치하여 정찰한 결과 8명을 체포하였다.[26]

---

24 『每日申報』 1911년 5월 11일자.
25 『每日申報』 1911년 4월 8일자.
26 『每日申報』 1911년 4월 22일자.

도굴꾼 체포

『신한민보』 1911년 4월 12일자에는 다음과 같은 기사가 있다.

왜적이 능침을 파고 고물을 도적. 경상남도 고성군에 거주하는 왜인 삭보 이삼랑은 고성군 무학산에 있는 옛 능침을 파고 금은 자기의 고물을 도적하여 이선 두 척에 민재하여 부산으로 보낸 정적이 탈로하여 헌병대에서 사실한 결과로 동모자 왜인관리 3명과 십여 명이 피착하였다더라.

▲왜적이릉침을파고고물을도적 경상남도고셩군에거주ᄒᆞᄂᆞᆫ왜인 삭봉이삼랑은고셩군무학산에잇 ᄂᆞᆫ녯릉침을파고금은ᄌᆞ긔의고물 을도적ᄒᆞ야어션두쳑에만지ᄒᆞ야 부산으로보낸졍적이탈로ᄒᆞ야헌 병ᄃᆡ에셔사실ᄒᆞᆫ결과로동모쟈왜 인관리三명과샹고십여명이피착 ᄒᆞ얏다더라

석굴암의 낙서

1909년 소네의 석굴암 방문 이후 석굴암의 명성은 세상에 널리 알려지면서 석굴암을 찾는 여행객들이 늘어났다. 방문자들은 생각 없이 자신의 흔적을 남기려고 석굴암에다 낙서를 하곤 했다.『신라구도 경주고적도휘』에 게재된 석굴암 내부의 사진을 보면 두 석주의 상부와 금강역사상의 오른쪽에 낙서가 보이고 있다. 그 당시에는 방문자들이 이같이 낙서를 하여도 이를 제지할 수 있는 관리상태가 아니었다.

석굴암 내부에 낙서된 모습(『新羅舊都 慶州古蹟圖彙』)

이 낙서에 대한 것은 요시이 히데오吉井秀夫가 교토대학 고고학연구실 소장의 사진과 성균관대 소장 유리원판 사진을 비교하면서 해석한 내용[27]을 토대로 낙서의 내용을 보면 다음과 같다.

> 왼편 석주 오른쪽 위에는 「崔在奎/公立 慶州普通學校修學旅行團/辛亥四月三十日□□□」 이란 낙서가 있고, 바로 그 아래(석주 오른쪽 아래)에는

27 吉井秀夫, 「일제강점기의 석굴암 조사 및 해체수리와 사진촬영에 대해서」, 『(성균관대학교 박물관 소장 유리원판전Ⅱ)경주 신라 유적의 어제와 오늘』, 성균관대학교 박물관, 2007, pp.203-204.

「明治四十五年/四月貳拾八日/香川縣人/三宅芳太郎」이란 낙서가 있다.

석주 왼쪽에는 보다 큰 글씨로 「私立 普成中學校修學旅行團」이란 낙서가 있다.

또 금강역사상 쪽에는「全□□□/金昌祚□/壬子十月十二日」이란 낙서가 있다.

오른편 석주 윗부분은 지워져 「辛亥四月」 까지 흐리게 나타나 있으며 그 아래 부분에는「佐賀縣人/北島孝三/明治四十五年四月二十八日」이란 낙서가 있다.

이 낙서는 신해년(1911)부터 1912년 사이에 행해진 것으로, 석굴암의 수리가 있기 전까지 석굴암의 유명세에 비해 그 관리가 얼마나 엉망이었는지 엿볼 수 있는 단면이라 할 수 있다.

1911년 5월 6일

강화군 전등사에 도둑이 들어 목불, 금불을 훔쳐 달아났다.[28]

1911년 5월 17일

경복궁이 총독부로 넘어가다.

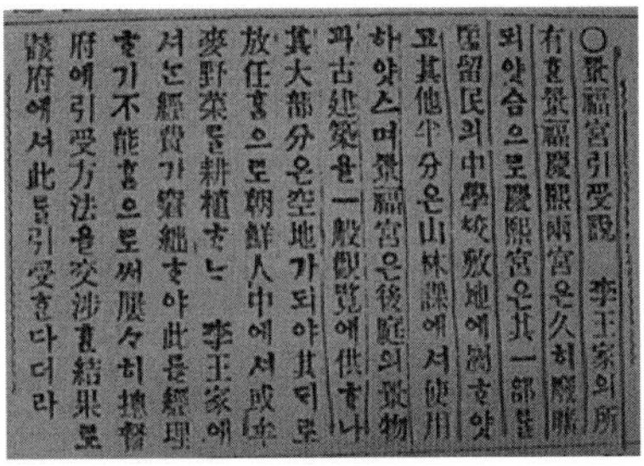
○景福宮引受說 李王家의所
有ᄒᆞᆫ景福慶熙兩宮은久히廢曠
되얏슴으로慶熙宮은其一部ᄅᆞᆯ
居留民의中學校敷地에屬ᄒᆞ얏
고其他半分은山林課에서使用
하얏스며景福宮은後庭의景物
과古建築을一般觀覽에供ᄒᆞ나
其大部分은空地가되야其ᄃᆡ로
放任ᄒᆞᆷ으로朝鮮人中에서或은
麥野菜ᄅᆞᆯ耕植ᄒᆞᄂᆞᆫ 李王家에
서ᄂᆞᆫ經費가窮絀ᄒᆞ야此ᄅᆞᆯ經理
ᄒᆞ기不能ᄒᆞᆷ으로써屢々히總督
府에引受方法을交涉ᄒᆞᆫ結果로
總府에서此ᄅᆞᆯ引受ᄒᆞᆫ다더라

경복궁 부지 198,624평은 1911년 5월 17일 총독부에 인도된 것으로 확인된다.[29] 경복궁이 조선총독부로 넘어가게 된 것은 예정된 수순이었다. 『경남일보』 1911년 4월 27일자에는 다음과 같은 기사가 있다.

경복궁 인수설

이왕가의 소유한 경복, 경희 양궁은 오래 동안 폐광廢曠되었으므로 경희궁은 그 일부를 거류민의 중학교 정지에 속하였고, 기타 절반은 산림과에서 사용하였으며, 경복궁은 후정의 景物과 고건축을 일반 관람에 제공하나 그 대부분은

28 『每日申報』 1911년 5월 18일자.

29 『純宗實錄』 附錄 卷2, 1911년 5월 17일(이경미, 「20세기 조선 궁궐의 건축적 변형과정」, 『향토 서울』 제60호, 서울특별시사편찬위원회, 2000, p.412).

공지가 되어 그대로 방임하므로 조선인 중에서 모맥야채牟麥野菜를 경식耕植하나 이왕가에서는 경비가 군출窘絀하여 이를 경리經理하기 불능不能하므로써 누누이 총독부에서 인수 방법을 교섭한 결과로 총독부에서 이를 인수한다더라.

이보다 앞선 『경남일보』 1911년 4월 19일자에는 '경복궁 인계설景福宮引繼說'이라는 기사가 들어 있는데, 여길 보면 이 시기에 이미 경복궁을 총독부 청사 건립부지로 점찍어 두고 있었음을 알 수 있다.

별항別項과 여如히 총독부 각 청사는 목하目下 증축중인 왜성대倭城臺로 집중하는 건축공사는 임시응급의 가건축假建築에 불과하고 총독부 본청건축本廳建築은 의회議會의 협찬協贊을 경經하야 대대적 설계로 경복궁을 수용收容할 터이나 경복궁은 원래 이왕전하李王殿下의 소유所有로써 자유처분키 불능不能함으로 선반先般 당국자와 이왕직李王職 간에 협의하야 총독總督에게 인계의 수속을 기旣히 종료하였다더라.

초기 통감부시대에는 단일로 된 청사가 없어 옛 한옥을 이용하기도 하고 청사는 남산의 왜성대에 세워지기는 했지만 서울의 여러 곳에 나누어져 있었다. 이는 응급의 건축에 불과한 것이며, 제시설諸施設에 대한 장소는 1902년 일본정부와 도쿄제국대학이 합작하여 건축사학자 세키노 타다시關野貞를 파견하여 서울의 남산 및 궁성이 조사한 점으로 보아 이때부터 물색하였던 것으로 추정된다. 그 후 통감부의 지방제도가 완성되면서 고건축의 활용에 대한 조사가 1909년 세키노 일행에 의해 또 다시 조사되면서 한일합방의 기도와 함께 총독부청사 건립에 대한 음모가 구체화 된 것으로 추정된다.

이는 일본정부가 1909년 7월에 이미 한국병합韓國併合의 방침을 확정確定하고[30] 있었다는 점과 합방 후 총독부 각 청사를 왜성대에 증축하였으나, 총독부청사의 입지가 이미 경복궁으로 결정되어 있음을 보아 알 수 있다. 『경남일보』 1911년 5월 29일자에 수록된 '경복궁인계료景福宮引繼了' 라는 기사를 통해 그 내역을 살펴볼 수 있다.

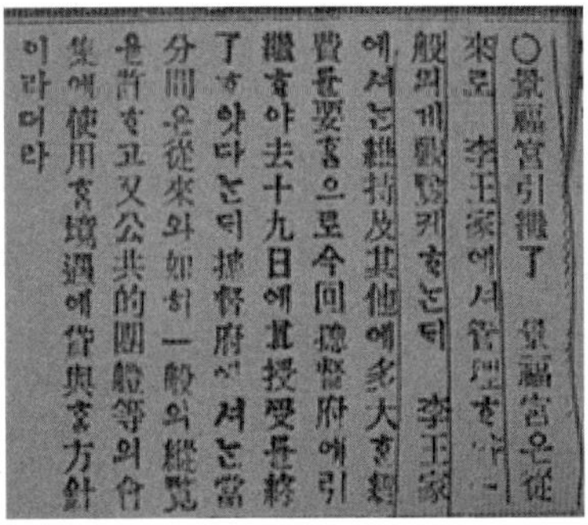
○景福宮引繼了 景福宮은從來로 李王家에서管理ᄒᆞ야一般의게觀覽케ᄒᆞᄂᆞᆫ데 李王家에서ᄂᆞᆫ維持及其他에多大ᄒᆞᆫ經費를要ᄒᆞᆷ으로今回總督府에引繼ᄒᆞ야去十九日에其授受를終了ᄒᆞ얏다ᄂᆞᆫ데總督府에서ᄂᆞᆫ當分間은從來와如히一般의縱覽을許ᄒᆞ고又公共的團體等의會集에使用ᄒᆞᆯ境遇에貸與ᄒᆞᆯ方針이라더라

경복궁은 종래從來로 이왕가에서 관리하야 일반에게 관람케 하는데 이왕가에서는 유지維持 및 기타에 다대多大한 경비를 요要함으로 금회今回 총독부에 인계하야 지난 19일에 기其 수수授受를 종료하였다는데, 총독부에서는 당분간은 종래와 여如히 일반의 종람縱覽을 허許하고 우又 공공적 단체 등의 회집會集에 사용할 경우에 대여貸與할 방침이라더라.

1911년 5월에는 왕가 자체 관리 유지의 어려움을 부각시켜 경복궁을 완전히

---

30 京城府, 『京城府史』 第2卷, 1934, p.150.
日本軍閥內閣은 1909년 7월 6일 서둘러 「韓國併合에 관한 건」 및 「대한시설 강령」을 결정하였다.
정재우, 「1910년대 총독 데라우치의 식민정책」, 『殉國』 通卷 62호에 의하면 그 전문의 요점은 다음과 같다.
"적당한 시기에 한국의 병합을 단행하는 것 한국을 병합하고 이를 제국판도의 일부로 하는 것은 반도에 있어 우리 실력을 확립하는 가장 확실한 방법이며, 제국이 내외의 형세에 즈음하여 적당한 시기에 단일 병합을 실행하도록 명실공히 우리의 통치하에 두고, 또 한국과 제외국과의 조약관계를 소멸시키는 것은 제국백년의 長計가 되는 것임."

탈취한 다음 개방하여 공원화 작업에 들어가게 된다.

이후 시정공진회를 빌미로 1914년 7월에 홍례문 일대를 정리하고, 공진회가 끝난 이듬해 곧바로 조선총독부청사 건립에 들어갔다.

1911년 5월

경성 일본인 소유 토지

경성민단의 조사에 의하면 경성민단구역 내의 일본인 소유의 토지는 택지 41만 274평, 전지가 61만 7538평이라고 한다.[31]

1911년 6월 1일

동대문 북편 성벽 철거가 완료되어 도로를 개통하다.[32]

31 『每日申報』 1911년 5월 21일자.
32 『每日申報』 1911년 6월 2일자.

1911년 6월 3일

사찰령 공포

일제는 1910년 이전에 불교계 침투를 이념과 제도면에서 동시에 시도하였으며, 1911년 이후에는 식민통치책의 일환으로 사찰령을 내려 불교의 이념은 물론 제도적인 장치 하에 한국 불교계를 완전 장악하였던 것이다.

1911년 6월 3일에 사찰령寺刹令 제령制令 제7호를 공포公布하게 되는데 그 내용을 보면 다음과 같다.

사찰령寺刹令

제 1조 사찰을 병합, 이전 또는 폐지하려고 할 때에는 조선총독의 허가를 받아야한다. 그의 기지基址 또는 명칭을 변경하려고 할 때에도 또한 같다.

제 2조 조선총독이 지정한 32개 사찰의 주지의 취임에는 조선총독에 신청하여 총독의 인가를 받아야 한다.

제 3조 사찰의 본 말사의 관계, 승규僧規, 법식法式 기타 필요한 사법寺法은 각 본사에서 제정하여 조선총독의 허가를 얻어야 한다.

제 4조 사찰에는 주지를 두어야 한다. 주지는 그 사찰에 속하는 일체의 재산을 관리하고 사무寺務 및 법요집행法要執行의 책임을 지고 사찰을 대표한다.

제 5조 사찰에 속하는 토지, 산림, 건물, 불상, 석물, 고문서화, 기타의 귀중품은 조선총독의 허가를 얻지 아니하면 이를 처분할 수 없다.

제 6조 전조前條의 규정에 위반하는 자는 2년 이하의 징역이나 또는 5백

원 이상의 벌금에 처함

제 7조 본령에 규정하는 것 외 사찰에 관한 필요한 사항은 조선 총독이 정함

위 사찰령寺刹令에 따른 체제體制가 갖추어 지면서 조선의 모든 사찰은 사찰령 제1조에 의해 사찰의 병합併合, 이전移轉 또는 각본사의 사법제정寺法制定도 조선총독의 허가를 얻어야 되었다. 그리고 제2조 주지인가住持認可 건件과 아울러 1911년 7월 8일 총독부 '사찰령시행규칙寺刹令施行規則' 전문全文 8조를 발포하여 30본말사제도本末寺制度를 확립確立하여 주지취임住持就任에 본산本山은 총독이 말사末寺는 지방장관地方長官이 인가認可하도록 하였으며[33] 8월 17일에는 정무총감이 각도 장관에게 9월 1일까지 현재 승니 현원 명부名簿 및 그 이력서履歷書 조사를 지시[34]하여 승려들의 성분분석成分分析에 들어갔다. 또 각 사찰은 1911년 9월 1일부터 3개월 이내에 일제히 주지를 정해 그 인가를 받도록 했다.[35] 드디어 1911년 11월 17일 선교양종禪敎兩宗 대본산 용주사龍珠寺가 주지 취임인가就任認可를 받음과 아울러 같은 날에 건봉사, 법주사, 월정사, 통도사, 범어사, 등의 주지도 함께 인가 나면서 각 본산 제1세주지 취직인가가 이어졌다.

그러나 주지인가 신청서를 제출하지 않는 사찰이 속출하자[36] 다시 1912년 1

33 朝鮮總督府令 第84號, 1911년 7월 8일.

34 官通牒 第243號, 1911년 8월 17일.

35 관통첩 제259호(1911년 9월 8일) '사찰령 시행에 관한 처무방법 건', 『朝鮮總督府 官報 佛教關聯資料集』, 2001, 대한불교 조계종 총무원.

36 그러나 사찰령이 發布된 이후에도 일제의 일부 승들은 조선사찰을 탈취하기 위하여 온갖 수단을 동원하였다. 그러자 총독부에서는 「寺刹令施行의 趣旨告諭의 件」이라는 공문을 각 사찰에 보냈는데 그 내용을 보면,

"...... 往往 지방을 徘徊하여 여러 가지 誣說을 유도하고 심지어 사찰령은 사찰의 권리를 빼앗고 승려를 撲滅케 하는 것이라고 稱하여 조선승려로 하여금 危懼의 생각을 일으키

월 8일에는 각도 장관에게 "아직 주지취직인가 신청서를 제출하지 않은 사찰명과 이를 제출하지 않은 사유"를 1912년 1월 31일까지 통보하라고 통첩通牒하였다.[37] 그 이후에는 주지 신청을 하지 않은 사찰에 대해서는 토지, 건물, 기타 재산처분방법財産處分方法을 정해 폐사허가廢寺許可를 받도록 했다.[38] 1914년 2월 26일에는 내무부장관이 각도 장관에게 사찰 주지 취직인가 처분형식을 지시[39]하기에 이르러 조선의 모든 사찰은 독자적 권한이 전혀 없어지고 오직 조선총독의 명에 따라 움직이는 꼭두각시에 불과한 집단으로 몰락하게 되었다.

각 사찰의 주지임명권住持任命權이 조선총독의 독자적인 행정소관사항에 속하였기 때문에 배일성향排日性向의 승은 배제排除하고 친일성향親日性向이 있는 자를 주지로 임명하였음을 추론推論해 볼 수 있다.

또 제 5조에, 사찰이 소장한 귀중품(실질적인 한국의 문화재)들에 대한 처분에 관하여 총독의 허가를 필요로 한다고 하고 있으므로 결국 식민정책으로서 총독의 허가만 있으면 얼마든지 처분할 수 있다는 반대 해석이 가능하고[40] 그러한 해석을 빙자하여 간배들에 의해 수많은 사찰 소장 문화재가 수탈되었음은 주지의 사실이다.

게 하고 그 틈을 타서 內地의 寺院과 本末寺 관계를 締約케 하기를 기도하고 혹은 '加末狀'(日本寺院의 末寺로 加入하였다는 證書)를 교부하여 혹은 주지임명의 문서를 교부케 하는 자가 있음을 종종 듣는다."(總督府 官桶牒 第270號. 1911년 9월 18일)
라고 하고 있다.

37 관통첩 제 1호(1912년 1월 8일)『朝鮮總督府 官報 佛敎關聯資料集』, 2001, 대한불교 조계종 총무원.

38 관통첩 제 51호(1912년 2월 23일)『朝鮮總督府 官報 佛敎關聯資料集』, 2001, 대한불교 조계종 총무원.

39 관통첩 제73호(1914년 2월 26일)

40 吳世卓,「日帝의 文化財政策」,『文化財』第29號, 1996, 文化財管理局.

이 사찰령은 불교 예속화隷屬化라는 견지見地에서 주지의 신분권한을 크게 확대시킨 것이다. 전조선의 사찰을 30개 본산과 그 말사로 구분하면서 주지의 취임을 인가제로 묶었던 것이다. 주임관奏任官(대신. 총독의 주청으로 총리대신이 임명하는 관직) 대우待遇에 준準하는 신분이 된 주지들은 정월 초에 총독관저에 초청을 받았고, 공식 연회에 종교계 요인要人으로 열석列席하였다.[41] 이처럼 1911년 사찰령 시행이후 승려의 지위가 향상되어 일약 중생을 교도하는 종교자가 되었다. 따라서 일반인들이 승려를 보는 눈도 전 시대와는 달라졌다. 일반 서민들은 일본인의 횡포를 근심하였는데 그들이 승려들을 존경하는 것을 보고 정토종에 의탁하면 가히 일본인과 대항할 수 있다고 생각하여 정토종에 기대는 자가 많았다.

당시 『매일신보』[42]에는,

> …조선 불교 중흥의 좋은 시대를 맞아서 다소 개량의 참작함이 없으면 좋지 않고, 일본의 종문도 또한 조선과 다름없어야 이것과 함께 무준차 법맥을 이음은 일반이라 이 같은 때에 공동 일치하여 피차에 긴 것은 버리고 짧은 것은 취하여 한 궤도 안으로 함께 나아가면 동양의 교문은 이로써 확립할 뿐이라.[43]

라고 하며 친일 불교화에 동조하는 여론조성與論助成에 앞장서기도 했다.

해인사 주지 이회광李晦光은 "메이지明治44년에 사찰령을 발포하여 전선全鮮 사원寺院의 유지維持를 확보確保하고 6천승니六千僧尼의 인권을 회복케 하였으니 소위 반도

---

41 高橋亨, 『李朝佛敎』, 1973, 國書刊行會, p.917.
42 대한매일신보를 강제 매수 병합하여 '대한'을 떼어내고 그간 창간이래 일본인 주필과 편집국장에 의해 만들어졌다.
43 『每日申報』 1915년 1월 15일자.

의 종교계에 서광瑞光이 나타나 한곡寒谷에 봄이 찾아오고 고목에 꽃이 피었다"[44]라고 하며 사찰령이 마치 조선의 불교계에 크나큰 은혜를 준 것으로 찬양하고 있다.

일부 승려들은 신분이 향상되자 갑자기 명함에 이름뿐 아니라 법계를 명기하였다. 그리고 속인의 옷으로 모자, 구두까지 신고 인력거나 자동차로 서울 시내를 질주하였다. 그래서 공손인욕恭遜忍辱을 종지로 하여야 할 출가자의 길에서 어긋나기 때문에 사람들의 빈축을 샀다.[45] 주지의 권한이 비대화와 함께 그들의 속화 타락 현상을 가져오는 부정적인 현상이 나타났다. 따라서 사찰령과 함께 승려의 지위는 향상되었을지 보르나 이것은 어디까지나 식민지 통치상의 일조를 언고자하는 일제의 계략에서 나온 것이지 한국 불교 자체의 발전과는 상관없는 것이었다.

사찰령 발포 전에는 공의제도가 있어 산중 장노 등의 공론을 들어 절의 사무처리를 결정하였기 때문에 전횡영사행專橫營私行을 막을 수 있었으나, 절의 사무처리가 주지에게 위임되었기 때문에 일반승려들은 간섭의 여지가 없어지게 되고 말았다. 그리하여 왕왕 사중寺中의 수입, 사중寺中의 재산처리財産處理에 공정을 잃게 되었으며 그 중 주지의 수당, 여비 등이 비대해 지고 주지에 대한 불만은 날이 갈수록 높아졌다.[46] 따라서 임기 3년제인 주지들은 재선再選을 위해 극력 운동을 전개

---

44 李晦光,「朝鮮佛敎의 覺醒과 社會事業」,『朝鮮』, 1921년 5월, 朝鮮總督府, p.62.

45 高橋亨,『李朝佛敎』, 1973.
高橋亨,「朝鮮佛敎研究」,『朝鮮彙報』, 1916년 3월, 朝鮮總督府, p.57에 의하면, 사찰령 발포 전의 조선승려의 폐습은 사회성이 결여되어 있었는데, 이후의 폐습은 종교의 사회성이 부활되어 승려가 다투어 世俗同樣의 설비를 사찰에 들여놓고 몸을 속인과 같이 치장하고 백성을 눈 아래로 보고, 일본 승려를 모방하여 고기를 먹고 술을 마시며 蓄妾을 논하는 자들까지 생겼다고 한다.

46 高橋亨,『李朝佛敎』, 1973, 國書刊行會, p.948.

하면서 취임의 조건인 총독의 인가를 얻기 위해서 온갖 친일성을 발휘했다.[47]

1911년 6월

취조국 조사 상황

총독부 취조국에서 본년 1월부터 6월까지의 조선의 관습에 관한 조사 상황은 다음과 같다.[48]

> 취조국 조사 상황
>
> 1. 면 및 동에 관한 제도구관조사의 대요(종료)
>
> 2. 사색제도 및 삼신, 삼국, 한사군, 고려 및 이조 지방제도의 연혁(종료)
>
> 3. 압록강 수리에 관한 조사(종료)

---

47 임종국, 『실록 친일파』(1994)에 의하면,
이러한 풍토에서 일어난 것이 친일 주지 강대련의 鳴鼓逐出 사건이다. 수원 용주사 주지를 수차 중임한 강대련은 1915년 3월에 30본산 연합사무소가 설치되자 초대위원장을 맡았고, 이후 동 위원장 常置員(상무위원)등을 수차 중임 했다. 그는 만세열풍이 채 가시지 않은 1919년 11월에 아래와 같은 망언을 발설 하였다.
"일본 본원사의 法主는 작위를 받고 황실과 통혼도 한다. 이런예에 의해서 조선왕실, 귀족의 여자를 일본승려나 조선승려와 결혼하게 한다면, 조선동화 및 불교 감화에 그게 도움이 될 것이다" 라고 하면서, 교화의 미명아래 帶妻를 권장하면서, 친일, 아부의 발언으로써 자신의 비중을 높이려는 것이였다. 이러한 의견서가 총독부에 제출되자 민족파 학승들에게서 큰 반발이 일어났다.

48 『每日申報』 1911년 10월 14일자.

4. 지세 기타 제세에 관한 제도관습에 대하여는 새로이 조사를 개시함

5. 농민의 경제, 생활상태에 관한 조사

6. 대전회통의 역해譯解

7. 이조역대실록의 발췌拔萃

8. 조선사서의 편찬

9. 도서의 보존정리

취조국의 도서 접수

취조국이 설치되자 일제는 1911년 2월에 규장각도서奎章閣圖書를 조선총독부의 도서로 점유占有한 후, 1911년 6월에 조선총독부 취조국이 이를 강제로 인수하였다. 이왕직李王職의 역대기록歷代記錄 기타 도서 14만 8백여 책과 홍문관弘文館, 규장각奎章閣, 집옥재集玉齋, 시강원侍講院, 북한산이궁北漢山離宮 : 行宮, 강화의 정족산, 무주 적상산, 봉화 태백산, 평창 오대산사고를 접수하였다. 이 중 적상산, 태백산, 오대산사고 이외의 도서는 합방 전에 궁내부에서 접수하였던 것이다.[49]

장서각은 조선시대의 왕실도서관으로, 1909년 고종은 당시 궁내부 대신 민병석에게 규장각, 홍문관, 집옥재, 춘방 등의 서적을 정리 보존하도록 하명하였다. 우선 위 사부의 서적을 옮기도록 하였다. 또한 북한산 행궁 소장본 약 1만 책과 적상산, 오대산, 정족산, 태백산 등의 사고본을 관할 하에 두고, 장차 이

49 朝鮮總督府中樞院, 『朝鮮慣習制度調査事業概要』, 1938, p.25.

서적들도 옮겨올 예정이었다. 그리고 본래 규장각에 있던 장서와 다른 기관에 편입된 장서와 함께 구사고 수장의 실록 및 서적 등 약 10만 권의 책을 통틀어 '제실도서帝室圖書'라 명명하였다. 구 규장각 장서 중에는 「제실도서지장帝室圖書之章」의 장서인이 있는 것은 바로 이러한 사정이 있었기 때문이다.

1909년 11월 25일에는 장서들의 관리와 열람을 위하여 '제실도서 보존규정'과 '제실도서 대출규정'을 제정하였다. 그리고 1910년 1월에는 제실도서에 홍문관, 집옥재, 춘방의 장서 6만 권을 편입하였다. 그 외 전국 각지의 사고에 흩어져 비장하고 있던 서적과 궁서宮書를 수집하여 일반 국민에게 열람시킬 계획으로 서고 신축에 착수 하였으나, 나라 안팎의 혼란과 한일합방으로 인하여 끝내 성공을 보지 못하고 말았다.

이 때 이왕직으로부터 접수한 도서는 구한말 규장각도서과에서 관리하였던 어제御製 어필御筆 선원보첩璿源譜牒도 포함되어 있었다. 구선원보각舊璿源譜閣에 소장해 두었던 『승정원일기承政院日記』, 『일성록日省錄』 등을 취조국으로 운반하고, 태백산과 오대산의 사고史庫의 장서藏書도 접수하였다.[50] 강화 정족산鼎足山 사고의 장서 5,519책冊은 1911년에 이왕가로 기증한 것으로 하였으나 1912년에 다시 참사관실에서 이를 보관한다고 옮겼기 때문에[51] 기록상으로는 이 때 취조국이 다시 접수한 것으로 되어 있다.

한국의 왕실 및 정부소유도서는 총계 약12만권으로 이 중 강화도, 무주 및 그 외 2개 사고에 입치入置된 것이 약 2만권(1개소 약 5천권)인데 무주분茂朱分은 규장각에 합치合置하였으므로 규장각분奎章閣分은 약 11만1천여 권이 되었고

50 愼鏞夏,「奎章閣圖書의 變遷過程에 對한 一硏究」,『奎章閣 5』, 서울대학교도서관, 1981, p.73.
51 『朝鮮舊慣制度調査事業概要』, 朝鮮總督府中樞院, 1938, p.25.

이중 왕실소속분王室所屬分 2만2천권은 왕실로 인계되었다.[52]

이왕직은 처음에 도서의 인계를 거절하였으며, 강제 인수된 뒤에도 수 차에 걸쳐 반치返置를 요구했다. 그리하여 정무총감政務總監 야마가타山縣는 1911년 6월 24일자로 강화사고 및 북한산행궁본 중에서 중복본重複本을 골라 돌려 줄 것을 취조국장에게 지시하였으나 취조국에서는 그 구별이 곤란하다는 이유로 이를 거절하고 말았다.[53] 그러나 거듭된 반치 요구로 왕실 관련 자료의 소유권을 유지할 수 있었다. 역대 어제 및 선원보책 등은 총독부가 창경궁 내에 새로 지은 일본식 건물의 봉모당과 보각에 별도로 보존시켜 이왕직 도서과로 이관하였다. 1911년 6월 19일에는 적산산사고본 5,519책을 조선총독부 취조국으로부터 인수하여 왕실 관련 자료와 합쳐 창덕궁의 선원전璿源殿에 고서적 등과 함께 보관하였다. 이것이 장서각의 모체라 할 수 있다. 그 뒤 1915년 낙선재의 동남쪽에 벽돌집 서고를 신축하여 보관하였다. 1918년에 장서각의 편액을 걸었다. 이때부터 이왕가도서관은 장서각이라 불렀다.[54]

이왕가 장서각의 초기 주무자로는 아키야마 히데오萩山秀雄가 수년간 재직하

---

52 『每日申報』 1911년 2월 10일자.
『每日申報』 1911년 2월 11일자에는 다음과 같은 기사가 있다.
구한궁정 및 구한국정부에 속한 도서는 약 20만권의 다수에 달하였으나 당시는 궁중 부중의 구별이 없었다. 전 규장각 및 강화도, 무주 및 기타 2개소의 사고에 장치한 것은 약 2만권인 고로 우선 제1착으로 무주의 분은 규장각에 수용하고 강화도의 분은 구한국정부로부터 총독부에 인계를 마쳐 문서과에서 정리 중이오. 기타 2개소의 사고에 장치한 분은 依舊存置하였다더라. 규장각의 도서는 약 11만 1천여 권 중에 구한국황실에 속한 분 2만 2천권은 이왕가에 인계하고 기타 구한국정부에 속한 분은 즉시 취조국에서 정리하여 장래에 완전한 도서관을 설립하여 완전한 보존방법을 강구한다고 한다.

53 白麟, 『奎章閣藏書에 대한 硏究』, 연세대학교도서관, 1962, p.94.

54 윤병태, 「장서각의 연혁과 소장도서」, 『정신문화연구』 제14권 3호, 1991; 『이왕가도서장서목록』, 1914; 『이왕가장서각고도서목록』, 1924; 『관보』 제106호(1911년 1월 9일).

였다(후에 구조선총독부도서관장). 이 자는 그 경위를 밝히기 위해 적상산사고본에 「무주적상산사고본, 조선총독부 기증」이라는 인장을 찍었다. 이홍직은 "그의 수작인데 경위로는 틀림없지만 많은 사람에게 욕도 많이 먹었다"고 한다.[55]

또 우리나라 근대적 도서관은 '대한도서관大韓圖書館'이 최초라 할 수 있는데, 이 도서관은 1906년 2월 초에 이근상李根湘, 이범구李範九, 박용화朴鏞和, 민형식閔衡植, 민경식閔景植, 윤치호尹致昊, 이봉래李鳳來 등이 발기하여 그 후 3월에 그 명칭을 대한도서관이라 하고 설립에 따르는 제반준비를 진행하여 각계의 유지들로부터 엄청난 도서를 기증 받았다. 이렇게 하여 우리나라에 있어서 최초의 국립도서관의 설립을 보게 되었으나 1910년 8월 29일 경술국치로 대한도서관은 일반에게 공개도 못한 채 도서관 설립을 위해 수집된 10만 권의 서적은 조선총독부가 설치된 직후인 1911년 5월 총독부의 취조국에 의하여 몰수당하였다.[56]

1911년 7월 8일

사찰령시행규칙(寺刹令施行規則) 공포

7월 8일자로 사찰령시행규칙寺刹令施行規則 8개 조항을 공포했다. 사찰령시행규칙의 주요 내용은,

제1조 조신의 사찰 가운데 30개의 큰 사찰을 본사로 지정하고, 제2조에 의

55 이홍직, 「도난당한 이조실록」, 『새한민보』 2권 4호, 1948년 2월 15일.
56 朴尚均, 『韓國 近代圖書館 思想史 硏究』, 景仁文化社(刊行年度不明).

해, 본사 주지는 총독의 인가를 받아야 취임할 수 있었고, 말사 주지는 지방장관의 인가를 받아야 했다.

제3조~6조는 주지가 될 수 있는 사람의 자격과 임기, 면직 사유 등을 규정하고 있다.

제 7조에는 "주지는 사찰에 속하는 토지, 산림, 건물, 불상, 서물, 고문서, 고서화, 범종, 경권, 불기, 불구, 기타 귀중품의 목록을 만들어 주지에 취직한 후 5개월 이내에 이를 조선총독에게 제출" 하게 했다.[57] 이는 일제가 재빨리 이를 파악하여 사찰 문화재를 일제의 관리 하에 두겠다는 속셈인 것이다.

이어 내무부內務部 지방국地方局에서 전국토의 고적조사를 할 때 내무부 지방국에 별도로 사사계社寺係를 설치設置하여 전도全道의 고찰조사古刹調査에 종사하여 사료史料를 수집케 했다.[58]

57 관통첩 제84호(1911년 9월 8일), '사찰령 시행규칙', 『朝鮮總督府 官報 佛教關聯資料集』, 2001, 대한불교 조계종 총무원.
奉恩寺, 龍珠寺, 奉先寺, 傳燈寺, 法住寺, 麻谷寺, 威鳳寺, 寶石寺, 大興寺, 白羊寺, 松廣寺, 仙巖寺, 桐華寺, 銀海寺, 孤雲寺, 金龍寺, 祇林寺, 海印寺, 通度寺, 梵魚寺, 貝葉寺, 成佛寺, 永明寺, 法興寺, 普賢寺, 乾鳳寺, 楡岾寺, 月精寺, 釋王寺, 歸州寺의 住持 就職은 朝鮮總督의 인가를 받아야 하며 기타 古書畫, 梵鍾, 經卷, 佛器, 佛具, 기타 귀중품의 목록서를 작성하여 주지 취직 후 5월 이내에 이를 조선총독에 差出한다는 것이다(『每日申報』 1911년 7월 9일자).
58 小野淸, 「歷代 總督의 施政」, 『朝鮮風土記』, 1935, 民論時代社, p.27.

1911년 7월 11일

1911년 7월 도쿄제국대학 진열품

●朝鮮古物 天覽

天皇陛下씌옵셔ᄂᆞᆫ去十一日午前十時東京帝國大學卒業式에行幸ᄒᆞ샤大學總長의先導로便殿에入御ᄒᆞ시고大勳位親任官同待遇等에게賜謁ᄒᆞ신後古文書標本等을天覽ᄒᆞ시다가各說明者에게對ᄒᆞ샤未詳ᄒᆞ신點을一々히下問ᄒᆞ심의工學博士關野貞氏ᄂᆞᆫ古代朝鮮의遺物에對ᄒᆞ야奏上ᄒᆞᆫ바ㅣ有ᄒᆞ얏다더라

『매일신보』 1911년 7월 16일자 기사

일본왕은 1911년 7월 11일 도쿄제국대학 졸업식에 참가했다가 대학총장과 세키노의 안내로 고문서 표본 등을 열람했는데, "고문서 표본 등을 관람하다가 궁금한 것은 안내자에게 일일이 하문하심에 공학박사 세키노는 고대조선의 유물에 대하여 설명한바 있다더라" 하고 있다. 세키노 등이 한국에서 도쿄대로 반출한 유물들은 일정한 장소에 진열해 둔 것으로 짐작되는데 구체적으로 어떤 유물이 진열되었는지 그 품목은 나타나 있지 않다.[59]

1911년 7월

총독부 촉탁 도리이 류조鳥居龍藏와 총독부 학무국 사무관 고스자 히코지小杉彦治는 함북 회령군 팔을년, 벽성면, 인계면의 석기시대 유적지를 조사하고, 다수의

59 「考古學會記事」, 『考古學雜誌』 제5권 제6호, 1915년 2월; 『每日申報』 1911년 7월 16일자.

마제석부磨製石斧, 타제석기打製石器, 석봉石棒, 석족石鏃, 토기파편 등을 채집했다.[60]

1911년 8월 1일

지난 5월 이래로 정리 중에 있던 구 한국정부 시대의 공문서 조사는 조사 사항의 정리를 대략 완료하였다.[61]

1911년 8월 2일

경무총감부에서는 대양보大洋報 제1권 제7호를 치안 방해를 이유로 발매 반포를 금지시키고 이를 압수하다.[62]

1911년 8월

경기도장관은 관하 각 군의 사찰에 있는 각종 보물을 일일이 조사하여 내무부에 보고하였다.[63]

60 大坂金太郎,「在鮮回顧十題」,『朝鮮學報』 제45輯, 朝鮮學會, 1967년 10월.
61『每日申報』 1911년 8월 1일자.
62『朝鮮總督府官報』 1911년 8월 4일자.
63『每日申報』 1911년 8월 9일자.

1911년 9월 13일

1911년도 세키노 일행의 고적조사

1911년도의 조사는 9월 13일부터 11월 5일까지로, 세키노 타다시關野貞, 야쓰이 세이이치谷井濟一, 구리야마 슌이치栗山俊一 외 총독부 영선과 기코木子智隆 기수가 수행하여 조사를 보조했다.

1911년 9월 13일에 경성에 도착하여 부근을 조사하고, 9월 22일에 개성을 경유하여 24일에 평양에 도착했다. 9월 24일부터 용강, 강서, 강동, 성청, 봉산 등의 유적을 조사했다.

10월 20일에 다시 경성에 도착했다. 10월 25일에는 경성을 출발하여 대구를 지나 10월 26일부터 경주 신라 사적을 조사했다.

11월 2일에 대구에 도착하여 팔공산 동화사 등을 조사했다.

11월 5일에는 대구를 출발하여 부산을 경유 7일에 일본으로 돌아갔다.

이번 고적조사를 통해 작성한 「조선유적일람」에서 중요한 것을 열거하면 다음과 같다.[64]

조사일	내용
1911년 9월 18일	광주 석촌고분
9월 19일	고양 벽제관(碧蹄館)
9월 23일	개성 폐영통사대각국사비, 찰간지주, 5층석탑, 3층석탑, 폐현화사7층석탑, 현화사비, 찰간지주

64 關野貞 等,『朝鮮古蹟調査略報告』, 1914.

조사일	내용
9월 24일~9월 29일	평양, 삼화, 용강
9월 30~10월 1일	용강 용강읍북고분, 황룡성, 황룡성 남문 불위루, 어을동고성, 황산록 고분, 객사
10월 3일	강서 우현리삼묘
10월 5, 6, 10, 17, 18일	강동 한평동 황제묘, 한평동 고분, 지례동 고분, 객사 추흥관 및 문, 군청 중청관, 문묘대성전, 명륜당
10월 7일~8일	성천 객사 동명관, 융선루, 정문, 중문, 동서무, 폐자복사5층석탑, 읍동북3층석탑, 방선문, 군청래선각, 선화문, 문묘 대성전, 동서무(東西廡), 명륜당, 동서재, 3층석탑, 정진사보광전, 향풍루, 승당, 축성전, 만수문, 동종
10월 14일~15일	봉산 미산면 도강동 도총, 당토성, 와현면 고분, 문묘 대성전, 동서무, 내3문, 외3문, 향교 명륜당, 객사 정청, 문정면 상탑동 3층석탑
10월 14일~15일	안주 서면 내동리 안성성지, 대대면 봉명리 광명산 고분, 서면 내동리 고분
10월 27일~ 11월 1일	경주 남산성지, 명활산성지, 흥덕왕릉, 헌덕왕릉, 금오산 서면 약사석상, 석가석상, 첨성대 서북 석가석상, 신문왕릉, 경애왕릉, 선덕왕릉, 아달라왕릉, 경명왕릉, 진평왕릉, 망덕사폐지, 찰간지주, 구황리폐사지, 분황사찰간지주, 구황리탑폐지 및 인왕석상, 일정교지, 월정교지, 분황사화쟁국사비부석, 경주 강서면 옥산리 폐정혜사석탑, 옥산서원
10월 30일	옥산 폐정혜사13층탑, 옥산정사독락당 및 양진암, 옥산서원 적락문, 무변루, 매구재, 비각, 어서각, 이해재신도비, 구인당
11월 3일~4일	동화사 찰간지주, 대웅전, 각전, 루, 그 외 유물 조사

금회의 조사는 광주에서 백제 고분으로 생각되는 것을 발견하고 평양 강동, 강서, 용강에서 고구려의 유적과 평양 강동 봉산에서 낙랑, 대방의 고분을 조사하여 사적에 관한 단서를 얻게 되었다. 또 신라 고려 이후의 것에까지 전 2회의 조사에서 중요한 유물이 광주, 개성 기타의 지방에서 다소 발견하였다. 특히 10월 27일부터 11월 1일 사이에 조사한 경주 일대의 성지, 사지의 조사에서는 엄청난 수량의 고와전을 채집하여 도쿄대학 공과대학으로 반출했다. 세키노 일행이 조사한 경주 일대의 분황사, 망덕사지, 불국사, 견곡면 폐사지, 영천 폐사지 등을 조사하고 상당수의 고와를 채집해 갔는데, 그 중 500여 개를 《도쿄대

학 건축학과 제4회 전람회》에 진열했다.

경기도, 경상남북도, 평안남도, 황해도의 고적을 조사한 세키노 등은 전회와 이번 조사를 종합하여 중요한 유물을 분류하여 지방별, 시대별로 분류하여 표를 만들고, 그 가치를 판별하여 그 보존의 필요에 따라 갑, 을, 병, 정 등 4단계로 분류하였다.

약보고서
(국립중앙박물관 소장 총독부박물관 공문서)

1911년 9월

도리이 류조(鳥居龍藏)의 제1회 사료조사

1911년에 조선총독부 내무부 학무국 편찬과 과장 오다 쇼고小田省吾의 발의發議로 교과서의 자료수집이라는 명목 하에 사료조사가 시작되었다.[65] 이에 1911년부터 도쿄제국대학 이과대학 강사 도리이 류조鳥居龍藏를 촉탁으로 하여 유사이전의 인종과 문화를 조사하고, 별도로 1913년 이마니시 류今西龍를 사료조사 촉탁으로 하고, 1915년 도쿄제국대학 교수 구로이타 가쓰미黑板勝美를 사료조사 촉탁으로 하여 교과서 편찬의 자료를 수집케 했다. 이 사업은 실제 세키노의 조사에서 빠진 조선의 인종적. 민족적 조사와 병행하여 석기시대

65 有光敎一,『有光敎一 著作集 第一卷』, 東京同朋舍, 1990, p.4.

의 조사를 보완하는 것이었다.

그 1차로 도리이 류조의 제1회 사료조사는 1911년 9월부터 1912년 3월까지, 주로 함경남북도 및 간도에서 유사이전의 유적 및 각 시대의 사료를 조사하고 함께 인종적 조사를 위해 지방민의 풍습을 촬영하고 체격을 측정했다.[66]

『매일신보』에는 도리이 류조의 1차 사료조사 활동과 관련하여 다음과 같은 기사가 있다.

도리이鳥居촉탁의 소식

총독부촉탁을 받아 함경도 방면에 출장 중인 조거룡장 씨의 조사 상황을 문聞한즉 동씨가 9월 24일부터 30일간 함흥에서 24세 이상 30세 이하의 조선인 남녀 22명과 또 오노리 주재소에서 조선인 부인 5조를 집합하여 정세히 체격을 조사한 후 촬영하고 다시 함흥보통학교에서 약 3백 명의 청중에게 대하여 아세아인종이라는 문제로 한 시간 강연을 하고 주재소 고산고전장에서 고분 4개소를 발견하였는데 그 1개소에서는 남녀의 두개골 각 1개, 금제지환 1개를 발견하였으나 어느 연대 어느 나라 사람의 분묘인지 불명하다더라(『매일신보』 1911년 10월 13일자).

조거룡장의 강화講話

작 13일 오후 4시부터 총독부관저에서 북선으로부터 입경한 조거룡장 씨를 초招하여 그 조사한 인류학에 관한 강화가 있었는데 각 부 고등관 및 신문통

66 鳥居龍藏,『史料調査第2回報告』, 朝鮮總督府, 1913;『每日申報』1911년 10월 13일자.

신기자 등이 다수 임석하였다더라(『매일신보』 1912년 3월 14일자).

조거룡장의 출발
조거룡장 씨는 재작 13일 밤에 총독부관저의 강화를 마치고 만찬회에 열列하였다가 10시 열차로 급행귀동急行歸東하였다더라(『매일신보』 1912년 3월 15일자).

함남 북청 여진문자비
(鳥居龍藏 촬영, 1회 사료조사)

도리이 류조鳥居龍藏의 수집 자료는 사진과 함께 막대한 양에 이른다. 그러나 조사의 결과인 1911년에서 1912년의 약보고[67]는 학무국 편집과에 제출하였으나 미간未刊에 그쳤다.[68]

묘지 석물 절취자 체포

죽산 안씨의 선조 묘가 양주군 고주내면 원당리에 있는데 도둑이 이 묘소에 있는 석물 중 장명등 2좌와 향촉석 1좌를 절취하여 파성관에 방매한 고로 자손들이 도둑을 수색하여 서대문서에 고발하였다. 『매일신보』 1911년 9월 6일자에

67 『第1回史料調査報告』라 題한 이 보고서는 1911년 7월부터 1912년 3월까지 함경남북도 東間島를 조사한 후 116쪽에 달하는 復命書로 1912년 10일 19일 復命한 것으로 되어 있다.
68 藤田亮策, 「朝鮮 古文化財の保存」, 『朝鮮學報 第1輯』, 1950년 5월.

●石物竊賣者審査 竹山安氏의先祖延昌尉同配位貞懿公主兩墓所가楊州郡古州內面元堂里에在ᄒᆞᆫ디沈根燮爲名人이金文煥과符同ᄒᆞ야該墓所石物中長明燈二座、香爐石一座를竊取ᄒᆞ야巴城舘에放賣ᄒᆞᆫ故로該子孫等이四面으로沈根燮을搜索ᄒᆞ야西大門分署에告發ᄒᆞᆫ바該署에서沈某를捉囚ᄒᆞ고審査ᄒᆞᄂᆞᆫ中이라더라

는 다음과 같은 기사가 있다.

석물투매자 심사. 죽산 안씨의 선조 연창위先祖延昌尉 동배위정의공주同配位貞懿公主 양 묘소가 양주군 고주내면 원당리에 있는데 심근석이라는 자가 김문환과 부동하여 해 묘소 석물 중 장명등 2좌, 향로석 1좌를 절취하여 파성관에 방매한 고로 해자손 능이 사방으로 심모를 수색하여 서대문분서에 고발한바 해 서에서 심모를 심사하는 중이라더라.

사찰령 시행 처무방법 통첩

사찰령 시행에 관한 처무방법에 대하여 야마가타山縣정무총감은 각도 장관에게 대하여 다음과 같이 통첩하였다.[69]

사찰령 시행에 관한 처무處務방법의 건

사찰령에 의하여 주지의 취직 및 사찰법의 허가신청서 및 사유재산목록을 제출케 함에 대하여 다음 각항에 의하여 처리하되

1. 각 사찰에 공히 현금 적법의 주지가 없음으로써 9월 1일부터 3월 이내

69 『每日申報』 1911년 9월 10일자.

에 일제히 주지를 정하고 사찰령시행규칙 제2조의 구분에 의하여 그 취직의 인가를 신청케 할 사.
전항의 허가를 신청하는 경우에는 사법인가 이전에 관계함으로써 각사 주지를 정하는데 관례를 인정함에 대하여는 신중한 조사를 추진할 사.
2. 도장관이 주직취직허가신청서를 수리할 시는 다음 구분에 의하여 취급할 사.
(갑) 사찰령시행규칙 제2조 제1항의 사찰에 대하여는 주지의 선정방법이 유래의 관례에 위배치 아니한지 그 여부, 당선자는 적임으로 인정하는지 그 여부를 조사하고 의견을 부쳐 조선총독부에 진달進達할 사.
(을) 사찰령시행규칙 제2조 제2항의 사찰에 대하여는 전항에 준하여 조사를 추진하여 지장이 없음으로 인정할 시는 인가하고 여치 못할 자는 사려思慮하는 시는 상황을 갖추어 조선총독부의 지휘를 청할 사.
3. 사법은 주지 취직인가 후 각본사의 주지로 하여금 9월 1일부터 기산起算하여 5월 이내에 사찰령시행규칙 제7조에 정한 사유재산목록서를 제출하고 그 후의 증멸이동增滅移動은 5월 이내에 신고할 규정에 대하여 그 기한을 오誤치 아니하도록 주의할 사.
전항의 재산목록서 및 그 증멸이동의 신고를 수리할 때는 상세하게 조사하고 만약 미상함으로 인정되는 때는 도 또는 부군의 관리로 하여금 점검조사케 한 후 진달의 수속을 할 사.

9월 이왕가박물관 본관이 건조되있다. 동관은 창고 겸용의 연와건물(지하실

함께 延坪220평)로 수집품을 진열하고 일반에게 관람케 했다.[70]

1911년 10월 1일

어을동 고성지 조사

1911년 9월 세키노 일행은 총독부 촉탁으로 제3회 고적조사를 하기 위해 24일 평양에 도착했다. 강동, 성천방면의 유물을 조사할 목적으로 강동으로 향할 예정이었는데 26, 27일 양일간 비가 내려 일정을 변경하여 28일 삼화방면을 시찰하게 되었다. 이는 1909년 제1회 조사 때 시라카와白川正治로부터 삼화의 우산록에 석곽을 가진 고분이 있다는 것을 들었기 때문에 이를 조사하기 위해서다. 그런데 동일 열차로 진남포에 도착하여 도미타富田儀作 경영의 도자기공장을 보게 되어 의외의 시간을 소비하게 되어 삼화로 향하다가 날이 어두워져 용강에서 1박을 하게 되었다. 용강에서 세키노 일행은 용강군청을 방문하여 용강군수 인덕룡因德龍으로부터 『용강군지龍岡郡誌』를 빌려보게 되었다. 『용강군지龍岡郡誌』에서 어을동토성於乙洞土城의 명名을 발견하고 군수에게 물으니 군의 서방 2리에 성지城址가 유존한다는 이야기를 듣게 되었다. 세키노 일행은 용강군지에 나타난 어을동고성於乙洞古城이 『동국여지승람』 성곽 조에 어을동고성이 게재되어 있는 것과 동일한 것임을 후일 알게 되었다.

---

70 李王職 編,『李王家美術館要覽』, 1938.

토성지 발견와(도쿄대 공과대학 장, 고적도보1, 도판120)

세키노 일행은 그 이름에 의존하여 군수에게 들은 황산의 부근에 토성이 존재할 것으로 알고 이튿날 30일에 황룡산성 위에서 서행 3리 온정리에 도착하여 온천에서 목욕을 했다. 10월 1일 귀도에 황산록의 고구려시대의 고분을 보고 다음으로 소위 어을동고성을 답사하여 방 4, 5백처 가량의 소토성 내부 경지에서 평와파편을 채집했다.[71]

1911년 10월 5일

한평동 한왕묘 발굴 조사

1911년 10월 5일 세키노 일행(關野貞, 谷井濟一, 栗山俊一)은 강동군 마산면馬山面 한평동漢坪洞에서 속칭俗稱 한왕묘漢王墓 또는 황제묘皇帝墓라는 고구려시대 고분을 발굴하였다. 그 변의 길이는 170척 높이 40척 규모의 웅장한 고분

71 關野貞 外 5人,『樂浪時代の遺蹟(本文)』, 朝鮮總督府, 1927.

한왕묘(『조선고적도보』)

으로 그 석곽 및 연도의 구조가 대성산 아래의 것과 동일한 것으로, 석재石材로 쌓고 석회를 두텁게 발라 그 위에 사신도 같은 것을 그렸는데 그것은 심하게 떨어져 거의 분별하기 곤란할 정도였다. 분의 외피는 전부 와편瓦片으로 쌓았는데 와편 중에는 안학궁지에서 출토된 것과 거의 동형식同形式이었음이 조사되었다.[72] 그런데 10월 10일에 이르러 봉토의 모퉁이가 일부 붕괴되어 인부 중 1인이 매몰되었다. 다행히 구하기는 했으나, 종래 이 고분을 발굴하면 흉사凶事가 있다는 미신이 있어 동네 사람들이 두려워했기 때문에 발굴을 일시 중지하였다가 몇 일이 지난 후 다시 발굴을 할 수밖에 없었다.[73] 이곳에서 어떤 유물이 얼마나 출토되었는지는 밝혀지지는 않았지만 일부 유물은 일본으로 가

72 『大正元年 朝鮮古蹟調査 略報告』, 朝鮮總督府, 1814, p.36.
73 「樂浪郡 時代」, 『古蹟調査 特別報告 第4冊』, 朝鮮總督府, 1927.

져갔으며[74] 1912년에는 이 유물 중 일부를 도쿄제국대학 공과대학에서 개최한 전람회에 전시되기도 했다.[75]

『조선고적도보』 제2책에는 도쿄제국대학 문과대학 소장 헌환와軒丸瓦 3점과 공과대학 소장의 평와, 환와 각 1점이 수록되어 있고 조선총독부박물관 소장의 호 1점의 사진이 수록되어 있다. 그런데 다니 도요노부谷豊信에 의하면 현재 도쿄대학 문학부열품실에는 『조선고적도보』 제2책에 게재된 헌환와 1점이 소장되어 있으며, 도쿄대학 종합연구자료관에는 『조선고적도보』 제2책에 게재한 것을 포함하여 헌환와편 1점, 환와편 2점, 평와 13점을 보관하고 있다고 한다.[76]

도쿄대학 공학부 건축학 연구실을 조사한 정인성은 당시 한왕묘에서 출토된 기와 중 도쿄대학으로 반출된 기와가 보고에서 알려진 것보다 많다는 것을 확인했다. 정인성은 "우선 암키와는 1점이 아니라 12점이었으며, 수키와는 2점이었다. 다만 막새는 원래 건축학 연구실에 보관되어 있던 것 중 1점이 문학부 고고학실로 옮겨졌고 나머지 2점은 행방을 확인 할 수 없었다"고 한다.[77]

---

74 『朝鮮古蹟圖報 第2册』에 漢王墓 發見瓦 5점이 동경 문과대학장(도판번호 439-441), 동경 공과대학장(도판번호 442)으로 수록되어 있다.

75 「東京大學 工科大學 建築學科 第4回展覽會」, 『考古學雜誌』 第2卷 9號, 考古學會, 1912년 5월, 參照.

76 谷豊信, 「五世紀の高句麗の瓦に關する若干の考察」, 『東洋文化硏究所紀要』 제108册, 1989년 2월, p.277.

77 정인성, 「일제강점기 고구려 유적 조사 · 연구 재검토」, 『일본 소재 고구려 유물』, 동북아역사재단, 2008, p.31.

한왕묘 발견 와

품명	출토지	소장처 및 소장자	출처	비고
한왕묘 발견 와	평양 대동군 마산면	도쿄대 문과대학	『조선고적도보』 2, 도판439	
한왕묘 발견 와	평양 대동군 마산면	도쿄대 문과대학	『조선고적도보』 2, 도판440	
한왕묘 발견 와	평양 대동군 마산면	도쿄대 문과대학	『조선고적도보』 2, 도판441	
한왕묘 발견 와	평양 대동군 마산면	도쿄대 공과대학	『조선고적도보』 2, 도판442	
한왕묘 발견 와	평양 대동군 마산면	도쿄대 공과대학	『조선고적도보』 2, 도판442	

품명	출토지	소장처 및 소장자	출처	비고
한왕묘 발견 와	평양 대동군 마산면	도쿄대 공과대학	『조선고적도보』 2, 도판443	
한왕묘 발견 와	평양 대동군 마산면		『조선고적도보』 2, 도판439	

1911년 10월 10일

금석문 및 참고자료 수집

총독부에서는 1911년 10월 10일에 각도 장관, 부윤, 군수 앞으로 금석문과 그 밖의 참고자료가 될 만한 것을 수집하기 위해 그 수집을 종용한 바, '사적조사 자료 수집 건'의 주요 내용은 다음과 같다.

> 사적 조사상 필요하다고 생각되는 각 관내 소재의 비각이나 건설의 비문과 표방標膀의 편액에 기록된 전문을 베끼거나 또한 한데 모아서 부윤, 군수는 12월 31일까지 도 장관에게 제출하고 도 장관은 메이지明治45년(1912) 1월 31일까지 송부하여 주시기를 통첩함.[78]

78 官通牒 第290號, 1911년 10월 10일(總督府 官報 第337號).

1911년 10월

사찰령 위반 주지

진월사陳月寺는 경상북도 영주 평은면 용혈리 학가산에 있는 절인데, 주지 마동영은 그 관리에 관계한 목불 2개 가액 250원을 휴대 도주하였다.[79]

고 엄비嚴妃의 막대한 유산이 경성부 내와 인천, 부산, 전남, 평남, 황해 지방에 산재하여 있으므로 조사원을 파견 조사하다.[80]

대방태수장무이묘 및 당토성 조사

세키노 일행은 강동군 마산면 한평동에서 고구려시대의 고분을 발굴하던 중 10월 10일에 이르러 봉토의 일부가 붕괴되어 인부 중 1명이 매몰되고 2명은 반이나 매몰되는 사고가 발생하여 발굴을 중지하고 수일 후에 다시 재개하기로 하고 다음날 출발 12일 평양에 귀착했다.

10월 14일에는 평안남도 사무관 시노다 지사쿠篠田治策가 수 일전 안주에 출장하여 도중에 채집한 전편塼片을 보게 되었다. 이 전은 대동강면의 것과 동양

79 『每日申報』 1911년 10월 4일자.
80 『每日申報』 1911년 10월 1일자.

대방태수 장무이묘

식으로, 이는 안주 부근에 낙랑시대의 유적이 있을 것으로 생각하여 야쓰이 세이이치谷井濟一가 그 조사를 담당하게 되었다.

세키노는 별도로 봉산군을 향하였는데, 이에 앞서 세키노는 이왕가박물관에서 봉산군에서 출도한 것이라고 하는 선塼의 명銘에 「태강원년삼월팔일왕씨조太康元年三月八日王氏造」라는 것이 있어 그 발견 지점을 찾기 위하여 봉산군에 오게 된 것이다. 세키노는 10월 14일 봉산군청에 이르러 이 전 출토 지점에 대해 상세히 문의를 하여, 사리원역 남 약 2리 반 은파의 서방 도묘평에 다수의 고분이 있다는 것을 듣게 되었다. 10월 15일에 이곳을 답사하여 그 부근에 산재한 전편의 형식으로부터 낙랑군의 고분과 동시대의 것이라는 것을 알게 되었다.

세키노는 사리원역을 향하던 도중 역의 동남 약 15정 철도선로의 측에 하나의 대분大墳으로 생각되는 그곳에 이르러 조사를 하였다. 그 위에서 「어양장漁陽

張」등의 명자銘字의 전편 수개를 얻게 되어, 이 고분의 현실이 문자명 전으로 건축한 것을 알게 되었다. 즉시 밤에 평양에 돌아와 이튿날 16일에는 다시 한평동에 이르러 발굴조사를 마쳤다.

10월 21일 경성으로 귀착하여 당국과 협의한 결과 세키노, 구리야마 2인은 경주 방면의 조사를 하고, 야쓰이는 이 사리원 부근의 대총을 발굴하기로 했다.

야쓰이는 이 사리원 부근의 대총을 발굴하기 위해 바로 봉산군으로 향했다.

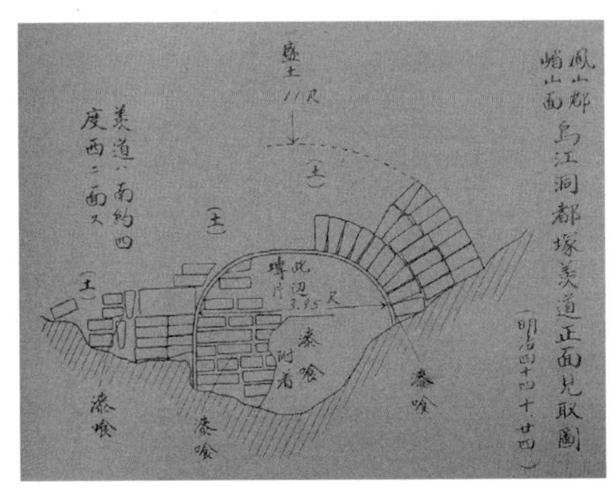

도총 견취도(谷井濟一의 약보고)

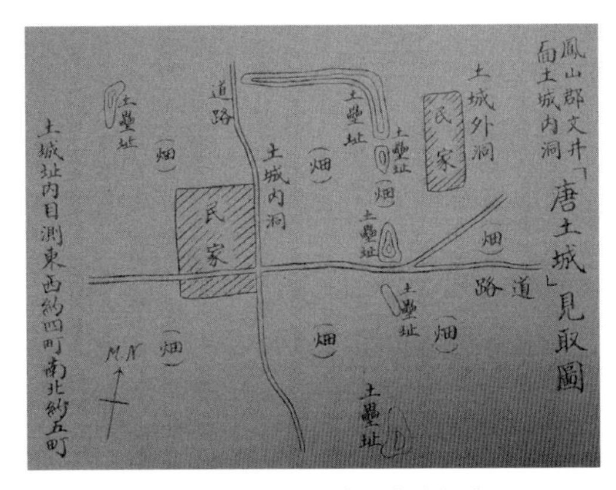

당토성 견취도(谷井濟一의 약보고)

야쓰이가 발굴한 이 고분은 경의선 사리원역 동남의 대고분으로 황해도 봉산군 마산면 조강동에 속하며 동네 사람들은 도총都塚이라 불렀다. 이 고분의 외형은 방대형으로 높이가 약 18척, 한 변의 길이가 약 1백 척이나 되었다. 이 고분의 연도羨道 좌측벽과 좌익실左翼室에서 '사군대방태수장무이전使君帶方太守張撫夷塼'을 발견했다. 좌익실에서 철편鐵片을 발견했으며 이 고분은 옛적에 이미 도굴된 것을 확인했다. 야쓰이의 발굴조사 결과 현실을 건축한 전에 '使君帶方太守張撫夷塼'

의 문자명의 발견으로 이 고분이 대방태수장무이에 속하는 것을 알게 되었다.

야쓰이는 다시 사리원역의 남방 1리 반의 곳에 당토성이라는 명칭을 육지측량부지도상에서 발견하고 그곳을 답사하였다. 황해도 봉산군 문정면 토성내동에 있는 토성지를 주민들은 이를 '당토성'이라 부르고 있었다. 토성 및 그 내부로부터 대동강면 출토의 것과 동양식의 와전, 도기의 파편을 채집하였다.[81]

도총에서 발견한 '使君帶方太守張撫夷塼' 문자명文字銘의 전을 비롯한 무수한 전을 획득하고 근처의 당토성에서 도기 파편 등을 획득하여 모두 도쿄제국대 공과대학으로 가져갔다.[82] 일본으로 반출된 수량은 알 수 없으나 도쿄대학 공과대학《건축학과 제4회 전람회》에 일부 전시되고, 또 사료전람회에 다시 전시되었다.

『조선고적도보』에는 '농경대 공과대학장' 으로 표기한 장무이묘 출토 와전이 수 점 게재되어 있다. 현재 도쿄대학 공학부 건축학연구실에 소장되어 있는 와전은 와 4점과 전 17점이 확인되었다.[83]

도쿄대 소장의 대방군치지 발견 와

품명	출토지	소장처 및 소장자	출처	비고
대방군치지 발견 와	황해도 봉산군 문정면	도쿄대 공과대학	『조선고적도보』 1, 도판 131,132	

81 谷井濟一, 「黃海道 鳳山郡ニ於ケル漢種族ノ遺跡」, 『朝鮮古蹟調査略報告』, 1914; 關野貞 外 5人, 『樂浪時代の遺蹟(本文)』, 朝鮮總督府, 1927.

82 1912년 4월에 동경대학 제4회 전람회에 전시되었으며, 『朝鮮古蹟圖譜 第1冊』 圖版131~133, 147~155가 東京帝國大 工科大學 藏으로 揭載되어 있다.
1912년 4월에 동경대학 제4회 전람회에 전시되었으며, 『朝鮮古蹟圖譜 第1冊』 圖版131~133, 147~155가 東京帝國大 工科大學 藏으로 揭載되어 있다.

83 이현혜 · 정인성 · 오영찬 · 김병준 · 이명선, 『일본에 있는 낙랑 유물』, 학연문화사, 2008.

품명	출토지	소장처 및 소장자	출처	비고
대방군치시 발견 전	황해도 봉산군 문정면	도쿄대 공과대학	『조선고적도보』 1, 도판 133	
대방태수 장무이묘 소용 전	황해도 봉산군 문정면	工藤壯平	『조선고적도보』 1, 도판 142	
대방태수 장무이묘 소용 전	황해도 봉산군 문정면	도쿄대 공과대학	『조선고적도보』 1, 도판 147~149	
대방태수 장무이묘 소용 전	황해도 봉산군 문정면	도쿄대 공과대학	『조선고적도보』 1, 도판 150~152	
대방태수 장무이묘 소용 와	황해도 봉산군 문정면	도쿄대 공과대학	『조선고적도보』 1, 도판 153~155	

고서화의 가격

『신한민보』 10월 18일자에는 다음과 같은 기사가 있다.

> 3만여 원짜리 명화
>
> 합병 이후로 전 대한인의 생활이 점점 곤란하여 가산을 탕진하는 자 많은 중 경향 간 유명한 옛집에서들은 조상 때부터 전래하는 보배를 다 내여 팔으니 일인 골동상들은 이 기회를 만나서 유명한 물건을 많이 사는데 근일에 즌고개 근동이라 하는 일인 상점에서 명화 한 폭을 얻었으니 이는 거금 430년 전 명나라 재상 양분중의 문화 산수 1폭이라 이 그림은 현금 일본 대판 시장에서 3만 3천3백 원에 팔렸다 하니 이 그림을 팔아먹은 자도 응당 배를 앓으리로다.

●삼만여원자리명화 합병이후로젼대한인의생활이졈々곤난ᄒᆞ야가산을탕진ᄒᆞ는자만흔둥경향간유명ᄒᆞᆫ넷집에셔들은조샹ᄯᅢ부터뎐래ᄒᆞ는보ᄇᆡ를다내여팔으니일인골동샹들은이긔회를맛나셔유명ᄒᆞᆫ물건을만히사는ᄃᆡ근일에즌고ᄀᆡ근동이라ᄒᆞ는일인의샹뎜에셔명화ᄒᆞᆫ폭을얻엇스니이는거금ᄉᆞᄇᆡᆨ삼십년젼명나라지샹량문충의문화산슈일폭이라이그림은현금일본대판시댱에셔삼만삼쳔삼ᄇᆡᆨ원에팔녓다ᄒᆞ니이그림을팔아먹은쟈도응당ᄇᆡ를알을이로다

1911년 11월 29일

석조물 보존의 통첩

오래전부터 폐사지에 남아 있던 석조물이나 의병항거 시에 일본군에 의해 소삭된 폐사지에 남아 있던 석조물들이 외지로 성하게 반출되었다. 석조물의

반출이 성하게 되자, 1911년 11월 29일 자로 정무총감은 각도 장관, 부윤, 군수에게 다음과 같은 취지의 통보를 하였다.

> 관통첩 제359호 정무총감
>
> 각도 장관, 부윤, 군수 완宛
>
> 고비古碑, 석탑石塔, 석불石佛, 기타 석재石材에 조각彫刻이 있는 건설물보호방취체建設物保護方取締에 관關한 건件
>
> 근래 각 지방 폐사 유적과 기타 황폐되어 버려진 곳에 있는 고비, 석탑, 석불 기타 석재에 조각이 된 건설물을 매매하거나 다른 곳으로 이전하려는 자가 종종 있는 바 앞의 폐사지와 기타 황폐된 땅에 정착하여 고대로부터 전래되는 물건은 역사의 고증이나 미술의 모범으로서 영구히 보존해야 할 국가 귀중의 보물로서 원래부터 인민의 사유물이 아님은 물론임으로 지방 인민이 간교한 자의 유혹에 빠져 앞의 귀중한 국유물을 사칭하여 매매계약을 하거나 또는 다른 곳으로 이전하여 사적의 상실을 되돌아보는 것과 같이 비행을 감행하는 자가 없도록 엄중히 감시하여 주시기를 통보함[84]

관통첩 제359호에 대해 『매일신보』 1911년 12월 1일자에는 '고물보존의 통첩通牒' 이란 다음과 같은 논설을 게재하고 있다.

84 朝鮮總督府 官報, 1911년 11월 29일.

고물보존의 통첩通牒

근일 경성 내에 가옥 및 정원을 신수新修하는 곳을 보면 필히 석탑, 고비, 석불 등을 고가 매입하니 이는 대략 각 지방의 전우사찰殿宇寺刹 및 한광지閑曠地에서 유존한 것을 몰각몰지한 조선인을 약간의 금전으로 기만欺瞞하여 수백수천년 국가의 귀중한 고물을 파괴하여 어떤 시대의 건립과 어떤 사람의 사업을 아울러 무거無據에 돌아가게 함은 인민 풍화상에 큰 관계가 있으므로 당국에서 이를 파악하여 일면一面으로 매도자의 모인죄冒認罪를 실행하며 또 매수의 간상奸商도 차제로 특별제재特別制裁를 가할 터이라 하여 금회 山縣 정무총감으로부터 각도 장관 및 부윤 군수에게 통첩을 반히였는데 대략은 근래 각 지방에 산재한 황폐사찰의 기지, 고비, 석탑, 석불, 석재조각의 건축물 등을 매매 또는 이전하는 자가 왕왕 있는 바 이는 고대로부터 전래하는 역사의 고증 또는 미술의 모범으로 영구 보존할 국가 귀중의 보물이오 인민의 사유물이 아님은 물론이라. 그러나 지방인민이 악상배惡商輩의 유혹에 미迷한바 되어, 귀중한 국유물을 모인冒認하여 매매의 계약을 하고 또는 타로 이전하여 사적의 상실함을 불고不顧함과 같은 비행을 하는 자가 있다고 하니 실로 무엄無嚴을 극極하는 자이라. 해당 관헌의 엄중 감시하라 하였으니,

<중략>

지방의 동리명을 고찰하건데 왕왕 고물로 유래함이 많아 혹 비동이라 혹 탑리라 하여 조부자손이 전해오던 것을 일시 금전의 욕심을 이기지 못하여 이를 타인에게 매매 이거하여 이동 일리의 산천초목으로 하여금 정채精彩를 잃게 하니 파는 자는 족히 인도人道로 책할 바 없거니와 해당 동 해당 리의 사람이 어찌 이를 참으리오. 고물 소재지 인민은 우미愚迷를 자각

하여 자기 동, 자기 리의 수천백년의 정채精彩를 잃지 말지어다.

관통첩 제359호와 관련하여 『매일신보』에는 다음과 같은 기사를 추가하고 있다.

고물보존의 통첩

근래 각지방에 산재한 폐사찰의 기지, 고비, 석탑, 석불, 석재조각의 건축물 등을 매매 또는 이전하는 자가 왕왕 있어 이는 고대로부터 전래하는 역사의 고증 혹은 미술의 모범으로 영구 보존할 국가 귀중의 보물이오 인민의 사유물이 아님은 물론이라 그러나 지방민이 간활奸猾한 자의 유혹에 빠져 귀중한 국유물을 모인冒認하여 매매의 계약을 하고 또는 다른 곳으로 이전하여 사적의 상실을 불고不顧함과 같은 비행을 감행하는 자가 왕왕 있다하니 이는 실로 무엄을 극한 자이라 해당 관헌은 엄중 감시하라는 지旨로 작일에 야마가타山縣정무총감으로부터 각도장관, 부윤, 군수에게 통첩이 있었다(『매일신보』 1911년 11월 30일자).

古物保存의通牒

近來各地方에散在ᄒᆞᆫ荒廢寺刹의基址、古碑、石塔、石佛、石材彫刻의建築物等을賣買又ᄂᆞᆫ移轉ᄒᆞᄂᆞᆫ者ㅣ往々有之ᄒᆞᆫ바是ᄂᆞᆫ古代로브터傳來ᄒᆞᄂᆞᆫ歷史의考證或은美術의模範으로永久保存ᄒᆞᆯ國家貴重의寶物이오人民의私有物이안임을勿論이라然이나地方人民이奸猾ᄒᆞᆫ者의誘惑에迷ᄒᆞ야右陳貴重의國有物을冒認ᄒᆞ야賣買의契約을爲ᄒᆞ고又ᄂᆞᆫ他로移轉ᄒᆞ야史蹟의喪失을不顧ᄒᆞᆷ과如ᄒᆞᆫ非行을敢爲ᄒᆞᄂᆞᆫ者ㅣ往々有之ᄒᆞ다ᄒᆞ니是ᄂᆞᆫ實로無嚴을極ᄒᆞᄂᆞᆫ者이라當該官憲은嚴重監視ᄒᆞ라ᄂᆞᆫ旨로昨日에山縣政務總監으로브터各道長官、府尹郡守에게嚴切ᄒᆞᆫ通牒이有ᄒᆞ얏다더라

고물 고탑 등 취체

폐사 및 기타 지방에 존재한 고비, 고탑, 석불 기타 석재에 조각한 건설물 매매 및 이전 등의 방지에 관하여 산현 정무총감이 각도 장관에게 엄절嚴切한 통첩을 발하였다함은 기보하였거니와 경무총감부에서도 직할 본, 분서장, 헌병대장과 경무부장에게 대하여 엄중히 취체取締하도록 통달이 있었다더라(『매일신보』 1911년 12월 3일자).

구한국시대에 백주에 총검을 들이대고 후손이 보는 앞에서 도굴을 감행하는 일까지 빈번했으니, 고분묘의 석조물이나 무주눌처럼 버려져 있던 산간벽지의 폐사지에 남아 있던 석조불을 옮기는 데는 별 어려움이 없었을 뿐 아니라 몇 푼의 일당을 주고 주민들을 동원하여 석조물들을 이반하였다. 또한 탑이나 사리부도 속에 있는 사리장치舍利裝置 그 자체가 우수한 미술품이므로 산간벽지의 폐사지에 있는 석탑이나 부도를 넘어트리고 그 안의 보기寶器를 훔쳐 가기도 했다.

통첩을 발하기 50여 일 전, 『매일신보』 1911년 10월 6일자의 '고건축물의 보호'란 제하의 논설에는 당시의 상황을 다음과 같이 기술하고 있다.

모 지방을 물론하고 그 경境에 입入할 시에 1개의 고물이 없으면 그 인민의 고루孤陋함을 가히 추지推知하며 혹 고물古物이 있을지라도 퇴폐황량頹廢荒凉하면 그 인민의 저하低下함을 역시 가히 추지할지로다. 아 조선은 4천년 고역古域이라 영적기관靈蹟奇觀이 수천수만에 멈추지 않고 족히 세계에 자랑할 만한 가치가 있으나 만근이래挽近以來로 인민의 정도가 악착불인齷齪不仁하여 숭류이상의 사람도 일호一毫의 애고념愛古念이 결핍缺乏함으로 고인의 정력이 만초에 매몰하여 혹 석탑 혹 석불 등의 귀중품이 폐지廢址에 유존하면 이를 불상물不祥物이라하여 그 좌우를 개간하는 것도 있고 혹 그 전면을 타파打破하여 박락한 것도 있으며 혹은 전부 매몰한 것도 있으니 어찌 개탄하지 안으리오.

근일에 이르러 내지인(일본인)의 간상배奸商輩가 이를 몰래 매수하는 폐가 왕왕하므로 우치愚癡한 조선인은 약간의 금전에 수천년 고물을 옮기거나 훔치니 이러한 자들은 족히 책할 바 무하거니와 저 간상배는 조금 지식이 있다는 부류로 어찌 이와 같은 불인不忍의 사事를 행하느뇨.

토지조사와 더불어 동산 부동산의 개념이 생기고 이에 따라 사유지에 있는 석조물들이 개인 사유물로 취급되면서,[85] 매매 형식을 취하여 반출되는 사례가 빈번하였다. 그러나 이를 규제할 수 있는 마땅한 법규가 없었다. 단속을 해야 하는 일본인 관원과 매수자가 한통속이 되어 일본으로 반출하기도 했다. 용문산 상원사, 보리사, 사라사 등은 일병들의 방화로 폐사로 변하자 석조물 등은 무주물이 되어 외지로 반출되었다.

초기 한국 고건축을 조사한 세키노도 "석불 및 석탑류는 천여 년을 경과한 귀중품인데 왕왕 각사원에서 보존의 도道를 강구講究히 아니하고 내지인內地人(일본인)의 간상奸商 등에게 방매하는 등의 일이 있음은 실로 유감遺憾이라"[86]하고 있다.

세키노는 1911년에 고적조사를 하면서 이미 외지로 반출된 석조물에 대해

---

85 總務局長이 中樞院書記官長에게 보낸 「宮城寺刹 等의 廢址에 存하는 塔碑 等에 관한 舊慣調査 件」(總第225號), 中樞院書記官長이 總務局長에게 보낸 「宮城寺刹 等의 廢址에 存하는 塔碑 等에 관한 舊慣調査 件」(大正6년 5월 29일 朝中 第132號).

86 『每日申報』 1911년 10월 4일자.

「메이지44년 촬영 조선고적사진목록」에 일부 남기고 있는데, 이미 널리 알려진 귀중한 석조물들이 개인의 사유물이 되어 목록에 올라있다. 이 같이 널리 알려진 귀중한 석조물들이 개인의 사유물이 되어 버젓이 매매가 이루어지거나 개인의 정원을 장식해도 이를 저지 압수하지도 못했다.

1911년 11월

청풍회(淸風會) 조직

후치가미 데이스케淵上貞助, 곤도 사고로近藤佐五郞, 야마구치 세이山口精의 발기로 청풍회가 조직되었다. 청풍회는 풍속 조사를 목적으로 관민 유지를 망라하여 조직하고, 신고미술품전람회, 서화, 생화, 다탕茶湯 등의 회합을 개최하는 것을 목적으로 하고 있다. 이에 따라 제1회 미술전람회는 1911년 11월 12일 상업회의소에서 개최하였다. 전람회에는 어떤 것이 출품되었는지 구체적으로 알려진 것이 없다.[87]

◉淸風會組織 淵上貞助近藤佐五郞及山口精氏의發起로風俗을調査홀目的으로官民有志를網羅ᄒᆞ야淸風會를組織ᄒᆞ고新古美術品展覽會、書畵、生花、茶湯、音樂等의會合을時々開催ᄒᆞᆫ다ᄂᆞᆫᄃᆡ美術品展覽會第一回ᄂᆞᆫ來十二日商業會議所樓上에서開設홀터이오又ᄂᆞᆫ當日에在京畵家一同을招待ᄒᆞ야席上에서揮毫ᄒᆞᆫ다더라

『매일신보』 1911년 11월 8일자 기사

87 『每日申報』 1911년 11월 8일자.

회원 중의 한 명인 야마구치 세이山口精는『조선재주 내지인실업가 인명사전』에 의하면 1904년 미농도기조합美濃陶器組合의 촉탁을 받아 조선과 청국의 각지를 시찰하고 조선이 유망하다고 여겨 1906년에 한국에 건너와 경성에 정착했다. 1908년 5월에는 경성에 경성도서관을 설립했으며, 1909년에는 경성의 일본인상업회의소 서기장을 맡았고, 1918년 11월 경상남도 통영에 나전칠기주식회사를 창립하고 자신이 전무이사에 취임했다. 1911년에는『조선산업지朝鮮産業誌』寶文館를 저술하기도 했다.

함경북도장관 다케이 도모사다武井友貞는 그 관하 각 군 사찰에 있는 고서 등을 조사하여 내무부로 보고했다.[88]

1911년 11월에 서울 남산동에 요시무라吉村골동품점이라는 상점을 열었다.

요시무라 이노키치吉村亥之吉는 1904년 러일전쟁이 일어나자 한국으로 건너와 대구에서 효시日吉상회라는 상점을 운영하다 1911년 11월에 서울 남산동에 요시무라吉村골동품점이라는 상점을 열었다고 하는데, 이 자가 대구에 있을 때 골동과 관련했는지는 알려져 있지 않다.

같은 해

개성에는 이름 있는 고물상만도 4곳이나 있었다.[89]

88『每日申報』1911년 12월 2일자.
89 岡本喜一,『開城案內記』, 開城新聞社, 1911.

1911년에 간행한 『개성 안내기』에, "고려소는 고려시대의 고도기로서 골동가가 이를 애완하여 1개의 화병, 다완들의 가격이 수백원의 고가로 팔렸으며 이러한 등의 고려소는 개인의 비장으로 전해지는 것은 없고 오직 고분에서 발견되고 있으며 많은 것은 근시近時에 그 이름을 나타낸 것이다."[90]라 하고, 개성에 일본인 고물상이 4곳이 있다고 한다. 이들은 모두 고려자기를 취급한 골동상들로 추정된다. 이 책자의 광고란을 보면, 인삼 판매점이나 일반 상점에서도 고려소(고려자기)를 취급한 것으로 나타나 있다. 고려자기의 가격이 급등하고 너도나도 고려자기를 찾게 되자 개성일대에서 도굴한 고려자기를 사모아 개성의 특산물처럼 버젓이 상점에 진열하여 판매하였던 것이다.[91]

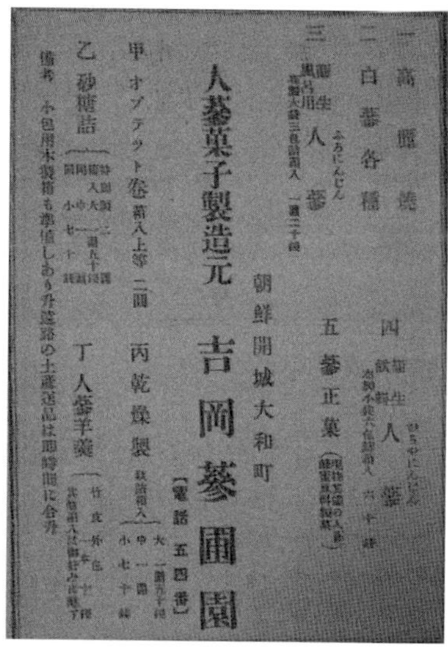

『개성안내기』광고란에 실린 高麗燒(고려자기) 판매 광고

90 岡本喜一, 『開城 案內記』, 開城新聞社, 1911.
91 정규홍, 『유랑의 문화재』, 학연문화사, 2009.

우리 문화재 수난일지

1912년

1912년 2월 3일

大興寺、官舍回祿

去三日午前零時에全羅南道順天郡月登面鳳頭山大興寺에서는無根의火가起ᄒᆞ야家屋一棟과佛堂一棟이被燒ᄒᆞ얏고住持僧一名이燒死ᄒᆞ얏고同三時頃에鎭火ᄒᆞ얏는ᄃᆡ其原因은何許者가含嫌ᄒᆞᆫ事이有ᄒᆞ야放火홈과如ᄒᆞᆫ지라日下事實을調査ᄒᆞᄂᆞᆫ中이라ᄒᆞ고去十二日午後八時頃에京釜線密陽郡停車場官舍에서起火ᄒᆞ야官舍一棟이沒燒ᄒᆞ얏는ᄃᆡ同九時에鎭火ᄒᆞ고其原因과損害額은目下調査ᄒᆞ는中이라더라

『매일신보』 1912년 2월 15일자 기사

3일 오전 0시에 전남 순천군 월등면 봉두산 대흥사大興寺에서 원인모를 화재가 발생하여 불당 1동을 소실했다.[92]

1912년 2월 9일

인천 화도진(花島鎭)에서 석기(石器) 발견

1912년 2월 9일 와다 유지和田雄治의 우인 오다 유키치太田興吉가 화도진 그의 소유지 내를 산책하다가 우연히 석부石斧 2개를 얻었다. 이를 와다 유지和田雄治는 이 해 5월에 인류학회에 보고했다.[93]

『매일신보』 1912년 2월 25일자에는 다음과 같은 기사가 있다.

> 인천 화도진花島鎭에서 발견. 인천 송림산록에서 선년先年에 인천관측소 가가와 기수香川 技手가 소형의 석부石斧를 발견하여 와다和田 관측소장에게

92 朝鮮佛教月報社, 『朝鮮佛教月報』, 1912년 3월; 『每日申報』 1912년 2월 15일자.
93 和田雄治, 「朝鮮仁川に 於ける 石斧の 發見」, 『人類學雜誌』, 第27卷 第4號, 1912년 5월.

증여贈與하였더니 동씨同氏는 인류학상 호개好個의 자료라 하여 동경제국대학에 기증한 사事이 유有하였고 그 후에 동 관측소 구내 및 와다和田 소장관저 부근에서는 석기류石器類와 흡사恰似한 것을 다수 발견한 사事이 유有하였고, 지난 9일에 석부石斧 2개를 인천 산근정山根町에 거주하는 오다 유키치大田與吉 씨가 소유지구所有地區되는 인천부 다소면 수유동 인천피병원仁川避病院의 남 2정 여를 떨어진 원화도진元花島鎭 서측에서 발견하여 고기물 감정에 대하여 다대多大의 취미와 경험이 있는 와다 기사和田 技師에게 감정을 걸乞하였는데 <중략>

동기사同技師의 감정에 의하건대 석질은 인천지방에 희유稀有한 사암砂岩인데 유구琉球, 석원石垣 등에서 누누발견屢屢發見한 석부石斧와 흡사恰似하여 소少하여도 오천년 이전의 원시인종이 제작하여 육류肉類의 조리調理 등에 사용한 것이라 하였다는데 해 석부該 石斧는 필연 태고 원시인종이 해안에 거주하여 축築한 패총貝塚에서 발굴한 것인 듯하다 운云하더라.

1912년 2월 23일

주지가 없는 사찰로서 이를 폐지할 경우에는 그 사찰의 본사가 현재의 토지 건물 기타 재산처분 방법 등 상세한 사유를 구비하여 폐사廢寺의 허가를 받도록 하다.[94]

94 『朝鮮總督府官報』 1912년 2월 23일자.

1912년 2월

고물 보존방법 계획

조선의 관유재산 및 사찰 등에는 그 건축물 및 서화, 석기 등에는 보존해야 할 귀중한 것이 많아 내무부 및 영선과에서 그 보존방법을 계획하다.[95]

『매일신보』 1912년 2월 25일자에는 다음과 같은 논설을 게재하고 있다.

> 고물 보존의 필요
>
> 조선은 4천년 고역古域이라 관유 및 사찰에 전래하던 건축물, 서화, 석물 기타 각종 고물 중에 귀중품이 많은즉 불가불 내지의 국보와 동양同樣으로 취급함이 지당하다하야 목하 내무부 및 영선과에서 해 보존방법을 입안 중이라 하니 이는 조선 고물계에 일대 행운이 회回하였다 할지로다.
>
> 대저 민족이 유有한 연후에는 필必 역사가 유有하야 고인의 사업과 명예와 성정性情을 권중卷中에 상전相傳하야 천백 년 후이라도 왕왕往往 기감起感하거던 고물은 문자에 그칠 뿐만 아니라 고인의 수택手澤이 이에 존재하니 가히 활역사活歷史를 불애不愛하리오.
>
> 고로 문명열방은 고물을 애愛하는 벽癖이 특심特甚하야 고물에 속한 자者는 수무용품雖無用品이라도 중보와 같이 보존하며 타방의 역사로 전하던 고물이라도 천금만금을 불석不惜하고 이를 매입하야 자기 보寶를 작作하나니,

95 『每日申報』 1912년 2월 24일자.

약若 자기 나라의 전래하던 고물을 유실 혹은 폐기하야 기천백년幾千百年의 유적으로 하여금 수류운공水流雲空에 귀歸케 하면 어찌 자괴自愧의 심心이 무無하리오.

조선은 백유년래로 인민의 정도가 저하하여 고물이 하물何物인지 불지不知하고 족히 구복口腹에 역역役役하야 수여하雖如何한 세수고물世守古物이라도 약간 금金을 견見하면 <중략>

가령 일석탑을 언言할지라도 모某시대에 모명사某名師가 모사적某事蹟으로 이를 세웠다하면 족히 기지인其地人의 공동보물이라 宜히 공동애지共同愛之하며 공동호지共同護之하야 일동一洞 혹 일군一郡의 명가名價를 증진하거늘 피우치촌민彼愚癡村民이 혹 전중田中에 매몰하며 혹 문자를 박락剝落하야 반反히 불상不祥의 물로 지知하다가 근일에 이르러는 간활배奸猾輩가 내지인內地人 혹 타국인에게 약간의 금전으로 투매偷賣하되 그 부근의 사람은 망연불고茫然不顧하니 인민의 정도가 어찌 차此에 지止하뇨.

일석탑으로 견할지라도 각종 고물이 무물불연無物不然할지니 당국 입안의 소이所以가 이에서 출함이라. 고물보존의 필요로 향일向日에도 설명한 바이 유하거니와 금회 국보조사에 대하여 다시 동포에게 경고하노니 아동아군我洞我郡에 고유한 물을 하필 당국의 힘을 기다려야 보존하리오. 각기 고물을 애愛하는 관념을 발發하여 군 혹 동에 존재한 고물을 공동애지하며 공동호지하는 동시에 제군가중諸君家中에 사유한 고물도 역위애호亦爲愛護할지어다.

1912년 2월 25일

함경남도 영흥군 안불사는 2월 25일에 실화하여 많은 피해를 입었다.[96]

1912년 2월

개성보승회(開城保勝會) 소직

1912년 2월에 개성의 관민 유지들이 발기하여 개성보승회를 조직했다. 보승회의 목적은 개성군 내에 있는 명승 사적을 보존하기 위한 것으로 명승 사적 및 건축물 보호 수리, 각 승지 사적지의 식수植樹 기타 유람자의 편의를 위한 설비, 명승 사적에 대한 책자, 도서 간행의 일이었다. 초대회장에는 군수 박우현, 부회장에는 경찰서장 경시 사이토齋藤金祐가 선출되었다.[97]

『매일신문』 1912년 2월 7일자에는 다음과 같은 기사가 있다.

> 개성보승회 설립
>
> 개성은 고려조 470여 년간의 왕도가 되었던 지로 만월대 이외 명승사적지가 파다頗多하되 다년 황폐에 위委하였음을 유감으로 하여 일로전쟁 중 당시 동지 병참사령관으로 있었던 고 우강右岡 소좌는 한국인과 상모相謀하

96 朝鮮佛教月報社, 『朝鮮佛教月報』, 1912년 3월.
97 紫竹金太郎, 『高麗之今昔』, 精華堂書店, 1914.

고 만월대에 일대목표一大木標를 세워 점차 식수코자 하다가 동씨가 전임한 후 이런 등의 계획도 중절되었더니 금회에 박 군수, 재등齋藤 경찰서장 기타 유지자의 발기로 개성보승회를 조직하고자 하여 지난 3일 군아郡衙에서 발기인회를 열고 설치의 결의를 위하고 불일 그 인가를 출원할 터이라는데 이 회는 명승사적지의 보존, 식수, 도로 수축 등을 목적으로 하고 널리 기부금을 모집한다는데 이미 수백원의 기부 신청이 있어 본년부터 3년간으로 만월대, 선죽교 등지에 앵풍櫻楓 등을 심고 기타 유람자에게 대하여 각종의 편의를 주기로 하였다더라.

개성보승회 규칙은 다음과 같다.

개성보승회 규칙[98]

제1조 본회는 개성보승회라 칭하고 사무소를 개성군청내에 둠.

제2조 본회는 개성군내에 있는 명승사적을 보존할 목적으로 다음에 열거하는 사업을 집행함.

1. 명승사적 및 건축물을 보호 수리할 사事.
2. 명승지 사적지의 식수植樹, 도로 수축 기타 유람자를 위하여 편의한 설비를 할 사.
3. 명승사적에 관한 책자 도서를 간행케 할 사.
4. 전 각항의 목적을 달성하기 위하여 금품의 기부를 권모勸募하고 그

98 『매일신보』 1913년 8월 21일자.

이식利殖을 도모할 사.

제3조 본회는 명승지 및 사적지 보존에 대한 의견을 관청에 구신具申할 사가 있음.

제4조 어떤 사람이든지 본회에 금품을 기부하는 자는 다음 구분에 의하여 회원으로 성명을 부책簿册에 등록하여 이를 영구히 보존함.

1. 특별회원 일시에 십원이상 또는 3개년 간에 매년 4원씩의 금품을 기부한 자.
2. 통상회원 일시에 5원 이상 또는 3개년 간 매년 금 2원씩의 금품을 기부한 자.
3. 간사 5명 내 1명은 회장이 개성군 서기 중에서 이를 위촉하고 4명은 개성군내 거주 회원의 호선互選에 의하여 취임함.
4. 평의원 약간 명 개성군내 거주회원의 호선에 의하여 취임함.

회장이 필요로 할 때는 평의원회 결의를 통하여 서기를 둠을 득함.

제6조 본회 사업은 평의원회결의를 통하여 이를 집행함.

단 중요한 것은 관청에 구신具申하여 지휘를 얻음이 가할 것으로 함.

제7조 평의원은 사업 집핸 및 회계를 감독함.

제8조 회원은 어느 때든지 사무소에 나아가 사업집행상황 및 회계 사무에 대하여 질문하거나 혹은 장부의 개시開示를 요구함을 득함.

제9조 사업경과 및 회계는 매년 1회 적당한 방법으로 이를 공시함이 가함.

제10조 본회 사업집행에 대하여 의견을 자문하기 위해 고문을 위촉할 사가 있음.

1912년 3월 12일

고물상 취체에 관한 제령시행규칙 제정

고물상의 수가 날로 늘어나고 불법이 난무하자 총독부에서는 난립하는 고물상들을 정리하고자, 1912년 3월 12일에 조선총독부령 제22호로 '고물상취체에 관한 제령시행규칙'을 제정 발표했다.[99]

고물상취체에 관한 제령시행규칙

제1조 고물상단속법에 규정한 행정청의 직권은 경찰서장(경찰분서장·경찰서장의 직무를 하는 헌병분대장·헌병분위소장을 포함. 이하 같다)이 행사한다. 다만, 영업을 금지하거나 정지 또는 영업의 금지나 정지를 해제하는 처분은 경무부장(경성에서는 경무총장. 이하 같다)이 한다.

제2조 ① 고물상영업의 면허를 받고자 하는 자는 다음 사항을 구비하여 경찰서장에게 신청하여야 한다.

1. 본적 · 주소 · 성명 · 생년월일 및 경력
2. 영업장소
3. 영업물품의 종류

② 고물상이 영업의 종류를 변경하고자 하는 때에는 경찰서장에게 신청하여 허가를 받아야 한다.

---

99 『朝鮮總督府官報』 제460호, 1912년 3월 12일자.

제3조 상속에 의하여 영업을 승계한 때에는 면허를 받은 것으로 본다.

제4조 영업자가 스스로 관리하지 아니하는 영업소 또는 점포를 소유한 때에는 업무를 담당할 관리인을 정하여 본적·주소·생년월일·경력 및 관리할 영업소 또는 점포명을 기재하고 관리인이 연서한 후 경찰서장에게 신청하여 허가를 받아야하며 관리인을 변경하고자 하는 때에도 같다.

제5조 ① 고물상으로서 행상을 하거나 노점을 하고자 하는 자는 경찰서장에게 신청하고 감찰을 받아 휴대하여야 한다.

② 고물상은 가족 또는 동거하는 고용인에 한하여 행상을 하게 하거나 노점을 내게 할 수 있다. 이 경우에는 전항의 수속에 의하여 감찰을 받아 휴대하게 하여야 한다.

제령

고물상의 취체取締에 관하는 건을 명치44년 법률 제30호 제1조 및 제2조에 의하여 칙재勅裁를 득하고 자에 공포함.

명치45년 3월 12일

조선총독 백작 寺内正毅

제령 제2호

고물상의 취체에 관하여는 고물상취체법에 의함.

부칙

본령은 명치45년 4월 1일부터 시행함.

(참조)

명치28년 3월 6일 법률 제13호

고물상 취체법

제1조 고물상이라 함은 주主로하여 1차 사용한 물품 혹은 물품에 기부幾部의 수입手入을 한 것을 말함.

제2조 고물상의 운영을 하고자 하는 자는 그 물품의 종류를 정하여 행정구의 면허를 받아야 함.

제3조 고물상은 면허를 받은 행정청의 관할내에 점포를 설할 때 행정청에 신고를 해야 함.

제10조 장물의 품촉品觸이 있는 때는 도달한 연월일을 그 품촉사서品觸寫書에 부기함이 가함.

품촉이 도달한 이후 6개월 내에 경찰관에 신고함이 가함.

제11조 고물상이 물품을 매매 혹은 교환할 때는 그 물품 및 매주, 양도주를 장부에 기재함.

제12조 물품의 매매 교환을 기재한 장부를 폐기코자 하는 때는 경찰관의 허가를 받아야 함.

제13조 경찰관은 범죄의 혐의가 있는 물품 혹은 유실물 또는 전염병 독오염의 물품으로 인정한 때는 아무 때라도 물품 및 장부의 검사를 하여 그 물품을 관압官押 또는 장부帳簿를 차출케 함을 득함.

제17조 고물상의 매수 또는 교환한 물품이 유실물 혹은 장물에 계係할 때는 경찰관이 징수하여 피해자에게 환부함을 득함. 만일 피해자를 알 수 없을 때는 징수한 일로부터 2개년 후에 피징수자에게 환부함이 가함.

1912년 3월 22일

3월 22일 밤에 경기도 양주군 접동면 봉영사奉永寺에 도둑이 들어가 나무로 만든 부처 2구를 훔쳐 달아났다.[100] 이 도둑은 1912년 5월에 체포되어 장물을 압수할 수 있었다.[101]

봉영사는 경기도京畿道 남양주시南楊州市에 있는 절로, 대한불교조계종 제25교구 본사인 봉선사의 말사이다.

1912년 3월

이왕가박물관 본관 낙성

이왕가박물관 본관 건물이 낙성되었다. 이 건물은 창경궁내 북쪽 언덕에 일본 고유의 건축 양식인 천수관天守館을 모방하여 1911년 9월에 착공하여 1912년 3월에 낙성을 하게 된 것이다. 이곳은 원래 사도세자의 비 혜경궁 홍씨가 거처하던 자경전慈慶殿이었던 곳이다. 이런 자경전을 헐고 그 자리에 일본 전통식 건물을 지어 박물관 본관으로 삼은 것이다. 즉 일본식 건물 속에 한국의 혼이 담긴 유물이 들어가게 된 것이다. 창고 겸용의 연와건물(지하실 함께 연평 220평)로 수집품을 진열하고 일반에게 관람케 했다. 그 해의 총 소장품은 12,230점

100 『每日申報』 1912년 4월 11일자.
101 『每日申報』 1912년 5월 10일자.

으로 기록하고 있다.[102]

이 건물은 1937년 일제가 덕수궁으로 미술품을 옮긴 후 이곳은 서고로 용도 변경하여 사용하게 되었다. 이때부터 장서각이란 이름이 붙게 되었다. 이후 광복 이후까지 각종 도서와 문헌이 보관되었다가 1981년 6만권에 달하는 장서가 정신문화연구원으로 이관되면서 빈 건물이 되었다.[103]

황해도 황산면 장수산 영암사影庵寺에 있는 불상 1구를 도난당했다.[104]

경성조선인고물상조합 결성

1912년 3월에 서울에서는 '경성조선인고물상조합'을 결성하게 된다. 발기할

102 李王職 編, 『李王家美術館要覽』, 1938.
103 『朝鮮日報』 1988년 3월 23일자.
104 『每日申報』 1912년 4월 7일자.

당시에는 조합장으로 윤치오尹致旿가 선출되고 조합원들이 합자하여 고물진열소까지 마련하였다. 그러나 얼마 지나지 않아 무슨 사정인지 윤치오는 조합장에서 사임을 하고 1912년 6월에 고물상조합에 당국의 인가를 받아 조합원 300여 명이 모여 서싱필을 조합장으로 선출하고 완전한 고물상조합이 결성되었다.[105]

* 윤치오尹致旿

일본인 골동상이 등장한 이후 한국인으로서는 서화 골동을 전문적으로 취급한 사람은 윤치오尹致旿로 보인다.

『한민족 독립운동사자료집 4』(105인 사건 신문조서)에는 1911년 당시에 종로의 윤치오 골동품점이 게재되어 있다.[106] 그가 1912년에 '경성한국인고물조합'을 결성하여 초대 조합장을 맡기도 한 점으로 본다면 상당히 활발하게 골동점을 운영하였을 것으로 추정되나 이 골동상점에 대해 구체적으로 알려진 것이 없다.

윤치오(1869~1949)는 도쿄경응의숙 출신으로 중추원참의와 구한국정부의 학부과장을 역임하였다. 윤치오는 한국인으로는 서화 수집의 선각자라 할 수 있다. 일찍부터 고서적과 고서화 수집에 취미가 있어 윤치오는 서화 때문에 가산을 탕진하였다고 한다. 1909년 12월에 간행한 『서북학회월보』(제18호)에 의하면, 윤치오는 추사의 글씨, 열성조어필첩, 고금 서화, 중국 고대 유명 화첩을 비롯한 많은 서화골동을 수집하였다고 한다. 또한 사저에는 도서루를 설치하

105 『매일신보』, 1912년 3월 28일, 29일,4월 9일, 6월 18일.
106 國史編纂委員會, 『韓民族 獨立運動史 4』, 1993.
1911년 민족운동을 탄압하기 위해 데라우치 총독의 암살 미수사건을 확대 조작하여 애국계몽 운동가들을 투옥한 105인 사건의 '柳東說 신문조서'에 나타나 있다.

고 3,000여 권의 동서고금의 서적을 진열하였다고 한다.[107]

사사키佐佐木에 의하면 한일합방 전에 고려시대 명품을 수집한 선각자라고 하고 있다. 그가 소장한 '고려청패의장상高麗靑貝衣裝箱'은 명품으로 알려 졌다고 하는데 나중에 어디에 처분을 하였는지 소재불명이라고 한다.

1912년 4월 1일

참사관실의 도서정리 및 수집

1912년 4월 1일에는 총독부 관제官制의 개정으로 취조국이 폐지되고 조선총독부 안에 참사관실參事官室이 설치되어 종래 취조국取調局에서 관리하던 모든 사무가 참사관실로 옮겨지자[108] 규장각도서도 모두 참사관실로 이관移管시켰다. 조선총독부 참사관실에서는 규장각 도서관리를 위하여 분실을 두고 도서의 인수를 하였다.[109]

도서의 정리는 참사관실에서 그 정리를 계속 행하여, 1912년 종친부서고宗親府書庫 즉 규장각[110] 장서 전부의 목록 및 대장을 작성하였다. 또한 결본 도서의 전보塡補, 봉화 및 오대산 서고의 서적 정리 등의 계획을 세웠다.[111]

107 金源極,「觀 學務局長 尹致旿氏 圖書樓」,『西北學會月報』, 1909년 12월.

108 勅令 第22號, 1912년 3월 27일.

109 愼鏞夏,「奎章閣圖書의 變遷過程에 對한 一硏究」,『奎章閣 5』, 서울대학교도서관, 1981, pp.74-75.

110 宗親府서고를 奎章閣이라고 부르는 것은 奎章閣本을 宗親府로 옮겼다는 것에서 유래한다(국사편찬위원회,『朝鮮舊慣 및 制度調査 沿革의 調査 第2冊』, 중추원조사자료(데이타베이스)).

111 國史編纂委員會,『朝鮮舊慣 및 制度調査 沿革의 調査 第2冊』, 중추원조사자료(데이타베이스).

참사관실에서는 계속해서 도서의 정리를 진행하는 한편 본부 소장 이외의 민간에 잔존한 조선도서를 모두 수집 보충할 목적으로 결본도서의 전보, 고도서의 매수, 사원 및 향교 보존의 도서목록 조사, 양반유생 소장 도서의 차수借受 등사 및 기부 기탁의 방법을 강구하는 등의 계획을 수립하였다.

이후 계속된 도서 수집은 직접 탐색 구입하는 외에도 1913년 2월에는 각 도지사 및 도 경무부장에게 통첩을 보내 차입借入 등사謄寫를 하고 기부를 받는 등의 방법으로 수집하기도 했다.

1914년에도 전년과 같이 정해진 방침에 근거해 경비가 허락하는 범위에서 수집하였고, 참사관실에서 구비하지 못한 것은 그 종류의 여하를 묻지 않고 어떤 것이든 참고할 만한 것은 극력 구입하거나 등사를 하였다. 1915년 10월에는 이와 같이 구입 및 등사한 것이 678부 2,539책에 달하였다. 또한 지방관아에 남아있는 기록부책류記錄簿册類는 발견될 때마다 이를 본부로 이관하여 함께 정리 보관하도록 했다.[112]

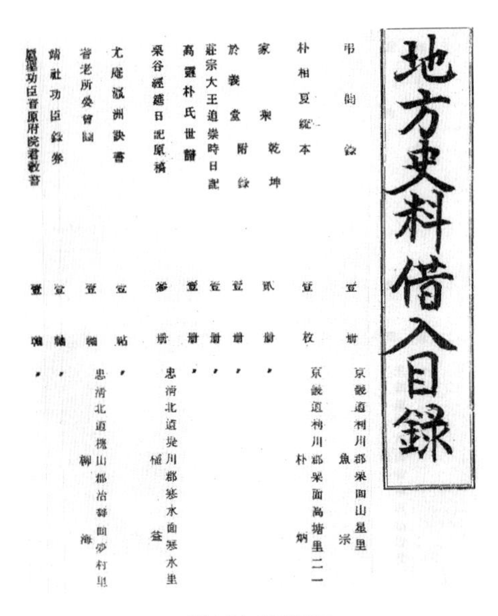
地方史料借入目錄

弔問錄 壹冊 京畿道利川郡栗面山星里 魚[illegible]宗

朴相夏縦本 壹枚 京畿道利川郡栗面高塘里二一 朴炳

家乘乾坤 貳冊 〃

於義堂附錄 壹冊 〃

莊宗大王追崇時日記 壹冊 〃

高靈朴氏世譜 壹冊 〃

栗谷經筵日記原稿 參冊 忠淸北道堤川郡寒水面寒水里 權益

尤庵[illegible]洲訣書 壹貼 〃

耆老所受曾圖 壹軸 忠淸北道槐山郡治[illegible]面[illegible]村里 柳海

靖社功臣錄券 壹軸 〃

[illegible]功臣晉原府院君敎書 壹軸 〃

지방사료 차입목록

112 국사편찬위원회, 『朝鮮舊慣 및 制度調査 沿革의 調査 第2册』, 중추원조사자료(데이타베이스).

1912년 4월 10일

도쿄대학《건축학과 제4회 전람회》

도쿄대학 공과대학에서《건축학과 제4회 전람회》가 1912년 4월 10일부터 3일간 대대적인 규모로 개최되었다.

이 전람회는 도쿄대학 교수들이 해외에서 가지고 온 유물들로 진열했다. 회장은 공과대학 본관의 제1실에는 이토伊東 교수가 최근 남청 지방에서 가져온 금석문, 건축사진, 기타 유물을 진열하였다. 제2실에는 이토伊東 교수가 인도, 중국에서 가져 온 사진, 탁본, 고와, 불상, 고지도 등을 진열하였다. 제4실에는 쓰카모토塚本 교수가 서구에서 가져온 유물을 진열했다.

조선관계 유물들은 제3실에 진열하였다. 조선관계 유물은 세키노 조교수, 야쓰이 문학사, 구리야마 공학사가 1909년부터 1911년까지 3회에 걸쳐 조선에서 가져간 것으로 낙랑부터 조선시대에 이르는 유물과 사진을 각 시대별로 구분하여 진열하였는데 그전에 비해 가장 수량이 많고 체계적으로 진열하였다.

『고고학잡지』 제2권 9호(1912년 5월)에 이 전람회의 관람기(「동경공과대학 건축학과 제4회 전람회」)가 있어 그 중 제3구역(제3실) 조선관계 유물에 대한 것을 옮겨보면 다음과 같다.

> 제3구역의 조선의 부는 복도 및 제3실에서 전시 중인데, 세키노 조교수 일행이 조선에서 세 차례에 걸쳐 가지고 온 것으로 재료가 풍부하여 일일이 셀 수 없다. 그 중요한 것을 적는다면, 복도에는 주로 임진왜란 관계의 비석

류를 들 수 있겠다. 함경북도 경성군 유명조선양왕자기적비有名朝鮮兩王子紀蹟碑(탁본)는 가토 기요마사加藤清正가 두 왕자를 포로로 삼았다는 것을 부인하고 있다. 공주 망일사은비望日思恩碑(탁본)에서 보이는 고니시 유키나가小西行長, 가토 기요마사의 군사가 패했다는 허세는 오히려 애교스럽다. 그 외 이순신 명량대첩비(한지사본, 탁본사진)는 조선인의 자랑으로 생각해야 할 것이다. 대청황제공덕비는 원래의 사대사상을 한층 발휘한 것이다. 그 외 역사 지도 7장은 구 한국학부 소장의 것을 복사한 것이다. 제 3실로 들어가면,

제1 마한의 왕궁지 및 산성지의 사진이 있다.

제2 낙랑과 관련하여서는, 평양부 대동강면 상오리 석암동(능동)에서 발견된 한경, 고려검, 우수전, 가마, 시루, 무덤에 사용된 전돌 등은,

제3 대방帶方의 당토성에서 발견된 전돌과 함께 이 방면의 연구에 있어서 훌륭한 연구 자료이다. 특히 봉산군 미산면 오강동(사리원)에서 발견된 '사군대방태수장무이전' 이라는 명문이 새겨진 전돌에 이르러서는, 전곽을 가진 고분묘로서 이는 한종족이 남긴 것임을 단적으로 말해주기에, 대방군치의 소재지와 관련한 종래의 일본과 조선 학자들의 연구에 대해 재고를 촉구하는 의미 있는 자료이다.

제4 고구려의 안학궁지 발견 기와(실물)는 그 궁지 부근의 고분 사진과 함께 학문적으로 흥미 깊은 자료이며, 강동 한왕묘 석곽 구조(사진 및 실측도)는 그 유물(실물)과 함께 낙랑 대방의 분묘 및 그와 관련된 물품과 비교하면 매우 상이하다는 것을 보여준다.

제5 백제와 관련하여, 부여에 현존하는 평백제탑비(탁본 및 사진)와 유인원기공비(탁본 및 사진)는 진귀한 것으로, 부여 부근 백제유적도, 백마강 사진

과 함께 일본인에게 당시의 일을 회상하게끔 하여 감개무량하게 만든다.
제6 임나는 고대 우리 영토였던 임나 연방의 유적 일부가 처음으로 소상하게 학계에 소개되는 것이다. 고령 대가야왕궁지에서 발견된 기와(실물) 및 부장도기(실물) 등은 고령 대가야 유정도 및 사진과 함께 귀중한 학술상의 자료이다. 진주에서 발견된 부장품(실물) 중 볼만한 것이 적지 않다. 더욱이 그 석곽 실측도를 보면 신라 분묘의 현실이 거의 정방형에 가까운 평면을 하고 있는데, 이것은 우리의 아스카飛鳥 지방 고분의 현실에 보이는 것과 같아 그 정면의 폭에 비해 깊이가 매우 길어, 3배에 가까운 것으로 매우 흥미로운 연구사항이 될 것이다.
제7 신라 천년의 고도 경주의 유적은 우선 만분이 일 경주 부근 유적도가 책상 위에 펼쳐져 있고, 삼국 제일이라고 불리는 봉덕사종은 탁본 및 사진을 통해 유감없이 소개되고 있고, 서악동에서 발견된 석침(실물)은 통일신라시대의 매장 풍습에 대해 보여주고 있으며, 삼국시대부터 통일신라시대 말기까지의 도기(실물)는 많이 진열되어 있어 비교연구에 사용될 수 있겠다. 왕릉의 사진과 지형도는 오늘날에 이르기까지 천여 년을 일관하는 조선 왕족의 묘제를 보여주고 있으며, 전 김유신묘오석(탁본)과 서악동에서 발견된 석곽비(탁본)는 원숙함 속에서도 웅건한 기가 넘쳐나는 통일신라시대 석각술의 일단을 보여주고 있으며, 첨성대(사진)는 조선에서 가장 오래된 관측대 유적이다. 포석정유지(사진)는 신라 멸망을 애도함에 있어서 시적인 멋을 가미한 것이다. 각지의 석탑(사진) 중에서 익산 미륵사지석탑(사진)은 동방 석탑의 최고로 일컬어질 정도로 매우 웅대한 것이다. 구례 화엄사에는 신라시대 유적(사진)이 많아 일일이 열거하기 어렵다. 아마도 신라시대 유적이 많기로는 경주가 으뜸이지 않을까. 금구 금산사 역시 신라 말의 석조물이 많이 있다. 보은 법주사, 구례 화엄사의 석등(사진)에는 기교를 부린 조각이 새겨져 있으며, 창평 개선사터의 석등에는 당의 연호가 새겨져 있어 시대의 증거로서 충분하다. 하동 쌍계사 진감선사비(탁본 및 사진)는 최치원이 직접 비문을 짓고 글씨를 쓴 것으로 가히 일품이라 할 것이다. 석불(사진) 중에서는 경주 석굴암의 석불이 다른 것에 비해 매우 뛰어나다. 커다란 동불상은 많지 않지만, 경주 불국사 및 백률사의 동불상이 대대로 전해져 오고 있다. 작은 불상으로는 실물 6점을 진열하였다. 상당수가 화새의 흔직, 혹은 흙 속에 있던 흔적이 있다. 경주 분황사 구층탑(사진)은 벽돌로 만들어진 것처럼 보이기는 하지만, 선덕여왕시대 산에 있는 바위를 벽돌의 형태로 잘라 만든 것이다. 불국사 신라 유적은 이미 십 년 전에 세키노 조교수가 처음으로 학계에 소개한 것이다. 가장 놀랄 만한 것은 신라의 기와(실물)로서, 경주 부군의 성지, 사지 등에서 채집한 것으로 파형, 당초, 귀판, 전 등 무려 500점에 달한다. 제8 고려시대의 개성 만월대 왕궁지 도면은 현지 답사를 통해 당시 건조물의 배치를 추정한 것이다. 공민왕릉(사진)은 왕비의 능(사진)과 함께 나란히 만들어져 공민왕의 말로를 기린 것으로, 그 석각에는 이조의 기치인 태극이 나타나 있는 점에 주의해야 할 것이다. 개성 현화사터의 석탑(사진)에는 불상의 조각이 새겨져 있다. 능주 다탑봉에 있는 석탑은 석질과 조각 모두 조잡하지만, 한 장소에 다양하고도 많은 탑이 난립하고 있다는 점에서 매우 진귀하다고 할 수 있다. 은진 미륵대석상(사진)은 총 높이 10간으로 균형 잡히지 않은 수준 낮은 불상이지만, 거대하다는 점에서 유명한 것이다. 해인사 대장경판장고(사진)는 고려 고종 시대에 원병 척양의 기원을 담아 군신이 협력하여 15년에 걸쳐 새겨 만든 것으로, 팔만여 개의 경판을 2동에 보관한 것이다. 각 동 15간, 2면, 폭 199척 5촌, 길이 28척 8촌의 장대한 기와지붕의 건축물로서, 다음 시대(조선)의 건물과도 관련이 있다. 특히 대장경판(사진)에는 지금까지 학계에 잘 알려지지 않은 대각국사문집(신쇄고려판서적)의 판목이 소장되어 있는데, 이는 불교사학자의 주의 깊은 연구가 필요할 것이며, 또한 인본 역사상 한 획을 긋는 국가적 대사업의 유물이기도 하다. 도기(실물)는 이른바 고려자기라 불리어 그저 감상하는 데에 그치지 않고, 골동품 수집으로 천금을 들여도 아깝지 않은 것이어서 고려시대 요업의 발전을 여실히 보여주고 있다. 초기에는 드물게 무광택인 자기(실물)도 있지만, 나중에 송나라 요업의 영향을 받은 민무늬, 음각, 양각 및 상감, 상감청자(실물) 등 일품이라 할 수 있는 것이 많으며, 백자(실물) 및 흑유 자기(실물) 역시 볼 만하며 그 형태 역시 다양하다. 또한 강화도에서 다수 출토된 상감청자(실물)에 기사己巳, 경오庚午, 임신壬申 등의 명문이 있는데 아마도 원종 시대의 작품으로, 이는 일본의 가마쿠라鎌倉 분에이文永 시대의 것으로 인정되므로 청자의 연대를 명확하게 하는데 좋은 자료가 된다. 더불어 왕릉 부근에서 발견되는 도기의 파편 역시 고려시대 도기의 연대를 명확히 하는데 귀중한 자료이다. 공예품은 모두 부장품으로, 사발, 수저, 젓가락을 비롯해 서양식 면도칼(목제의 손잡이에 접어 넣을 수 있는 면도칼), 귀이개 겸 족집게, 비녀, 벽색의 유리옥, 그 외 가위, 자물쇠, 쇠뇌 등이 있다. 화폐도 눈에 띈다. 땅속에 묻혀있던 이러한 사소한 공예품에도 그 당시 공예 발전의 면모를 남기고 있음을 알 수 있다. 대각국사묘지(탁본)는 영통사 대각국사비(사진 및 전액 탁본)와 함께 고려시대의 불교계 위인 연구에 충분하다. 이공수석관李

公壽石棺(실물)은 고려왕조 충신의 뼈를 넣은 것으로, 그 묘지(실물)에서는 모두 부장품으로 고려시대 도금술의 정도를 짐작할 수 있으며, 그 도안은 일본 경과 비교해 낮은 수준임을 알 수 있다. 묘향산 보현사비(탁본)는 삼국사기를 편찬한 김부식의 가르침을 받들어 편찬한 것으로 진귀한 깃이다.

제9 조선시대와 관련해서는 창경궁, 창덕궁, 경복궁의 배치도가 있으며 궁전의 사진도 적지 않다. 성문, 객사 등의 사진 역시 많은데, 경성 남대문(사진)은 태조 5년에 건설한 것으로 개성 남대문)배치도, 사진, 푸른 빛깔의 기와 실물)은 지금 현재 이왕이 살고 있는 장소이다. 객사 중에서노 성천의 동명관(사진)은 매우 넓어 구내에 여러 건축물이 배치되어 있으며, 그 많은 수가 청 건륭 시대의 건조물과 관계있다. 건축용구(실물)는 매우 유치해 그러한 간단한 도구를 가지고 사지에 보이는 것과 같이 광대하고 아름다운 건축을 수행했다는 것이 오히려 불가사의할 정도다. 경성 대리석탑(사진 및 탁본)은 세조대에 세워진 것으로 조선시대 초기 예술의 자랑이다. 사원(사진) 중에서 법주사 팔상전(사진)은 오층탑 형식인데, 조선에서는 그 자취가 사라진 목조 탑파 계통으로서, 조선 건축사상 특히 주의해야 할 유물이다. 금산사 미륵전(사진)이 3층인 것 역시 드문 것이다. 그 외 불전 내부의 광경을 보여주는 사진 또한 흥미롭다. 황릉(사진) 중에서는 태조릉(사진)에만 풀이 우거져 있는 것이 놀랍다. 도기(실물)는 고려시대의 것과 비교해 그 형상, 유약 기술 등은 떨어지지만, 일본 가마의 스승이 된다. 문양은 고려 초기에는 자유로운 묘사법이 유행하였지만, 고려 말기부터 조선시대에 이르러서는 점차 기하학적 문양 또한 사용하게 되었다. 수공품으로는 나전세공품(실물)이 어느 정도 볼만하다고 할 수 있다. 판목(실물)으로는 범자, 언문, 한자 등

세 종류의 글자체로 경문을 새겨놓은 것은 있다. 도서 역시 많은데, 그중에서도 한 번 볼만한 것이 여사제강(사본), 동사강목(사본), 연려실기술(사본), 연려실기술별집(사본), 조야기문(사본), 소대연공(사본), 증보문헌비고(사본), 신증동국여지승람(간본), 영남지(사본), 궁궐사(등사판본), 각지의 읍지류(사본 및 간본), 대동여지도(간본), 여지총람(사본), 국조전고(사본), 국조오례의(간본), 대전통편(간본), 화성성역의궤(간본), 그 외 의궤류(간본) 등이다. 임진왜란 관계의 것으로는 선조기사(사본), 분충서난록(간본) 등이 있으며, 사원 관계로는 사적류(신쇄판보 및 사본) 등이 있다. 확대사진의 진열장소가 없어 한 곳에 높이 쌓아 올렸지만 그럼에도 많이 볼 수 있다.[113]

진열품을 정리해보면 다음과 같다.

《건축학과 제4회 전람회》 목록[114]

품목	출토지	반출년	반출자
공주망일사은비탁본, 이순신명량대첩비탁본 외 기타	공주	1909년~11년	關野 一行
역사지도 7엽		1909년~11년	關野 一行
울산성도		1909년~11년	關野 一行
대청황제공덕비탁본		1909년~11년	關野 一行
대청황제공덕비각벽와		1909년~11년	關野 一行

113 이 내용은 황수영 편, 『일제기 문화재 피해자료』에도 수록하고 있는데, 이것을 최근에 국외소재문화재재단에서 보완, 해설을 첨가하여 2014년에 발간했다.
인용한 본 내용은 2014년에 국외소재문화재재단에서 보완한 내용을 재인용하여 그대로 옮김.

114 「東京工科大學建築學科第4回展覽會」, 『考古學雜誌』 第2卷 9號~10號, 1912년 5월~6월. 목록은 10월호에 실려 있는데 품명은 나타나 있으나 수량은 생략하고 있다. 수량은 9월호에 실린 관람기 부분에 나타난 것을 첨가한 것이다.

품목	출토지	반출년	반출자
조선조무구冑 및 무기(창, 활)		1909년~11년	關野 一行
마한왕궁지 및 산성지(사진)	익산	1909년	關野 一行
고분지도 및 사진)	평양 대동강면	1909년	關野 一行
漢鏡, 高麗劍, 五銖錢, 竈, 甑 墓塼 등	평양 대동강면 석암동고분	1909년	關野 一行
「使帶方太守張撫夷塼」銘 墓塼	봉산군 사리원고분	1911년	關野 一行
塼	봉산군「唐土城」址 發見	1911년	關野 一行
대성산하 안학동왕궁지 사진	평양	1911년	關野 一行
古瓦	안학동왕궁지 발견	1911년	關野 一行
대성산하 고분 사진	평양	1911년	關野 一行
강동 한왕묘 사진 및 도면		1911년	關野 一行
한왕묘 발견 유물		1911년	關野 一行
부여부근지도		1909년~11년	關野 一行
평백제탑 탁본 및 사진	부여	1909년~11년	關野 一行
유인원기공비 탁본 및 사진	부여	1909년~11년	關野 一行
백마강 사진		1909년~11년	關野 一行
창령부근 유적도	창령	1909년~11년	關野 一行
함안 가야유적도 및 사진	함안	1909년~11년	關野 一行
김해 가락국왕릉 부장도기	김해	1909년~11년	關野 一行
고령 대가야 유적도	고령	1909년~11년	關野 一行
고령 대가야 유적 사진(왕궁성 및 고분)	고령	1909년~11년	關野 一行
고와	고령 대가야왕궁지 발견	1910년	關野 一行
도기	고령 대가야고분 발견	1910년	關野 一行
진주 가야고분 (분포도, 석곽실측도, 사진)	진주	1910년	關野 一行
가야고분 부장품	진주	1910년	關野 一行
경주부근 신라유적도(1만분의 1)	경주	1909년~11년	關野 一行

품목	출토지	반출년	반출자
봉덕사종 사진 및 탁본	경주	1909년~11년	關野 一行
서악동 발견 석침	경주	1909년	關野 一行
도기 다수	경주	1909년	關野 一行
흥덕왕릉지형도, 掛陵지형도	경주	1909년~11년	關野 一行
릉묘 사진	경주	1909년~11년	關野 一行
김유신묘오석탁본	경주	1909년~11년	關野 一行
석곽비조각탁본	경주	1909년~11년	關野 一行
첨성대 사진, 포석고지 사진	경주	1909년~11년	關野 一行
석탑사진 (익산, 경주, 원주, 전주, 대구 등지의 석탑)		1909년~11년	關野 一行
화엄사 사진	구례	1909년~11년	關野 一行
금산사 석소물 사신	금구	1909년~11년	關野 一行
석등 사진 (폐개선사, 불국사, 법주사 및 동화사)		1909년~11년	關野 一行
쌍계사진감선사비탁본 및 사진		1909년~11년	關野 一行
석불 사진(석굴암, 폐굴불사, 동화사)		1909년~11년	關野 一行
동불 사진(불국사 및 폐율사)	경주	1909년~11년	關野 一行
소불銅鑄 6체		1909년~11년	關野 一行
월성 사진, 분황사9층탑 사진, 불국사 사진	경주	1909년~11년	關野 一行
古瓦(월성분황사, 폐망덕사, 불국사, 영천폐사, 구황폐사, 견곡면폐사) 500매		1911년	關野 一行
개성 만월대왕궁지 도면 및 사진		1909년~11년	關野 一行
만월대왕궁지 古瓦	개성	1909년~11년	關野 一行
태조현릉 지형도 및 사진		1909년~11년	關野 一行
熙宗陵 古瓦		1909년~11년	關野 一行
銅佛 5점		1909년~11년	關野 一行
공민왕릉 사진		1909년~11년	關野 一行
석탑 사진		1909년~11년	關野 一行

품목	출토지	반출년	반출자
은진미륵대석상 사진		1909년~11년	關野 一行
해인사대장경판(사진)		1909년~11년	關野 一行
순청자, 상감청자 (己巳, 庚午, 壬申등 文字銘)		1909년~11년	關野 一行
黑釉, 백자		1909년~11년	關野 一行
石硯		1909년~11년	關野 一行
大覺國師文集		1909년~11년	關野 一行
왕릉 발견 도기파편		1909년~11년	關野 一行
공예품 (簪, 碧色小子玉, 食匙, 食箸, 錠, 弩 등)		1909년~11년	關野 一行
수공품(나전칠기 등)		1909년~11년	關野 一行
대각국사비 사진 및 탁본		1909년~11년	關野 一行
대각국사묘지탁본		1909년~11년	關野 一行
李公壽石棺 및 墓誌		1909년~11년	關野 一行
銅鏡 100면		1909년~11년	關野 一行
묘향산보현사비탁본		1909년~11년	關野 一行
경성궁전(사진), 경성종묘(사진), 성문(사진)		1909년~11년	關野 一行
조선 건축용기구		1909년~11년	關野 一行
조선시대 객사루정(사진)		1909년~11년	關野 一行
경성대리석탑 사진 및 탁본		1909년~11년	關野 一行
사원(해인사, 법주사, 보현사 사진)		1909년~11년	關野 一行
왕릉 사진		1909년~11년	關野 一行
碧瓦 및 鬼童子		1909년~11년	關野 一行
도기		1909년~11년	關野 一行
수공품		1909년~11년	關野 一行
경성궁궐배치도		1909년~11년	關野 一行
판본		1909년~11년	關野 一行

품목	출토지	반출년	반출자
麗史提綱(寫本), 東史綱目(寫本), 燃藜室記述(寫本), 燃藜記述(寫本), 朝野記聞(寫本), 昭代年攷(寫本), 增補文獻備考(寫本), 新增東國輿地勝覽(刊本), 嶺南誌(寫本), 宮闕志(謄寫版本), 各地邑誌類(寫本 및 刊本), 大東輿地圖(刊本), 輿地總覽(寫本), 國朝典故(寫本), 五禮儀(刊本), 大典通編(刊本), 華城城役儀軌(刊本), 기타 儀軌類(刊本), 壬辰倭亂 關係의 宣祖記事(寫本), 書, 寺院에 관한 事蹟類			關野 一行

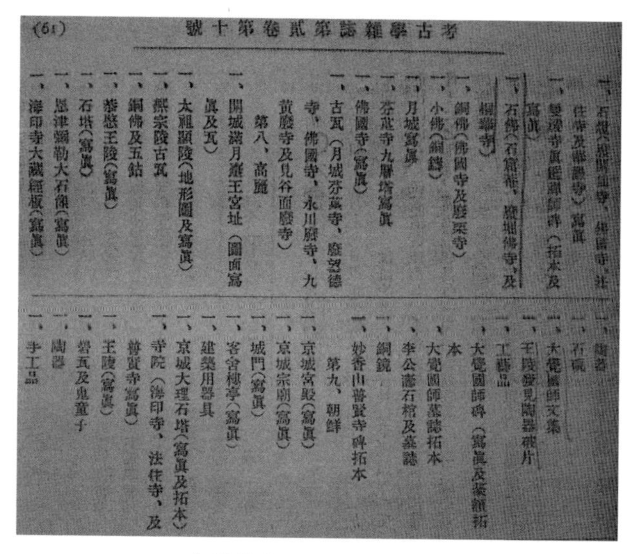
(61) 考古學雜誌第貳卷第十號

一、石[illegible]（[illegible]寺、[illegible]寺、社[illegible]寺及[illegible]寺）寫眞
一、雙溪寺眞鑑禪師碑（拓本及寫眞）
一、石佛（石窟菴、[illegible]佛寺、及栢栗寺）
一、銅佛（佛國寺及栢栗寺）
一、小佛（銅鑄）
一、月城寫眞
一、芬皇寺九層塔寫眞
一、佛國寺（寫眞）
一、古瓦（月城芬皇寺、[illegible]望德寺、佛國寺、永川廢寺、九黃廢寺及見谷面廢寺）
第八、高麗
一、開城滿月臺王宮址（圖面寫眞及瓦）
一、太祖顯陵（地形圖及寫眞）
一、[illegible]宗陵古瓦
一、銅佛及五鈷
一、恭愍王陵（寫眞）
一、石塔（寫眞）
一、恩津彌勒大石像（寫眞）
一、海印寺大藏經板（寫眞）

一、陶器
一、石碗
一、大覺國師文集
一、壬辰發見陶器破片
一、工藝品
一、大覺國師碑（寫眞及篆額拓本）
一、大覺國師墓誌拓本
一、李公蕃石棺及墓誌
一、銅鏡
一、妙香山普賢寺碑拓本
第九、朝鮮
一、京城宮殿（寫眞）
一、京城宗廟（寫眞）
一、城門（寫眞）
一、客舍樓亭（寫眞）
一、建築用器具
一、京城大理石塔（寫眞及拓本）
一、寺院（海印寺、法住寺、及普賢寺寫眞）
一、王陵（寫眞）
一、碧瓦及鬼童子
一、陶器
一、手工品

《건축학과 제4회 전람회》 목록

판본과 서적도 상당수 진열된 것으로 나타나 있는데, 판본과 서적에 대해서는 언제 어디서 가져갔는지 원소장처가 나타나 있지 않다. 야쓰이의 1909년 11월 20일, 21일의 수원성 조사에서 화성성역의궤華城城役儀軌, 刊本는 도쿄대에도 소장되어 있다고 하는데[115] 반출 경로를 알 수 없다. 세키노 일행이 대각국사문집 등을 가져간 것을 고려하면 고적조사를 하면서, 요긴한 자료는 그들의 판단에 의해 얼마든지 여러 방법을 빌어 일본으로 반출할 수 있었다고 볼 수 있다. 진열한 서적 중에

115 谷井濟一, 「韓國葉書だより」, 『歷史地理』 제15권 2호, 歷史地理學會, 1910년 2월, p.100.

는 이같이 반출한 것이 상당수 포함되었을 것으로 추정된다. 진열된 이것 외에 어떤 것이 얼마나 외부로 알려지지 않고 연구의 명목으로 반출되었는지 알 수 없다.

목록 중에는 김해 가락왕릉 출토 토기가 나타나 있는데 어느 것을 지칭하는지 알 수 없다.

세키노 일행의 사지에 대한 조사는 1909년 12월 7일, 8일에 영천 일대의 조사가 있었고, 1911년 10월에는 세키노 일행이 경주 일대의 분황사, 망덕사지, 불국사, 견곡면 폐사시, 영천 폐사지 등을 대대적으로 조사하고 상당수의 고와전를 채집해 갔는데, 그 중 500여 개를 제4회전람회에 진열했다.

1917년 3월에 발간한 『조선고적도보』 제5권에는 경주 일대의 사지에서 채집하여 도교대학으로 반출한 많은 고와가 실려 있다. 세키노 일행이 1911년 조사 이후 『조선고적도보』 제5권이 나오기까지 경주 일대의 사지에 대한 조사가 뜸했던 점으로 볼 때 그 대부분이 《건축학과 제4회 전람회》 개최 이전에 반출한 것으로 보인다.

『조선고적도보』 제5권에 실려 있는 경주 일대 사지에서 채집한 고전 중에서 도쿄대 소장으로 나타난 것을 목록을 정리하면 대략 다음과 같다.

품명	출토지	소장처 및 소장자	출처 (『조선고적도보』 도판 번호)
구황리 발견 귀와	경북 경주	도쿄대 공과대학	『조선고적도보』 5, 2217
월성발견 귀와	경북 경주	도쿄대 공과대학	『조선고적도보』 5, 2216
망월사지 발견 귀와	경북 경주	도쿄대 공과대학	『조선고적도보』 5, 2224, 2225
사천왕사지 발견 귀와	경북 경주	도쿄대 공과대학	『조선고적도보』 5, 2222

품명	출토지	소장처 및 소장자	출처 (『조선고적도보』 도판 번호)
분황사지 발견 귀와	경북 경주	도쿄대 공과대학	『조선고적도보』 5, 2228
망월사지 발견 鴟尾	경북 경주	도쿄대 공과대학	『조선고적도보』 5, 2229
견곡면 발견 鴟尾	경북 경주	도쿄대 공과대학	『조선고적도보』 5, 2230
분황사지 발견 鴟尾	경북 경주	도쿄대 공과대학	『조선고적도보』 5, 2231
경주 발견 巴瓦	경북 경주	도쿄대 공과대학	『조선고적도보』 5, 2374
사천왕사지 발견 巴瓦	경북 경주	도쿄대 공과대학	『조선고적도보』 5, 2297, 2281, 2291, 2424
황룡사지 발견 巴瓦	경북 경주	도쿄대 공과대학	『조선고적도보』 5, 2272
분황사지 발견 巴瓦	경북 경주	도쿄대 공과대학	『조선고적도보』 5, 2259, 2263, 2271, 2284, 2307, 2311, 2346, 2400, 2404, 2438, 2439, 2442
구황리 발견 巴瓦	경북 경주	도쿄대 공과대학	『조선고적도보』 5, 2264, 2270, 2275, 2282, 2283, 2309, 2333, 2348, 2349, 2366, 2399, 2405, 2409
망덕사지 발견 巴瓦	경북 경주	도쿄대 공과대학	『조선고적도보』 5, 2276, 2301, 2321, 2407, 2435
황남리 발견 巴瓦	경북 경주	도쿄대 공과대학	『조선고적도보』 5, 2259
견곡면 발견 巴瓦	경북 경주	도쿄대 공과대학	『조선고적도보』 5, 2299, 2367
송화산하 폐사지 발견 巴瓦	경북 경주	도쿄대 공과대학	『조선고적도보』 5, 2353
월성지 발견 巴瓦	경북 경주	도쿄대 공과대학	『조선고적도보』 5, 2361, 2381
불국사 발견 巴瓦	경북 경주	도쿄대 공과대학	『조선고적도보』 5, 2382
흥륜사지 발견 巴瓦	경북 경주	도쿄대 공과대학	『조선고적도보』 5, 2410, 2419
영천 부근 巴瓦	경북 영천군	도쿄대 공과대학	『조선고적도보』 5, 2350
비로사 발견 巴瓦	경북 영주군	도쿄대 공과대학	『조선고적도보』 5, 2393
법수사지 발견 巴瓦	경북 성주군 가야산	도쿄대 공과대학	『조선고적도보』 5, 2444
법수사지 발견 唐草瓦	경북 성주군 가야산	도쿄대 공과대학	『조선고적도보』 5, 2538, 2588, 2589, 2667

품명	출토지	소장처 및 소장자	출처 (『조선고적도보』 도판 번호)
월성지 발견 唐草瓦	경북 경주	도쿄대 공과대학	『조선고적도보』 5, 2636, 2461, 2519, 2544, 2546, 2600, 2601, 2632, 2645
분황사지 발견 唐草瓦	경북 경주	도쿄대 공과대학	『조선고적도보』 5, 2658, 2664, 2466, 2437, 2486, 2497, 2524, 2561, 2568, 2574, 2612, 2664, 2665
경주 부근 발견 唐草瓦	경북 경주	도쿄대 공과대학	古『조선고적도보』 5, 2459, 2554, 2533, 2616, 2672
흥륜사지 발견 唐草瓦	경북 경주	도쿄대 공과대학	『조선고적도보』 5, 2460
구황리 발견 唐草瓦	경북 경주	도쿄대 공과대학	『조선고적도보』 5, 2485, 2487, 2488, 2499, 2570, 2571, 2573, 2575, 2602
사천왕사지 발견 唐草瓦	경북 경주	도쿄대 공과대학	『조선고적도보』 5, 2490, 2512, 2514, 2516, 2529, 2545, 2608, 2659
망덕사지 발견 唐草瓦	경북 경주	도쿄대 공과대학	『조선고적도보』 5, 2501
구황리 발견 唐草瓦	경북 경주	도쿄대 공과대학	『조선고적도보』 5, 2552
견곡면 발견 唐草瓦	경북 경주	도쿄대 공과대학	『조선고적도보』 5, 2556, 2644
불국사 발견 唐草瓦	경북 경주	도쿄대 공과대학	『조선고적도보』 5, 2617, 2618, 2619
사천왕사지 발견 平瓦 및 丸瓦	경북 경주	도쿄대 공과대학	『조선고적도보』 5, 2679, 2680, 2687, 2689~2691, 2693
견곡면 발견 平瓦 및 丸瓦	경북 경주	도쿄대 공과대학	『조선고적도보』 5, 2681,2683, 2685
흥륜사지 발견 平瓦 및 丸瓦	경북 경주	도쿄대 공과대학	『조선고적도보』 5, 2682
角干墓 동록 발견 平瓦 및 丸瓦	경북 경주	도쿄대 공과대학	『조선고적도보』 5, 2684, 2694
분황사 발견 平瓦 및 丸瓦	경북 경주	도쿄대 공과대학	『조선고적도보』 5, 2686, 2692, 2695
월성 발견 平瓦 및 丸瓦	경북 경주	도쿄대 공과대학	『조선고적도보』 5, 2695
사천왕사지 발견 平瓦	경북 경주	도쿄대 공과대학	『조선고적도보』 5, 2697~2700, 2717, 2720, 2721
분황사지 발견 平瓦	경북 경주	도쿄대 공과대학	『조선고적도보』 5, 2702-2704
법수사지 발견 平瓦	경북 성주군 가야산	도쿄대 공과대학	『조선고적도보』 5, 2714

품명	출토지	소장처 및 소장자	출처 (『조선고적도보』 도판 번호)
흥륜사지 발견 平瓦	경북 경주	도쿄대 공과대학	『조선고적도보』 5, 2697-2700, 2706-2709
월성 발견 平瓦	경북 경주	도쿄대 공과대학	『조선고적도보』 5, 2710, 2711, 2723
각간묘 동록 발견 平瓦	경북 경주	도쿄대 공과대학	『조선고적도보』 5, 2712, 2713
견곡면 발견 平瓦	경북 경주	도쿄대 공과대학	『조선고적도보』 5, 2726, 2728
사천왕사지 발견 塼	경북 경주군 내동면	도쿄대 공과대학	『조선고적도보』 5, 2187
경주 부근 발견 塼	경북 경주	도쿄대 공과대학	『조선고적도보』 5, 2176, 2181
구황리 발견 전	경북 경주	도쿄대 공과대학	古『조선고적도보』 5, 2164
사천왕사지 발견 전	경북 경주	도쿄대 공과대학	『조선고적도보』 5, 2171, 2187, 2204
망덕사지 발견 전	경북 경주	도쿄대 공과대학	『조선고적도보』 5, 2179, 2180, 2203
분황사 발견 전	경북 경주	도쿄대 공과대학	『조선고적도보』 5, 2182
월성 발견 전	경북 경주	도쿄대 공과대학	『조선고적도보』 5, 2191
견곡면 발견 전	경북 경주	도쿄대 공과대학	『조선고적도보』 5, 2204

1912년 4월 14일

경북 문경군 양산 백운암白雲庵에 강도 2명이 들이닥쳐 승려를 위협하고 불상 등 1백70여 원어치를 강탈해 갔다.[116]

1912년 4월 27일

116 『每日申報』 1912년 4월 24일자.

경남 고성군 옥천사玉泉寺에 봉안하였던 불상은 고 2척, 광 1척2촌, 무게 5근 가량인데 27일 밤에 도난당했다.[117]

1912년 4월 29일

1912년 4월 29일 밤에 충남 공주군 계룡면 사자암에 강도 3명이 몽둥이를 들 이닥쳐 승려들을 결박하고 구타 협박을 한 후 불단에 안치한 목재아미타불 1좌를 강탈해 갔다.[118]

古物의 蠹賊

近日漢城內各亭舘을見ᄒᆞ면、石塔及石佛이、花庭槐園에列立ᄒᆞ니、其來歷을問ᄒᆞ면曰某祖師의建築인ᄃᆡ、某地에在ᄒᆞ다가、某頑漢에偷賣ᄒᆞ얏다、曰某比丘의肖像인ᄃᆡ、某寺에在ᄒᆞ다가、某悖僧이竊賣ᄒᆞ얏다ᄒᆞ며、又其猾細盜ᄂᆞᆫ、寺刹에潛入ᄒᆞ야、數千年遺傳ᄒᆞ던古物을、種々盜去ᄒᆞᄂᆞ니、엇지人心의齷齪홈이、此에止ᄒᆞ리오、一般僧侶及附近人士ᄂᆞᆫ十分注意ᄒᆞ야、古物遺失의弊가無케홀지어다。

1912년 4월

유물의 산일을 경고함

대대로 전해온 귀중한 유물들이 마구 시중에 흘러나와 산일함을 개탄하는 다음과 같은 기사가 있다.

물의 두적蠹賊

117 朝鮮佛敎月報社,『朝鮮佛敎月報』, 1912년 6월;『每日申報』1912년 5월 5일자.
118『每日申報』1916년 12월 15일자.

근일 한성 내 각 정관亭館을 보면, 석탑 및 석불이 정원에 열립하니, 그 내력來歷을 물으니 왈 모 조사祖師의 건축인데, 모지某地에 재하다가, 모 완한頑漢에 투매偷賣하얏다. 왈 모 비구比丘의 초상인데, 모 사에 재하였다가, 모 패승悖僧이 절매竊賣 하얏다 하며, 또 간활세도奸猾細盜는 사찰에 잠입하야, 수천 년 유전하던 고물을, 종종 도거하니, 어찌 인심의 악착齷齪함이, 이에 지止하뇨. 일반 승려 및 부근 인사는 십분 주의하야, 고물 유실의 폐弊가 무無케 할지에다(『매일신보』 1912년 4월 12일자).

옛적에는 인판印版이 미비하여 각종 서적이 수서手書의 노고를 요함으로서 부본이 없어 잃어버리기 쉬운지라 그 자손된 자가 필히 중보와 같이 깊이 보관하여 세세로 보존하더니, 오늘날에는 인민의 정도가 악착齷齪하여 십수세 애호하던 선인의 문자를 몇 푼의 돈에 매각하니 어찌 한심한 자가 아니리오. 일반 동포는 자기 집에 대대로 보호하던 구서적을 애호함을 잃지 말지어다(『매일신보』 1912년 4월 23일자).

고서화류의 필석必惜. 고서화는 고인古人의 심화心畫와 수적手蹟으로 후인의 진완珍玩을 제공할뿐더러 이의 유무와 다소로 그 인민의 문야文野를 별別하는 바 근일에 혹 기한飢寒으로 인하여 선대의 유묵遺墨이라도 매각하여 호구를 시도할뿐더러 부랑자제는 이의 대금으로 주색도박의 비로 사용하니 고적의 산망散亡함은 개탄을 금할 수가 없다(『매일신보』 1912년 4월 29일자).

이 같은 기사가 17일 사이에 한 신문에 3번이나 게재되었다는 것은, 당시 얼마나 많은 유물이 시중에 흘러 나왔는지를 짐작케 하고 있다. 조선인이 유물의 가치를 제대로 파악하지 못하고 있는 사이에 일찍부터 골동에 눈을 뜬 외국인들에게는 신천지였던 것이다.

1912년 5월 7일

유실물에 관한 제령 공포

유실물 기타 물건에 관한 제령을 5월 7일부로 공포했는데, 그 내용은 유실물, 범죄자가 치거置去한 것으로 인정하는 물건, 잘못 점유한 물건, 타인이 치거한 물건, 잃어버린 가축 또는 매장물에 관하여는 유실물법에 의함이라는데 6월 1일부터 실시하는 것으로 했다.[119]

> 제령
> 유실물 기타의 물건에 관한 것을 명치44년 법률 제30호 제1조 및 제2조에 의하여 칙재勅裁를 득하고 자에 이를 공포함.
> 명치45년 5월 7일
> 조선총독 백작 사내정의

119 『每日申報』 1912년 5월 7일자, 5월 9일자.

제령 제23호

유실물, 범죄자의 치거置去한 것으로 인정하는 물건, 오誤하여 점유한 물건, 타인의 치거한 물건, 일주逸走한 가축 또는 매장물에 관하는 것도 유실물법에 의함.

유실물법 중 경찰관서라 함은 경찰서 및 그 사무를 취급하는 관서(순사 주재소를 포함)에 해당함.

부칙

본령은 명치45년 6월 1일부터 시행함.

부령

소선총독부령 제97호

유실물 기타의 물건에 관하는 제령 시행에 관하는 건을 아래와 같이 정함.

명치45년 5월 7일

조선총독부 백작 사내정의

제1조 유실물법 제1조의 규정에 의하는 공고는 물건의 명칭, 종류, 수량, 형태, 모양 및 습득한 처소, 일시 등 아무쪼록 기타 건을 지득知得함에 족할 만함으로 사료하는 사항을 상세히 기록하여 20일간을 최근한 게시장에 게시하고 귀중한 물건으로 인정할 때는 필요에 응하여 조선총독부관보 또는 신문지에 게재할 것으로 함.

제2조 유실물법 제10조의 규정에 의하여 관수자가 물건의 교부를 받은 시에는 이를 경찰서(경찰서의 사무를 취급하는 관서를 포함, 이하 동일)에 송부함과 동시에 편의로 최근한 처소에서 물건의 명칭, 종류, 수량, 형태, 모양 및 습득한 처소, 일시를 제시함이 가함, 단 게시를 할 처소가 없을 때는 차한此限에 재在치 아니함.

제3조 유실물법 제2조의 규정에 의하여 매각을 요하는 물건이 고가로 인정하는 것은 공고하여 경매에 부침이 가함. 단 즉시에 매각치 아니하면 멸실 혹은 훼손할 우려가 있는 물건 또는 공고한 후에 경매인이 없는 물건은 제한을 두지 아니함.

공고는 기타 관행의 방식을 따르게 하고 공고하는 경매에 붙일 물건의 명칭, 종류, 수량, 담임관리의 씨명, 집행의 처소, 일시를 기록함을 요함.

제4조 매각물건의 인도는 대금과 상환하여 이를 함.

경매하는 경우에 최고가 경매인이 경매당일에 대금을 시불하여 물건의 인도를 구하지 아니하는 시에는 다시 그 물건을 경매함이 가함. 이 경우에는 전의 최고가경매인은 경매에 참가하지 못함.

부칙

본령은 명치 45년 6월 1일부터 시행함

1912년 5월 30일

대흥사의 도적 체포

경기도 개성군 동북면 대흥사大興寺 주지 이송하는 1911년부터 그 절에 있는 불상과 석등롱 220원어치를 팔아먹었으며, 또 그 절을 다시 수리한다 하고 기부금 372원을 모집 횡령한 사실이 발각되어 지난 30일에 개성헌병분대에 체포되었다.

대흥사는 1910년 4월 27일의 실화로 법당 등이 소진되어, 6월에 주지 이송하 등이 대흥사의 중수를 위해 총독부의 허가를 얻어 중수금을 모집해 오던 중이었다.[120]

대흥ᄉᆞ의즁도적
작년리경긔도개셩군령북도、대흥ᄉᆞ쥬지리송하(開城郡嶺北面大興寺住持李松霞)는、그졀에잇는부쳐와、셕등롱(石燈籠) 이빅이십원의치를파라먹엇스며、또그졀을、다시슈리ᄒᆞᆫ다칭ᄒᆞ고、긔부금삼빅칠십이원을、모집ᄒᆞᆫ령ᄒᆞᆫᄉᆞ실이발각되야、거월삼십일에、그고올헌병분디로、피착ᄒᆞ얏다더라

『매일신보』
1912년 6월 12일자 기사

1912년 5월

봉영사 불상 절취범 체포

경기도 양주군 접동면 봉영사에 있는 부처 2개를 절취 당하였는데 일전에 경무총감부에서 그 범을 잡고 장물까지 일체 압수하였다.[121]

사찰기지寺刹基地 및 그 소속 산림내에 암장·늑장을 불문하고 매장한 자를 발견하였을 때에는 주지로 하여금 관할 경찰서에 신고케 하여 상당한 보호를 받고 매장자로 하여금 상당 처리케 하여 후일 분의紛議 발생을 방지하도록 하다.[122]

120 『每日申報』 1910년 5월 6일자, 11월 27일자.
121 『每日申報』 1912년 5월 10일자.
122 『朝鮮總督府官報』 1912년 5월 11일자.

1912년 6월 5일

고물상조합 총회

경성조선인고물상조합이 인가가 나고, 6월 5일에 총회를 열어 영업자 300여 명이 출석하였다. 조합장 서상필 씨가 장래의 유지방침을 일장 설명하고 폐회한 후 각 관내에 임원을 선정하여 영업자와 수효를 조사하기로 했다. 만일 고물 영업하는 자로서 인허장이 없는 자가 발견하는 시에는 조합에서 소관 경찰서로 신고하여 엄중히 처벌하도록 했다.[123]

●古代石器의陳列
過般鳥居囑託이北鮮方面에셔採取以來ᄒᆞᆫ朝鮮의古代石器類ᄂᆞᆫ今回總督室에陳列ᄒᆞᆯ기로ᄒᆞ얏ᄂᆞᆫᄃᆡ各寫眞及鮮人古代의體格表統計等도完成ᄒᆞ야次第로陳列ᄒᆞᆫ다더라

도리 촉탁이 북선 방면에서 채취한 조선의 고대석기류를 총독실에 진열하기로 하였다는 기사(『매일신보』 1912년 6월 8일자)

1912년 6월

도리이鳥居의 1차 사료조사인 조선의 전 지역과 간도, 집안, 통화, 환인 등의 수집품은 최초로 데라우치 총독의 집무실 가까이 한 실에 보관해 두었다. 후에 1915년 물산공진회 때 미술관을 설립, 세키노 등이 수집한 것과 도리이 류조鳥居龍藏의 사료조사사업의 자료는 1916년 4월 이래 총독부박물관에서 통합하여 관장하였다.[124]

---

123 『每日申報』 1912년 6월 18일자.
124 藤田亮策, 「朝鮮古蹟調査」, 『考古學論考』, 藤田先生記念事業會刊, 1963, p.73.

1912년 7월 5일

총독부 영선과장 구도工藤는 7월 5일부터 15일간을 예정으로 마산, 진해, 목포, 광주, 군산, 부여 등 각지의 고적 및 관유물官有物 조사에 착수했다.[125]

1912년 7월

1912년 이시즈카石塚 농공장관의 일본 여행담을 보면, 교토상품진열관 및 도자시험소에 이토 히로부미가 기증한 고려자기가 상당수 진열되었다 한다.[126]

평양명승보승회 조직

평양관민 간의 유지자들이 평양명승보승회를 조직했는데, 회장은 마쓰나가松永 도장관, 부회장에 구마가이態谷 민단장이 선출되었다.[127]

---

125 『每日申報』 1912년 7월 5일자.

126 『每日申報』 1912년 7월 30일자.

127 『每日申報』 1912년 7월 18일자, 8월 29일자.
『每日申報』 1912년 7월 17일자에는 다음과 같은 기사가 있다.
명적보존회
평안남도 松永 장관으로 시작하여 평양명승구적보존회를 수일 전에 평양민당여소 루상에서 개최하였는데 회집한 자는 松永장관, 本田 부윤 態谷 민단장 외 중요관민 50여 명이요. 조선인 측에서는 黃業, 홍윤시의 양민인데 송영 도장관, 본전 부윤은 회상으로 좌상석에 착하였고 태곡 민단장, 황업 양씨는 부회장으로 피선되었는데 그 실행방법은 협의회

1912년 8월

『조선재주 내지인 실업가 인명사전』을 보면, 오노 단지小野團治란 자는 1912년 8월에 경성고물조합을 조직하고 친우회親友會 경영의 '五十경매소'를 인수하여 경영하였으며, 1913년 4월에는 수표교통에 출장소를 두고 경매소로 하였다고 한다.

1912년 9월 18일

9월 18일 강원도 영월군 좌변면에 있는 법흥사法興寺에 불이 나서 건물 한 채를 태웠다.[128]

1912년도 세키노 일행의 고적조사

1912년도의 고적조사는 9월 18일부터 12월 12일까지 3개월간 전년과 같이 조선총독부 고적보존위원 세키노 다다시關野貞, 야쓰이 세이이치谷井濟一, 구리야마 슌이치栗山俊一 외 총독부 영선과 기코木子 기수가 수행했다.

강원도, 경기도, 경상북도, 충청북도, 평안남도, 황해도의 고적을 조사하고

에 부하여 착수하기로 계획 중인데 근일 중에 다시 협의회를 열기로 예정 중이라더라.

128 『每日申報』 1912년 10월 24일자.

일정과 조사개요를 서술해 1913년 5월에 약보고서를 제출했다. 조사결과로서 사진 553매를 남기고 이들 유물을 분류하여 지방별(제1조사표), 시대별(제2조사표)로 나누고 그 가치를 판정하여 甲(가장 보존이 필요한 것), 乙(다음에 해당하는 것), 丙(그 다음에 해당하는 것), 丁(보존의 가치가 가장 적은 것)의 네 가지를 매겼다.[129] 또 명칭, 시기, 조사일 등을 기재한 일람과 갑을로 분류된 고적만을 별도로 골라 명칭, 소재지 등을 기재한 일람이 첨부되어 있다.

세키노는 조사의 여정을 마치고 『매일신보』 1913년 1월 1일자에 다음과 같이 그 소감을 게재하고 있다.

조선최고의 보물(공학박사 관야정 씨 담).
9월 16일 동경을 출발하여 조선의 사적조사로 강원도로부터 충청북도 경상북도에 걸쳐 전후 69일간 약 5백리 노정의 산하를 답사한 공학박사 관야정 씨는 말하여, 내가 조선에 대한 사적조사의 여행은 전후 4회인데 본년의 여행은 많이 발견하고 흥미가 있는 것은 희소하였으니 도선 후 경성 및 강서부근의 사적을 답사하였는데 강서에서는 고구려시대의 3개의 고분을 발견하였는데 2간 사방 및

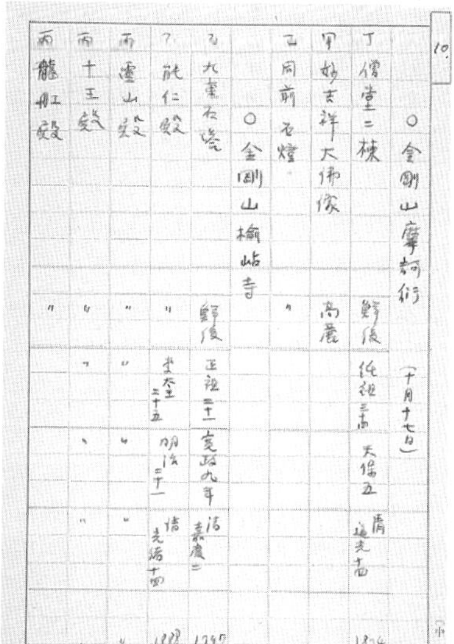

약보고서
(국립중앙박물관 소장 총독부박물관 공문서)

129 『大正元年朝鮮古蹟調査報告』, 朝鮮總督府, 1914.

높이 2칸의 고분으로 석곽을 화강석으로 만들고 그 중 2개는 석곽에 회화를 그리고 다른 것은 칠식으로 석곽을 칠하고 동히 회화를 시한 것인데 3개가 모두 약 1350년경 전의 물품으로 지나남북조식을 표현한 것인바 아족리시대의 양식과 일치한 점이 있음으로 인認하고 그 중 1개의 고분에는 동벽에 창룡, 서벽에 백호, 남방 입구 좌우에 주작, 북벽에는 현무의 사신을 그리고 천정에는 당초모양, 천인, 연화모양 등을 그려 화려한 것이니 일본, 조선, 중국을 통하여 최고의 미술품이라, 또 사리원 부근에서 대방태수의 고분을 조사하고 남한산록에서는 백제초기에 대한 다수한 고분을 발굴하여 적지 않게 얻은바가 있고,

10월 5일에 경성을 출발하여 500리의 산천을 69일간에 걸쳐 조사하였는데 금강산 장안사, 정양사, 유점사 신계사 등의 건축 보물을 심사한 중 유점사에서 신라시대 제작의 44체의 소동불을 발견하고, 다시 금강산의 풍광에 친히 동해안으로 취하여 건봉사, 낙산사 등을 경유하여 강릉에 도착하여 다시 대관령을 거쳐 오대산에 올라 유명한 사고를 조사하였는데 상원사에서는 개원십삼년開元十三年의 명이 있는 고종을 연구하였노니, 이 종은 조선 최고의 제작으로 고유의 특색을 인정할 진품이오.

또 원주에서는 신라, 고려 양시대의 석탑, 석불, 철불, 석비, 석부도 등 다수를 조사하고 여주로부터 충주로 나와 이에 우수한 고대의 유물을 발견하고 죽령을 넘어 소백산 태백산의 고사를 역방하였는데 소백산의 부석사에서 고려시대의 목조건축 2동을 발견하였노니 유래 조선에서는 이조이전의 목조건축물은 미증유한 처로 건축사상의 대발견이라 동사에 있는 고려시대 제작에 관계한 장육의 아미타여래의 목조는 우수한 제성製成으로

최고의 물이라. 동사同寺의 조사당에는 고려시대의 벽화 및 보살, 인왕의 상이 있어 강서의 미술품을 제하고는 조선의 최고로 약 6백 2, 3십년 전의 작이오. 또 태백산 각황사에 사고를 조사하고 안동, 함창, 상주를 거쳐 김천으로 나와 약 90일간의 여정을 마치고 귀경하였다.

1912년도의 일정표를 보면 다음과 같다.[130]

조사일	내용
1912년 9월 24일, 25일	평안남도 강서, 간성리 고분 조사, 객사 강서 간성리고분(연화총)은 關野가 답사하고, 용강의 매산리수총(사신총)은 太田과 총독부 토목국 영선과 岩井長三郎에게 조사를 맡겼다.
10월 8일, 9일	춘천 우두산님싱시, /층석납, 낭간지수, 분묘대성전, 문묘동서무, 향교명륜당, 소양정, 객사, 우두산석불 등
10월 10일	청평사 조사
10월 12일	양구 일대 조사, 문묘, 향교, 객사, 군청순풍루
10월 14일	회양 탑거리3층석탑
10월 14일, 15일	금강산 장안사 유물 조사
10월 16일	금강산 표훈사, 정양사 조사
10월 17일	금강산 유점사 조사
10월 20일	금강산 신계사 보사
10월 23일	고성 일대 문묘, 향교, 객사 등 조사
10월 25일	건봉사 조사
10월 27일	낙산사 조사
10월 28일	양양 일대 객사 대평루 조사

130 參考 : 藤井惠介, 早乙女雅博 외 2명 편, 『關野貞アヅア踏杳』, 東京大學總合研究博物館, 2005.

조사일	내용
10월 30일~11월 2일	강릉 신복사지석탑, 오죽헌, 토성, 하시동고분 발굴, 객사, 한송사대리석불상, 읍당간지주, 읍석불상, 보현사 등 조사
11월 4일	오대산 월정사 조사
11월 5일	오대산 상원사, 오대산사고 조사
11월 7일	평창 일대 조사, 류동리5층석탑, 읍내 중리5층석탑, 읍서3층석탑, 문묘, 향교
11월 10일, 12일	원주읍 옥평5층석탑, 원주읍 옥평7층석탑, 가마지동3층석탑, 문묘, 향교, 객사, 단촌평 당간지주, 원주읍 옥평철조석가상, 본저전동5층석탑, 본저전동석조마륵상, 본저전동철조미타상, 고성원석조석가상, 읍상동석조보살상, 주촌평석조불상, 봉황산석조보살상, 읍옥평대리석조불상, 가마지석조미륵상, 홍법사지, 법천사지, 거돈사지 등 조사
11월 15일	여주 신륵사 조사
11월 16일~18일	여주 세종여릉, 효종녕릉, 읍남3층석탑, 문묘, 향교, 강한사사당, 고달사지 및 기타 건축물 조사
11월 20일~24일	충주 문묘, 향교, 객사, 충렬사사당, 읍남약사전3층석탑, 읍동남철조좌불상, 개천사법경대사자등탑비, 개천사홍법대선사실상탑 및 비, 월악산원랑선사탑비, 사자빈사지탑, 덕주사 조사
11월 26일, 27일	풍기 문묘, 향교, 비로사, 순흥 초암사, 영주 부석사, 소수서원, 숙수사지 당간지주, 사현정리5층석탑, 사현정리당간지주, 사현정리승림곡석조입불 등 조사
11월 30일	봉화군 일대 조사, 읍북3층석탑, 각화사3층석탑, 태백산사고 등
12월 2일	예안 도산서원 조사
12월 3일~5일	안동 일대의 건축물 조사, 읍동7층석탑, 읍남5층석탑, 조탑동5층석탑, 읍서3층석탑, 문묘, 향교, 대사묘, 영호루, 제남루, 선화당, 망호루, 진남문, 영가루, 객사, 서악사, 관왕묘, 법룡사, 석조보살상(읍남문외 지중 발견), 류성룡묘
12월 6일	예천 개심사지 조사
12월 7일	용문사 조사
12월 8일	문경 화장리석탑 조사
12월 9일	함창 일대 건축물 조사, 문묘, 향교, 탑동석탑잔석, 탑동석조약사상, 탑동석조석가상

조사일	내용
12월 10일, 12일	상주 달천리석탑, 상병리석탑, 객사, 읍성남문 및 서문, 문묘, 향교, 충신의 사단비각, 복룡리석조미륵상
12월 6일	의성 고운사
12월 6일~9일	의성 산운면5층석탑, 빙산사5층석탑, 문묘, 향교, 객사
12월 10일	의흥 중리면5층석탑, 문묘, 향교, 객사, 화산 인각사
12월 11일	신녕 환벽전, 문묘, 향교, 객사, 은혜사 조사

1912년 9월 18일 경성에 도착한 세키노 일행은 21일부터 평남 강서군, 황해도 봉산군, 경기도 광주에서 고적조사를 했다.

『매일신보』 1912년 9월 21일자에는 고적조사의 여정을 "고적조사로 인하여 입경인 세키노 박사 일행은 평양방면에는 세키노, 광주군 송파에는 구리야마, 사리원에서는 야쓰이가 분담하여 약 1주간의 예정으로 조사하고, 다시 10월 1일부터 합동하여 강원도 금강산 및 원주, 충주, 경상북도 상주 등을 조사할 예정"이라고 하고 있다.

이때 조사의 효율성을 높이기 위해 각기 분담을 하여 조사에 착수했다. 평남 강서 간성리 연화총과 석실내 벽화가 있는 고구려시대 우현리삼묘에 대한 조사는 세키노가 담당했다. 벽화를 원색으로 모사했는데 이는 이왕가박물관에서 자금을 내고 도쿄미술학교 조교수 오

간성리연화총 천정 벽화(조선고적도보)

바 쓰네키치小場恒吉와 도쿄미술학교 생도 오오타 후쿠조太田福藏를 초청하여 모사했다. 봉산의 도총(대방태수장무이묘)은 야쓰이가 작년에 이어 계속 조사를 하여 '張撫夷塼' 문자명의 전을 일부 도쿄국립박물관과 도쿄대학으로 반출했다.[131] 송파의 석촌고분은 구리야마栗山가 담당하고,[132] 용강의 매산리수총(사신총)은 오오타太田와 총독부 토목국 영선과 이와이岩井長三郎가 담당했다.[133]

매산리사신총 현실 벽화(조선고적도보)

『매일신보』 1912년 10월 13일자에는 다음과 같은 기사가 있다.

천오백년의 고분

평안남도 진남포부 대상면 매산리에서 수원지의 통로의 서쪽의 畑중에 고 8, 9척 5, 6평의 고분 3개 및 고 5척 넓이 3평의 고분 7개를 발견하였는데 3개 중의 1개는 4년 전 조선인이 발굴코자 하여 하여 남서에 약 1평 깊이 3척 가량이 기울어지고 또 2개는 2, 3년 전에 폭발약

131 이곳 출토의 전을 谷井 외 2명의 이름으로 동경국립박물관에 기록이 보인다. 유물번호 27394, 27395.
『朝鮮古蹟圖譜 제1권』 圖版 131~133, 147~155가 東京帝國大 工科大學 藏으로 揭載되어 있다.

132 藤井惠介, 早乙女雅博 외 2명 편, 『關野貞アヅア踏査』, 東京大學總合研究博物館, 2005.

133 關野貞, 谷井濟一, 栗山俊一, 『大正元年朝鮮古蹟調查略報告』, 朝鮮總督府, 1914.
『권업신문』 1912년 10월 27일자에는 다음과 같은 기사가 있다.
평안남도, 진남포, 태상면, 마산동 밭 가운데에서 일인 관야가 높이는 아홉 자 되고 넓이는 오륙 평 되는 고총 세 개와 높이는 다섯 자 되고 넓이는 세평 되는 고총 일곱 개를 발형하여, 큰 것 세 개는 이미 발굴하였는데 광안의 깊이는 여섯 자이며, 사방으로 회색 칠을 하였으며, 중앙에 구름 모양으로 그린 갈색의 그림이 있는데 대략 일천오백년 전의 물건이라더라.

을 사용하여 발굴한 형적이 있는데 그 내부는 깊이 6척으로 주위는 돌로 쌓고 회색 칠식을 시施하고 중앙에 갈색의 운형雲形을 그리고 상부는 각석으로써 쌓았다하며 경찰서에서는 부청과 협의한 후 주위에 책柵을 설치하여 남굴을 방지하였는데 고분의 유래는 천오백년 전의 것인 듯 하다더라.

평남 강서군, 황해도 봉산군, 경기도 광주의 1차 조사를 끝낸 세키노 일행은 2차로 1912년 10월 5일 경성을 출발 강원도 춘천, 양구 금강산 고성 강릉, 평창, 경기도 여주, 충청도 충주, 경북 풍기, 안동, 예천, 의성 등지를 조사했다.

2차 조사는 춘천을 경유하여 금강산 일대의 유명사찰의 유물을 조사했다.[134] 1912년 10월 17일에 행해졌던 세키노 등의 조사에 의하면, 유점사 능인전에 있는 소동불小銅佛 44구軀는 신라불로서 그 등급을 갑甲으로, 5구軀는 고려불로서 갑甲, 또 1구軀는 조선시대 초의 것으로 을乙등급으로 도합 50불을 기록하고 있다.[135]

10월 30일부터 11월 2일까지는 강릉 일대의 유물을 조사하고 하시동 풍호동 북고분을 발굴하였다.[136] 폐한송사백대리석조보살상은 "강릉측후소 소관" 이라고 설명하고 있다. 오죽현을 방문하여 이이李珥 자필의 초고본草稿本『격몽요결擊蒙要訣』을 열람했다. 강릉공립보통학교장 이토 후지타로伊藤藤太郎 소장의 각

---

134 關野貞, 谷井濟一, 栗山俊一,『大正元年朝鮮古蹟調査略報告』, 朝鮮總督府, 1914.
谷井濟一,「慶州通信」,『考古學雜誌』제3권, 1913.

135 關野貞, 谷井濟一, 栗山俊一,『大正元年朝鮮古蹟調査略報告』, 朝鮮總督府, 1914.
谷井濟一,「慶州通信」,『考古學雜誌』제3권, 1913.

136 谷井濟一,「慶州通信」,『考古學雜誌』제3권 제5호. 1913년 1월.
早乙女雅博,「三國時代江原道の古墳と土器 -關野貞資料土器とその歷史的意義-」,『朝鮮文化研究』第4號, 東京大學文學部朝鮮文化研究室, 1997
『조선고적도보』도판947~954가 동경대 소장.

부광구감脚附廣口坩을 열람했는데 이것은 일찍이 경주에서 구한 것으로 감 주위에 인물, 새, 거북 등이 선으로 표현되어 있다고 한다.[137] 신복사지 발견 와(조선고적도보, 도판1520~1523)는 도쿄대학으로 반출했다.

11월 5일에는 오대산사고를 조사했다. 야쓰이 세이이치谷井濟一가 이곳을 방문했을 당시의 상황은, 오대산사고는 남북 2동으로 이루어져 있으며, 남동은 실록각으로 누상樓上에 조선역대실록을 넣는 궤櫃를 보관하였고, 계하階下에는 사서, 시문집 등의 간본을 수장해 두었다. 그리고 북동에는 선원보각으로 계보류系譜類를 넣어둔 궤를 수상하고 있었다.[138]

11월 7일부터 11월 11일까지는 평창, 원주 일대의 폐사지 등을 조사했다. 원주에

원 위치의 본저전동철조아미타여래좌상(『조선고적도보』 도판3199)과
읍오평철조약사여래좌상(『조선고적도보』 도판3200)

137 谷井濟一, 「朝鮮通信2」, 『考古學雜誌』 제3권 제5호, 1913년 1월.
138 谷井濟一, 「朝鮮通信2」, 『考古學雜誌』 제3권 제5호, 1913년 1월.

서는 철불 5구(좌상), 석불좌상 7구 외에 대리석으로 만든 소불 13구 쯤 노방路傍 또는 구溝의 속에 머리와 양손을 잃고 여기저기에 딩굴고 있었으며, 석탑도 6기 쯤 있는데 이런 등은 어느 것이나 읍 부근의 전답, 길가 같은 곳에 현존하고 있었다.[139]

『조선고적도보』 제7책에 이들 석조불상들이 실려 있는데, 이 중에서 원주군 본저면 본저전동석조비로사나불(도판3164), 폐영전사석조비로사나불좌상(도판3166), 본저전동철조아미타여래좌상(도판3199), 읍오평철조약사여래좌상(도판3200)은 "현재 본부박물관에 있음今在本府博物館" 이라고 기록하고 있음으로 보아 세키노 일행의 조사 이후 1915년의 공진회장으로 옮긴 것으로 보인다.

거돈사지원공국사승묘탑에 대해서는, "승묘탑은 지금 경성으로 몰래 운거運去되었고 탑이 있던 장소는 파헤쳐져 있다"고 하며 승묘탑의 반출을 밝히고 있다. 이외도 법천사지와 흥법사지의 유물 반출에 대해 야쓰이 세이이치는 『고고학잡지』에 게재한 「조선통신」 에서 그 피해 사실을 기술하고 있다. 원주 진공대사비 비신잔편은 원주공리보통학교 교정과, 원주수비대장교실 석담 중에 있는 것을 촬영했다. 거돈사지 발견 외(조선고적도보, 도판1460~1466)는 도쿄대학으로 반출했다.[140]

폐영전사석조비로사나불좌상(총독부박물관으로 옮긴 후의 모습, 『조선고적도보』 도판3166)

11월 15일부터 여주, 충주, 월악산 일대의 사지 등을 조사했다. 경기도 여주군 읍내에 당도하여 4일간 체재하여 부근을 조사하였다. 여주읍에서 한강을 거스러 약 30

---

139 谷井濟一, 「朝鮮通信2」, 『考古學雜誌』 제3권 제5호, 1913년 1월.
140 關野貞, 谷井濟一, 栗山俊一, 『大正元年朝鮮古蹟調査略報告』, 朝鮮總督府, 1914; 谷井濟一, 「慶州通信」, 『考古學雜誌』 제3권, 1913.

정, 강의 오른쪽 기슭에 봉미산 신륵사의 유물을 조사했다.

여주군에서 읍의 북쪽 약 3리, 북면 상고리의 고달원지에 고려원종국사혜진탑 및 동 탑비와 또 한 기의 우수한 고려시대의 묘탑을 조사하고, 혜진탑에 대해서는 "고려시대 초기의 조각술이지만 신라시대 예술에 육박하기에 충분한 것임을 보여주는 것으로 귀중한 유물"이라고 기술하고 있다.

11월 19일 경기도 여주읍을 작별하고 충청북도 충주군에 들어가 가흥면사무소에서 1박하고 다음날 충주읍으로 가는 도중에 금천면 탑정리의 칠층석탑을 조사했다. 야쓰이 세이이치는 「조선통신(3)」에서 "이 탑도 여주 신륵사의 전탑과 동시에 야기 씨에 의해 『고고계』 제1편 9호에 소개돼 사진도 이 잡지에 나와 있습니다. 탑이 있는 장소는 충주읍의 서북 약 2리, 한강의 왼쪽 기슭 약간의 개활지開闊地에 있고, 총 높이는 약 48척, 화강암으로써 축조한 빼어난 신라

월광사지 원랑선사보선광탑비신

탑이며, 그 위대한 점에 있어서 전라북도 익산군 미륵사지의 대석탑에 버금가는 자리를 얻을 만한 것이라 하겠습니다" 라고 하고 있다. 탑정리7층석탑 부근 발견 와(조선고적도보1427~1434)는 도쿄대학으로 반출했다.[141]

충주에서는 이틀간 머물면서 그 하루는 개천산 정토사지를 찾아 법경대사자등탑비, 홍법대선사실상탑 및 동 탑비 등을 조사했다. 법경대사자등탑에 대해서는 "이렇게 훌륭한 비까지 첨添하였으므로 반드시 훌륭한 조각물이 있었으리라고 믿어지나 지금은 이미 매각되어 그 탑지는 파헤쳐 있습니다"[142]라고 하며 그 피해 현상을 기술하고 있다.

충주에서는 기타 읍성남문 밖의 철불 및 읍남 단월리의 약사전철불을 조사했다.

이 밖에 월산 서쪽 산허리인 덕산면 동창리에 있는 월암산 월광사지의 원랑선사보선광탑비를 조사하고 "비는 지금 넘어져서 땅위에 놓여 있다. 이수와 귀부가 같이 있고 더욱이 웅휘雄輝의 기상을 발휘하여서 길이 고려비의 선구先驅가 되었다"고 한다.[143]

11월 24일 아침에 월악산 덕주사를 떠나 비를 무릅쓰고 사자빈신사지 및 월광사지를 조사했으며, 농창리에서 점심을 하고 오후에 월악산을 넘어 8리의 행정行程을 단양읍丹陽邑으로 서둘러 저물녘에 도착했다. 이번의 여행 중에 반나절 동안 가장 많이 걸었던 것은 이 동창東倉에서 단양丹陽간인데, 조선말鮮馬이라면 하루를 들여도 짧은 겨울 해가 저물기 이전에 당도하기란 곤란했던 곳이었다고 한다.

다음날 25일에는 죽령竹嶺의 험한 길을 넘어 경상북도에 들어섰다.

---

141 關野貞, 谷井濟一, 栗山俊一,『大正元年朝鮮古蹟調查略報告』, 朝鮮總督府, 1914.
谷井濟一,「慶州通信」,『考古學雜誌』 제3권, 1913.

142 谷井濟一,「朝鮮通信3」,『考古學雜誌』 제3권 제6호, 1913년 2월.

143 關野貞, 谷井濟一, 栗山俊一,『大正元年朝鮮古蹟調查略報告』, 朝鮮總督府, 1914.

비로사진공대사비신 및 귀부

11월 26일부터 풍기, 영주, 봉화 일대를 조사했다. 비로사 진공대사비의 파괴 상태를 조사하고, 부석사에 대해서는 조사 당시만 해도 사운이 기울어 겨우 1인의 주승과 디스토마를 앓고 있는 1인의 애승이 절을 지키고 있을 뿐이라고 한다.

봉화군 태백산 각화사覺華寺의 건물은 1908년 폭도의 불지른 바가 되어 유물이 볼 만한 것이 없다고 하며, 태백산 사고에 대해서 야쓰이는 "신록은 태조의 임신壬申 7월부터 철종 계해癸亥까지 537책 완비, 63궤가 있습니다. 누하樓下에는 간본刊本의 사적史籍 기타 간행의 학자의 저록著錄 약 3천책을 보관하고 있습니다. 양동兩棟의 장서를 합하면 252궤, 5,652책을 헤아리겠습니다"[144]라고 기술하고 있다.

안동 읍남문 밖 발견 석조보살상 2구

12월 초에는 안동 일대의 유적 유물을 조사했다. 안동 태사묘太師廟에는 고려말의 전세품이라 불리는 것에 옥적玉笛, 합盒, 상아홀象牙笏, 시匙, 옥귀자玉貴子, 김대金帶, 다기茶器 등을 조사했다. 야쓰이는 "어느 것이나 전설과 같다고 하여도 지장이 없으리라고 생각하지만 지정至正

144 谷井濟一, 「朝鮮通信4」, 『考古學雜誌』 제3권 제9호, 1913년 5월.

20년(1360) 3월의 교서敎書만은 진귀한 것으로 인정" 된다고[145] 기술하고 있다.

안동읍동7층전탑 아래에서 발견한 와(고적도보1548, 1549)는 도쿄대학으로 반출했다.

안동의 읍남문 밖의 땅속에서 발견한 석조보살상 2구는 "안동경찰서 소관" 으로 나타나 있다.『조선고적도보』제5책(도판 1929, 1930) 해설편에, "명치44년(1911) 안동 남문외의 지중池中에서 발견된 것인데, 당대 초기의 가작이다. 석조로서 위에 칠을 하고 박箔을 누르고 또 천의 등에는 녹청 등의 채색을 하였다" 하는데 현재 소재불명인 것을 보면 이미 다른 나라로 반출된 것으로 추정된다. 당시 이왕가박물관이 있었지만, 총독부박물관이 창설되기 전에는 유물 발견이나 발굴 시 해당군청이나 경찰서 등에 보관해 두었기 때문에 보관 및 책임이 불분명한 점이 있다.

이후 12월 12일까지는 경북 예천, 문경, 상주, 의성 등지의 유물을 조사한 것으로 나타나 있다. 예천읍동3층석탑 주변의 와(조선고적도보1509, 1510)와 영천폐사지3층석탑 부근 발견 瓦(조선고적도보1473~1479)는 도쿄대학으로 반출했다.[146]

세키노 일행의 1912년 조사에 대해『권업신문』1913년 2월 23일자에는 다음과 같은 기사가 있다.

> 일인 공학박사 관야정이란 자가 작년 가을에 충북, 경북 각 지방을 대략 두 달 동안에 돌아다니면서 한국의 사적을 조사하였는데 첫째, 강서에서 고구려 시대의 돌관을 파내었는데 넓이 두간, 높이 두 간 되는 고총에 화

---

145 谷井濟一,「朝鮮通信4」,『考古學雜誌』제3권 제9호, 1913년 5월.
146 關野貞, 谷井濟一, 栗山俊一,『大正元年朝鮮古蹟調查略報告』, 朝鮮總督府, 1914.
谷井濟一,「慶州通信」,『考古學雜誌』제3권, 1913.

강석으로 만든 돌관 세 개가 있고, 그 중 두 개는 검은 바탕에 그림을 그린 자인데 모두 대략 일천삼백년 전의 물건이며 그 중 한 고총에는 동벽에 청룡, 서벽에 백호, 남벽에 출입문, 좌우에는 주작, 북벽에는 현무, 네 신을 그리고 천정에는 당초唐草 모양, 연화모양, 또 천인天人을 그림하여 매우 화려한 자인데 동양 고대의 굉장한 미술품이라 하며,

또 금강산 유점사에서 신라 시대에 만든 44개의 적은 등불을 발견하고, 또 강릉 오대산에 올라 유명한 사고史庫를 조사하고, 상원사에는 신라 문무왕 재위 년간의 명銘과 옛날 쇠북에 있으니 이 쇠북은 한국 최고의 만든 것으로 본래 있는 특색을 드러낼 만한 보배의 물건이요. 또 원주에는 신라, 고려 두 시대의 석탑, 석불, 철불, 석비, 석부도石浮圖등 다수한 고적이 있고, 또 소백산의 부석사에는 고려시대의 목재로 건축한 두 기둥이 있고 겸하여 고려시대에 나무로 놀랍게 새긴 아미타여래의 가장 오랜 물건과 또 조사당祖師堂에는 고려 시대의 그림과 보살인왕의 상이 있는데 강서의 미술품을 제하고는 한국의 최고 보물로 약 육백 이십삼 년 전에 지은 것이요. 또 태백산 각화사에는 사고史庫의 유적이 있다더라.

1912년의 조사는 9월 18일부터 12월 12일까지 3개월간 수행했는데 강서고분의 조사 이외는 대부분 사찰 문화재를 중심으로 조사를 했으며 폐사지 등에서 많은 와편을 수집하여 도쿄대학로 가져갔다.

도쿄대로 반출한 와

품명	출토지	소장처	출처	비고
중앙탑 부근 발견 와	충북 충주군 가금면	도쿄대 공과대학	『조선고적도보』 4, 도판1427, 1428	
중앙탑 부근 발견 와	충북 충주군 가금면	도쿄대 공과대학	『조선고적도보』 4, 도판1429, 1430	
중앙탑 부근 발견 와	충북 충주군 가금면	도쿄대 공과대학	『조선고적도보』 4, 도판1431~1434	
거돈사지 발견 와	강원도 원주군 부론면	도쿄대 공과대학	『조선고적도보』 4, 도판1460	
거돈사지 발견 와	강원도 원주군 부론면	도쿄대 공과대학	『조선고적도보』 4, 도판1461	
거돈사지 발견 와	강원도 원주군 부론면	도쿄대 공과대학	『조선고적도보』 4, 도판1462	
거돈사지 발견 와	강원도 원주군 부론면	도쿄대 공과대학	『조선고적도보』 4, 도판1463	
거돈사지 발견 와	강원도 원주군 부론면	도쿄대 공과대학	『조선고적도보』 4, 도판1464	
거돈사지 발견 와	강원도 원주군 부론면	도쿄대 공과대학	『조선고적도보』 4, 도판1465	

품명	출토지	소장처	출처	비고
거돈사지 발견 와	강원도 원주군 부론면	도쿄대 공과대학	『조선고적도보』 4, 도판1466	
예천읍동3층탑 부근 발견 와	경북 예천군 예천면	도쿄대 공과대학	『조선고적도보』 4, 도판1509	
예천읍동3층탑 부근 발견 와	경북 예천군 예천면	도쿄대 공과대학	『조선고적도보』 4, 도판1510	
신복사지 발견 와	강원도 강릉군 성남면	도쿄대 공과대학	『조선고적도보』 4, 도판1520	
신복사지 발견 와	강원도 강릉군 성남면	도쿄대 공과대학	『조선고적도보』 4, 도판1521	
신복사지 발견 와	강원도 강릉군 성남면	도쿄대 공과대학	『조선고적도보』 4, 도판1522	
안동읍 남5층탑 부근 발견 와	안동군 부내면	도쿄대 공과대학	『조선고적도보』 4, 도판1548	

품명	출토지	소장처	출처	비고
안동읍 남5층탑 부근 발견 와	안동군 부내면	도쿄대 공과대학	『조선고적도보』4, 도판1549	

1912년 9월

개태사 철부(鐵釜)를 옮기다.

개태사 철부(『조선고적도보』)

개태사의 것으로 추정되는 쇠솥은 일찍부터 알려져 1908년에 발간한 『한국철도노선안내韓國鐵道路線案內』에, "철부鐵釜 연산읍의 1리 전포田圃 중에 있다. 호서삼거물湖西三巨物의 하나로 칭하고 있다"고 지역명물로 기록하고 있다.[147] 또 1917년에 발간한 『조선유람록朝鮮遊覽錄』에도 이 솥에 대한 기록이 조금 보이는 바, "논산 개태사를 찾아가니 논 가운데 묻힌 쇠솥 하나가 밖으로 반쯤 들어 났는데 주위가 반 마지기 가량이 된다. 어느 때에 제작한 것인지는 알 수 없으나 하우夏禹 씨의 구정九鼎인들 이보다 더 크리요" 라고 기술하고 있다.[148]

147 統監府 鐵道管理局,『韓國鐵道路線案內』, 1908, p.45.
148 崔相宜,『朝鮮 遊覽錄』, 廣學書鋪, 1917.

1909년 세키노 타다시關野貞가 조사할 때는 연산읍 서방 작은 개천에 넘어져 있었다고 하는데 당시 전하는 이야기로는 개태사의 대부大釜가 홍수에 흘러 왔다고 한다.[149]

홍수에 흘러와 수전水田 중에 있던 것을 1912년 9월에 언산공원이 설치되자 읍내 유지들이 이를 공원으로 옮겼다.[150]

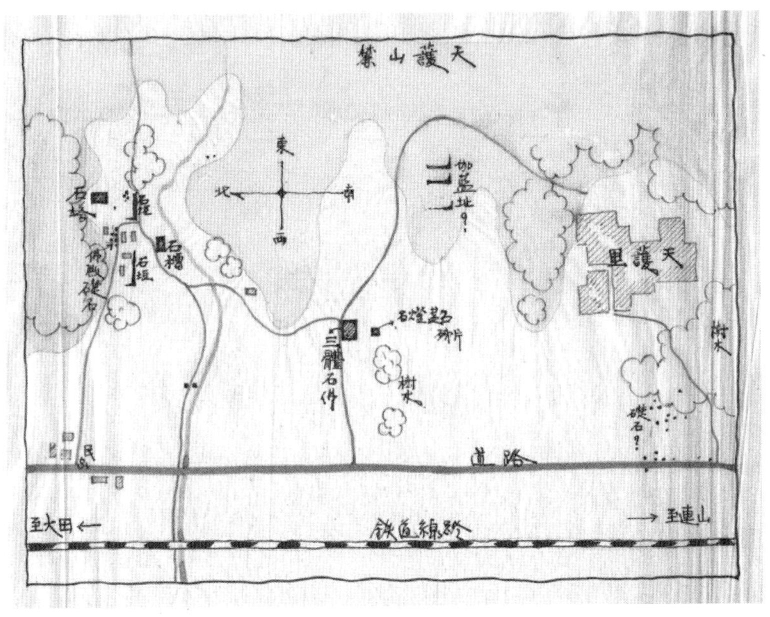

개태사지 견취도[387]

『개벽』 제46호(1924년 4월)에 실린「명승과 고적」에는 개태사 철부에 대해 다음과 같이 설명하고 있다.

149『大正6年度古蹟調査報告』, 朝鮮總督府, p.648.

150 朝鮮總督府,『湖南線線路案內』'連山驛' 條, 1914;「名勝과 古蹟」,『開闢』第46號, 1924년 4월, pp.147-148.

151「충청남도 고적조사 보고」,『국립중앙박물관 소장 조선총독부공문서』, 목록번호 : 96-135.

대철부 및 오중석탑. 논산군 연산역 동방 19정 되는 구 연산읍 동남구상東南丘上에 재하니 철부鐵釜는 직경 9척 3촌, 깊이 3척 9촌, 두께 1촌, 주위 2장 9척 6분이니 호서 거물의 하나이오. 또 석탑은 조각이 자못 교묘하니 양자는 모두 왕시 고려 거찰 개태사의 유물이다. 이 철부는 원래 구 연산읍 서남 약 10정되는 수전水田 중에 매장되었던 것을 1912년 9월경에 군내 유지가 연산공원를 설치할 시에 이전한 것이다.

이 같이 한동안 연산공원에 옮겨져 있다가, 1919년에는 이를 보존하기 위해 다시 조선총독부박물관으로 옮기게 되었다.[152] 박물관으로 옮겨온 후『고적급유물등록대장초록古蹟及遺物登錄臺帳抄錄』에 등록번호 제67호로 등록하였다.[153] 1930년경에는 개태사가 중건되어 현재 개태사에 옮겨져 있다.

개태사 석조(조선고적도보)

개태사의 원 사지는 논산군 연산면 천호리의 현존 개태사에서 북으로 약 300미터의 거리에 있다. 이곳의 원 개태사는 고려 태조 왕건에 의해 936년에 창건[154]된 사찰이다. 고려

152 「大正7年度 古蹟調査 成績」,『朝鮮彙報』, 朝鮮總督府, 1919년 8월.
"본년도 박물관 취기 완료유물"에 "3) 論山 開泰寺址 鐵釜"이라 하여 1919년에 박물관으로 옮겨왔음을 밝히고 있다.

153 『古蹟及遺物登錄臺帳抄錄』, 朝鮮總督府, 1924, p.6-7

154 『高麗史』世家 太祖19년 條에,

태조가 후백제의 신검神劍을 쫓아 황산 숫고개를 넘어가서 마성에 진을 친 뒤 신검에게 항복을 받고 삼국을 통일하였다. 이것을 하늘의 도움이라고 하여 황산을 천호산이라 이름을 바꾸고 절을 창건하여 개태사라 하였다.『동사강목東史綱目』에,

그때, 왕이 백제를 정벌하여 크게 이겨 하내河內의 30여 군이 모두 강역江域으로 들어왔고, 발해인도 귀순하였는데 , 왕이 부처의 힘이 도운 바라 하여 황산에 절을 창건하여 개태라고 이름 지었다. 친히 발원문을 짓고 손수 썼는데 그 글의 대략은 이러하다.
'나면서부터 감내하기 어려울 만큼 온갖 고난을 만났고, 병란은 상군上郡을 휩쓸고 재앙은 진한을 흔들어서 사람들은 목숨을 부지하지 못했고 집안은 편안히 살수가 없었다. 그리하여 하늘에 맹세하여 거얼巨孼을 평정하였으며 도탄에 빠진 백성을 구하고 마음대로 향리에서 농사짓게 하였다. 20여 년 동안 물불로 공격하여 몸은 시석矢石을 무릅썼으며, 천리 먼 길에 남쪽, 동쪽으로 정벌하면서 몸소 간과를 베개 삼았다. 병신년 9월에, 숭선성崇善城가에서 백제와 진을 맞대어 한 번 소리 지르니, 흉적들이 기왓장 깨어지듯 하였으며 두 번 북을 두드리니 역적들이 얼음 녹듯 하였다. 개선의 노래가 하늘에 메아리쳤고 기뻐 날뛰는 소리가 땅을 흔들었다. 갯가 풀 속에 엎드려 있던 좀도둑과 골짜기 속에 숨어 있던 작은 흉물들이 뉘우치고 마음을 돌려 곧 귀순할 마음을 품었다. 모는 뜻이 간악한 자를 제거하고 약한 자를 구제

"이 해(936)에 또 連山에 開泰寺를 創建하였다."
『高麗史』 世家 太祖23년(940) 條에,
"12월에 開泰寺가 이룩되므로 落成華嚴法會를 베풀고 왕은 친히 疏文을 지었다."
이로 보아 936년에 공역을 시작하여 940년에 완공되었음을 알 수 있다.

하는데 있어서 추호도 범하지 않고 하찮은 생명 하나도 상하지 않았다'[155]

이러한 창건의 연유로 고려 때에는 국가의 비호를 받으며 왕실과 긴밀한 관계를 맺으면서 유지되어 왔으며, 태조의 영전影殿이 설치되어 기일마다 제사를 지내고 태조의 옷 한 벌과 옥대 한 개가 보관되었다.[156] 그러나 고려 말기에 이르러 사운은 쇠퇴한 것으로 전한다. 즉 고려 말기 잦은 왜구의 침입으로 방화 약탈됨에 따라[157] 사세는 기울고 조선시대 억불정책으로 폐사가 되어 오랫동안 방치되어 왔을 것으로 짐작된다.『범우고』에는 "금폐今廢"로 기록하고 있다.

강서고분 조사

1912년의 조사에서 세키노 일행의 가장 관심 있는 조사는 고구려 벽화고분이었다.

강서 우현리 삼묘는 1905년에 군수 이우영이 고분을 발굴한 일이 있었는데 현실 벽에 벽화그림이 있었으나 부장품은 남아 있지 않고 단지 제1묘에서 두골頭骨을

---

155 安鼎福,『東史綱目』高麗太祖 19년(936)12월 條.

156『高麗史 世家』恭讓王3년 條.
"신묘년 좌대언 이첨을 연산 개태사에 보내어 태조의 眞殿에 제사를 지내고 옷 일습과 옥대를 바쳤다."

157『東史綱目』우왕2년 7월 條.
"왜구가 남쪽지방에 횡행하여 마침내 부여로 쳐들어와 공주를 함락하고 다시 석성 연산을 침략하므로 박인계가 맞아 싸우다가 말에 떨어져 피살되니 적은 개태사를 무찔렀다."
또『東史綱目』창왕 즉위년 條.
"왜구가 점점 치열해지므로 최칠석, 장사길 등을 보내어 막게 하였으나 곧 연산현의 개태사를 함락시키고 또 청주 유성, 낙안 등의 고을을 침구하였다."

발견하여 군수가 이것을 가지고 갔다가 불미스러운 일을 당하여 땅속에 다시 묻었다고 한다. 그 후 도쿄미술학교 학생 오오타 후쿠조太田福藏가 강서수비대로 있을 때 당시 강서수비대장과 재차 이 고분을 발굴하여 벽화 일부를 모사模寫하였다.

우현리 삼묘 전경(조선고적도보)

세키노는 1909년 평양에 도착했을 때 시라카와 쇼지白川正治로부터 강서에 3개의 대고분이 있다는 사실을 전해 들었다. 그리고 1911년에 평양에 갔을 때는 군수가 이 고분을 발굴할 때 참가했던 동리 사람들로부터 내부에 벽화가 있다는 이야기를 들었으나 일정상 발굴은 후일로 미루었다. 그 해(1911) 12월에 도쿄에 돌아갔을 때 강서수비대로 있었던 미술학교의 생도 오오타 후쿠조太田福藏로부터 그가 모사한 벽화의 일부를 보고 그 벽화의 화풍이 남북조시대의 양식을 가진 희대의 벽화임을 알게 되었다. 도쿄미술학교 생도 오오타는 그가 7년 전에(1911년을 기준으로 하면 1904년) 강서에 있을 때 군수의 발굴 후 재차 발굴을 시도하여 벽화의 사실을 확인하고 이를 약사 했다고 한다.[158] 이것이 고구려벽화의 최초 발견이라 할 수 있다.[159]

158 關野貞,「朝鮮江西に於ける高句麗時代の古墳」,『考古學雜誌』 제3권 제8호, 1913년 4월, p.2.
159 關野貞,「朝鮮江西に於ける高句麗時代の古墳」,『考古學雜誌』 第3巻 8號, 1913년 4월. 북한에서 발행한『考古學術叢書』(1990, 한국인문과학원 영인)에는, "대묘의 무덤 안길은 길이 3미터 가량 되는데 그 너비와 높이는 안으로 들어가면서 차츰 좁고 낮아졌다. 안칸으로 들어가는 곳에는 긴 돌로 문칸을 만들고 거기에 쌍닫이 돌문을 달았다. 그러

오오타의 고구려벽화 모사도를 확인한 세키노 일행은 1912년 9월 하순에 강서고분 3기를 비로소 직접 발굴하여 조사하게 되었다. 이 삼기의 무덤은 평야에 봉토가 우뚝 솟아 있는데 그중 남쪽에 위치하고 있는 것은 가장 크다고 하여 대묘라고 하고 이 대묘의 서쪽에 있는 것은 중묘, 동북쪽에 있는 것은 소묘라 명명했다. 대묘에서는 네 벽면에 사신도를 비롯하여 천정에까지 빈틈없이 여러 가지 그림으로 장식하였다.[160] 중묘 역시 무덤내부 벽면에 사신도가 그려졌고 그밖에 천문도, 인동 당초문 등이 온 벽면을 장식하고 있었다. 소묘에는 벽화가 나오지 않았다. 오바 쓰네키치小場恒吉와 오오타 후쿠조太田福藏에게 벽화를 모사하게 했다. 대묘벽화는 약 70일에 걸쳐 상세하게 모사하여 도쿄박물관과 도쿄대로 가져갔다.[161] 이는 일본 학자들에 의한 최초의 고구려 벽화고분의 발굴이며 이를 계기로 고구려 고분벽화를 찾기에 혈안이 되었다.

대묘현실

『매일신보』 1913년 11월 29일자에는 다음과 같은 기사가 있다.

나 이 문은 일제침략자들에 의하여 파괴되어 없어졌다"고 한다.

160 북한에서 발행한 『고고학술총서』(1990, 한국인문과학원 영인)에는, "대묘의 무덤 안길은 길이 3미터 가량 되는데 그 너비와 높이는 안으로 들어가면서 차츰 좁고 낮아졌다. 안칸으로 들어가는 곳에는 긴 돌로 문칸을 만들고 거기에 쌍닫이 돌문을 달았다. 그러나 이 문은 일제침략자들에 의하여 파괴되어 없어졌다"고 한다.

161 關野貞, 「朝鮮江西に於ける 高句麗時代の古墳」, 『考古學雜誌』 第3卷 8號, 1913년 4월. 이후 우현리묘는 羨道의 입구에 鐵製門을 설치하고, 현실 가까이에는 木製門을 설치하고 그 외부에는 철조망을 둘렀다
이것이 일제의 조선에서의 최초의 벽화고분의 발굴이다.

> 강서고분과 통첩
>
> 평남 강서군 소재 고분 유서에 대하여 종종 연구를 쌓은 바이어니와 강서군 읍지에 고구려왕릉이라는 전설을 기록하고 있고 또 지금으로부터 120년 전에 있어서는 그 때 강서현령 유언육이 제사 및 수호규식守護規式을 정한 이래 근년까지 그 규식을 천행踐行하던 사실이 있으나 고구려 어느 대의 릉이라 확정할 만한 고증은 얻지 못한지라 고로 역대왕릉 수호에 관한 규정에 의하여 감수인監守人을 배치키는 어렵고 다시 왕릉이라 결정하기 어려운 경우인슥 단순히 고대미술품 유적으로서 일반에게 관람케 할 방법을 정함이 가할지라 그러한즉 그 방법을 특정하는 당분간에 는 학술공예의 특별연구를 요할 목적으로써 총독부에서 특히 소개할 것 외에는 관람을 불허하라는 통첩이 정무총감으로부터 달하였음으로 평남도에서는 강서군에 통첩을 명하였다.

세키노 일행의 조사에 앞서 최초로 강서고분을 파헤친 자를 군수라고 발설한 자는 강서에 주둔하던 오오타 후쿠조太田福藏이다. 군수가 고분을 파헤친 해는 세키노가 1911년에 오오타太田로부터 전해들을 때를 기준으로 "7년 전"이라고 했기 때문에 1904년으로 보인다. 그 후 2차로 오오타太田가 고분에 들어가 벽화를 확인하고 일부 약사 했다고 한다. 오오타가 벽화를 모사한 시기에 대해서는, 오오타가 1905년부터 일본군 제15사단 제58연대 제3대대에 배속되어 위생병으로 평양에 머물렀으며, 강서에도 8개월간 파견되었던 경력으로 보아[162] 1905년이라 할 수 있다.

---

162 정인성, 「일제강점기 고구려 유적 조사 · 연구 재검토2」, 『일본 소재 고구려 유물』, 동북아역사재단, 2008.

사오토메 마사하로早乙女雅博는 「신라의 고고학조사 100년의 연구」 에서, "평안남도 강서에서 도쿄미술학교 학생 오오타 후쿠조太田福藏가 1905년 11월 26일에 강서삼묘고분을 발굴" 했다고 한다.[163] 고구려벽화를 발견한 오오타는 벽화를 모사하여 가지고 돌아갔는데, 6년 후(1911) 세키노가 벽화 모사도를 확인한 것이라고 한다.

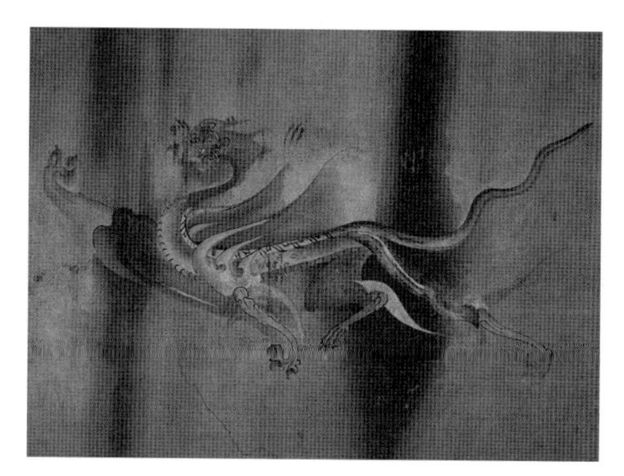
중묘 현실 서실 벽화

오오타太田는 강서고분 최초로 파헤친 자를 강서 군수로 지목하고 있지만, 이토 도시사후로伊藤利三郎는 「강서의 고구려고분」 에시 "1906년경에 오카무라岡村 모씨가 이 분묘를 발견" 했다고 하는데,[164] 시기는 앞에서 기술한 것과는 차이가 있으나 군수가 아닌 "岡村 某氏" 라고 하고 있다.

이시노石野瑛는 평양을 여행할 강서고분을 답사하고 당시 강서우편소장으로 있던 오카무라 고이치岡村幸一를 만나서 보고 들은 이야기를 1928년에 『고고학잡지』 에 기술하고 있다. 이시노는 오카무라 고이치岡村幸一를 방문하여 그가 수집한 유물을 보았는데 낙랑군지방에서 출토한 석부, 석포정石庖丁, 토기, 전, 와, 옥류, 동족, 무구, 농구 등 많은 유물을 소장하고 있었다고 한다. 또 오카무라의 안내로 강서대묘를 관람했는데 당시 들은 이야기로 "오카무라岡村 씨는 일찍이 고고에 흥

163 早乙女雅博, 「新羅の考古學調査 100年の研究」, 『朝鮮史研究會論文集』 39, 朝鮮史研究會, 2001년 10월, p.56.

164 伊藤利三郎, 「江西の高句麗古墳」, 『隨筆朝鮮』, 京城雜筆社, 1935, p.49.

미를 가지고 강서고분 때의 군수 이우영李宇榮과 자비로 발굴하였다"고 한다.[165]

이상으로 보면 강서고분을 최초로 파헤친 것은 군수 이우영이 단독으로 한 것이 아니라 한국 유물 수집에 혈안이었던 오카무라 고이치岡村幸一의 부추김에 따라 두 사람이 함께 파헤친 것이라 할 수 있다.

1910년 이래로 매년 추계를 이용하여 실시된 평양지방의 일련의 고적발굴은 지방민에게도 상당한 자극을 주었다. 비록 학술적 조사라 할지라도 고요히 간직한 고분을 발굴하고 지하에 매장된 호화로운 회화의 세계를 백일하에 노출시키자 일반의 호기심을 자극하여 관민 간에 차차 손을 내기 시작하였다. 앞서 우현리 삼묘리의 삼묘도 군수, 수비대장 등이 벌써 손을 대었었고, 쌍영총도 안성동장이 손을 대었다고 전한 것으로 당시의 도굴 붐을 짐작 할 수 있다. 이 같은 도굴 행위에 일인 측의 기록에는 유독 한국의 지방군수 동장이 지적되고 있는 것은 무슨 저의가 있는 지도 모르는 일로서,[166] 세키노의 주장과는 달리 이토 도시사부로伊藤利三郎는 『수필조선隨筆朝鮮』에서 강서고분을 처음 발견한 자는 오카무라岡村 모라는 자라고 하고 있는데,[167] 어느 것이 정확한 것인지는 알 수 없다. 그러나 한 가지 간과看過할 수 없는 것은 우리나라는 고래古來로 죽은 자에 대해서는 지위고하를 막론하고 존숭尊崇하여 침범侵犯하지 않은 점을 고려한다면 군수가 발굴했다는 것보다는 오히려 일본인이 처음 무덤에 침범했다는 것에 비중을 두어야 할 것이다.

165 石野瑛,「北支滿鮮の旅から」,『考古學雜誌』 제18권 제12호, 1928년 2월, p.61.
166 李弘稙,『高句麗 遺蹟調査의 歷程』,『白山學報 第1號』, 1966.
167 伊藤利三郎,「江西の高句麗古墳」,『隨筆朝鮮』, 京城雜筆社, 1935.

1912년 10월 15일

도쿠토미 소호德富蘇峯의 규장각 도서 조사

도쿠토미 소호德富蘇峯는 10월 15일에 규장각도서를 조사했는데, 그의 일기에 다음과 같이 기록하고 있다.

> 비온다. 비를 무릅쓰고 규장각의 장서를 보았다. 놀라운 일은 승정원일지承政院日誌 5천 수백 책 매 책이 1촌 내지 3촌의 두께이다. 즉 이조문헌의 징徵할만한 것이 여기 있다. 각조실록各朝實錄은 활자로 되었고 그러고 그 장이 2척 이상에 남는 대책이다. 그 종이에는 랍를 칠하여 마치 구주歐洲의 양피와 흡사하다. 지나 서적에 대하여는 별로 이상한 것이 많은 것 같지 않다. 단 소자유蘇子由의 고사古史 12책이 있다. 아마 송시宋詩인 것 같다. 고색창연古色蒼然 진실로 가애可愛할 바이다(明治45년 10월 15일 記).[168]

168 「千古의 名文章(德富蘇峯, 奎章閣藏書)」, 『삼천리』 제5권 제10호, 1933년 10월.

1912년 10월 17일

금강산 유점사 53불 조사

『유점사본말사지』에 의하면, 유점사 53불이 1905년까지 온전히 전해져 내려왔다는 기록이 있다.[169]

1912년 10월 17일에 행해졌던 세키노 등의 조사에 의하면, 유점사 능인전에 있는 소동불小銅佛 44구軀는 신라불로서 그 등급을 갑甲으로, 5구軀는 고려불로서 갑甲, 또 1구軀는 조선시대 초의 것으로 을乙등급으로 도합 50불을 기록하고 있다.[170]

야쓰이 세이이치는 「조선통신」에서,[171]

> 금강산에서 대발견은 유점사 능인전 안치의 본존 53불 중 44체가 신라시대의 유물이었습니다.
>
> 골동상인배의 수연垂涎할 신라시대의 이러한 소동불이 그 산일을 면하여 잘 금일에 보존되었음은 전연 지금으로부터 15년 전에 특히 새로이 도금한 일이 있었던 까닭인데 이들 천년의 소동불을 근대와 같이 가장假裝시켜 그 찬연한 금박金箔은 간상배奸商輩가 이들 소불小佛에 가해지려고 하는 맹

---

169 『楡岾寺 本末寺誌』
1882년(고종19년) 대화로 전소되었으나 53불 등 보물을 구출하다.
1904(고종광무8년) 自上으로 53불을 標本하여 袈裟 53領 佛事를 作하다.
1905(고종광무9년) 比丘尼 四得이 私財로써 53불상 등을 改金하다(權相老,『佛敎寺刹事典』).

170 『大正元年 古蹟調査 略報告』, p.63-64.

171 谷井濟一,「朝鮮通信2」,『考古學雜誌』 제3권 제5호, 1913년 1월.

열한 간수단奸手段에 대한 유력한 완화제緩和劑였다고 생각합니다.

라고 하며 15년 전에 도금한 것이 오히려 보존에 도움을 준 것처럼 기술하고 있다. 또 세키노는 『조선의 건축과 예술』에서,

금강산 유점사 능인전내能仁殿內에 다수의 당대의 소불상이 있다. 전에는 53구의 소 불상이 안치된 것인데 현재는 3구가 분실되었다. 이중 44구는 당대(신라)의 것이고 6구는 고려시대의 것이다. 이와 같이 당대의 많은 소 불상을 보유하고 있는 것은 기적이라 할 수 있다.[172]

라고 한다.

이상으로 본다면 본래 전해오던 53불 중에서 3불은 적어도 1905년에서 1912년 사이에 분실되었음을 알 수 있다.

그런데 세키노關野나 다니이谷井의 기록에는 언제 어떻게 3구의 불상이 분실되었는지에 관해서는 언급하지 않았다. 『유점사본말사지楡岾寺本末寺誌』의 1907년 기록에,

1907년(순종융희1년) 9월에 의병 700여 명이 사내에 들어가 11일간 은둔하다가 고성읍에 돌입 공격함에 있어서 사는 적의 소굴이라 하여 주관主管 금담화상錦潭和尚이하 승려 21명을 고성 수비대에 구인拘引하였는데 주관화상의 혈성血誠으로 사는 병화를 행면幸免하고 대장의 명에 의하여 사내의 불상,

172 關野貞, 『朝鮮の建築と藝術』, 1941.

고물, 양미粮米를 이거移去하고 사문을 봉쇄한 후 승려가 산거散居하였다가 이듬해 봄에 헌병분대소를 설치하고 다시 사문을 열고 승려가 환사還寺하다.

라고 되어있다.

1909년 4월 24일 강원도 경찰부장이 경무국장에게 보낸 '폭도 출몰상황 보고의 건'[173]에는 다음과 같은 기록이 있다.

지난 밤 고성군읍 서방 8리 유점사에 50명의 폭도가 습래襲來하였다는 보고가 있었다. 헌병 경찰은 토벌을 위하여 급행急行하였다.
본월 5일 도하 고성군 유점사에 폭도 50명이 습래하였다는 정보에 의하여 동지 경찰 헌병 연합의 토벌로 출동 정찰을 한 바 해 폭도는 19명으로 전부 다갈색의 복을 착하여 일견 군인과 여하다고 한다. 19명 중 16명은 총기를 휴대하고 있었다. 유점사로부터 물품을 약탈한 후 동일 야 도내 인제군 서화면 방면으로 도주하였다. 따라서 동 방면에 대하여 수배중이다.

이런 기록으로 볼 때, 1907년에서 1909년 사이에 3구의 불상이 분실되었을 가능성이 높아 보인다.

그런데 무슨 이유에서인지 1917년에 간행한 『조선고적도보』 제5책에는 소불상 44구(도판번호1947~1990), 1920년에 간행한 『조선고적도보』 제7책에는 3구(도판번호3208~3210)등 총 47구로 유점사에서 조사 당시에 있던 50구 중 3구

---

173 『국가보훈처 공훈 전자사료관』.

가 누락漏落되어 있다.

『조선고적도보』 제5책의 해설에는

> 지금 사의 본전인 능인전내에 유수楡樹의 지간枝幹을 모模하고 지상처枝上處에 금동의 소불상을 안치하였다. 금 3구를 결하고 50구가 존存한다. 그 중 44구는 당대에 속한 것이다.

하여 『조선고적도보』 제5책에 44구를 실은 것은 신라불(세키노의 관점)이기 때문이라면 어느 정도 수긍이 가지만, 제7책에는 나머지 6구 중 3구만 실었다는 것은 어딘지 모르게 의문이 간다. 세키노의 기록대로라면 나머지 고려 때의 6구(또는 1구는 조선시대)를 함께 실거나 아니면 처음 조사 시 조선시대의 것으로 의심이 가는 1구를 제외한 5구를 실었어야 하는 것이다. 그러나 고적도보는 5책 이후에는 해설이 없기 때문에 의문만 남을 뿐이다.

남효온南孝溫의 「유금강산기遊金剛山記」에는 다음과 같이 기술하고 있다.

유점사 능인보전

> 아침식사를 마치고 한 작은 고개를 넘어 10리쯤 가서 유점사에 당도하니 절 앞에 당해서는 수점천水岾川과 함께 합류한다. 절에 수각이 있어 내 남북 쪽을 깔고 앉았는데 물고기가 앞에서 뛰다가 큰물이 지

면 연어 송어가 모두 수각까지 올라온다고 한다. 절의 바깥문은 해탈문인데 천왕이 둘이 있고, 다음은 반야문인데 천왕 넷이 있고 다음은 범종루가 있는데, 루곁에 한 방에 노춘의 상이 있고, 맨 앞에 능인보전이 있고 전앞에는 나무를 새겨서 산모양을 만들어, 53구의 부처가 그사이에 연립해 있다.

『신증동국여지승람』'고성군' 편에 실려 있는 이색의 시에,

유점사 안에 유수가 자랐는데, 종이 서해에서 떠오니 하늘이 아득하구나
불상 50 하고 또 세 몸이, 바로 나무 아래를 정하여 천당을 열었네,

하고 있다. 방산舫山 허훈許薰(1836~1907)의 1898년 5월 13일의 기록에도 유점사의 면모를 자세하게 기록하고 있다.

유점사까지 이르니 절 앞에는 산영루山暎樓가 세워져 있고 복도를 만들어 놓았는데 절로 들어가는 자는 모두 이 복도를 거쳐 가게 되었다. 마침 어떤 궁녀가 와서 불공을 드리는데 수종자도 매우 여럿이고 중들도 많이 모였다. 오가는 모습들이 마치 바람이 휩쓸고 물결이 일렁이듯 하는데 보운도 여기에 와서 내가 쉬고 있는 곳까지 이르러 바삐 몇 마디 이야기만 하고 그만 가 버렸다.
법당으로 나가 보았다. 박달나무 뿌리로 산처럼 만들어 놓고 층층이로 53개의 부처를 세웠다. 그림을 그린 창과 채색을 올린 기둥엔 티끌 한 점도 보이지 않고 길게 지은 행랑과 바로 세운 암자, 층으로 만든 석가래와 곱

게 다듬은 난간은 물고기 비늘처럼 이어지고 소뿔처럼 꼬부라졌는데 금강산 여러 절 중에서 으뜸으로 되었다.

민지의 기문에 이르기를 '신라 남해왕南解王 원년에 노춘이 비로소 이 유점사를 지었다' 하였다. 우리 세조 때 중건하여 더욱 웅장하고 화려하게 하고 큰 종까지 만들어 달았는데 김괴애金乖厓 수온守溫이 그 사실을 기록하였다. 절에는 지공선사指空禪師의 금자경金字經을 저장해 두었고 또 앵무배鸚鵡杯, 수정호水晶壺도 보관되어 있는데 이는 모두 희귀한 보물들이며 무쇠로 만든 화로도 제도가 아주 옛날 것이다.

절 뒤에는 오탁정烏啄井이 있는데 물맛이 감렬甘洌하며, 사방으로 둘러싼 산은 흙이 많고 바위가 적다. 농부洞府는 깊고 그윽한데 예부터 중들의 생활은 풍부한 자가 많다고 한다. 절 북쪽으로 돌아 들어가니 천년이 넘는 고목들이 가지가 서로 맞닿아 그늘이 두텁고 뿌리는 다 드러나 마치 뱀처럼 되어 사람의 발꿈치를 물려고 하는 듯 했다.[174]

허훈의 기록으로 보면, 이때까지만 해도 이 사찰은 완전한 상태로 보존되어 왔음을 알 수 있다.

174 許薰,『舫山全集』, 成均館大學敎 大東文化硏究院, 1983.

1912년 10월

강릉 풍호동고분 출토품

풍호동 북고분 출토 유물(『조선고적도보』)

풍호동 북고분(『조선고적도보』)

세키노 일행은 강릉 일대의 유물을 조사하고 하시동 풍호동 북고분을 발굴하여 출토한 유개고배有蓋高杯 3개, 장개호長頸壺 2개, 각부장경호脚付長頸壺 3개를 도쿄대로 반출하여 현재 동경대 대학원에 소장하고 있는 것으로 알려져 있다. 하시동고분은 조선고적도보에는 강원도 강릉군 자가곡면에서 나온 토기로 기록하고 있다.[175] 토기에 기록된 것으로는 가가곡면 하시동리라 하고 있다.

1912년의 세키노 일행의 행적을 보면 10월 30일부터 11월 2일까지 강릉 신복사지, 하시동 고분 발굴, 한송

175 谷井濟一, 「慶州通信」, 『考古學雜誌』 제3권 제5호, 1913년 1월.
早乙女雅博, 「三國時代江原道の古墳と土器 -關野貞資料土器とその歷史的意義-」, 『朝鮮文化研究』 第4號, 東京大學文學部朝鮮文化研究室, 1997.
『조선고적도보』 도판947~954가 동경대 소장.

사지, 보현사 등을 조사한 것으로 나타나 있다.[176] 따라서 풍호동 고분을 발굴한 기간은 일정상 길어야 이틀 정도 소비하여 급하게 발굴한 것이다.[177]

도리이 류조鳥居龍藏의 제2회 사료조사

도리이 류조의 제2회 사료조사는 1912년 10월부터 1913년 3월까지로, 남만주 북만주와 아울러 평안북도의 사료를 조사했다.

다음과 같은 기사가 있다.

> 조거 강사의 시찰
>
> 총독부촉탁 조거 대학강사는 21일 아침 당지발 수원隨員 2명과 함께 약 4개월 간의 예정으로써 봉천, 여순, 대연, 개원, 토성자를 경유하여 송화강의 상류로부터 통화, 회강, 고구려, 강계 등에 각지 고적조사 전專히 인류희의 도途에 취就힌다디라(『매일신보』 1912년 10월 20일자).

> 조거룡장 씨 출발
>
> 체경 중인 조거룡장 씨는 21일 오전 9시발로 만주를 향하여 출발하였는데 도중 안동현에서 1박한다더라(『매일신보』 1912년 10월 22일자).

---

176 藤井恵介, 早乙女雅博 외 2명 편,『關野貞アヅア踏査』, 東京大學總合研究博物館, 2005.

177 早乙女雅博,「三國時代 江原道の古墳と土器-關野貞資料土器とその歷史的意義-」,『朝鮮文化研究』 제4호, 東京大學文學部朝鮮文化研究室, 1997.

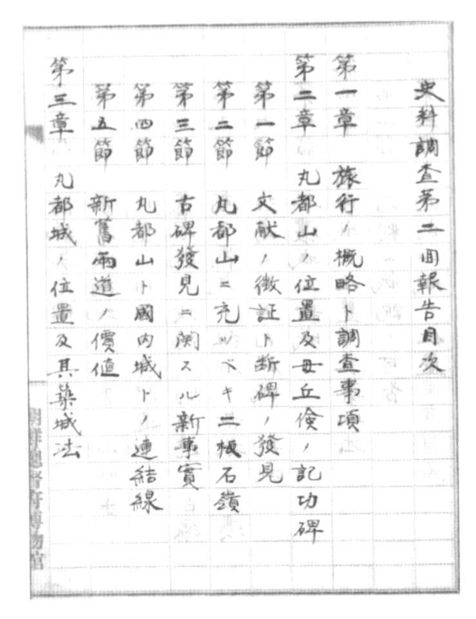

史料調査第二回報告目次

第一章 旅行ノ概略ト調査事項

第二章 丸都山ノ位置及毋丘倹ノ記功碑

第一節 文献ノ徴証ト断碑ノ發見

第二節 丸都山ニ充ツベキ二板石嶺

第三節 古碑發見ニ関スル新事實

第四節 丸都山ト國内城トノ連結線

第五節 新舊兩道ノ價値

第三章 丸都城ノ位置及其築城法

사료조사 보고서(鳥居龍藏 1913년 3월 4일)

당시 그의 조사보조원으로는 사생을 담당한 사토佐藤, 사진을 담당한 사와 슌이치澤俊一, 통역을 담당한 후지이藤井와 고성건高成健이 있었다. 태왕릉, 장군총 등 고구려고분 분포를 조사하고, 광개토대왕릉비, 산성자산성, 휘발성산성, 환도산성, 판식령 모구검기공비 등을 조사했다.[178] 특히 만주에서의 모구검기공비의 조사는 학계에 주목을 받았다.

도리이 류조鳥居龍藏는 조선총독부에 보고한 『사료조사제2회보고』(1913)에서, 조선총독부의 명을 받아 평안북도 및 만주일대의 조사를 할 때 오광국吳光國이 발견한 모구검비를 확인하였다고 기술하고 있다.[179] 이 비는 러일전쟁 때 도로 개수를 할 때 우연히 집안현 지현 오광국이 집안현성의 서북 판석령에서 모구검毋丘檢의 고비 단편을 발견하였다고 하는데, 이를 처음 발견한 사람의 말에 의하면 30년 전부터 이 산록에 가옥이 들어서고 산이 조금씩 개간되면서 우연히 문자가 각해 있는 비가 나와 오광국이 근경에 이 사실을 알고 조사를 하였다고 한다.[180]

178 田村晃一, 『樂浪と高句麗の考古學』, 同成社, 2001, p.301; 鳥居龍藏, 朝鮮總督府에 보고한 『史料調査第2回報告』, 1913.

179 鳥居龍藏, 『史料調査第2回報告』, 1913.

180 鳥居龍藏, 「丸都城及び國內城の位置に就いて」, 『史學雜誌』 第25編 第7號, 1914년 11월.

이 같은 사실은 『집안현향토지集安縣鄉土誌』(1915)의 「집안현외교공독集安縣外交公牘」에도 오광국吳光國의 조사기록이 보이며, 『집안현지集安縣志』(1931)에 의하면 오광국이 집안현 지현知縣으로 있은 것은 광서光緖31년(1904)~광서33년(1906)으로 되어 있다.

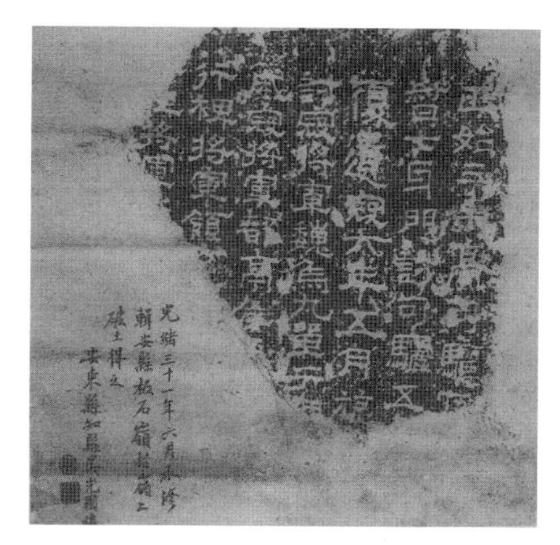

모구검비 탁본(『조선고적도보』)

지광국사현묘탑의 일본 반출에 대한 조사가 이루어지다.

현묘탑 반출에 관한 사건을 총독부에서 탐지하여 1912년 10월경 경무총감부에서 처음 반출자搬出者 모리무라 타로森村太郎와 판 사람을 소환 구류시키고, 일본으로 반출한 와다 쓰네이치和田常市를 소환하였다. 와다和田를 소환한 안도安藤 경시는 현묘탑은 국유지에 있는 폐사의 유물이므로 반환하라고 하였다. 와다和田는 원래 탑이 있던 곳은 국유지가 아니고 사유지였음을 말하고 탑이 있던 곳이 사유지라는 것은 다년간 토지세를 납부하였다는 것으로도 증명할 수 있다고 하였으나, 안도安藤는 모리무라森村와 탑을 팔았던 자는 유죄라고하며 숙고熟考하라고 협박하고 일단 집으로 돌려보냈다.

와다和田의 친구인 야마구치 다헤이山口太兵衛[181]가 이 일을 듣고 데라우치寺內

181 1919년에 刊行한 『在朝鮮內地人 紳士名鑑』(朝鮮公論社編纂)에 의하면, 山口太兵衛는 1885년에 한국에 들어와 1887년부터 서울에서 輸入貿易商을 하였다. 1890년에는 雜貨

총독과 아카시明石 경무총감을 만나 이 일을 중재하기로 하고, 와다和田는 오사카로 건너가 후지타藤田가를 방문하여 그간의 일을 진술하고 동의를 구하고자 하였다. 후지타藤田가에서는 매수할 당초 특별히 사람까지 현지에 보내어 상황을 조사하고 매수를 하였음에도 불구하고 이런 일이 발생하여 상당한 유감을 표했다.

그 사이 야마구치山口는 데라우치寺内 총독을 만나 총독의 위신을 유지하고 와다和田의 안면을 상하지 않게 하는 방안을 모색하였으며 그 결과 현묘탑을 와다和田가 총독부에 헌상獻上하는 형식을 취하기로 결정을 하였다.

야마구치(『경성발달사』)

결국 와다和田는 후지타藤田가에서 조사를 위해 파견한 왕복 여비와 탑의 운비運費 등을 포함한 후지타藤田가 부담하였던 일체를 물어주고, 오사카에서 한국으로 옮겨오는 운임은 총독부에서 부담하였다. 탑의 인계는 1912년 12월 6일자부로 총독비서관이 날인한 수령증을 와다和田에게 전달되면서 현묘탑 반출사건은 종결되었다.[182]

와다가 수령증을 받은 후일인 1912년 12월 13일에 법천사지를 답사한 다니이 세이치谷井濟一의 기록에,

현묘탑은 운거運去되어 지금은 없다. 선편先便에 오사카大阪의 모부호가 거액을 투投하여 고려시대의 어느 유명한 묘탑을 구입하였음을 말씀드렸던

商을 겸업하였다. 이 후 경성거류민회 및 경성상업회의소의 의원으로 활동, 각종회사 중역, 京城日丸수산주식회사장, 朝鮮郵船주식회사감사, 경성부협의회의원, 경성중학교조합의원 등을 역임했다.

182 藤村德一誌,「官憲の横暴と官吏の非常識」『居留民之昔物語』, 朝鮮二昔會發行, 1927, pp.218~224.

그것이 바로 이 현묘탑입니다. 최근 들은 바에 의하면 이 현묘탑을 판 선인鮮人은 횡령죄로 몰렸고(국유지에 존한 이 묘탑을 함부로 매각한 까닭에) 현묘탑은 오사카大阪로부터 조선으로 되돌려 보내기로 되었다고 하는데 먼저 이를 사들이고 다시 오사카大阪의 모씨에게 전매轉賣한 경성의 모 세상某細商은 많은 타격을 받은 듯합니다.[183]

이라고 하고 있다.

이를 보면 총독부에서 반환을 요구하자 누구에겐 가는 책임을 지게 해야 하는데, 이 탑을 산 일본인에게는 물을 수가 없어 일인의 꼬드임에 삐진 힘없는 한국인에게 죄를 뒤집어씌우고 있음을 알 수 있다.

1912년에 법천사지를 조사한 이마니시 류今西龍의 기록(대정원년 조선고적조사보고)에,

이미 개인의 손에 돌아가 사적의 인멸湮滅에 이르러 오인들이 심히 유감으로 생각하는 바이다.[184]

라고 기록하고 있는 것을 보면, 이미 불법 약탈자들에 의해 사지에서 이반移搬되었음을 알 수 있다. 또 1911년에 세키노關野 등이 촬영한 「조선고적사진목록

183 谷井濟一,「朝鮮通信」,『考古學雜誌』第3卷 5號, 1913년 1월, p.60.
184『大正元年 朝鮮古蹟調查報告』, 朝鮮總督府, 1914.

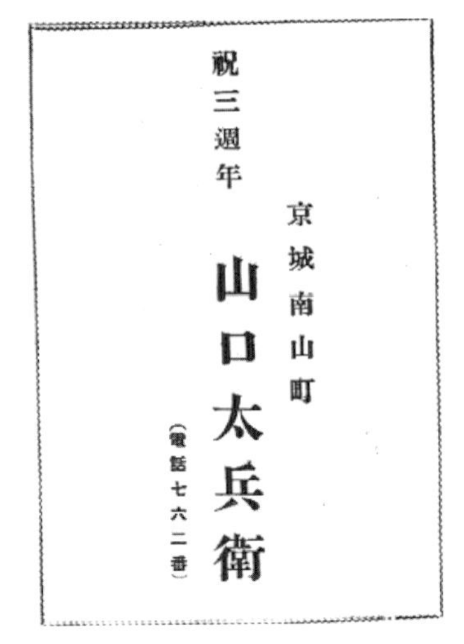

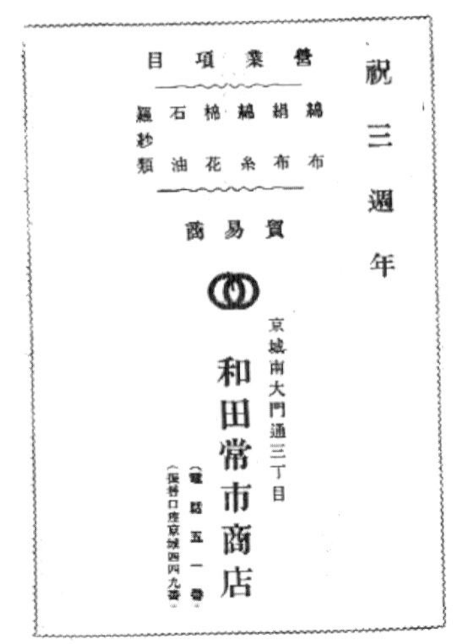

『(朝鮮硏究會3周年記念)朝鮮』(朝鮮硏究會, 1913)에 실린 광고

朝鮮古蹟寫眞目錄」[185]에 목록번호 3~12가 "현묘탑 <와다 쓰네이치 소장>玄妙塔〈和田常市氏所管〉" 으로 기록하고 있다.

와다 쓰네이치和田常市란 자의 이력을 살펴보면, 1862년 생으로 1879년에 상업견습소를 나와 1881년 3월에 한국에 건너왔다. 처음 원산에서 약종상으로 시작하여 인천에서 무역상을 겸영하였다. 1885년에 서울로 무대를 옮겨 석유 외 잡화 등의 무역상을 시작하여 일본에 있는 상인들과 일한무역日韓貿易이라는 조합을 결성하고 1896년 당시 남대문통에 와다상점和田商店이라는 간판을 걸고 본격적인 무역업을 하였다. 1902년에는 경성상업동지회 및 화폐교환소를 창설하여 그 이사장에 임했다. 이후 실업은행감사, 일화목재주식회사사장, 주식회사온양온천사장, 경성상업회의소회두, 일본거류민단총대 등 그의 경력은 일본

185 『大正元年 朝鮮古蹟調査報告』, 朝鮮總督府, 1914, p.19.

민간인 중에 가장 두각을 나타낸 자로 제계의 거물로 알려져 있는 인물이다.[186]

처음 맨손으로 한국에 건너왔던 일본인들은 대부분 이익이 있는 일이면 무슨 일이든 가리지 않고 하였으며, 와다 역시 이러한 부류의 인물이었다.

1911년 세키노 타다시關野貞가 그의 집 정원에서 본 석조물은 이외에도 원공국사승묘탑圓空國師勝妙塔과 탑명을 알 수 없는 또 다른 불사리탑佛舍利塔을 기록하고 있는 점으로 보아 한일합방을 전후하여 산간벽지에서 수많은 석조물을 중간상인들을 통해 몰래 반출하여 이익을 챙겼던 자임을 짐작할 수 있다.

법천리 인근 마을에는 현묘탑 반출과정을 풍자하는 노래 귀절까지 전래되고 있다고 한다. 그 노래귀절은 '몸 약한 생원 상투만 끄덕 끄덕 으싸 으싸'로 이는 현묘탑의 운반이 그만큼 힘들었음을 시사하고 있다.[187]

와다和田의 정원에 옮겨졌던 지광국사현묘탑은 1912년에 또 다시 일본으로 반출되어 일본 오사카大阪의 후지타藤田 남작가 묘지로 이건移建되었다.

현묘탑에 대한 반출 경위는 1927년에 간행한 『거류민지석물어居留民之昔物語』란 책자에 수록되어 있는 후지무라 토쿠이치시藤村德一誌의 「관헌官憲의 횡포橫暴와 관리官吏의 비상식非常識」('현묘탑 강탈시

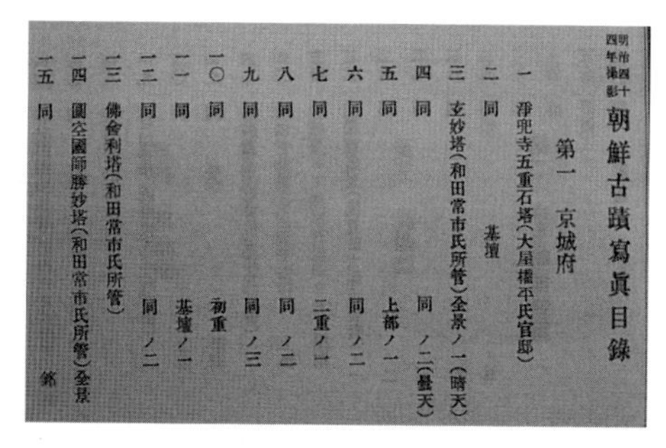
明治四十四年撮影
朝鮮古蹟寫眞目錄
第一 京城府
一 淨兜寺五重石塔(大屋權平氏官邸)
二 同 基壇
三 玄妙塔(和田常市氏所管)全景ノ一(晴天)
四 同 ノ二(曇天)
五 同 上部ノ一
六 同 ノ二
七 同 二重ノ一
八 同 ノ二
九 同 ノ三
一〇 同 初重
一一 同 基壇ノ一
一二 同 ノ二
一三 佛舍利塔(和田常市氏所管)
一四 圓空國師勝妙塔(和田常市氏所管)全景
一五 同 銘

조선고적사진목록(朝鮮古蹟寫眞目錄)

186 朝鮮新聞社 編纂, 『朝鮮人事興信錄』, 朝鮮新聞社, 1922; 朝鮮公論社 編纂, 『在朝鮮內地人紳士名鑑』, 朝鮮公論社, 1917; 『京城市民名鑑』, 朝鮮中央經濟會, 1922, pp.97-98; 『京城發達史』, 京城居留民團役所, 1912, p.73.

187 장준식, 「중원지방의 석조부도」, 『충북의 석조미술』, 충북개발연구원 부설 충북학연구소, 2000, p.306.

말强奪始末')에 구체적 내용이 나타나 있다. 이 내용은 관헌의 횡포에 초점을 맞추고 있으며 데라우치寺内 총독의 고미술품 반출금지에 따른 현묘탑 반환을 강탈사안으로 규정하고 관권의 폭정에 의해 어쩔 수 없이 강탈당한 것으로 기술하고 있어 현묘탑을 소유하였다가 일본 후지타藤田 가에 매각한 와다和田을 철저하게 감싸고 있다. 그 전말을 요약하면 다음과 같다.

> 현묘탑의 반출 시기는 1911년 가을로서 모리무라 타로森村太郎[188]란 자가 강원도 원주군 부론면 3리 원촌2통10호의 정주섭丁住燮의 사유지에 있던 현묘탑을 발견하고 이를 정주섭으로부터 매수買受하여 서울에 거주하는 와다 쓰네이치和田常市에게 다시 양도讓渡하였다.
> 와다和田는 이를 일반인들도 볼 수 있는 명치정明治町(1927년 당시 무라가미병원소재지)에 두었다가 1912년 초여름에 남미창정南米倉町 자신의 집 정원으로 옮겼다.
> 그 후 오사카大阪의 약종상藥種商 후쿠시마福島 모가 와다和田와의 상업거래 관계로 서울에 왔다가 와다和田의 정원에 있는 현묘탑을 유심히 관찰하는 것을 보고 와다和田가 사진 한 장을 주었다.
> 후쿠시마福島는 오사카大阪로 돌아가 남작 후지타 헤이타로藤田平太郎에게 한국 시찰담視察談을 이야기하면서 현묘탑의 사진을 보여 주었더니 후지타藤田는 보자마자 꼭 양수讓受하고자 하였다. 그 뜻을 서면으로 와다和田와

188 『(朝鮮在住內地人)實業家人名士辭』(1913)에 의하면, 이 자는 1906년에 처음 한국에 건너와 협동조에 근무하다가, 1909년에 전당포를 운영하였으며, 1913년에는 森村상점을 운영하면서 군수용달상을 겸하였다고 한다.

교섭한 결과 양도讓渡의 상담이 이루어졌다.

후지타藤田는 현묘탑에 대한 출처와 정당한 상거래에 의해 매매가 이루어졌는지를 밝혀 둠으로서 이 일이 성립되었을 때 후일 곤란한 일을 겪지 않기 위해 실지實地를 조사할 필요가 있다고 생각하고 에무라江村이란 자를 한국에 특파하였다.

와다和田측에서는 점원으로 있는 가토加藤란 자를 에무라江村의 안내역을 맡게 하였다. 일행은 1912년 5월 23일 서울을 출발하여 원주 부론면에 도착하여 전소유자인 정주섭과 기타 부락민들과 만나 조사에 착수하였다. 결과 이구동성으로 현묘탑은 오랜 전부터 정주섭의 소유 경작지에 버려져 있었으며 이를 매각하여 농사를 짓는데 편리하게 한 것이라고 하였다. 또 탑을 반출할 때 부락민들이 운반 기타의 잡업에 종사하였으며 처음 탑

법천사 지광국사현묘탑비와 전지(국립중앙박물관 소장 유리건판 022433)

을 매수한 모리무라 타로森村太郎를 좋게 평가하는 정도였다. 이에 에무라江村는 안심하고 1912년 5월 31일 서울로 돌아왔으며 3만 1천 5백원에 탑의 거래가 성사되어 일본으로 반출이 이루어졌던 것이다.

법천사지는 원주시 부론면 법천리 산70 명봉산에 있다. 법천사는 허균許筠의 『유원주법천사기遊原州法泉寺記』에는 신라시대의 고찰이라고 하나 창건유래에 대한 명확한 기록이 보이지 않고 있다. 그러나 고려초 승려 석초釋超가 928년 법천사 현수율사賢首律師에게 수계를 받은 사실[189]이 있는 점으로 보아 신라 하대에 이미 이 지역에서 상당히 이름이 있는 사원의 지위에 있었음을 짐작할 수 있다. 그 후 고려 문종 때 지광국사智光國師가 머물면서 대찰大刹의 면모를 갖추게 되었다.[190] 조선시대에는 태재 유방선이 일찍이 이 절에 있으면서 강학講學하여 수업을 받으려 멀리서 모였는데 권람, 한명회, 강효문, 서거정 같은 사람들은 뒤에 모두 이름이 나 더욱 유명하게 되었다.

이 절은 원래 아주 광활하여 사지경내寺址境內에 부락이 3개소가 있어 '장뜰'이라는 부락은 사내寺內 장독을 놓았던 터이고, '도시랑' 이라는 부락은 절의 응접실인 도사랑道舍廊의 터이며, [원촌] 이라는 부락은 사원이 있다는 것과 또는 명현의 서원[191]이 있다는 데서 동명이 된 것이다.[192]

---

189 金南允,「高麗 前期의 法相宗과 海麟」,『江原佛敎史硏究』, 도서출판 소화, 1996, p.139.

190 권상로,『韓國寺刹全書』, 동국대학 출판부, 1979.

191 우담 정시한 선생은 1649년 겨울에 부친 관찰공께서 안동에서 돌아와 법천촌에서 살았는데 우담이 받들어 모셨다. 우담은 1650년 봄에 恩休亭을 지었고, 1683년에는 법천별사를 지었고, 1717년에는 도동서원을 완성하였다. 1721년에 비로소 位版을 봉안하고 祭를 올렸다. -[愚潭先生 年譜].

192『江原道誌 上』, 江原道誌編纂委員會, 1959.

『신증동국여지승람』에,

고려 때의 중 지광의 탑비가 있다. 법천사에서 권람, 한명회, 강효문, 서거정 등이 이곳에서 학문을 할 때에 탑 위에 시를 써 놓은 것이 지금 까지도 남아있다. 유운겸의 시에 '안탑에 이름을 쓰는 것은 옛날부터 전하는데 제군諸君에게 붙이기에는 어질지 못한 것이 부끄럽구나. 지금에 두려워하는 것은 비로 인하여 이끼가 올라서 <그것을> 손으로 어루만져도 당년의 그것을 알아보지 못하게 되지나 않을른지' 하였다.

하고 있어 이때까지는 법천사가 건재하였던 것으로 보인다. 그러나 임진왜란 이후 머지않은 시기에 기록한 허균許筠의 「원주법천사기原州法泉寺記」에는,

원주의 남쪽 50리 되는 곳에 산이 있는데 비봉산이라 하며 그 산 아래 절이 있어 법천사라 하는데 신라의 옛 명찰이다. 나는 일찍이 듣기를 태제泰齊 유방선柳方善 선생이 그 절 밑에 살자 권람權擥, 한명회韓明澮, 서거정徐居正, 이승소李承召 모두 쫓아와 배워 이 절에서 업을 익혀 문장으로 세상을 울리고 혹은 공을 세워 나라를 안정시켰으므로, 절의 명성이 이로 말미 아마 드러났으므로, 지금까지도 사람들이 그곳을 말하고 있다. … 험준한 두메 길을 따라 고개를 넘어 소위 명봉산에 이르니 산이 그다지 높지 않으나 봉우리가 넷인데 서로 마주보고 있는 모습이 새가 나는 듯 했다. 개천물이 동과 서에서 흘러나와 동구에서 합쳐 하나를 이루었는데, 절은 바로 그 가운데 처하여 남쪽을 향하고 있다. 그러나 난리에 불타서 겨우 그 터만 남았으며 무너진 주춧돌이 토

끼나 사슴 따위가 다니는 길에 여기저기 흩어져 있었고 그러나 비석은 반 동강이 난 채 잡초사이에 묻혀져 있었다. 살펴보니 고려의 승려 지광智光의 탑비였다. 문장이 심오하고 필치는 굳세었으나 누가 짓고 쓴 것인지는 알 수가 없었으며 실로 오래되고 기이한 것이었다. 중은 '이 절은 대단히 커서 당시에는 상주한 이가 수백이었지만 제가 일찍이 살던 소위 선당禪堂이란 곳은 찾으려 해도 가려낼 수 없습니다' 하였다. 기유년(1609) 9월 28일 쓰다.[193]

라고 기록하고 있다. 따라서 임진왜란 때 폐사가 되어 방치되었음을 알 수 있는데, "비석이 반동강이 난 채 …" 라는 것은 탑비신의 상부에 사선斜線의 균열이 있어 이를 두고 한 것이 아닌가 생각된다.

이 비의 귀부는 넓은 지대석 위에 놓여 밑 부분은 구름무늬로 장식되어 있다. 등에는 방형의 구획 안에 따로 갑문甲紋을 새겼으며 그 내부에 왕자王字를 양각한 것이 주목된다. 비신은 검은 청색의 점판암으로 바깥 둘레에는 보상당초문寶相唐草紋을 조각하고 여의주如意珠를 가진 쌍용문을 양각했다. 비문의 내용은 지광국사의 행적 등을 기록하고 있는데, 지광국사는 고려 성종3년(984)에 태어나고 속성은 원元 씨이며 이름은 해린海麟이다. 지광국사 해린은 출가 전 999년에 이 절에서 경전을 배웠으며, 승과에 급제한 후 법상종의 주요 사찰들의 주지가 되었으며, 문종8년(1054)에 칙령勅令을 받아 현화사 주지가 되어 절을 크게 중수하고 법상종法相宗 교단을 이끌었다. 문종11년(1057)에는 왕사王師에 제수되고, 그 후 국사의 지위에 올라 불교계를 이끌었으며 문종12년에는 법천사로 귀안歸安하여 머물다가 이

193 許筠,『性巢覆瓿藁』第6卷.

해 10월 23일에 입적하였다. 왕은 입적 소식을 듣고 시호를 지광智光, 탑호塔號는 현묘玄妙를 내렸다. 1067년 11월 9일 법천사 산 동쪽에서 다비를 행하고 비를 세운 년시는 비음碑陰에 "대안원년세재을축중추월일수大安元年歲在乙丑中秋月日樹"로 대안원년大安元年은 고려 선종宣宗2년(1085)에 해당되어 국사가 입적한 후 18년 만에 건립된 것이다. 그리고 비음碑陰에 국사의 제자 이름 및 인원수를 기록하고 있는데 그 숫자는 무려 1370여 명에 달했다. 비문은 정유산鄭惟産이 짓고 글씨는 안민후安民厚가 썼다.[194] 이처럼 왕이 시호와 탑명을 내린 후 18년 후에 건립된 오랜 공기工期와 수많은 제자의 수를 볼 때 온갖 정성을 다하였음을 알 수 있다.

현재 원촌동 뒷산에는 지광국사의 비(국보 제59호)가 보존되이 있다. 그간 풍우와 벼락의 화를 당하여 파괴처가 많고 문자 내지 조각의 파괴처가 많다. 비갓 위에는 작은 돌을 던져서 얹히게 하면 생남한다는 속설이 있어 과거에 투석한 작은 돌들이 얹혀 있었으나 최근 이를 모두 치웠다. 그 옆에는 1965년 발굴[195]로 밝혀진 요사지寮舍址로 당시에 수습한 불상광배佛像光背, 불두佛頭, 파불破佛, 연화문대석蓮花紋臺石, 용두龍頭, 배례석, 탑석재[196]기타 용도를 알 수 없는 석재를 한곳에 모아 두고 있

오가와(小川)가 촬영한 현묘탑비

194 朝鮮總督府 內務部地方局, 『朝鮮寺刹史料』(下), 1911; 葛城末治, 『朝鮮金石考』, 대판오호서점, 1935; 李能和, 『朝鮮佛敎史』, 1917.

195 金東賢, 「高麗 法泉寺智光國師塔碑殿址調査槪要」, 『考古美術資料 11』, 1966.

196 小川敬吉의 사진자료집에는 옥개석 3개와 탑신석 하나가 있었으나 현재는 옥개석 두 개만 남아 있다.

다. 이곳에서 원동 부락을 내려다보면 몇 채의 민가가 있고 민가를 둘러싼 전답이 펼쳐져 있는데 그 곳에 당간지주가 서 있다. 또 전답 중간 중간에 법천사의 용재로 생각되는 석재가 여러 곳에 쌓여 있어 당시의 규묘를 대략 짐작할 수 있다.

1993년 12월에 문화재관리국 문화재 연구소에서 입수한 교토대학 소장의 오가와 케이기치小川敬吉의 조사자료[197]를 보면 지광국사현묘탑비의 사진이 1점이 실려 있다. 이것이 언제 찍은 것인지는 알 수 없으나 사진에는 지광국사현묘탑비 앞에 귀부의 높이 보다 적은(사진상으로는 귀부의 몸체 높이) 인물상(또는 보살상)으로 추성되는 석상 1구가 놓여 있나. 원래 석비 옆에 이런 보실상 내지는 석상을 놓은 예가 없으며 기록이 보이지 않는 점으로 보아 이 사진에 나타난 석상은 주변에 있던 것을 가져다 놓은 것이 아닌가 여겨진다. 그러나『조선보물고적조사자료』에는 "법천사지는 구역면적이 수 정보에 이르며 원촌부락이 대부분 차지하고 있다. 지광국사현묘탑비, 당간지주가 존한다"고 하면서 석상에 대한 기록은 보이지 않는다. 또 1918년에 발행한『조선고적도보』에 실려 있는 비의 사진에도 석상이 나타나 있지 않다. 세키노 타다시關野貞는 1913년 6월에 일본『건축잡지』에 '폐법천사지광국사현묘탑비'라 하여 정면 사진을 싣고 있는데 이 사진에도 석상이 나타나 있지 않다.[198] 따라서

지광국사현묘탑(『조선고적도보』제6책)

197 문화재관리국 문화재연구소,『小川敬吉 調査 文化財 資料』, 1994.
198 關野貞,「朝鮮東部に於ける古代文化の遺蹟」,『建築雜誌』第318號, 大正2년 6월; 關野

이는 최소한 1913년 이전에 반출되었다는 사실을 말하는 것으로 어쩌면 이보다 앞서 현묘탑이 반출되던 때와 시기를 같이 하는 것이 아닌가 생각된다.

지광국사비와 함께 이곳에 있어야할 지광국사현묘탑은 현재 경복궁에 옮겨져 있다. 이 현묘탑은 현묘탑비문을 기준으로 한다면 고려 선종2년(1085년)경에 건립된 것으로 추정되며 전면에 가득한 각양각색의 건조의장建造意匠이 기발하고 우수하여 우리나라 부도 중에서는 가장 크고 우수한 걸작이라 할 수 있다.[199]

현묘탑은 6 · 25 때 포탄의 피해를 받아 탑신부塔身部 이상의 각 부재部材가 크게 파손되어 옥개석 이상이 낙하落下되었다. 1957년 복원할 때 파손된 석재는 크고 작은 것이 약 1만 2천여 조각으로 부도탑의 부재 가운데 제거되는 석재 파편과 지방에서 채취해온 석재를 함께 분쇄하여 돌가루로 땜질하는 방법으로 원형을 복원[200]하는 등 온갖 수난을 안고 있는 탑이다.

세키노 타다시關野貞의 『조선의 건축과 예술』에는 이 현묘탑이 경복궁에 옮겨진 후의 사진(도판 19)이 실려 있는데 탑기단塔基壇에 사자상獅子像이 두 구가 보

貞,『朝鮮の建築と藝術』第86圖, p.715.

199 關野貞은『朝鮮美術史』(pp.131-132)에서,
"그 技巧가 정밀하고 아름답다. 장식이 풍부하여 조선에 現存하고 있는 부도 중 최고의 위치에 있는 것이다. ...... 생각하건데 당시 장인들에 의해 전력을 기울여서 고금에 비추어 탁월한 것을 만들어 내고자 새로이 시도된 것으로 지나치게 화려하여 기력이 이에 따르지 못하는 점은 시세의 흠이기는 하나 애석한 일이다" 라고 하고 있다.
李榮姬은「法泉寺智光國師玄妙塔에 관한 研究」(『考古美術』173호)에서,
해린은 법상종의 세력 강화에 큰 역할을 하였으며, 고려 초의 과도기적 혼란에서 벗어나 정치, 사회, 문화 전반에 안정이 이룩된 문종년간에는 승려로서의 최고의 영예인 왕사와 국사에 봉해지는 등 고려 중기 불교계에서 중요한 인물이었다. 그의 사후 혜덕왕사를 비롯한 문하의 제자들이 스승의 묘탑에 온갖 정성을 다하여 화려하고 장엄하게 조영하였을 것이며 이는 고려 중기의 막강한 법상종의 교단의 세력과 고려문화의 난숙기라는 시대적 배경으로 가능하였을 것이라고 하고 있다.

200『原州市史』, 2000.

일제 때 도난됐다던 국보, 수장고에 있었다

중앙박물관, 원주 지광국사탑 사자상 60년 가까이 보관

문화재청은 사실 모른 채 "국내엔 없다"… 어이없는 행정

『경향신문』 2016년 3월 17일자

이고 있으며, 『조선고적도보』 제6책(도판 2987)에도 탑기단에 3구의 사자상이 보이고 있어, 네 모서리에 각 한 구씩 있음을 짐작 할 수 있다.

그러나 현재 경복궁에 보존되어 있는 현묘탑에는 사자상이 한 구도 남아 있지 않다. 그동안 해방 이후 6·25 전에 분실된 것으로 추정해 왔다. 하지만 최근에 밝혀진 사실은 그동안 박물관 수장고에 보관되어 있었으면서 제대로 조사를 하지 않아 도난 된 것으로 오인했던 것이다.

1912년 11월 10일

흥법사지 조사

세키노 일행은 11월 10일, 11일에 원주객사, 흥법사지의 유구, 거돈사지의 유구, 법천사지의 유구를 조사하였다.

1912년 11월에 세키노 타다시關野貞와 다니이 세이치谷井濟一가 흥법사지를 조사하였는데 그 기록에는 다음과 같이 서술하고 있다.

> 비신은 주아州衙로 옮겨져 절손折損되어 근년에 그 소재를 잃어, 내가 원주에서 수일간 머무르면서 1편一片을 객사(원주공립보통학교) 앞 정원 앞에서 발굴하였다. 2편二片은 내가 친히 수비대영사守備隊營舍내의 석원石垣으로 사용하고 있음에서 검출檢出, 귀부와 이수는 현재 사지에 존하고, 역시 웅휘 장려하다.[201]

1912년에 촬영한 「조선고적사진목록」[202]에는 진공대사비비신 잔편의 1편(목록번호 169)은 "재원주공립보통학교교정在原州公立普通學校校庭", 또 다른 1편은 "재원주수비대장교실석원중在原州守備隊將校室石垣中"이라 하고 『조선고적도보 제7책』(도판번호 3031)에 세 조각으로 절편된 것이 게재되어 있다.[203]

---

201 『大正元年 古蹟調査報告』, 1914.

202 朝鮮總督府, 『大正元年 朝鮮古蹟調査報告』, 1914, p.119.

203 『개벽』 제42호(1923년 12월)에 실린 「嶺西八郡과 嶺東四郡」에는 眞空大師碑에 대해 다음과 같이 기술하고 있다.

진공대사비편(국립중앙박물관)

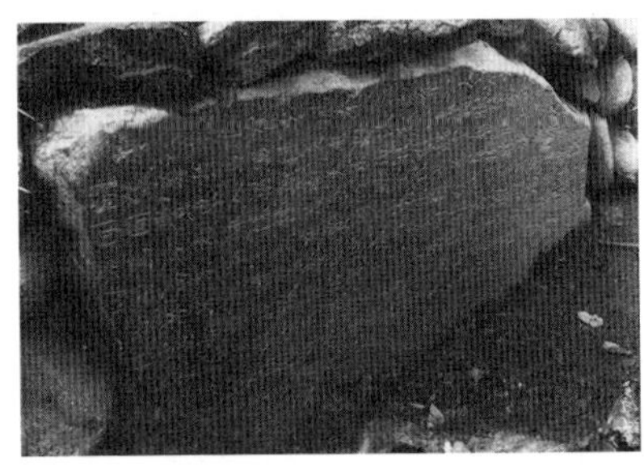

수비대영사(守備隊營舍)내의 석원(石垣)으로 사용한 흥법사지 진공대사탑비 비신편 (국립중앙박물관 소장 유리건판)

세키노關野 일행이 찾아낸 비편은 한동안 원주군청에 보관하였다가 1913년에 다시 총독부박물관으로 옮겨 보관하였다.[204] 경복궁 소재의 비신석은 현재 상, 하 2석으로 절단된 위에 하석下石은 다시 3편으로 파절破切되어 있기 때문에 중간 부분의 결실로 인한 판독 불능의 부분이 많다.[205]

흥법사 진공대사비의 탐색에 대해 『조선금석고』에는 다음과 같이 기술하고 있다.

비는 강원도 원주군 지정면 안창의 영봉산 흥법사지에 있다. 이수가 귀부 위에 있으며 비신은 한때 소재를 잃었는데 후에 이것을 발견하여 왕년往年에 이것을 군청으로 옮겼는데, 그 후 다시

首龜趺만 남은 眞空大師碑 이 碑는 地正面安昌里興法寺古址에 잇으니 그 碑文은 高麗太祖가 親製하고 崔光胤이 唐太宗의 書法을 模하야 書한 것이다. 麗朝李益齋 齊賢이 常日「詞義雄深偉麗, 如玄圭赤舃揖讓廟廊而字大小眞行相間鸞飄鳳泊, 氣呑象外眞天下之寶也」云云의 說을 見하면 其碑의 價値을 可知할 것이다.
然而其碑가 엇지 하얏던지 州衙에 移置되얏더니 前日 엇던 無知沒覺의 郡守가 寺物을 郡衙에 두는 것은 俗忌라 하고 溝渠中에 投하야 遂히 破折되고 그 破片 2個만 殘存하야 普通學校搆內에 잇더니 日本守備隊에서 마조 가저가고 보니 興法寺 古址에 잇는 그 碑의 螭頭龜趺은 다만 荒涼한 秋草中에서 風雨를 泣할 뿐이다.

204 朝鮮總督府,『朝鮮金石總覽』上, 1919.

205 齋藤忠 編著,『高麗寺院史料集成』, 第一書房, 平成9년.

단석을 조선총독부로 가지고 왔다.[206]

흥법사는 고려 초 대찰 중의 하나로 원주시 지정면 안창리에 소재하며 사지의 앞은 전답을 사이에 두고 섬강이 흐르고 사지의 뒤쪽으로는 해발 403미터의 영봉산의 지맥이 이어져 내려 작은 구릉지를 이루고 있는 곳에 자리하고 있다.

고려 태조 때 흥법사가 있었음을 보아 적어도 통일신라 때 세워진 사찰로[207] 추정된다. 흥법사가 폐사가 된 시기는 명확하지 않으나 『신증동국여지승람』에는 폐사의 기록이 없는데, 정조3년(1779)에 편찬한 『범우고梵宇攷』와 영조대에 신경준(1712~1781)이 지은 『가람고伽藍攷』의 내용에는 진공대사의 탑비가 파손되어 두 토막으로 나 있음을 밝히고 있으며 흥법사도 폐사가 되었음을 기록하고 있어[208] 임진왜란을 거치면서 소실된 것으로 추측된다. 그 이후 중창이 없어 그대로 폐사지로 남아 있었던 것 같다. 흥법사는 그 규묘는 적으나 태조의 왕사가 있었던 점으로 보아 당대에는 그 위상이 대단했을 것으로 짐작된다. 이 사지는 1984년 6월에 문화재자료 제45호로 지정되었다.

흥법사지 진공대사탑부석관
(국립중앙박물관 소장 유리건판)

206 葛城末治, 『朝鮮金石攷』, 大阪屋號書店, 1935, p.301.

207 土居山洋은 「興法寺 廉居和尚塔誌に就いて」(『京城帝大史學會報』1933年 4月 京城帝大史學會)에서, 흥법사의 건립년기에 대해 "원주지방에 흥법사와 같은 거찰이 건립된 것은 신라 신문왕 내지는 경덕왕 이후 가능한 일이며 제 46대 문성왕 내지 고려 태조시대에는 상당히 이름이 높은 거찰이었다"고 하는데 어디에 근거한 지는 밝히지 않고 있다.

208 權相老, 『韓國寺刹事典』下卷; 『興法寺址 石物實測 및 地表調查報告書』, 原州市, 2000.

흥법사가 폐사가 된 후 이곳에는 조선 숙종19년(1693)에 도천서원陶川書院이 세워졌다가 고종8년(1871)에 서원철폐령에 의해 철폐되었다고 한다.

사지는 대부분 경작지화 되고 민가들이 들어서 있다. 사지내의 민가들은 서원이 훼철되고 나서 한참 후인 1940년대 이후에 들어선 것으로서, 대부분 선축한 지 오래되지 않은 집들이다. 민가가 들어서면서 사지의 석재들을 가져다 사용하여 장독대나 가옥의 기단으로 사용한 것이 눈에 띤다. 현재 사지의 서북쪽에 민가 몇 채가 모여 있는 곳은 윗말, 남동쪽에 형성된 촌락은 아랫말이라 부르고 있다.[209]

이곳 사찰을 가장 번장시켰던 진공대사는 혜목산 고달사에 주석하였던 원감국사 현욱과 진경대사 심희의 법을 이어받은 고승으로 법휘는 충담忠湛이고 속성은 김이다. 신라 말 중국 당 나라에 유학하고 신라 효공왕 때에 귀국하여 왕사가 되었다. 고려가 건국된 이후에도 태조의 초빙으로 궁에 들어가 설법을 하고 왕사에 추대되었으며, 태조는 흥법선원을 중건하여 충담이 주석하도록 하였다. 충담은 이곳에서 교화를 펼치다가 태조23년에 입적하니 태조는 부음을 듣고 슬퍼하며 진공대사라는 시호를 내렸다. 그러나 비신의 중간 부분이 결실되어 탑호塔號를 무엇이라고 했는지는 나타나 있지 않다.

『성호사설星湖僿說』에,

> 원주 건등산 흥법사에는 진공대사비가 있는데 당 문황의 글씨에 고려 태조의 글로 된 것이다.

209 原州市史編纂委員會, 『原州市史』, 2000.

하고, 또 『역옹패설櫟翁稗說』 후집1에는 다음과 같은 기록이 있다.

> 북원北原(원주)의 흥법국사비는 곧 우리 태조가 친히 지었고 최광윤이 당 태종의 글씨를 모아서 비석에 모방하여 새겼다. 말뜻이 웅장하고 깊고 위대하고 고와서 마치 검은 구름을 찬 신하와 붉은 임금이 조정에서 인사를 하는 것 같고 글자는 크고 작은 진서眞書와 행서行書가 서로 간격을 맞춰 그 기세가 만상 밖까지 집어삼키고 있어 참으로 천하의 보물이다.

라 한다. 비는 고려 태조23년(940) 7월 진공대사가 입적한 직후에 세운 것[210]으로 문장이 전아하고 글씨가 힘찬 것으로 유명하다. 『해동금석원海東金石苑』[211]에 전하길 임진왜란 때 왜구가 이 비를 수레에 싣고 가다가 죽령에 이르러 부러져 두 동강이 나자, 그 중 한 개는 가져가고 나머지 조각만이 남았다 한다. 그래서 이 비를 반절비半折碑라고도 한다.[212]

---

210 『高麗史』世家, 太祖23년(940)條.
七월에 王師 忠湛이 사망하므로 原州 靈鳳山 興法寺에 塔을 세우고 왕은 親히 碑文을 지었다.
李俁, 『大東金石書』.
"石晋高祖天福四年己亥立 麗太祖二十二年也."

211 『海東金石苑』은 조선 금석학자 金正喜 등의 도움을 받아 청대의 考證學者 劉燕庭이 編輯한 것으로, 김정희가 翁方綱 등을 만나 그에게 130권의 탁본을 전해 준 것이 1810년이고 이를 기점으로 조선의 금석문 탁본은 1816년에 趙寅永이, 1823년에 金明喜 등이 탁본을 전한 것으로 알려지고 있다, 이와 같이 청에 대량 유출된 탁본을 청의 유영정이 편집한 것으로 알려지고 있다.

212 洪良浩(1724~1802)의 『耳溪集』 卷16 , 「題原州半折碑」에 다음과 같은 기록이 있다.
"原州 靈峰山半折碑는 고려 태조가 지었고 臣 최광윤이 받들어 당 문황제의 글씨를 집자한 것이다. 萬曆 壬辰亂에 倭奴가 싣고 가다가 竹嶺에 다달았을 때 비가 둘로 잘려져 그 반은 가져갔다. 난이 평정된 후에 關東守臣이 나머지 반을 원주로 가지고 돌아와 半折碑라 稱한다."

원 소재에는 아직도 석등재石燈材와 3층석탑이 유존하고 있으며 진공대사비의 귀부와 이수가 남아 있다. 이수 전액篆額은 [진공대사眞空大師] 4자를 2행 2자씩 종서縱書하였으며, 외부는 구름 속에 생동하는 용을 표현하였다. 귀부의 머리는 여의주를 물고 있는 용을 형상화하고 네발로 힘차게 대석을 밟고 있는 당당한 모습을 나타내고 있다. 귀부와 이수가 있는 오른편에는 현재(2001년 6월) 민가가 들어서 있으며 주변에는 기와편이나 축대석으로 추정되는 석재가 산재한 것으로 보아 사지의 일부였을 것으로 추정된다.

진공대사탑의 조성년내에 내해서는 탑비의 비문에 의거함이 가상 성확할 것이나 비신의 중간부분이 결실되어 있기 때문에 생전에 있었던 태조 왕건과의 관계를 자세히 알 수 없으며 탑호가 무엇이고 건립년대가 언제인지를 참고할 수 없다. 그러나 고려사 세가 태조23년 조에 기록된 940년대로 진공대사의 입적과 함께 세워진 것으로 추측되는 것으로 고려 초기의 승탑 중에서 아주 우수한 작품으로 인정받고 있다.

이 흥법사 진공대사탑은 언제인지 명확하지 않으나 일본인에 의해 서울로 반출되어 1920년 후반에 일인들에 의해 한 때 탑동공원으로 옮겨 진 것을 1934년 가을에 염거화상 사리탑과 함께 조선총독부 후정으로 옮겼다.

진공대사탑이 있었던 원 위치는 사지의 뒤편 산인 덕가산 일산봉 중턱으로 1929년 3월에 흥법사에서 옮겨왔다는 염거화상탑의 지대석을 찾기 위해[213] 이곳을 조사한 오가와 케이기치小川敬吉에 의해 뜻밖에 이곳 진공대사탑지에서 석

213 土居山洋,「興法寺廉居和尙塔誌に就いて」,『京城帝大會報』, 京城帝大史學會, 1933년 4월에 의하면,
"양탑 공히 흥법사지에 존립되었던 것으로 위치는 이전할 때 不用意의 爲不明하여 失하였다" 라고 하고 있다.

관과 묘탑의 지대석일부가 발견되어 총독부 후정으로 옮기게 되었다.[214] 다음은 오가와의 현지 조사기록이다.

"이 유허遺墟는 흥법사지 금당의 서북 3정쯤 산록 경사면에 거석巨石을 뒤에 받치고 그 앞에 축조된 것이다. 옆으로 길게 산석山石이 석렬石列을 이루고 있는데 이것이 진공대사묘탑의 전면 기단이 붕괴된 상황이다. 이중기단으로 하층기단은 높이 약 3척, 폭 32척의 방형이고 상층기단도 역시 높이 약 1척, 폭22척의 방형단이다. 상층기단의 중앙에 묘탑이 건립된 것이나 다이쇼大正년도경 경성으로 옮겨져 한때 탑동공원에 있었다가 쇼와昭和6년 총독부박물관 마당으로 이건된 것이다. 진공대사 묘탑은 이전한 터에 남아 있던 석관 등 기타 석물이 묘탑기단 중앙부의 파낸 구덩이에 남아 있었다. 석관은 일부 파손되고 개석은 결실되었다. 그것은 이 폐허에서 수정 떨어진 소부락에 있는 소구의 다리로 사용하기 위해 운반되었기 때문이다."[215]

사지 인근에 거주하는 고노의 말에(장준식 확인), "일본인들이 부도탑을 가져가는 것을 봤는데 이런 아름들이 낭구뚱(나무)을 굴리면서 배에 실어갔다"고 한다.[216]

이것이 반출된 시기는 명확하지는 않지만 세키노 타다시關野貞는 『조선의 건축과 예술』에서 진공대사탑과 염거화상탑에 대해 "나는 작년 경성에서 이미 개

---

214 「昭和3年度古蹟調査概要」, 『朝鮮1929年4月 朝鮮總督府』, p.4, '原州興法寺址調査.'

215 『興法寺址 石物實測 및 地表調査 報告書』, 原州市, 2000, 「1929年 3月 小川敬吉의 現地調査記錄」, '眞空大師浮屠址' 조.

216 장준식, 「중원지방의 석조부도」 『충북의 석조미술』, 충북개발연구원 부설 충북학연구소, 2000, p.307.

진공대사탑(고적도보에 의함)

인의 손에 들어가 있는 가장 우수한 것들을 보았다. 함께 강원도 원주 폐흥법사지에서 나온 것으로" 라고 기술하고 있는데,[217] 이 내용은 1912년에 일본『건축잡지建築雜誌』에 발표하였던 것을 다시『조선의 건축과 예술』에 수록하였던 것이기 때문에 세키노關野가 말한 작년은 1911년을 지적하는 것으로, 진공대사탑의 반출시기는 1911년 이전임을 알 수 있다.

현재 국립중앙박물관으로 이건되어 있는 진공대사탑과『조선고적도보』제6책(도판번호 2969), 오가와小川자료집을 비교해 보면, 고적도보판과 오가와의 자료집에는 진공대사탑의 상륜부 보개 윗부분이 일부 남아 있었는데, 국립중앙박물관에 이건한 탑의 상태를 보면 보개 윗부분에는 아무것도 남아 있지 않다.

스기야마 노부조杉山信三의 기록에, "현재 보개까지 남아 있고 다른 것은 산일하여 전형全形을 알 수 없다"[218]하는 것으로 보아 경복궁으로 이건되기 전에 도실된 것으로 추측된다.

이곳 사지에 있는 3층석탑은 1916년경의 조사『조선보물고적조사자료朝鮮寶物古蹟調査資料』에는 "석탑은 3중의 방탑方塔으로 높이 약 10척 완전" 이라고 되어 있다.[219] 세키노 타다시關野貞는 흥법사지 3층석탑에 대해 기술하길, "그 형식은 신라탑을 계

217 關野貞,『朝鮮의 建築과 藝術』, 岩波書店, 1942, p.642.
218 杉山信三,『朝鮮の石塔』, p.28.
219『朝鮮寶物古蹟調査資料』, 朝鮮總督府, 1942.

승한 2성기단상에 세운 것으로 실로 려초탑파麗初塔婆의 백미白眉" 라고 극찬하고 있다. 그리고 『조선고적도보』 제6책(도판 2930)을 보면 탑신, 옥개석 곳곳에 파손된 흔적이 보이며 수령이 10년 이상으로 보이는 잡목이 석탑의 지대석에 붙어서 자라고 있다. 그리고 오가와 케이기치小川敬吉의 조사자료집에 실린 사진[220]을 보면 탑은 여러 곳에 수 차의 도괴에 의한 것으로 추정되는 파손의 흔적이 있고 로반 이상은 아무것도 보이지 않으며 기단부 상대석까지 주변의 잡석들을 쌓아 두어 당시 밭으로 경작을 하면서 아무렇게나 방치하여 두었음을 알 수 있다.

흥법사지3층석탑

1912년 11월 13일

거돈사지 원공국사승묘탑 조사

거돈사지는 강원도 원주군 부론면 정산리 담안마을에 있다. 창건 시기는 발굴조사 결과 통일신라 말인 9세기경으로 보고 있으며 고려 초에 중건된 것으로

220 『소천경길 조사 문화재 자료』, 문화재관리국 문화재연구소, 1994 참조.

고려 초기에 큰절의 면모를 이루었던 것으로 짐작된다.[221] 1018년(현종9년)에 왕사를 지낸 원공국사 지종智宗이 이 절에 와서 만년을 보내다 현종9년(1018)에 89세로 입적하니 시호諡號는 원공圓空, 탑호塔號는 승묘勝妙라 하였다. 탑비는 대사가 입적한 지 7년 후인 현종18년(1013)에 건립되었다. 문은 최충崔冲이 찬하고 글씨는 김거웅金巨雄이 썼다.

이 사찰이 폐사가 된 시기는 분명하게 알 수 없으나 『신증동국여지승람新增東國輿地勝覽』에는 "한계산에 있다. 고려 최충이 찬술한 승묘의 비가 있다" 라는 기록이 있어 조선 중기까지 남아 있었다고 보여 지며, 임진왜란 때 소실되었다고 전해진다.

또 이곳 민가에서 사용되고 있는 석재는 모두 사지에서 이동된 것인데 그 중에는 유문석有紋石도 있었다. 1916년경에 조선총독부토목국에서 조사한 기록에는 "3중방탑三重方塔이 있고 불전폐지 전방에는 원공국사승묘탑비가 있다"[222]고

1910년대의 모습(사지 내에 민가가 들어서있다)

221 「居頓寺址 發掘報告書」,『한림대학교박물관연구총서 14집』, 한림대학교박물관, 2000.
222 朝鮮總督府,『朝鮮寶物古蹟調査資料』, 1942.

하면서 이곳에 당연히 있어야 할 승묘탑에 대해서는 아무런 언급이 없다. 원래 이곳 사지 중심에서 동으로 약60m 떨어진 곳에 원공국사 승묘탑이 있었다.

세키노 일행은 1912년 11월 13일에 원주 부론면 거돈사지를 조사했다. 야쓰이 세이이치谷井濟一는,

> 승묘탑은 지금 경성으로 몰래 운거運去되었고 탑이 있던 장소는 파헤쳐져 있다.[223]

고하며 승묘탑의 반출을 밝히고 있다.

탑이 반출될 때의 상황은 담안 마을에 거주하는 주민이 선친先親으로 전해 들었다고 하는데(장준식 조사) "산상에서 선창이 있는 생개강까지 우차牛車를 동원하여 운반하였는데 이 운반에 사용하였던 소들이 땀에 흘짝 젖었으며 동리 주민들은 왜놈들이 무서워 말 한 마디 못했다" 한다.[224]

『조선고적도보』 제4책을 보면 거돈사 폐지의 전경(도판 1458)에는 석탑 주변에 민가들이 늘어 서있다. 그리고 와편瓦片(도판 1460~1466)들은 도쿄대 공과대학 소장으로 되어 있어 일본으로 반출되었음을 보여주고 있다.

1911년 세키노關野 등이 촬영한 《조선고적사진목록》을 보면 목록번호 14~17이 "원공국사승묘탑(와다 쓰네이치 소관 : 和田常市所管)"으로 기록되어 있고, 스기야마杉山의 기록에도

---

223 「居頓寺址 發掘報告書」, 『한림대학교박물관연구총서 14집』, 한림대학교박물관, 2000, p.60.
224 장준식, 「중원지방의 석조부도」, 『충북의 석조미술』, 충북개발연구원 부설 충북학연구소, 2000, p.310.

와다(和田)의 정원에 있는 승묘탑

현재 옮겨져 경성부 남미창정 와다和田 씨의 저邸에 있다.

하고 있어 일본인 와다和田가 몰래 자신의 정원에 옮겨 놓았음을 밝혀 주고 있다.

일본상인으로서 서울에 재주하면서 한국문화재에 가장 먼저 손을 댄 자는 바로 이 와다 쓰네이치和田常市가 아닌가 생각된다. 그는 무역업을 하였지만 그의 집 정원에 산간벽지에서 석조물들을 불법으로 옮겨놓고 매매를 하였다.

1912년 11월 20일

정토사(淨土寺) 법경대사자등탑(法鏡大師慈燈塔) 조사

세키노 일행은 1912년도 조사 과정에서 충주에서 이틀간 머물면서 그 하루는 개천산 정토사지를 찾아 법경대사자등탑비, 홍법대선사실상탑 및 동 탑비 등을 조사했다. 11월 20일에 조사한 법경대사자등탑에 대해서는,

이렇게 훌륭한 비까지 첨添하였으므로 반드시 훌륭한 조각물이 있었으리

> 라고 믿어지나 지금은 이미 매각되어 그 탑지는 파헤쳐 있습니다. 그러나 이것 때문에 불충분하나마 고려초기에 있어서의 승려매골僧侶埋骨의 상태를 추지할 수 있습니다. 즉 이 법경대사의 묘는 산록에 마련한 평장으로 할석割石으로 축築한 <중략> 이 현실 같은 곳에 다비에 부附한 유골을 납하여 그 위에 개석을 늘어놓고 그 위에 다시 묘탑을 건설한 것으로 석곽石槨은 전연 지평하地坪下에 있습니다.[225]

라고 하며 그 피해 현상을 기술하고 있다. 법경대사자등탑의 반출에 대해 당시 촌노村老들의 증언에 "소 20마리 인부 50명이 동원되어 선창까지 10여일이 소요되었는데 몇 푼의 돈을 받은 구장과 일본인 사이에 소송이 벌어져 마침내 경복궁에 있는 작은 알독은 되찾았으나 큰 알독 만은 국외로 이미 반출되었다"[226]고 한다.

정토사지淨土寺址는 충북 중원군 동량면 하천리에 소재한다. 창건연대는 정확히 알 수 없으나 이 지역은 지리 조건상 대단히 중요한 요충지로서 일찍부터 왕건과 결탁한 충주 유씨는 왕비족이 될 정도로 긴밀한 유대를 맺고 있었다. 태조 왕건은 그가 받아들인 유학승중의 한 사람인 법경대사 현휘玄暉(879~941)를 충주지역의 정토사에 머물게 하여 충주지

법경대사자등탑비문(『大東金石書』)

---

225 谷井濟一, 「朝鮮通信3」, 『考古學雜誌』 제3권 제6호, 1913년 2월.
226 黃壽永, 「잃어버린 國寶」, 『黃壽永全集5』.

역과 긴밀한 유대를 가지려 하였다.[227] 따라서 정토사는 고려 초부터 왕실의 비호를 받으며 번창하였을 것으로 짐작된다.

법경대사法鏡大師의 법휘法諱는 현휘玄暉 속성은 이 씨이다. 신라 헌강왕憲康王 5년(879)에 출생하여 효공왕孝恭王2년(898)에 가야산사에서 구족계具足戒를 받고 효공왕9년(905)에 입당入唐하여 수학한 후 경애왕景哀王2년(925)에 본국으로 돌아오자 왕은 국사國師로서 예우를 하였다. 941년(고려 태조24) 11월 26일 법경대사가 이곳에서 입적하니 제자 300여 인이 유해를 받들어 11월 28일에 북쪽 산봉우리의 양시 바른 곳에 상사지냈다. 이에 임금이 시호諡號를 주어 법경대사라 하고 탑을 세워 자등지탑慈燈之塔이라 이름 하였다. 그 비문에,

"중원부고개천산정토사 교익법경대사자등지탑비명(中原府故開天山淨土寺 教諡法鏡大師慈燈之塔碑銘)."

이라 기록하고, 943년(태조26년) 6월에 비를 세웠음을 밝히고 있다.[228] 개천산에 대해서는, 『신증동국여지승람 제14권』 '충주목 산천' 조에,

정토산 : 혹은 개천산이라고도 한다. 고을 30리에 있다.

라고 하여 개천산은 정토산이라고도 불리어지는바 사명寺名 바로 산이름에서

---

227 채상식, 「충주 정토사지 법경대사비의 음기」, 『충북의 석조미술』, 충북개발연구원 부설 충북학연구소, 2000, p.336.

228 『羅末麗初金石文』, 도서출판 혜안, 1996.

유래되었다고 보여진다. 『신증동국여지승람 제14권』 '충주목 불우佛宇' 조에

용두산龍頭寺 : 삼국 때 북쪽 오랑캐가 자주 침노하므로, 이에 절을 짓고 탑을 세워서 기양祈禳하였다. 고려 최언위崔彦撝가 지은 승 법경法鏡의 자등탑 비문이 있다. 이숭인李崇仁이 도생상인道生上人을 보내는 시에, '개천 서쪽 억정憶井 동쪽에 높직하게 이 절이 있다. 산은 평야를 둘렀는데 새벽구름이 희고, 강은 성긴 숲을 둘렀으니 단풍잎이 붉도다. 상인은 오늘에 돌아가는 돛대를 움직이고, 노는 손을 전년에 울리는 종소리 들었노라 .....'
개천사開天寺(정토산淨土山)에 있다. 고려 역대왕조의 실록을 처음에는 합천 해인사에 간직하여 두었다가, 왜구로 인하여 선산 득익사에 옮기고, 또 죽주 칠장사에 옮기었다가 공양왕2년에 그 땅이 바다에 가까워서 왜구가 쉽게 이를 수 있다하여 다시 이 절에 간직하여 두었다. 우리 세종 때에 고려사를 편찬하기 위해 모두 서울로 운반하였다. 이숭인이 권사군을 보내는 시에 '정토산이 대단히 좋다. 벽을 향한 이는 높은 중이러라...' 하였다.

위에서 기록한 용두사는 인근에 있는 용두사와 혼동한 오기인 듯하며,[229] 정토사淨土寺는 다른 사명寺名으로 개천사開天寺로도 불리운 듯하다. 이숭인의 시에는 '정토산개천사淨土山開天寺'라 하고, 권근權近의 「보각국사비명普覺國師碑銘」에도 정토사란 사명을 사용하지 않고 개천사라는 사명을 사용하고 있는 것을 보면 정토사가 개천사로 개명改名이 된 듯하다.

229 葛城末治, 『朝鮮金石攷』, 大阪屋號書店, 1935, p.313.

정토사홍법국사탑

와다나베 교시渡邊業志가 1914년에 이 정토사지에서 「개천사開天寺」의 문자가 양각된 고와古瓦 수 편을 발견[230]한 점으로 미루어 더욱 확실해 진다. 폐사의 시기는 밝혀진 것은 없으나 1870년대에 발간한 『충주군읍지忠州郡邑誌』에는 "개천사재정토산하금폐開天寺在淨土山下今廢"로 기록되어 있으며, 안정복安鼎福이 정조3년(1779)에 목천현木川縣의 수령으로 부임하여 구지舊誌를 참고삼아 편찬한 『대록지大麓誌』에도 개천사가 "금폐今廢"로 기록된 점으로 보아 최소한 18세기 중반에는 폐사지로 남아 있었던 것으로 추정된다.

이곳에는 경복궁으로 옮겨진 흥법국사실상탑興法國師實相塔의 옛터가 있고 이곳보다 낮고 부락에서 가까운 곳에는 또 하나의 비석이 남아있어 「정토사법경대사자등탑비淨土寺法鏡大師慈燈塔碑」라 되어있다. 그런데 이곳에 있어야 할 그의 부도인 자등탑은 없다. 이 탑은 일찍이 일인들에 의해 운반되었다고 한다. 노인들의 말에 따르면(황수영 확인) 이곳 절터에는 알독卵甕 두 개가 비석과 나란히 전하고 있었다고 한다. 이것은 두 기의 탑비와 두 기의 탑을 말하는 것이며 그 탑신이 모두 원구형이었다는 것이다. 큰 알독과 작은 알독으로 각각 불려져온 그 두 탑[231]은 모두 배에 실어 서울로 갔다고 한다. 그 중 작은 알독만이 오늘날

230 葛城末治, 『朝鮮金石攷』, 大阪屋號書店, 1935, p.313.

231 장준식의 「중원지방의 석조부도」(『충북의 석조미술』, 충북개발연구원 부설 충북학연구소, 2000)에 의하면,
이곳에 있었던 두 기의 부도탑 탑신이 둥근 원구형이었기 때문에 현지 주민들은 이 부

서울에 있는데 다른 큰 알독은 그 행방을 알 수 없다는 것이다.

자등탑의 위치는 탑비로부터 남동 60미터 지점으로 정토사 입구의 어구에 해당되는데, 1983년 시행된 발굴조사에서 부도탑지에서 8각지대석의 1변석재와 2매의 판석板石과 많은 적심석積心石이 노출되었다. 특히 적심석 부근에서 골호편骨壺片으로 추정되는 토기편이 다소 수습되기도 하였다.[232] 현재는 충주댐의 담수로 수몰되었다.

1912년 11월

총독 데라우치의 작난

데라우치의 경주 순시는 1912년 11월 7일부터 2박3일에 걸쳐 행해졌는데, 당시 『매일신보』에 게재된 데라우치의 행적의 일부는 다음과 같다.

> 데라우치寺內 총독은 7일 아침 대구에 도착하여 李 경북도장관, 다케사키竹崎 대구부윤, 기구치菊池 민장 등 수관민의 환영을 받고 잠시 휴식을 하여 조찬을 하고 7시 반 자동차로 경주를 향하였는데 아카시明石 총장, 이장관, 후지타藤田 부관이 이에 동승하고 우사미宇佐美 장관, 다찌바나立花 군참모

도탑을 '알독'이라 불렀다 한다. 법경대사의 부도탑이 홍법국사실상탑 보다 더 컸기 때문에 이른 '큰 알독', 홍법국사실상탑은 '작은 알독'이라 하였다고 한다.

232 장준식, 「중원지방의 석조부도」, 『충북의 석조미술』, 충북개발연구원 부설 충북학연구소, 2000.

경주 봉덕사범종 앞의 데라우치(『매일신보』 1912년 11월 14일자)

장 등은 대구 포항 간의 자동차회사의 자동차를 타고, 대구로부터 하양군청까지 5리의 도途를 37분간에 질주하여 하양군청에서 군수 이하 중요관민을 인접하고 영주군청에 닿아 점심을 먹고 영천군청에서 관민을 인견引見하고 오후 2시 반 총독 일행의 자동차는 무사히 경주에 도착하였으니 대구에서 경주에 이르기까지 17리 이상 4칸 폭의 도로가 꼬불꼬불하여 조선의 지방도로에는 도로에 나올 자가 없을 듯 하더라.

총독은 경주군청에 가는 도중에 입구에 있는 신라 태종무열왕릉을 보고 다시 유명한 봉덕사의 대범종을 보고 총독이 친히 타종을 하였는데 이 거종은 조선 제일의 종이오 또 최고最古의 주조에 의한 것이니 12만근이라. 이 날 경주의 출영자出迎者는 신라왕조 이래의 나온 사람이 많은 일이라. 총독은 환영하기위해 도열한 일군의 학교생도 및 이를 인솔한 교원에게 근황을 물은 후 군청에 들었는데 이곳에서 중요한 조선인과 일본인을 인견하고 훈시를 한 후 …(武田生, 「寺內總督慶州行一」, 『매일신보』 1912년 11월 10일자).

데라우치寺内 총독 일행은 8일 불국사의 관람을 마친 후 즉시 석굴암에 다달았는데 석굴암은 불국사의 불상과 함께 신라왕조의 문화를 말하여 경주미술을 대표하는 석불상을 장한 곳이라 불국사로부터 석굴암까지 20정에 불과하되 해발 2, 3천척이나 되는 산간에 있어 험조險阻한 급판急坂을 쉽게 오르지 못할지라 마차는 원래 다니지 못하고 죽장에 의지할 뿐이라 사내총독은 아카시明石, 다찌바나立花 양소장, 우사미宇佐美 장관, 이도장관 기타 수행자와 함께 준판峻坂을 기가성氣呵成으로 올라 그 원기는 장자壯者를 능가하여 사람이 모두 건각健脚을 ? 하였으며 석굴암에 도착한즉 안개가 돈광頓廣하여 사방의 군산을 …… 데라우치 총독은 자세히 석상을 보고 50원을 꺼내 암에 기부하고 그 보존에 대하여 깊이 사승에게 주의를 한 바가 있었는데 총독은 일행과 함께 산을 내려와 재차 불국사로 돌아와 잠시 휴식을 취한 후 이곳에서 돌아왔으니 요컨대 단순히 불국사 석굴암 뿐 아니라 경주는 금회 총독의 순시에 의하여 새로이 광채를 방放하는 기회에 접하였다 위謂할지라(9일 경주에서)(武田生,「寺內總督慶州行三」,『매일신보』 1912년 11월 14일자).

여기에 나타난 내용으로만 본다면 석굴암에 50원을 기부하고 사승에게 보존에 주의하라는 말만 전한 것으로, 그저 평범하게 석굴암을 돌아보고 온 것으로 나타나 있다. 그런데 1912년 데라우치寺内가 경주를 방문했을 때 2박 3일간 데라우치寺内를 수행하여 경주 안내를 맡았던 기무라 시즈오木村靜雄에 의하면 데라우치는 석굴암을 방문하고 내려와 곧바로 '불이법문佛二法門' 4자를 써서 석굴의 암벽에 새기라고 했다고 한다. 기무라木村는『조선에서 늙으며』에서,

寺內總督慶州行(三)

寺內總督慶州行(一)

武田生

데라우치 총독의 경주 방문 기사(매일신보, 1912년 11월 10일, 14일자)

그 때에는 나이가 아직 64, 65세 정도였을 거라고 생각하는데, 석굴암이 심히 마음에 들어 자기도 기념을 남기고 싶다고 생각하여 불이법문佛二法門의 네 글자를 2척 크기로 크게 써서 주고 왔다. 굴 위의 벽에 새기라는 주문이었다. 백작의 필적 중 명작으로서 오카야마岡山에서 석공을 불러들여 새기게 했다. 즉 석굴암이 마음에 들었던 것은 미술감상 때문만이 아니라 무상관無常觀에 기인한 영겁永劫의 희급希及 때문이라고 나는 깊이 느끼고 돌아왔다.[233]

라고 회고하고 있다. 데라우치의 글씨는 석실 금당 뒤편 바위 벼랑에 새겼다.[234] 경명생京命生이란 필명을 사용하는 사람이 데라우치가 쓴 '佛二法門'을

233 木村静雄,『朝鮮に老朽して』, 帝國地方行政學會朝鮮本部, 1924, p.53.
234 신영훈은 『천상이 천하에 내려 깃든 석굴암』(2003)에서 단지 "석실 금당 뒤편 바위 벼

보고 「교남칠일유기嶠南七日遊記」에 다음과 같이 기술하고 있다.

> 목적지에 당도하였다. 목적지는 하처何處인가? 즉 천하장관의 석굴암이다. 수십보 밖에서 바라본즉 주위가 수십 칸이나 되는 진백색의 옥개가 솥을 뒤집어놓은 형태로 찬연하게 노출하여 일행의 눈을 현眩게 한다. 그 위 절벽의 암석상에는 웅건한 필력과 웅대한 자획으로 '不二法門'의 네 글자를 새긴 것이 역력히 나타난다. 이에 일행은 천천히 나아가던 보조步調를 변하여 돌연히 군대의 구보식으로 석굴암의 정면을 향하여 질주하였다.[235]

상당히 아부성이 강하게 미화해서 표현한 듯한데, 오쿠다奧田는 『신라구도경주지』에서,

> 암의 상방석벽上方石壁의 면에 당시의 총독 지금의 수상 데라우치寺內 백작 각하의 서書 '불이법문佛二法門' 네 자의 글씨를 새겨 놓았는데, 석면石面의 가치가 없어서 우러러 볼 정도로 좋지는 않다고 한다. 새긴 모양이 정교하지 않기 때문에 천하무쌍天下無雙의 명산영지名山靈地를 장식하려고 백작 각하가 공들여서 휘호한 명필이건만 가치가 없어 보이는 것은 어쩔 수 없다.[236]

랑에는 '不二法門'이라고 큰 글씨로 새겨 넣었다" 라고만 기술하고 있으며, 해방 이후 1960년대의 석굴암수리보고서에도 이에 대한 자세한 기록이 보이지 않고 있어 어떻게 처리했는지 명확하지 않다.

235 京命生, 「嶠南七日遊記」, 『매일신보』 1922년 4월 28일자.

236 奧田慶雲, 『新羅舊都 慶州誌』, 1919, p.217.

라고 기술하고 있다.

데라우치가 석굴암 방문 시에 직접 '不二法門'을 써서 새기라고 한 것은 방문 즉시 석굴 보수에 대한 마음을 굳힌 것으로 추정된다. 그리고 석굴암 보수공사를 그의 공직으로 남기기 위해 천고의 유적을 거침없이 농단하였던 것이다.

1912년 12월 12일

지리산 무상 대부

조선총독부에서는 1912년 12월 12일부로 지리산을 소위 대학연습림이라는 명목으로 일본 교토대학과 규슈대학에 무상으로 80년간 장기 대부를 하였다.

『개벽』제34호(1923년 4월)에 실린 「조선문화의 기본조사」에는 그 대부한 내용을 다음과 같이 기술하고 있다.

一. 소재지 및 면적

경남 함양군 11,754정보

산청군 3,012정보

계 14,766정보

이상 京都帝國大學

산청군 13,899정보

하동군 14,905정보

계 28,804정보

이상 九州帝國大學

一. 용도 : 대학연습림의 사업

一. 대부기간 : 대정 원년 12월~대정 81년 11월(80개년)

一. 대부료 : 無

一. 삼림산물 연습사업경영에 반한 삼림산물은 무상양도함

이 43,570정보의 대지단大地段은 법률상으로 보면 물론 국유지요. 총독부에서도 이 국유지에 대하여는 타인에게 대부하던지 매각하던지 자유로 처분할 수가 있는 것이다. 그러나 사실상은 전부가 국유가 이니오. 중봉 이하 즉 3분지 2이상은 민유民有다. 원래 총독부에서 토지를 조사할 시에 인민에게 자기의 소유는 일정한 기간 이내에 그의 권리를 증명하라 고시하였으나 지식이 몽매한 산간인민이 어찌 권리가 무엇인지 국유가 무엇인지 알었으리오. 태연히 수면睡眠하는 중에 무정한 기한은 조속히 도래하야 그의 조선祖先이 한汗과 혈血로 개척한 악토樂土는 일조一朝에 백실白失하고 말았다.

또 『개벽』 제34호에 실린 「지리산보智異山譜」 에는 다음과 같은 내용을 담고 있다.

아 조선인은 지리산을 자래自來 신선의 향鄕으로만 알고 보고寶庫인 줄은 알지 못하였다. 심심深深한 청학동 중에서 청풍명월을 음롱吟弄하며 자연채하紫烟彩霞를 호흡하는 간에 지리산의 전부 이미 일본인의 수중에 돌아갔다. 즉 대정 원년에 소위 구주대학 급 경도대학의 연습림으로 총독부에서 80개년의 장기로 무상대부를 하고 말았다. 과연 지이산은 신선이 유한

가 아니한가. 무릉도원에 어찌 어자漁子가 침입할 줄 뜻하였으리오. 현재 함양군수 민린호씨는 공각空殼의 명승고적이나마 보존하려고 보승회를 조직하고 지이산을 세계에 소개하기 위하야 지이산지를 즙집 중이오, 동군 유지 상위수씨는 유산遊山하는 사람의 편리를 도모키 위하여 산상山上에 망해정望海亭을 건축하고 박로익 및 영원사靈源寺 승 일동은 제석당帝釋堂을 건축하였으며 이진우 및 벽송사碧松寺 승 일동은 마암당馬岩堂을 건축하야(양처는 皆 中峯) 본년 양춘가절에 개산식을 행하려 한다.

1912년 12월

1912년 12월 영조 38년에 세운 선희궁 터에 조선총독부 제생원 교육부를 설치하다.[237]

같은 해

관측소장 와다가 반출한 한송사지 석조보살상

1908년 농상공부 관측소 기사로 한국에 건너온 와다 유지和田雄治는 1909년 소네가 부통감으로 있을 당시 경주 순시에 함께 동행하였으며, 일제강점기 초에 전국

237 서울특별시 시사편찬위원회, 『국역 경성부사』 제1권, 2012.

을 답사하면서 관측 관련 조사를 한 자로 『조선고대관측기록』을 저술한 자이기도 하다.[238]

와다는 관측소장으로 근무하면서 고적에 대한 관심이 깊어 사적으로 각지의 선사유적이나 기타 각지의 고적에 대한 조사를 겸하기도 했다. 그는 조사 과정에서 상당수의 유물을 채집하여 일본으로 반출하기도 했다. 그의 반출 유물 중에는 귀중한 한송사지寒松寺址석조보살좌상 한 구도 포함되어 있다.

한송사지(寒松寺址) 석조보살좌상
(국보 124호)

한송사지 보살상은 강릉시 병산동 남항진리의 폐한송사지廢寒松寺址에서 발견한 것으로 『조선고적도보』에 '한송사지보살상' 이라 하여 2구가 실려 있다.[239] 한송사의 창건 및 폐사에 관한 명확한 기록이 보이지 않으며 『동문선』에 수록된 이곡의 『동유기』 에는 이곳에 문수보살과 보현보살상이 있었으며 4기의 비와 귀부 등이 있었다는 기록이 보이고 있다. 『임영지臨瀛誌』 에는, "문수사 속호한송사(文殊寺 俗號寒松寺) 재부동십리해안이목간在府東十里海岸二木間" 이라 기록하고 있고, 1940년에 발간한 『강원도지』 권지5에 "문수사재군동1리 속칭 한송사文殊寺在郡東1里 俗稱 寒松寺"라 기록하고 있어, 한송사의 옛 사명은 문수사였음을 알 수 있다.

이 백옥상의 전래와 일본 반출경위에 관해서는 일본 『고고학잡지』(1913)에 사진과 함께 실려 있는데,

---

238 和田雄治, 『朝鮮古代觀測記錄調査報告』, 朝鮮總督府觀測所, 1917.
239 朝鮮總督府, 『朝鮮古蹟圖譜』第四卷, 圖版 1921-1922.

금회 재선在鮮의 모씨로부터 동경제실박물관東京帝室博物館에 헌납獻納한 신라시대의 백옥상白玉像은 경주 방면에서도 아직 발견된 일이 없는 걸작傑作으로서 본방本邦 유일의 중보重寶라 한다. 금 모씨로부터 이 불상을 발견한 유래를 전문傳聞하였으므로 이에 약술略述하여 고증考証에 비備하려 한다.

라고 하면서 일명 풍탁거사風鐸居士란 자가 이 보살상을 일본으로 반출한 모씨로부터 전문한傳聞한 내용을 싣고 있다. 그 내용인즉 대략 간추려 보면 다음과 같다.

강릉에서 동쪽으로 약 2리 정도 떨어진 곳에 안목항安木港이 있는데, 이곳 안목에 이르는 수리의 사이에는 백사청송白砂靑松으로서 조선인의 가옥은 겨우 몇 채만 있을 뿐이다. 이 백사白砂의 사이에 귀부龜趺, 석불 등이 산포하여 있다. 그 중에 1체의 백옥좌상白玉坐像이 있는데 두부頭部와 양완兩腕이 없고 또 여러 곳에 결손이 심하기는 하나 흉부胸部의 장식裝飾, 의문衣紋 등을 보면 비범非凡의 걸작傑作으로 확실히 신라시대의 조각임을 의심할 바 없다고 한다.
마을 노인의 말에 의하면 "이 땅은 원래 한송사寒松寺가 있었던 곳으로 지금으로부터 약 30년 전 일야一夜에 풍사風砂로 인해 7.8 대가람大伽藍이 날아가 버려 지금은 겨우 불체와 귀부와 거송 수 그루만 잔존할 뿐이다. 불상은 원래 2체였으나, 그 일은 어느 경에 어떤 사람이 가지고 가버렸다. 그리고 이 백석白石은 산약散藥으로 복용하면 여하한 난병難病도 완치한다고 하여 마을 사람들이 다투어 이를 파괴하였다" 한다.
전게한 문文을 견見하니 마을노인의 말을 어느 정도 믿을 만하고 또 강릉 안목간安木間에는 곳곳에 당간지주幢竿支柱와 폐불廢佛 등이 산란 한 것으로 볼 때 이 근방에 거찰이 존재하였음이 명백하다.

모씨는 작년 3월 이곳에 이르러 그 소재불명인 불체佛體의 수색搜索을 마을 사람에게 의뢰하고 후상厚賞할 것을 약속했다. 그 후 반세半歲가 지나 모씨한테로 통신이 있었는데 말하기를, "안목의 소류小流를 거슬러 올라가 약 3리의 곳에 한 구릉이 있는데 그 반복半復에 칠성암七星菴이라는 작은 사찰이 있고 이곳에 백색의 석불좌상이 있어 높이 3척쯤이고 무게는 2명이 겨우 안아 올릴 정도이다. 그 형식은 안목의 것과 흡사하고 그리고 전부 완비되어 있다. 다만 두부는 탈락脫落되었으나 근처에 산재散在한다" 고 한다. (이러한 소식을 접한) 모씨는 이 불상의 유래와 그 양여讓與의 낙부諾否를 교섭하였는데 칠성암주七星菴主의 말에 의하면, 이 불상은 오래 전에 경주에서 발굴한 2체 중의 하나로 후에 한송사로 옮겨졌다가 지금으로부터 30년 전쯤에 본사에 안치한 것이다. 지금 또 이것을 다른 곳으로 천좌遷座하려고 하면 후厚한 제사祭祀를 집행執行함을 요한다고 한다. 이에 모씨는 암주庵主의 요구에 응하고 제사료祭祀料 약간若干을 주고 석불의 양여讓與를 받았다고 한다. 이것은 지난 44년(1911) 10월이라고 한다.[240]

위에서 말한 모씨에 대해서 구체적으로 어떤 사람인지는 밝히지 않고 있지만, 보살상이 일본으로 반출된 후 도쿄박물관으로 넘어가 도쿄박물관에서는 와다和田의 기증품으로 기록하고 있었기 때문에 모씨는 바로 와다를 지목하는 것으로 보인다.

---

240 風鐸居士,「江原道發見の白玉佛」,『考古學雜誌』第3卷 5號. 1913년 1월, pp.37~39.

위의 기록에서 '작년 3월' 이라는 것은 1911년 3월로서 와다는 당시 조선총독부 관측소장으로 있을 때이다.[241] 1911년 9월 30일 강릉측후소가 설치되면서 측후소의 소장으로 타케시타竹下가 부임하였다. 와다는 이를 계기로 강릉에 갔을 것으로 추정된다.

와다는 마을 사람들과 칠성암주를 매수하여 이 보살상을 양도받아 곧 바로 일본으로 반출하여 도쿄제실박물관에 기증하였다.

풍탁거사란 자의 기록으로 보면 와다는 1911년에 칠성암주로부터 보살상을 매입하여 1912년에 도쿄박물관에 기증한 것이다. 오랫동안 도쿄박물관에 진열되어 오던 이 보살상은 해방 이후 한일협정에 의해 1966년에 한국으로 돌려받게 되었다. 그간 국립중앙박물관에 보관하여 오다가 2002년 국립춘천박물관이 개관되면서 현재 국립춘천박물관에 옮겨 진열하고 있다.

한송사지에 남아 있던 다른 한 구의 보살상은 『조선보물고적조사자료』의 한송사지 기록에는 "석불좌상은 군청으로 옮겨졌으며 사지에는 초석과 와편이 산재하고 탑개석 1개가 존한다"고 하고 있어 1917년 이전에 강릉군청으로 옮겨진 것으로 보인다.

강릉군청 보관의 보살상

1934년 조선총독부 고시 제430호로 보물 제123호로 지정되었다. 현재는 보물 제81호로 지정되어 강릉시립박물관에 보존되어 있다.

241 朝鮮總督府, 『(朝鮮總督府及所屬官署)職員錄』, 1911; 『每日申報』 1911년 3월 5일자.

석굴암 이전 계획 변경

소네의 답방 이후 석굴암에 대한 조사가 이어지면서 통감부는 석굴암 전부와 불국사 주조불까지 옮기려 했다.

기무라 시즈오木村静雄의 기록에 의하면, 그는 1910년 6월에 경주군 주임서기主任書記로 경주에 부임赴任해 왔었는데 8월에 가와이 히로타미河合弘民, 와타나베 아키라渡邊彰 등과 함께 주동이 되어 경주 고적의 보존을 목적으로 '신라회'(경주고적보존회의 전신)를 조직하여 그 일원으로 활동을 하였는데 당시는 수 명에 불과했다고 한다. 그런데 얼마 되지 않아 귀를 의심하는 명령이 관찰사로부터 내려 왔다고 한다. 「불국사의 주조불鑄造佛과 석굴불의 전부를 경성으로 수송輸送하라」는 엄명嚴命과 함께 이를 운송하는데 사용되는 비용의 계산서를 즉각 올려 보내라는 것이다. 이에 군수는 아무런 일의一議 없이 복종하는 태도였으나 자신은 이러한 폭명暴命에 반감反感이 생겨 속으로 이것을 다른 곳으로 옮기는 것은 무모無謀할 뿐 아니라 사리를 모름에 맹종盲從할 수 가 없다고 생각하여 계산서에 대한 회답回答을 보내지 않고 묵실默殺하기로 결심하였다고 한다. 얼마 아니 되어 10월의 관제개제官制改制가 있어 도장관道長官이 임용되고 그 밑에 대소의 일본인 관리가 배치되면서 이 일은 유야무야 되었다고 한다.[242]

그때의 계획으로는 석굴암을 해체하여 석불과 기타 모든 석재를 토함산에서 약40리 내려온 동해안의 감포를 통해 배로 인천까지 운반한다는 것이다.

오사카의 기록에는 보다 구체적으로 기술하고 있다.

---

242 木村靜雄,『朝鮮に老朽して』, 帝國地方行政學會朝鮮本部, 1924, pp.48-49.

현지 보존은 이상뿐이지만 당시의 지방 상황으로 보아 그것은 오히려 위험하다고 보아서 될 수 있으면 이것을 경성에 옮기려고 했다. 곧 당시의 장기군청에 그 조사를 명령하게 되었다. 놀란 것은 장기군청이었다. 표고 561미터의 산 정상에서 감포甘浦항구까지의 약 4리의 도로를 새로 만들지 않으면 아니 되었다. 뿐 아니라 귀중한 석상, 크고 적은 것 38개와 석굴용재를 완전하게 운반하지 않으면 안된다. 자신을 가지고 견적을 낼 사람이 없어서 그 계획을 해 낸다는 것은 도저히 불가능하다고 생각하였다. 따라서 결국은 현지 보존으로 결정하였나.

'여하튼 내가 가서 보아야겠다'는 이 한마디는 데라우치 총독의 모양새를 높이는 일이었다.

다이쇼大正원년 가을 드디어 총독순시라는 일정을 잡았다. 이번에는 경상북도가 놀랐다. 불국사에서 석굴암까지의 도로를 어떻게 하느냐? 올해 예산으로는 도로 공사비는 하나도 없었다. 할 수 없이 올해로서는 나무꾼이 다니는 길에 약간의 손질을 해 두기로 했다.

당시 경주군청에는 주석서기主席書記로서 경주의 연구와 소개에 앞서서 해낸 기무라 시즈오木村靜雄 씨가 있었다. 그는 이 기회에 편승해서 유람도로를 개설하고자 공사계획서를 세 통이나 작성하여 도청에 내었으나 결정받지 못하였다. 여하튼 총독을 안내할 수 있는 곳이라도 한번 봐 두지 않으면 안되겠다고 생각하고 내무부장 나카노 다사부로中野太三郎 씨가 기무라木村 씨의 안내로 실지를 답사하기로 하였다.

'제일 가까운 곳은 비용도 들지 않습니다' 라고 하는 기무라木村 씨의 설명은 짓궂기는 하지만 도청 당국은 단순하게 그렇겠지 하고 수긍하였다. 그리고 단거리 중앙선을 총독 안내의 제일 예정선으로 하였다. 그러나 단거리 선은 경사가 심해서 나카노中野 씨는 그 비대한 몸을 가누지 못하고 문자 그대로 중도에서 오도 가도 못하고 말았다. 이런 일로 22정보의 석굴암의 참배길은 기무라木村의 예정안대로 결정하게 되었다.[243]

이 운반 계획은 경주고적보존회의 역할이 지대하였다는 것을 설명하면서 그 일원이었던 기무라木村가 불국사 주조불과 석굴불 운송을 막았다고 떠벌리고 있으나 당시로서는 오사카大坂의 기록대로 짧은 기간에 엄청난 운송계획의 견적을 곧 바로 낸다는 것은 사실 어려울 뿐 아니라 국권침탈이 추진되는 과정에서 이곳에 신경을 쓸 여지가 없었을 것이다.[244] 더욱이 석굴암 이건설은 경주시민의 민심을 자극하여 여론을 악화시켰으며, 총독부에서는 이를 무마하기 위해 원천 무효화한 것으로 추정된다. 당시 매일신보(1912년 10월 30일자)에는 다음과 같은 기사가 있다.

경주에 재在한 신라고도의 다보탑 및 석굴암의 불적 등을 총독부에서 경

243 大坂六村, 『趣味の慶州』, 慶州古蹟保存會, 1939, pp.154-155.

244 黃壽永, 「石窟庵 修理工事 報告書」에 의하면,
이와 같은 운반지령은 그 당시의 석굴상황과 지방시찰을 말하여 주는 것이다. 다행히 이 계획은 중단되었는데 그곳에는 이 같은 대규묘의 반출작업 그자체가 손쉽게 이루어질 수도 없으려니와 또 다른 이유로는 국권의 강탈이 자행되는 마당에서 이 같은 계획이 현지보존으로 변경될 여건이 따랐을 것으로 보인다. 이 같은 명령이 있은 다음에 경주거류 日人官民을 주체로 삼은 경주고적보존사업의 움직임이 있었고, 또 한일합방을 계기로 日政의 시대를 맞이함에 이르러 1912년에는 초대총독 寺內의 登窟이 있어 이와 전후하여 마침내 총독부에 의한 긴급대책의 수립을 서두르게 되었던 것이다. 이로 인해 석굴의 중수가 이루어진 하나의 계기가 되었다고 한다.

성으로 이전 보관한다는 유설流說을 전한 결과로 경주지방의 선민 등은 크게 소요騷搖한 사事가 유有하나 우右는 하등의 오보誤報인지 전연무근이오 총독부에서는 절대적 경성으로 이전할 의지가 무無하고 단 기其 보존 및 수리에 관하여서는 현상現狀과 여如히 방기放棄키 불능하나 연然이나 기其 방법에 관한 여사如斯한 허보虛報를 전함인 듯하다더라.

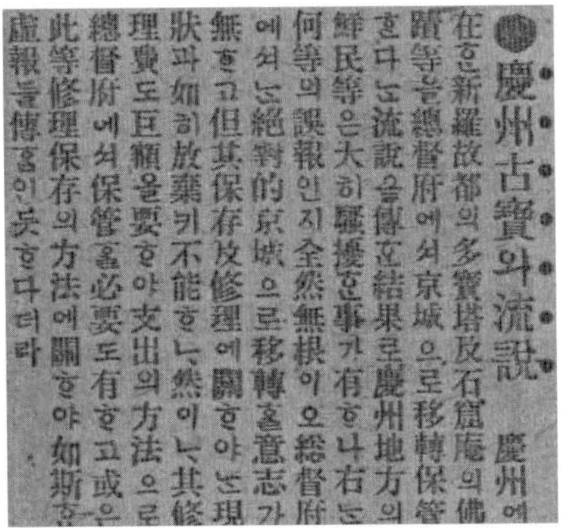
●慶州古寶와流說
慶州에在ᄒᆞᆫ新羅故都의多寶塔及石窟庵의佛體等을總督府에셔京城으로移轉保管ᄒᆞᆫ다ᄂᆞᆫ流說을傳ᄒᆞᆫ結果로慶州地方의鮮民等은大히騷擾ᄒᆞᆫ事가有ᄒᆞ나右ᄂᆞᆫ何等의誤報인지全然無根이오總督府에셔ᄂᆞᆫ絕對的京城으로移轉ᄒᆞᆯ意志가無ᄒᆞ고但其保存及修理에關ᄒᆞ야ᄂᆞᆫ現狀과如히放棄키不能ᄒᆞ나然이나其修理費도巨額을要ᄒᆞ야支出의方法으로總督府에셔保管ᄒᆞᆷ必要도有ᄒᆞ고或은此等修理保存의方法에關ᄒᆞ야如斯ᄒᆞᆫ虛報를傳ᄒᆞᆷ인듯ᄒᆞ다더라.

『매일신보』 1912년 10월 30일자

일련의 운송계획에서 불국사 주존불과 석굴암의 경성운송계획은 경성 어디로 옮기려 했는지에 대한 기록이 보이지 않는다. 거대한 석조물을 옮기려면 이 석조물이 들어설 장소부터 먼저 설정되어 있어야 할 것이다. 당시에 이왕직박물관이 있었다고 하나 자기류나 규모가 작은 조각품들만이 진열하고 있었기 때문에 적합한 장소로 보기에는 힘들다. 석굴암의 운송계획이 나왔을 시기는 경복궁의 정리 작업이 시작되기 전이긴 하지만 이미 조선총독부청사의 건립 장소로 경복궁을 지정하고 있던 터이며, 물산공진회를 계기로 많은 석조물이 들어선 예로 보았을 때 혹 경복궁을 염두에 두지나 않았는지 의혹이 남는다.

데라우치 총독의 석굴암 현지답사에 앞서 석굴암 현황에 관한 1차조사가 총독부기수 기코 도모다카木子智隆에 의해 이루어 졌는데 1912년 6월 25일부 복명서에 "현황 그대로 둘 때는 잔존하는 천정의 3분의 2도 추락하여 주벽불상을 상하게 하고 중앙에 안좌하는 석가의 대상을 파훼破毁하여 동양무비東洋無比의

미술품을 멸망시킴에 이른다"[245]라고 석굴암 중수의 시급함을 알리고 있다. 그 후 총독의 경주 방문이 있은 후 운송계획은 변경되고 석굴암의 중수가 이루어지는 것으로 일달락이 되었다.

이 해에 개점한 골동상점

1912년에 간행한 『대구일반』 '인물조' 에는 이나모토 신오미稻本新臣가 1905년에 조선신문사에 입사하였다가 골동에 취미가 있어 골동업에 종사하였는데, 그의 이나모토稻本골동점은 동성정 2정목에 자리하는 것으로 조선 고기물, 고도기와 회화 미술품 등을 가장 많이 가진 골동점으로 소개하고 있다.[246] 그러나 이나모토稻本골동점을 언제 열었는지 그 연대는 명확하지 않다.

1912년에 발간한『대구요람』이란 책자를 보면 고물 골동상으로 등록한 업소가 15개소가 있고 가장 이름난 자로는 이나모토 신오미稻本新臣와 신미 시게조新見茂藏란 자의 골동상점이 나타나 있다. 오쿠 지스케奥治助는 고물상으로 등록되어 있지만 그가 막대한 고미술품들을 소지하였던 점으로 보아 고미술품을 주업으로 하고 있었으며, 15개소의 고물상 모두가 고미술품을 매매하였을 것으로 추정된다.

1912년에 부산상업회의소에서 간행한 『부산요람釜山要覽』의 '상공인명록'에 나타난 고물상의 인명으로는 코메다 츠네키치米田常吉란 자가 보인다.

이케우치 토라키치池内虎吉가 서화골동상점을 열다.

245 文教部文化財管理局,『石窟庵修理工事報告書』, 1967, p.16.
246 三輪如鐵,『大邱一斑』, 玉村書店, 1912.

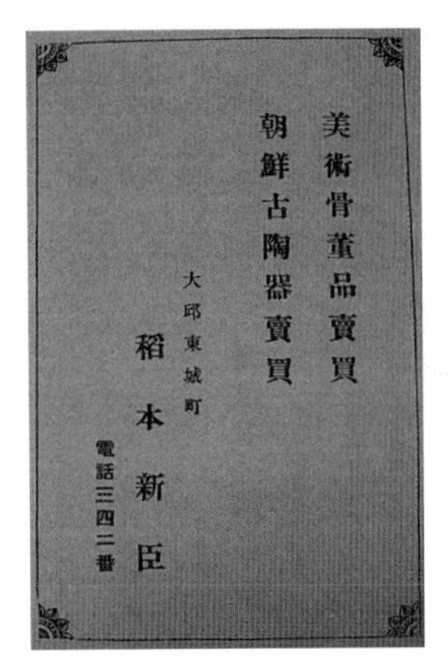

『대구요람』에 실린 광고

우라타니 세이지浦谷清次가 서울에 골동상점 출장소를 두다.

1891년부터 일본에서 골동품점을 운영하다가 1905년에 잠시 그만두고 1908년에 다시 일본에서 완고당玩古堂이라는 골동상점을 운영하면서, 1912년에 서울에 완고당 출장소를 두었다.

이케우치는 1905년 조선철도회사에 입사하여 한국에 건너왔다. 1912년에 철도회사를 그만두고 서울 충무로에서 역사가 가장 오래된 서화골동보석상을 이어받아 운영하였는데 서울 골동상계의 대표라 할 수 있다. 이케우치는 1912년부터 이왕가박물관과 거래를 하던 골동상으로[247] 초기 개성 등지에서 올라오는 고려자기를 포함한 각종 도굴품을 취급하였다. 『광복 이후 박물관 자료 목록집』에는 이케우치로부터 유물을 구입한 건이 여러 건 보이고 있다.

이케우치는 또한 한국유물을 일본으로 반출하여 이득을 취하기도 하였다. 1924,5년경의 총독부박물관 관계서류철에는 그가 석조물을 일본으로 반출하기 위해 석조물 반출허가서를 제출한 여러 건이 보인다.

1912년도 도쿄국립박물관에서 기증 및 구입한 다음의 건이 있다.

---

247 박계리, 「朝鮮總督府博物館 書畵컬렉션과 蒐集家들」, 『近代美術 硏究』, 2006.
248 1912년 궁내성 제릉료로부터 다량의 고고유물이 관리 전환되었다. 이때 조선관계의 토기 2점이 포함되었는데, 그 중 1점이 장부에 稻生眞履가 헌납한 것이라고 기재되어 있다고 한다. 그래서 실재 헌납은 1912년 이전으로 보아야 할 것이다.

高杯 1合	전라도 고분	『東博圖版目錄』 2004, 圖154	헌납. 1912년 稻生眞履
석조보살상	강릉 한송사지		和田雄治 기증. 1912년12월. 후에 반환
조선관계의 土器 2점		『東博圖版目錄』 2004	그 중 1점이 장부에 稻生眞履가 1912년 헌납[248]
把手付壺	대구 부근	『東博圖版目錄』 2004	기증. 1912년 赤星佐七
長頸壺		『東博圖版目錄』 2004, 圖244	기증. 1912년 赤星佐七
小壺	개성	『東博圖版目錄』 2004, 圖406	기증. 1912년 赤星佐七
壺	개성	『東博圖版目錄』 2004, 圖407	기증. 1912년 赤星佐七
印花文碗 1合	조선 발굴	『東博圖版目錄』 2004, 圖200	구입. 1912년
橫甁	통일신라	『東博圖版目錄』 2004, 圖324	구입. 1912년
瓜形水注	고려	『東博圖版目錄』 2004, 圖403	구입. 1912년
小壺	고려	『東博圖版目錄』 2004, 圖406	구입. 1912년

稻生眞履은 명치시대에 正倉院御物整理掛로 근무한 인물이다(「東京國立博物館所藏朝鮮産十器・綠釉陶器の收集經緯」, 『東京國立博物館圖版目錄』 朝鮮陶磁篇(十器,綠釉陶器), 2004, p.169).

우리 문화재 수난일지

1913년

1913년 1월 8일

경성일본인고물상조합 총회

8일 일본인 상업회의소에서 시내고물상총회를 개최하고 각 연도의 결산보고 및 역원을 선정하였는데 조합장은 곤도 사고로近藤佐五郎, 부조합장은 하야시 나카사후로林仲三郎 그 외 평의원으로 10명을 선정하였다.[249]

1913년 1월 11일

도쿄예술대학 예술자료관에 기증한 유물

오바 쓰네키치小場恒吉는 회화 모사의 대가로 일찍부터 고구려벽화 모사에 열중하여 많은 모사화模寫畫를 남겨 일본의 대학이나 박물관에 소장시켰다. 조선총독부고적조사위원 촉탁으로 각종 발굴 사업은 물론이고, 남산 산록에 넘어진 신라통일기의 삼체석불 복원공사와 아울러 남산 불적조사에 참가하여 경주 유적에 대해서는 대단히 밝은 사람이라 할 수 있다. 일찍부터 신라고와에 관심을 가져 시간이 날 때마다 월성, 황룡사지, 사천왕사지, 안압지 부근을 비롯하여 경주일대를 샅샅이 뒤져 고와를 수집했다. 또한 고와에 나타난 문양의

249 『每日申報』 1913년 1월 10일자.

복원도를 제작하고 문양의 분류작업까지 하였기 때문에[250] 그의 경주 일대에서 수집한 고와는 상당수에 달할 것으로 보인다. 수집한 고와 중 일부는 1913년과 1915년 두 차례에 걸쳐 도쿄예술대학 예술자료관에 기증하기도 했다. 오바가 채집한 것은 1912년 12월 4일과 1914년 11월 27일에 채집한 것이 대부분으로 이때 채집한 것은 습득 날짜와 장소를 주서로 명기하고 있다. 1913년 1월 11일 자로 도쿄예술대학 예술자료관에 기증한 고와는 다음과 같다.[251]

품목(유물번호)	기증자	시대	비고
忍冬蓮花文軒丸瓦(考古-36, 37)	小場恒吉	신라	朱筆「慶州雁鴨池付近ヨリ拾得 大正元十二月四日 小場」
忍冬蓮花文軒丸瓦(考古-33, 34)	小場恒吉	신라	朱筆「慶州半月城上ヨリ得タリ 大正元十二月四日 小場」
忍冬蓮花文軒丸瓦(考古-14)	小場恒吉	신라	朱筆「慶州芬皇寺辺ニテ拾得 大正元十月四日 小場」
花文軒丸瓦(考古-38)	小場恒吉	신라	朱筆「慶州雁鴨池付近ヨリ拾得 大正元十二月四日 小場」
軒丸瓦破片(考古-23)	小場恒吉	신라	朱筆「慶州芬皇寺辺ニテ拾得 大正元十二月四日 小場」
瓦破片(考古-39)	小場恒吉	신라	朱筆「大正元十二月四日 小場」

250 大坂金太郎,「在鮮回顧十題」,『朝鮮學報』 제45輯, 朝鮮學會, 1967년 10월.

251 『東京藝術大學 藝術資料館藏品 目錄』, 東京藝術大學 藝術資料館, 1992.
동경미술학교가 1966년 동경예술대학으로 통합된 후 예술자료관을 설립하여 이곳에 미술품 등을 수장하고 있다.

품목(유물번호)	기증자	시대	비고
瓦破片(考古-13)	小場恒吉	신라	
單弁蓮花文軒丸瓦(考古-31)	小場恒吉	신라	 朱筆「慶州半月城上ヨリ 大正元 十二月四日 小場」
單弁蓮花文軒丸瓦(考古-7, 8, 5, 11, 17, 22)	小場恒吉	신라	 朱筆「慶州芬皇寺辺ニテ拾得 大正元十二月四日 小場」
單弁蓮花文軒丸瓦(考古-35)	小場恒吉	신라	朱筆「慶州雁鴨池付近ヨリ拾得 大正元十二月四日 小場」

품목(유물번호)	기증자	시대	비고
複弁蓮花文軒丸瓦(考古-9, 10, 12, 15, 18)	小場恒吉	신라	朱筆「慶州芬皇寺辺ニテ拾得 大正元十二月四日 小場」
複弁蓮花文軒丸瓦(考古-43)	小場恒吉	신라	
重弁蓮花文軒丸瓦(考古-?, 6, 20)	小場恒吉	신라	朱筆「慶州芬皇寺辺ニテ拾得 大正元十二月四日 小場」

품목(유물번호)	기증자	시대	비고
蓮花文軒丸瓦(考古-32)	小場恒吉	신라	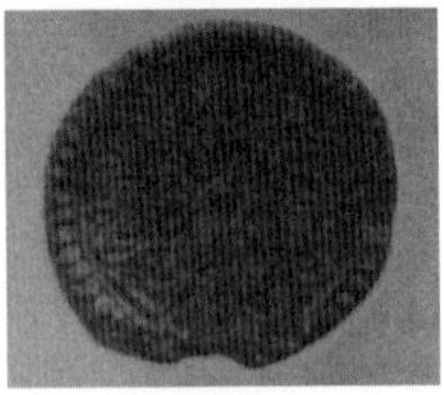 朱筆「慶州半月城上ヨリ 大正元十二月四日 小場」
蓮花文軒丸瓦(考古-16)	小場恒吉	신라	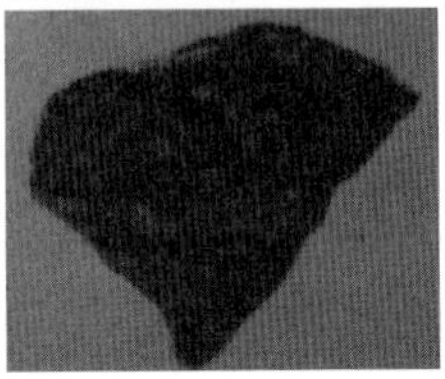 朱筆「慶州芬皇寺辺ニテ拾得 大正元十二月四日 小場」
忍冬蓮花文軒丸瓦(考古-21)	小場恒吉	신라	朱筆「慶州芬皇寺辺ニテ拾得 大正元十二月四日 小場」
唐草文軒平瓦(考古-28)	小場恒吉	신라	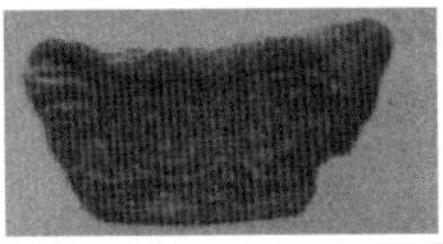
唐草文軒平瓦(考古-27, 30, 40)	小場恒吉	신라	朱筆「慶州芬皇寺辺ニテ拾得 大正元十二月四日 小場」
唐草文軒平瓦(考古-41)	小場恒吉	신라	朱筆「慶州佛國寺ヨリ拾フ 大正元十二月四日 小場」
均正唐草文軒平瓦(考古-29)	小場恒吉	신라	朱筆「慶州芬皇寺辺ニテ拾得 大正元十二月四日 小場」
忍冬唐草文軒平瓦(考古-42)	小場恒吉	신라	朱筆「慶州四天王寺址ヨリ拾フ 大正元十二月四日 小場」
鬼瓦(考古-24)	小場恒吉	신라	朱筆「慶州芬皇寺辺ニテ拾得 大正元十二月四日 小場」
鬼瓦(考古-44)	小場恒吉	신라	
寶相華方文塼(考古-25, 26)	小場恒吉	신라	朱筆「慶州芬皇寺辺ニテ拾得 大正元十二月四日 小場」

1913년 1월

매장물 신고 요령

매장물 발견이 있을 때에는 경무총장을 경유 조선총독에 신고하여 지휘를 받도록 했다. 즉 도로의 개수 또는 시구개정市區改正 등으로 고분이 발굴되어 역사상 고증이 될 만한 것을 발견하였을 때에는 고분의 소재지, 구조형식 및 현존물現存物의 품질 명칭과 아울러 고분에 관한 고래류전古來流傳의 구비口碑 기타 역사상 고증이 될 만한 사항을 조선총독부에 신고하여 지휘를 받도록 시달示達하다.[252]

1913년 2월

조선고서 및 금석문 수집

1913년 2월에 정무총감의 이름으로 '조선고서朝鮮古書 및 금석문金石文 탁본拓本 수집蒐集에 관한 건件'을 각도 장관에게 통첩하였다. 별지別紙에 나타난 주요한 내용은 조선도서朝鮮圖書의 수집蒐集, 금석문金石文의 수집蒐集, 판목版木, 편액扁額 등의 조사, 경문經文 및 기록記錄 등을 조사하여 통보하라는 것이다.

그리고 이러한 통첩에 이어 주요한 금석문에 부쳐 목록을 작성하여 각도에 송부

252 『朝鮮總督府官報』 1913년 1월 25일자.

하고 동년 9월 각도 장관과 각도 경무국 부장에게 참고가 될 만한 6종의 자료를 수집하라는 의뢰문을 발송하였다. 이 때 포함된 자료는 조선금석문朝鮮金石文, 조선도서朝鮮圖書, 조선각군읍지(朝鮮各郡邑誌, 고문서古文書, 책판冊版, 참고품參考品이었다.[253]

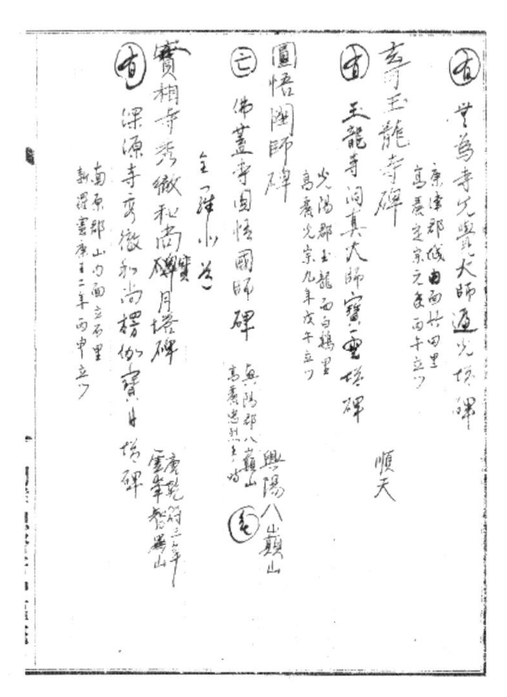

『朝鮮金石調査稿本』(殘見倫太郎 提出, 1916년 9월)

그 수집품을 보면, 금석문의 경우, 1913년 4월 경무부장회의에서 재차 의뢰되어 9월 각 도내에 있는 금석문의 목록을 송부하고 수십을 독촉하여 1913년 말에는 수집된 금석문이 1040종에 이르렀다. 그리고 본부 소장 이외의 민간에 잔존한 조선도서를 모두 수집 보충할 목적으로 고도서의 매수, 사원 및 향교 보존의 도서목록 조사, 양반 유생 소장 도서의 차수借受 등사 및 기부 기탁의 방법을 강구하는 등의 계획을 수립하여, 1913년 1월 이래 본부에서 직접 탐색 구입을 하는 외, 각도에 (금석문과 함께) 이첩移牒을 발하였다. 또 경무부에 의뢰를 해서 차입 등사를 하거나 기부를 받아서 1913년 그 수 56종 191책을 수집하였다.[254]

253 『朝鮮舊慣制度調査事業概要』, 朝鮮總督府中樞院, 1938, pp.40~44.

254 新羅期 29種(탁본 28종, 사본 1종), 高麗期 87종(탁본 58종, 사본 29종), 朝鮮期 932종(탁본 491종, 사본 441종)으로 이 중 탁본 55종은 1914년 7월에 조선총독부 회의실에 진열하여 寺內總督을 비롯한 본부직원 및 기타 유지들이 관람했다.

1914년 말에는 비문종명碑文鍾銘과 그 밖의 금석문 수집이 1377종에 이르렀으며, 1915년 말에는 금석문 총수가 1579종에 달하였다. 그리고 조선도서와 각 군 읍지의 수집은 참사관실의 도서 이외 조선인의 저작편찬에 관계된 도서를 구입 또는 조사한 결과 그 수가 59종 691책에 달하였다. 조선 각 군 읍지를 참사관 분실의 읍지와 내무부로부터 인계한 읍지를 아울러 정리하여 그 부족한 것은 각 도에 통첩하여 등사謄寫를 구하고 직원 출장 때 발견한 것은 등사하거나 또는 읍지 중 간략한 것은 다시 자세한 것을 탐사하여 등사했다. 그 결과 1915년에는 읍지가 959종에 이르렀다. 그밖에 고문서古文書의 경우에는 그 수가 67종에 달했으며 책판册板의 경우는 직원이 출장 시류를 가지고 관아와 사찰, 민간에서 조사하고 참고품의 경우는 직원이 출장할 때 사찰, 사지 그 밖의 지역을 돌아다니면서 기와조각과 옛 도자기 등 참고할 만한 것을 수집하게 하였다.[255]

1913년 3월

이토상점伊藤商店의 설립을 허가하다. 이토상점은 자본금 12만원으로 잡화, 전당, 고물상업을 운영했다.[256]

---

255 『朝鮮舊慣制度調査事業概要』, 朝鮮總督府中樞院, 1938, pp.45~47; 金泰雄, 「1910年代前半 朝鮮總督府의 取調局. 參事官室과 舊慣調査事業」, 『奎章閣 16』, 서울大學校奎章閣, 1993, pp.112-113; 『每日申報』 1913년 6월 7일자

256 『朝鮮總督府官報』 1913년 3월 27일자.

1913년 4월 3일

일본 사학회《사료전람회》

일본 사학회의《사료전람회》는 1913년 4월 3일에 도쿄제국대학 문과대학 연구실에서 개최되었는데, 3개실로 나누어 진열했다. 제1실에는 일본 기록 고문서를 진열하고 제2실은 일본 고대 관계품을 진열했다. 제3실에는 '조선사관계품'을 진열했는데, 진열품은 낙랑, 대방, 고구려, 백제, 가야, 신라, 고려, 조선 등 시대별로 분류하고 기타 서적 및 필적을 진열했다.

제3실에 진열된 '조선사관계품' 진열품목록은 다음과 같다.

사료전람회목록[257]

품목	출토지	비고
평양지방 遺蹟圖		
평양부대동강면고분(圖面, 寫眞, 塼, 副葬品, 瓦片)	평양	
봉산군 대방유적도	평양	
당토성 (圖面, 塼)		1911년 10월 발굴
대방태수장씨분묘(圖面, 寫眞 및 발견 塼, 漆喰, 瓦片)		1911년 10월 발굴
강서 용강 지방 유적도	강서용강	
능묘 (圖面, 寫眞, 木棺破片, 花瓦)	강서용강	1911년 10월 발굴
왕궁지(花瓦, 唐草瓦)	강서용강	1911년 10월 발굴
부여지방 유적도		
정림사지탑비 사진	부여	

257 「時評及彙報」,『歷史地理』 제21권 5호, 歷史地理學會, 日本歷史地理學會, 1913년 5월.

품목	출토지	비고
유인원기공비 사진	부여	
가야유적도		
산성 사진		
가야왕궁지(寫眞, 花瓦)		
가야분묘(圖面, 寫眞, 副葬品)		
경주부근 유적도		
경주 능묘(도면, 사진, 부장품)		
석비, 석탑, 석등, 묘지, 불상		
華嚴寺華嚴經刻石	구례 화엄사	1910년 조사
고려왕궁지(도면, 사진, 鴟尾瓦)		
고려능묘(도면, 사진)		
고려시대 건축, 조각, 회화(사진)		
은진미륵대석상(사진)		
고려시대 석탑, 석비 및 묘탑(사진)		
고려시대 석관 및 부장품		
조선왕궁(도면, 사진)		
종묘, 문묘, 능묘, 객사, 성곽(사진)		
대장경판본		
대리석탑, 백제관 부근(사진)		
舊官衙所用 黃銅印		
도기		
조선사대계에 속한 서적 및 필적		
조선사연구참고서에 속한 서적 및 필적		
서적 견본		
일본인 편저 조선관계서적		
구미인 편저 조선관계서적		

1913년 4월 4일

소실된 창녕향교 대성전

창녕향교의 소실

1913년 4월 4일 오후 9시경에 창녕군 문묘 대성전에서 출화하여, 5일 오전 4시경에 겨우 진화가 되었으나 대성전은 완전히 소진되었다.[258]

1913년 4월

환구단에 철도호텔(조선호텔)을 기공하다.[259]

고분벽화의 모사

1913년 4월 진남포부 관내 대상면의 고분벽화를 박물관촉탁 스기하라杉原鶴聲가 모사하다.[260]

258 『每日申報』 1913년 4월 15일자.
259 『每日申報』 1913년 4월 26일자.
260 『每日申報』 1913년 4월 30일자.

1913년 5월

1913년 5월에는 야쓰이 세이이치谷井濟一에 의해 명활산성터와 남한산성지 일대의 조사가 있었으며, 이곳에서 통일신라시대의 토기 등을 수습했다. 고분의 형태도 없고 석곽도 없었지만 1, 2척을 파면 도기 등이 나왔다고 한다. '(고고학회)본회 제18차 총회 진열품목록' 에는 경주 반월성에서 발굴한 토기가 보이고 있다.[261]

경주고적보존회 발족

경주고적보존회의 모태는 1910년에 발족한 경주 신라회를 들 수 있다. 그러나 이 신라회가 처음부터 경주의 고적과 유물을 보존할 목적으로 출발한 것은 아닌 것으로 보인다. 이때만 하여도 사실 경주에는 일본인이 소수였으며 이 소수의 일본인들이 중심이 되어 신라회라는 친목단체로 출발한 것으로 보인다.

『부산일보』 1915년 5월 14일에 실린 '경주고적보존회, 경상북도청에서 평의원회'의 기사 중에 '경주고적보존회 사업 경과'를 보면, "명치44년(1911) 10월 경주 재주 민간에서 본회 창립을 협의하고" 라는 문구가 보이고 있다. 또한 『매일신보』 1922년 6월 4일자에 게재된 '신라고적보존회 사업에 대하여(상), 후지가와藤川 경북지사 담' 이란 기사에도 "지난 명치44년 중 본도의 관민이 그 보존사업에 진력키 위하여 협의한 사事도 있으며" 하는 내용이 있는 것으로 보아, 1911년 10월에 와서 신라고적의 보존 및 선전에 관한 취지를 표명한 것으로 보인다.

---

261 谷井濟一,「慶州通信(1913년 5월 22일 기록)」,『考古學雜誌』 제3권 제11호.

그러나 이때도 그 사업을 펴지는 못했던 것으로 보인다. 그 후 1912년에 데라우치 총독이 경주를 방문했을 때 보존사업에 대한 계획을 지시하면서 급속적인 진전을 가져온 것으로 보인다.

1915년 5월 12일에 경북도청에서 개최한 경주고적보존회 평의원회에서 보고한 경주고적보존회의 창립사정을 보면 다음과 같다.

> 본회 창립사정
>
> 명치44년 10월 경주재주 민간에서 본회 창립을 협의하고 동월 30일 도장관의 경주방문을 기하여 창립총회를 개최하고 보존에 관한 조사를 하고 대정원년 데라우치 총독의 경주 시찰 때 보존의 급무를 유시함으로써 회칙 및 사업시행의 대요의 초고草稿를 만들고 내무부장관과 협의하여 별지 규약을 결정하고, 회장, 평의원이하 역원, 촉탁을 마무리하여 제1회 평의원회를 개최하여 제반을 협의했다.[262]

기쿠치 겐죠菊池謙讓의 「경주잡기慶州雜記」에 의하면, 기쿠치는 1912년 늦가을에 경주를 방문했다. 이때 경주의 관민유지들이 '신라회'를 개최하여 자신에게 강연을 요청해옴에 따라 신라회에 출석하여 신라왕조의 문화와 신라민족에 대해 강연했다는 기록이 보인다.[263] 따라서 경주고적보존회가 정식으로 발족하기 전까지는 '신라회'란 명칭을 그대로 유지한 것으로 보인다.

경주고적보존회는 이같이 경주신라회慶州新羅會라는 모임을 갖고 있다가 1913년

---

262 『釜山日報』 1915년 5월 14일자.

263 菊池謙讓, 「慶州雜記」, 『(朝鮮研究會3周年紀念)朝鮮』, 朝鮮研究會, 1913.

5월에 고적보존회를 조직하여 정식 발족을 하였다.[264] 경주고적보존회 규약을 보면, 제1조에 "본회는 경주고적보존회라 칭하고 사무소는 경상북도 경주에 둠" 이라 하고, 제4조에는 그 역원을 둠에 있어서 회장 1명, 부회장 2명, 평의원 약간 명, 간사 약간 명을 두는 것으로 하고, 회장은 경상북도 도장관이 당연직이었다.[265]

그 취지는 경주의 고적보존 및 수선을 돕고, 유람객의 편의를 제공하고 진열관을 설치하여 고대 미술품을 진열하고자 했다. 『매일신보』 1913년 9월 12일자에는 다음과 같은 기사가 있다.

> 경주고적보존회
>
> 경상북도 경주는 신라 990년간 도성의 유허遺墟로 반도 문화의 성수精髓는 이 신라에 찬집攢集되어 수당대륙의 문명과 일본 고유의 미술과 교수交綏하였을 뿐 아니라 그 민족적 개성을 발휘하며 다시 고려 문화의 선약先躍됨은 이미 사서에 전칭傳稱되어 단單히 오인의 긍식矜飾을 감感하기에 그치지 않고 실로 동양문명 과료誇料됨에 족할지라. 그 삼국시대의 도성지, 분묘로 통일신라 전후의 사찰, 전우, 원지苑池의 유허遺墟에 이르기까지 수다數多의 지리적 유적과 탑비, 불상 등 유물의 형체가 엄연 잔존하였으나 연대가 오래되고 수호守護를 잃어 파괴에 방기放棄한바 년년 그 퇴폐頹廢가 가도加度한즉 현금 그

264 『每日申報』 1913년 5월 15일자에는 다음과 같은 기사가 있다.
신라고적보존회
예히 인가신청 중인 신라고적보존회는 금회에 인가를 득하였으므로 래 19일경에 경북도청 내에서 창립발기인회를 개최할 터인데 회장에 이 도장관을 推薦하고 일반회원을 모집할 방침이라더라.

265 奧田悌, 『新羅舊都 慶州誌』, 玉村書店, 1920, pp.87-88.

보존금호保存禁護의 도를 강구치 아니하면 천년의 중보가 폐멸廢滅에 공귀空歸할가 시우시려是憂是慮 하여 총독부에서도 사찰 및 유적보존 보조비를 예산에 계상하여 조선 전도에 긍섭亘涉하여 그 보존방법을 강구함에 본 년도에 그 제1회로 경주 석굴암을 수선 설계에 착수하였고 점차 각처 중요한 유적에 이를 방침이나 유한한 국용國用으로는 용이容易히 그 완성을 기하기 어려우므로 경주의 관민유지 및 해도該道 관헌이 상호협의하고 본년 5월에 경주 고적보존회를 창립하고 경북도장관 李軫鎬씨가 회장이 되어 각 방면으로 경주의 고직보존 및 수선을 방조幇助하며 고적에는 매소에 표항건축標杭建築 등을 설립하여 명칭을 기記하며 평면도를 표방여 일반 유람객의 편의에 공供하며 또 진열관을 설치하여 각종 고고자료로 미술의 모범될 고대미술품을 진열할 목적인데 특지가의 기부금이 다수하여 착착 그 사업이 진보한다더라.

5월에 공식 발족을 하면서 경북도장관을 중심으로 고적보존 및 수선을 돕고 기부금을 받아 고미술품 수집 및 진열관 설치에 박차를 가하고 있음을 볼 수 있다.

1913년 6월 14일

도쿠토미 이치로德富猪一郎는 14일 오후 1시 북부 옥동 윤덕영의 아들 별장 송석원松石園에서 데라우치寺內 총독을 주빈으로 하고 야마가타山縣 정무총감, 고미야小宮 차관, 아카시明石 총장, 윤덕영 자, 아키야마秋山 참사관, 고다마兒玉 국장 등을 초대하여 오찬회를 열었다. 이날 송석원松石園에 고서화골동을 진열

하여 열람케 했다. 당시 어떤 것이 전시되었는지는 알 수 없다.[266]

1913년 6월 22일

건봉사 화재

건봉사

강원도 건봉사는 1873년에 대화재를 입은 후 여러 차례 중수를 거쳐 1911년 조선사찰령 반포 이후 60여의 말사를 거느린 대사찰이다.

『매일신보』 1913년 6월 28일자와 『권업신문』 1913년 7월 13일자 기사에 의하면, 6월 22일 밤에 건봉사에 불이 나서 사찰이 전소되었다고 한다.

266 『每日申報』 1913년 6월 17일자.

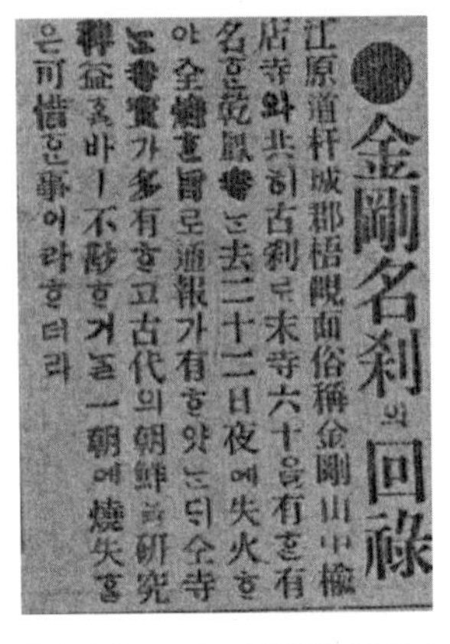
金剛名刹의 回祿

江原道杆城郡梧峴面俗稱金剛山中楡店寺와共히古刹로末寺六十을有호有名호乾鳳寺는去二十二日夜에失火호야全燒[illegible]로通報가有호얏는딕全寺[illegible]書畫가多有호고古代의朝鮮을研究에裨益호바ㅣ不尠호거놀一朝에燒失홈은可惜호事이라호더라

『매일신보』 1913년 6월 28일자

하지만 이후 중수에 관한 기록이 보이지 않아 신문기사는 과장된 기사가 아닌가 여겨진다. 건봉사 건물은 6 · 25 때 소실되었다.

1913년 6월

경창문의 고적(古籍) 발견

평양부청으로부터 칠성문 밖에 이르는 도로공사를 하던 중 그 중간에 있는 경창문京昌門을 철거하였는데 그 문루 기와 사이에서 월성이씨세계月城李氏世系라는 책자와 기타 호적소장戶籍訴狀 등 7, 8매를 발견하였다.[267]

고고학회본회 제18차총회 진열품

일본 고고학회본회 제18차총회가 1913년 6월에 개최되었는데, 당시 진열품 속에는 제실박물관 소장의 경주 반월성에서 발굴한 감坩도 들어 있었다.[268]

267 『每日申報』 1913년 6월 17일자.
268 「本會第18次總會陳列品目錄」, 『考古學雜誌』 제3권 제11호, 1913년 7월, p.67.

천년노불 발견

일전에 이왕직사무관 스에마츠 구마히코末松熊彦가 평안도의 고찰 및 고분묘 등을 조사하기 위하여 각 부군에 순찰을 하던 중 용강군 당고면 자복동 내의 고찰에서 천년 전의 불상과 고와 등을 발견하여 박물관에 진열하기로 했다.[269]

총독부에서 민간에 산재하는 도서, 고비, 탁본, 등 사료를 수집할 것을 시달하다.[270]

조선총독부는 고려조 역대 왕릉을 보호하기로 결정하여 보호인으로는 각 능 소재 부근 거주의 고려왕의 후예 중에서 50인을 선임키로 했다. 그리고 현존 고려 왕릉을 조사한 결과 개성 42, 고양군 1, 장단군 8, 풍덕군 3, 강화군 4, 계 58개소이다.[271]

진남포 벽화고분 조사

1913년 6월에 이왕직사무관 스에마츠 구마히코末松熊彦가 진남포 일대의 고분을 조사하여 매산리수총狩塚(사신총), 화상리 대연화총(감신총)과 화상리 성

269 『每日申報』 1913년 6월 22일자.
270 『每日申報』 1913년 6월 7일자.
271 『每日申報』 1913년 6월 26일자.

총에서 고분벽화를 발견하였다. 이 고분들에 대해서 세키노는 1913년 9월에 재조사를 하면서 전년도에 스에마츠에 의해 조사 발표되었다고 하는데,[272] 스에마츠가 1912년과 1913년 6월에 2회에 걸친 조사인지는 명확하지 않으나 『매일신보』에는 다음과 같은 기사가 있다.

고적조사원 출발

진남포부내의 고분을 실지조사하기 위하여 다일 간 남포에 체재하던 이왕직사무관 밀송웅언 씨 일행은 순안 등시의 고분을 소사할 차로 5일 열자로 동지를 향하여 출발하였다더라(『매일신보』 1913년 6월 10일자).

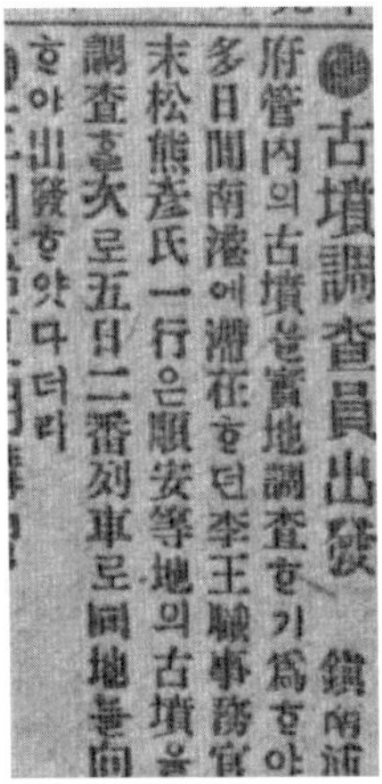
古墳調査員出發 鎭南浦府管內의古墳을實地調査ᄒᆞ기爲ᄒᆞ야多日間南浦에滯在ᄒᆞ던李王職事務官末松熊彦氏一行은順安等地의古墳을調査ᄒᆞᆯ次로五日二番列車로同地를向ᄒᆞ야出發ᄒᆞ얏다더라

고적보존방古蹟保存方 신청

진남포 관내 고적조사에 관한 보도는 본 지상에 누차 기재한 바이어니와 동 부 대상면 대하면 부근에는 27개소의 고분이 있는지라 저번 말송 사무관이 내체시來滯時에 상세한 조사를 거친 것 중 3개소의 고분은 참고에 공供할만한 벽화 등이 상尙히 유존하여 고려시대의 유물인 줄을 명백히 증거케 하나 종래에 임우처풍淋雨凄風에 자임自任하여 대응토궤臺凝土潰할뿐더러 무지한 야초동野樵童의 발굴을 입어 보존상 피해가 적지 않은바 진남포부청에서는 경찰서와 협력하여 위선 철조망을 설치하여 함부로 사람들이 출입하는 것

272 關野貞, 「滿洲輯安縣及び平壤附近に於ける高句麗時代の遺蹟」, 『考古學雜誌』 제5권 제3호, 1914년 12월, p.12.

을 금하며 아울러 도청을 거쳐 총독부에 대하여 보존상의 방법을 지난 23일에 신청하였다더라(『매일신보』 1913년 6월 28일자).

스에마츠의 조사에서 고분벽화가 발견되자 이는 대단히 주목되는 고분으로 이를 연구 보존하기 위해 총독부에 보호를 신청했다. 총독부에서는 1913년 7월 6일에 총독부 속 와타나베渡邊를 재차 파견하여 이를 판명케 하였다.[273] 『매일신보』 1913년 7월 11일자에는 다음과 같은 기사가 있다.

●南浦古墳再調査 鎭南浦

府大上大下面附近에在ᄒᆞᆫ古墳은曩者李王職末松事務官이實地踏查ᄒᆞᆫ結果古來의傳說壁畵其他를參照ᄒᆞ고高麗時代의物로略히斷定ᄒᆞ얏ᄂᆞᆫᄃᆡ總督府에셔ᄂᆞᆫ此가果然高麗朝時代의古墳이면相當히保存ᄒᆞᆯ必要가有ᄒᆞ야其方法을講究ᄒᆞ기로去六日渡邊總督府屬을本道에派遣ᄒᆞ얏슴으로本道學務主任山崎書記ᄂᆞᆫ去七日同氏를案內ᄒᆞ고同府同面에出張ᄒᆞ야實地를踏查ᄒᆞ얏다더라

진남포고분 재조사

진남포부 대상 대하면 부근에 있는 고분은 저번에 이왕직 말송 사무관이 실지 답사한 결과 고래의 전설 벽화 기타를 참조하고 고려시대의 물物로 약略히 단정하였는데 총독부에서는 이것이 과연 고려시대의 고분이면 상당히 보존할 필요가 있어 그 방법을 강구하기로 지난 6일 도변渡邊 총독부 속을 본도에 파견하였으므로 본도 학무주임 산기山崎 서기는 지난 7일 동씨를 안내하고 동부 동면에 출장하여 실지를 답사하였다더라.

이후 다시 9월에 세키노 일행의 정식 조사가 이어졌다.

---

273 『每日申報』 1913년 7월 11일자.

1913년 7월 27일

《서화고기(書畵古器)전람회》

7월 27일 실업청년협회당에서 가네코金子 평양도서기의 주선으로《서화고기書畵古器전람회》를 개최했다. 이 전람회에는 평양 장 참여관, 혼다本田 평양부윤, 민장 기타 일반민간 유력자들이 참가했으며 조선인 구가에서도 다수의 진품고서화를 제출했다. 각자 소유의 진품 서화고기를 진열하고 매각을 희망하는 경우에는 가격을 공시하여 참관인이 구입하도록 했다.[274]

1913년 7월

고분의 발굴을 원하는 자가 있을 때에는 다음 사항을 경무총장 경유 조선총독에 구신具申하여 지휘를 받을 것을 경찰관서에 훈령하다.[275]

1. 출원자出願者의 성명 직업 주소
2. 발굴 목적
3. 고분 소재지
4. 고분으로서 명칭있는 것은 그 명칭과 유래 전설 등

274 『每日申報』 1913년 7월 13일자; 22일자.
275 『朝鮮總督府官報』 1913년 7월 10일자.

5. 관리자의 유무와 그 낙부諾否

6. 고분에 대한 그 지방인민의 감상感想 기타 참고사항

1913년 8월

진주고분 조사

1913년 8월에 야기 쇼자부로八木奘三郎에 의해 경남 진주 중안동에 있는 표형 고분이 조사되었다. 이 고분이 발견되기는 7월초로, 매일신보 기자가 자신의 집 우물을 파다가 고분을 발견하여 도청에 신고를 했다. 도청에서는 전문가의 도움을 받지 않고 유물을 파내는데 급급했으며, 유물을 수습한 후 총독부에 신고를 하였다. 경남도청으로부터 신고를 받은 총독부에서는 이왕직사무관 야기 쇼자부로八木奘三郎가 파견되었다. 다음은『매일신보』1913년 8월 9일자 기사이다.

천년고분의 발견

경남 진주 중안1동에 광대한 저택을 매입한 매일신보 경남지국 특파원 기자 방태영 씨가 7월 3일 우물을 파다가 석곽의 고분을 발견하였으므로 급히 경남도청에 신고하여 경무부원 기타 직원이 입회한 후 고분 발굴에 착수한 즉 그 일각에서 보검, 보도, 순금제이식 및 자기 등 수십 점이 출현하였는데 <중략> 발견자 입회로 관리와 협의한 후 그 발굴을 중지하고 저명한 고고학자의 출장을 요청한 후 재차 발굴에 착수하기로 결정하였다는

데, 해고분에서 출토한 고기물은 도청에 보관하여 상세 연구 중인데 연대는 신라시대 이상이 되겠고 보검, 보도, 소물燒物 등은 모두 이왕가 소장의 고기 고물 중에서도 미견未見한 진희품珍稀品이라더라.

당시만 하여도 이미 발견된 유물을 특별히 보관할 장소가 없어 도청에 보관을 하고 전문가를 기다렸던 것이다.

1913년 8월에 이곳에 파견된 야기 쇼자부로八木奘三郞는 이미 출토된 유물의 가치, 고분의 구조 등을 조사는 데 그쳤으며, 그 결과는 「진주고분조사晋州古墳調査」라는 제하題下의 글을 『매일신보』 1913년 9월 3일, 9월 4일자에 게재하였다. 그 내용은 다음과 같다.

「진주고분조사(1)」, 야기八木 이왕직사무관 담

(1) 금회 내가 금회 당지에 온 것은 지난번 신문지상에 천년 이전의 고분 발견이라 제한 기사를 게재하였음을 인하여 이왕가의 박물관에 그 조사를 명하심이라 <중략> 급속히 이를 조사함은 원래 박물관에서 분묘의 연혁 또는 기물의 변천 등을 조사하나 삼국시대 백제분묘 구조와 그 내부의 부장품은 아직 세간에 널리 알려지지 못하여 <중략> 차제此際 구백제령舊百濟領에 속한 당지當地에서 특징이 있는 진품珍品을 발견하였다는 기사가 있으므로 급속히

진주에 온 것이다. 단 유물 발견지의 재굴再掘에 대하여는 총독부에서 정지停止를 명하였다하므로 나는 실지實地의 견문見聞과 유물의 촬영에 만족하야 당지를 떠나기로 결정하였다. 또 진주성의 부근에는 산록山麓에 고분이 다재多在하나 이미 발견한 처處도 적지 아니하며 또 유물도 다소 산란하였으므로 이를 대조하면 당지방當地方의 고분은 대개의 성질性質을 판단할 수 있다.

<중략>(4) 고분의 구조와 특징. 고분의 구조는 인종으로 인하여 상위相違가 있으나 그 외에 지방의 차와 연대의 상위相違가 있으니 조선 삼국시대의 분묘에도 신라지방과 고구려 지방과는 상위相違하며 또 익산지방과 당지고분의 구조는 전 2국과 큰 차이가 있는지라 금회 당지에서 발견한 고분은 구성舊城의 동방 옥산의 상에 재하니 상부 측부는 대부 그 토를 제거하였으므로 외형은 상세히 알기 어려우나 그 표형고분 됨은 명백한지라 향은 남북인데 북방은 높고 또 그 총의 전후에는 수개의 원형고분이 유하며 또 그 남단 되는 자연암상에 축조한 총은 웅대한 원형인데 은총殷塚에 초사稍似한 점이 유有한지라 순수한 은총이면 일본식으로 생각하며 내부의 구조는 산상고분과 같이 일지방적 특징이 유한듯하니 이는 자연암을 많이 사용한 규칙이 정한 절석을 용치 아니한 사事 또 석곽의 깊이 2척 내외에 불과한 점은 하나의 특징이라.

(5)고분과 남녀의 구별. 그 유물상으로 추단하면 이식, 완륜, 경, 곡옥 등 여자의 용품이 유하며 또 도검, 족, 마구의 남자의 용품류도 유한 즉 이 분묘는 부부합장의 류라 생각할지나 해골이 무한 고로 정확은 난기難期라(『매일신보』 1913년 9월 3일).

(6) 유물의 종류. 금회 발굴한 고분의 유물은 도기류, 순금이식, 은제완환, 동경,

철도, 족, 마구 등의 금속품, 곡옥, 유리의 관옥 등 옥질품, 유리구슬 등이 있어 당 지방에는 유수의 발굴품이라 하나 일본에에 비하면 그다지 진중히 여기기 부족한지라 그리고 이 순금의 이식은 당시 작품으로는 비상히 밀접하며 완환腕環은 일본품과 상이한 점이 적지 않고 경은 육조시대의 것이라 생각하며 검은 하나는 비교적 길고 하나는 직도이니 일본품과 근사한데 저 일본에서 고려검이라 부르는 환도풍環刀風의 유적이 없음은 오히려 일기관一奇觀이라 말할지오. 도금제의 마구는 일본품에 류類하며, 이 지역역의 가장 진귀한 것은 곡옥曲玉이니 이 시방에 여사한 류를 출토함은 저 일본부를 치하였던 김해 외에는 절무하더니 금일 이 지방에서 또 출토하였은즉 그 지리상의 관계에 비추어 저 창원, 마산, 함안 등에서도 금후 다시 출토하는 일이 있을 것이오. 또 조선에서 발견한 곡옥은 그 수가 적으나 청랑간靑瑯玕 및 비취의 류가 많음은 주의할 점이라.

(7) 연대 추정. 이상의 담화한 바에 의하여 이 고분과 근접의 총과의 정황은 대략 명료함을 얻었으나 그 연대는 어느 경이 될른지 이에 대해 나는 유물 제작상으로 감찰鑑察하여 삼국 말에 속한 줄로 믿노라. 이같이 단정한 이유는

晋州古墳調査(二)
八木李王職事務官談
(六)遺物의種類 造山即今回發掘ᄒᆞᆫ
古墳의遺物은陶器類、純金耳飾、銀製
腕環、銅鋺、鐵鏃、鐵馬具等의金屬品、
靑瑯玕의曲玉瑪瑙의管玉等、玉質品
琉璃玉等이有ᄒᆞ야當地方에ᄂᆞᆫ有數의
發見品이라稱ᄒᆞ나日本의例에比ᄒᆞ면
그다지珍重히녁이기不足ᄒᆞᆫ지라然而
此中純金의耳飾은當時作品으로ᄂᆞᆫ非
常히緻密ᄒᆞ며又腕環은日本品과相異
ᄒᆞᆫ點이不少ᄒᆞ고鏡은六朝時代라思ᄒᆞ
며劍은一本은不動劍인ᄃᆡ比較的長ᄒᆞ
며一本은直刀이니日本品과近似ᄒᆞᆫᄃᆡ
彼日本에서高麗釼이라稱ᄒᆞᄂᆞᆫ環刀風
의遺跡이無ᄒᆞᆷ은寧히一奇觀이라稱ᄒᆞᆯ
지오又其鏃은鳶嘴形이안이오直刀인
즉右의類ᄂᆞᆫ思惟컨ᄃᆡ此以後에流行ᄒᆞᆫ
듯ᄒᆞ며鐵鐙及鍍金製의馬具ᄂᆞᆫ日本品
에類ᄒᆞ며其他最珍貴ᄒᆞᆫ것은靑瑯玕의
曲玉이니此地方에如斯ᄒᆞᆫ類를出ᄒᆞᆷ은
空前의事例라元來朝鮮에서曲玉이出
ᄒᆞᆷ은彼日本府를置ᄒᆞ얏던金海外에ᄂᆞᆫ
絶無ᄒᆞ얏더니今日此地에서又出ᄒᆞ얏
ᄂᆞᆫ즉其地理上의關係에鑑ᄒᆞ야彼昌原
馬山、咸安等에서도今後更出ᄒᆞᆯ事가
有ᄒᆞᆯ지오又朝鮮에서發見ᄒᆞᆫ曲玉은其
數가少ᄒᆞ나靑瑯玕及翡翠의類가多ᄒᆞᆷ
은注意ᄒᆞᆯ点이라其他馬具玻璃製小珠
類ᄂᆞᆫ比較研究上趣味가有ᄒᆞ나玆에ᄂᆞᆫ
重疊煩述의編을避ᄒᆞ노라

「진주고분조사(2)」, 야기(八木) 이왕직사무관 담

마구馬具에 곡엽梏葉이 있고, 비轡에 신식이 있고 경감鏡鑑에 육조식이 있고 도기는 실용을 떠난 의식에 기운 풍이 있으니 이런 등은 모두 초기의 작이 아닌즉 경과에 의하여는 약간 조급潮及할 듯한지라(『매일신보』 1913년 9월 3일).

야기는 이미 출토된 유물의 감정과 무덤의 구조 등을 조사했으며, 그의 조사도 일본과의 관계에 초점을 두고 있음을 알 수 있다. 이 고분의 마지막 발굴 조사는 1913년 9월에 세키노 일행이 진주에 도착한 후에 실시되었다.

1913년 9월 13일

야기 쇼자부로(八木奘三郎)의 남한 일대의 도요지 조사

야기 쇼자부로八木奘三郎는 이왕가박물관의 명을 받아 1913년 9월 13일부터 10월 하순까지 남한 일대의 수원 미륵당의 고요지, 석봉리 제1요지, 제2요지, 식봉리 사기소요지, 영동근방요지, 추풍령고요지, 고령고요지, 김해고요지, 동래고요지, 경주 외동면 제내리요지, 영일만고요지, 부산 용두산록고요지를 조사했다.

한국 도요지를 가장 먼저 조사를 한 사람은 야기로 보인다. 야기는 1913년에 이왕가박물관의 촉탁으로 부임하여 요지 발굴에 임하였다. 먼저 계룡산, 영동, 추충령, 고령, 김해, 동래, 경주, 부산, 영일만의 도요지를 발굴 조사하였다.

야기의 조사보고서는 「남조선고요조사보고南朝鮮古窯調査報告」라 하여 1938년 9월에 간행한 『도자』에 싣고 있다. 야기는 "지난 대정2년 이왕가박물관의 명을 받아 남조선 일대의 고도요 조사에 따라 9월 13일 경성을 출발" 하여 수원 등지를 조사하고, 9월 후반에 계룡산 아래 석봉리 부근의 고요지를 조사하였는데 고요지는 계곡 좌우의 산록 1리에 펼쳐져 있었으며, 10여 개 처를 조사 하였는데, 주로 지표조사에 그쳤지만 일부 분청사기편을 수집하였다.[276]

1913년 9월

진주고분 재조사

1913년 9월에 세키노는 낙랑, 고구려 유적 조사에 떠나기 전에 진주에 들러 가야고분을 발굴했는데, 이 고분은 1913년 7월에 발견되어 경남도청에서 전문적인 지식도 없이 발굴을 하다가 중지하였던 것이다. 그 사이 총독부에서는 이왕직사무관 야기八木를 파견하여 고분의 구조와 이미 발견한 유물에 대한 조사가 행해져 『매일신보』에 『진주고분조사』[277]로 발표된 고분이다. 『매일신보』 1913년 9월 12일자에는 다음과 같은 기사가 있다.

> 고제기 또 발견
> 진주군 천년고분 발견에 대하여 기보하였거니와 선일 이왕직 촉탁 팔목씨가 감정한 결과 비상의 찬상을 득하였고 금회 내지에서 사계의 저명한

276 八木奘三郎, 「朝鮮古窯調査報告」, 『陶磁』 제10권 제2호, 東洋陶磁研究所, 1938년 6월.
277 『每日申報』 1913年 9월 3, 4일자; 『每日申報』, 1913년 9월 12일자.

관야 박사는 지난 6일에 진주에 와 잔물 발굴에 착수하였는데 입택入澤 내무부장, 재무부장 및 대정大井 부관이 입회하고 다시 동조산 석관에서 제기류 56점을 발견하여 목하 연구 중이라더라.

古祭器의又發見 晋州郡

千年古墳發見에對ᄒᆞ야ᄂᆞᆫ旣報ᄒᆞ얏거니와先日李王家囑託八木氏가來晋鑑定ᄒᆞᆫ結果非常의贊賞을得ᄒᆞ얏고今回內地에셔斯界에著名ᄒᆞᆫ關野博士ᄂᆞᆫ去六日에來晋ᄒᆞ야殘物發掘에着手ᄒᆞ얏ᄂᆞᆫᄃᆡ入澤內務部長、矢鍋財務部長及大井副官이立會ᄒᆞ고更히同造山石棺에셔祭器類五六點을發見ᄒᆞ야目下硏究中이라더라(慶南支局)

『매일신보』 1913년 9월 12일자

세키노의 재조사 과정에서 유물이 56점이 발견되었다고 하는데 이에 대한 구체적인 것은 알 수 없으나, 도쿄제국대학 《건축학과 제5회 전람회》에서 나타난 진주 가야 유물 속에는 바로 이 유물도 포함되었을 것으로 추정된다. 『신한민보』 1913년 11월 14일자에는 다음과 같은 기사가 있다.

보물을 또 가져간다
일인 공학박사 관야라는 자는 지난 9일 경상남도 진주군에서 옥으로 만든 보물 아홉 개를 땅 속에서 파내어가지고 일본으로 갔는데 몇 천 년 전 고적을 생기는 족족 일인이 가져간다고 일반 통석히 여긴다더라.

도굴꾼 처벌

경기도 개성군 중서면 석하동의 최경익(25세 농업), 동군 황응렬(35세 농업), 조경서(32세 농업)는 가성군 읍내면에 거주하는 일본인 사가구치阪□ 라는 자의 사주를 받아 그 자에게 여비로 현금 2원씩을 받아 가지고 강화군 선원면 선행동 남산 수풀사이에 있는 수백 년 된 무덤 여러 수십 기를 도굴했다. 최경석 외 2명은 거울 2개와 사발 8개와 외 5점의 고려자기를 절취한 후 거울과 막사발은 일본인 사가구치阪口에게 현금 3원을 받고 필아먹은 사실이 빌각되어 징역 4개월의 선고를 받았다.[278]

세키노 일행의 고적조사

1913년도의 조사는 9월 중순부터 12월 중순까지로 세키노, 야쓰이, 구리야마, 이마니시 등 4명과 총독부 아이사와相澤啓治 기수가 조사 보조로 동행했다. 이 해의 조사는 황해도 해주, 봉산, 흑교, 평안남도 평양, 용강, 진남포, 평북 안주, 만포, 중국 집안현 토우, 함남 함흥, 정평, 영흥, 고원, 원산, 안변, 강원도 철원 일대에 걸쳐 조사를 행했다.

1913년 9월 고적조사단은 해주로부터 평양을 향하던 도중 일행 중의 이마니시와 야쓰이는 흑교역에서 하차하여 이왕가박물관 진열 한식동검, 오수전, 동기의 출토지점을 조사하기로 하고, 세키노와 구리야마는 진지동 및 진남포 부근의 고구려고분을 조사하기로 하여 2개조로 나누어 조사를 했다.

9월 20일에 평양에 도착한 관야 일행은 1일간 평양에 체재하면서 부근의

278 『每日申報』 1913년 9월 12일자.

◉關野博士의動靜 去二十日着壤ᄒᆞᆫ關野博士一行四名은一日間滯壤ᄒᆞ야當地附近의古蹟을尋訪ᄒᆞᆫ後二十二日龍岡을寄廻ᄒᆞ야仝日午後鎭南浦에往着ᄒᆞ얏ᄂᆞᆫᄃᆡ仝地水源地事務所에셔一週間滯在ᄒᆞ면셔大上大下面의古墳을調査ᄒᆞᆯ豫定이라더라

고적을 심방하고 22일 용강을 경유하여 진남포에 도착한 다음 수원지사무소에 1주간 묵으면서 고적을 조사할 예정이라는 『매일신보』 1913년 9월 26일자 기사.

세키노 일행은 9월 20일에 해주군 광동면 소재 신광사를 조사한 후 동일 오후 8시에 해주공립보통학교에서 군내 유지들을 모아놓고 지리 역사상 공업기술에 관한 연혁을 강연하였다.[279] 조사는 다음날 계속하여 전년에 알려진 진남포부 대상면 매산리수총(사신총)에서 벽화를 조사했다. 수총은 현실 남벽의 일부가 파괴되어 이곳으로 출입이 가능하였다. 서벽에 말을 타고 수렵하고 있는 모습이 그려져 있었으므로 수총이라고 명명되었으나, 네 벽에 사신(현무, 청룡, 주작, 백호)이 그려져 있으므로 사신총이라고 불리기도 한다.

또 진남포부 신북면 화상리고분(대연화총, 성총)에서도 벽화를 발견했다. 화상리 대연화총(감신총)과 화상리 성총은 1912년에 이왕직사무관 스에마츠 구마히코末松熊彦가 조사하고 발표했다는 이야기를 듣고 세키노 일행이 이 2개의 고분을 발굴 조사하였다.[280] 대연화총은 벽화의 일부에 큰 연화가 있는 것에서 명명되었는데 전실의 좌우에 감이 있고 그 안에 신상神像이 그려져 있어서 감신총이라고 한다.

---

279 『每日申報』 1913년 9월 26일.
황해통신, 관야 박사의 강연. 조선고적조사 촉탁 관야정, 문학사 금서룡 씨는 본월 20일에 해주군 석동면 소재 신광사를 조사한 후 오후 8시에 본도 내무부장 田中遷의 주최로 해주공립보통학교 교내에서 군내신사를 회동하여 지리역사상 공업기술에 관한 연혁을 강연하고 익조에 사리원으로 향하였다.

280 關野貞, 「滿洲輯安縣及び平壤附近に於ける高句麗時代の遺蹟」, 『考古學雜誌』 제5권 제3호, 1914년 12월, p.12.

김신총 견취도

성총

이마니시와 야쓰이는 이왕가 박물관에 소장된 유물 출토의 지점을 조사하여 겨우 도기 소편을 얻는데 불과하여 예상에 비해 수확물이 적어 유감이었으나 평양에 도착 후 23일에 대동강면 토성동의 토성답사를 시도했다. 토성은 토축의 성벽이 유존하고 그 내부로부터 한식의 와편 수십 개를 채집하고 예상 이상의 대수확이어서 두 사람은 크게 기뻐하며 그 다음날 세키노와 구리야마 일행이 묵고 있는 진남포 부근의 산동리 수원지사무소의 숙사로 가 합치게 되었다.

합류한 세키노 등은 이마니시 등이 채집한 와당을 보고 순전히 한식임에 놀라 토성이 필시 낙랑군치지의 유지로 단정하고, 이마니시를 단독으로 용강 어을동고성을 답사하게 했다. 이마니시는 이를 계기로 점선비를 발견하게 된다.

이마니시가 어을동고성을 조사하는 동안 이마니시를 제외한 나머지는 9월 25일 진남포로 돌아가 26일 용강군 안성동에서 2개의 고분을 발굴하여 벽화를 발견했다. 그 중 갑은 형태가 크기 때문에 대총이라 하고, 을은 내부에 아름다운 쌍주雙柱가 있어 쌍영총雙楹塚이라 가칭했다.

이 일대를 조사 후 평양으로 돌아온 것이 9월 29일 오후였다.

당시 『매일신보』에는 다음과 같은 기사가 있다.

쌍영총 견취도

> 진남포에 체재하는 관야 박사 일행은 수행하는 기수의 안내로 진남포 진지동 부근에 있는 고분을 시찰하고 익일 그 발굴에 착수하였는데 당 지방 고노의 전설을 거據한 측 지금으로부터 약 200년 전에 모 군수가 일찍이 이를 발굴을 시試하였던 일이 있다하는데 이번 발굴에 의하여 혹 역사상의 유효한 고고考古의 자료를 얻을 줄로 예측한다더라(『매일신보』 1913년 9월 30일자).

> 금회 고적조사차로 진남포에 체재하던 관야 박사는 지난번 발견된 용강군 소재의 고분을 임사臨査하였는데 이 고분은 근래 발견된 중 가장 큰 것이오. 또한 구성한 기술이 극히 정교하여 조선 고대문명을 연구함에 하나의 큰 자료가 될 뿐 아니라 지난 9월 28일 송영松永 도장관은 동지에 출장하여 실지조사를 거쳤다는데 그 보존방법에 대하여는 설비를 계획 중이오. 관야 박사는 지난 30일 기양구락부에서 이 고분의 강화를 했다더라(『매일신보』 1913년 10월 1일자).

9월 29일 평양에 도착한 세키노 일행은 30일에 대동강면 토성을 다시 찾아

다량의 고와당을 채집하였으며, 낙랑토성은 1913년 9월에 세키노 일행이 이곳에서 와당을 채집하면서 처음으로 학계에 알려졌다.[281] 그 후 일본학술진흥회의 후원금을 받아 1935년 4월과, 9월,10월에 발굴 조사가 있었고,[282] 1937년에 발굴소사가 이루어졌나.

『매일신보』 1913년 10월 3일자에는 다음과 같은 기사가 있다.

> 희유진품稀有珍品의 고와古瓦
>
> 평양 대동강면 토성은 그 토축土築한 고성지古城址의 연하고 또 그 부근에 있는 고분은 일견 가히 참고의 가치가 있다함으로 금회 조사한 차로 관야 박사 일행 중 곡정, 금서 양문학사는 지난일 이곳에 이르러 시찰하는 중 희유진품稀有珍品의 고와를 발굴하여 감정한 결과 이 고와는 고려시대 이전의 물인고로 목하 체재중인 관야 박사는 지난 월 30일 본도 산기山崎 학무주임과 함께 동소에 닿아 상세한 증거를 조사하였다더라.

1913년 당시 조사에서 세키노關野 일행은 아동들을 동원하여 수집한 수 백점의 고와는 그 해 바로 일본으로 반출하여 도쿄제국대학 문과대학 표본실과 도쿄제실박물관 역사부에 기증하였다.[283]

낙랑토성에서 출토되어 도쿄대학으로 반출된 기와는 대부분 높이가 낮은 나

281 谷井濟一, 「朝鮮平壤附近た於ける新たに發見せられたる樂浪郡の遺蹟」, 『考古學雜誌』 제4권 8호, 1914년 4월.

282 美術研究會, 『日本美術年鑑』, 1936.

283 谷井濟一, 「朝鮮平壤附近た於ける新たに發見せられたる樂浪郡の遺蹟」, 『考古學雜誌』 제4권 8호, 1914년 4월.

무상자에 보관되어 여러 장소에 분산되어 있으며 플라스틱 유리상자에 보관되어 있다고 한다. 보관된 상자마다 연속되는 개별 번호를 부여하였고 상자별 개별 유물에도 새로이 번호를 부여하고 상자 바깥에는 '樂浪土城' 이라고 적혀 있다고 한다. 정인성이 '낙랑토성 출토 기와 속성표'에 나타난 것을 보면 연번 1~449까지 나타나 있다. 또 낙랑토성에서 발굴되어 도쿄대학으로 반출된 전은 223점이 넘는 것으로 확인되었다. 조사 당시 낙랑토성의 전은 대부분 세척되지 않은 상태로 상자에 담겨 있었는데, 상자의 바깥에는 '樂浪土城' 이라고 적혀 있었다고 한다.[284]

동산리에서도 많은 와당을 발견하였는데 순전히 한식漢式임에 놀라 평양토성이 필시 낙랑군치지의 유지遺址일 것이라고 단정했다. 당시 조사에서 세키노 일행은 아동들을 동원하여 수집한 수백 점의 고와는 그 해 바로 일본으로 반출하여 도쿄대학 문과대학 표본실과 도쿄제실박물관 역사부에 기증하였으며,[285] 그 이후에도 이 일대에서 많은 와당을 발굴하여 상당수는 일본으로 반출하였다.[286]

이마니시와 합류한 세키노 일행은 다시 안주, 희천, 강계를 경유하여 강계군 문옥면 문악리 화동의 문구리고분을 조사하고, 10월에 압록강을 건니 만주 집

284 정인성,「도쿄대학 문학부 고고학연구실 소장 자료」,『일본에 있는 낙랑 유물』, 학연문화사, 2008.

285 谷井濟一,「朝鮮平壤附近た於ける新たに發見せられたる樂浪郡の遺蹟」,『考古學雜誌』 제4권 8호, 1914년 4월.

286 「樂浪時代 遺蹟」,『古蹟調査 特別報告 第4册』, 朝鮮總督府, 1927;『朝鮮古蹟圖譜』 제2책, 도판 349~383.

關野 등은 1913년에 土城에서 樂浪時代 古瓦를 發見한 以來 幾十回 土城을 往來하면서 낙랑시대 고와를 獲得했는데 그 수가 수백 점에 달했다. 1916년에 總督府博物館, 東京, 京都帝國大學, 平壤陳列所에 寄贈했다. 또 1921년에는 토성을 조사할 때 주위의 아이들에게 塼 2개를 주워오면 1전을 주어 수집하였는데 7, 8명이 약 2시간 만에 200여개를 주워와 그 중 151종을『樂浪郡時代의 遺蹟』圖版에 採錄하기도 했다.

안현 고구려 유적으로 향했다.[287] 『매일신보』 1913년 9월 28일자에는 세키노 일행의 일정에 관해 다음과 같은 기사가 있다.

> **관야씨 일정 변경**
>
> 1주간 예정으로 진남포에 체재하여 대상, 대하면 소재 고적을 탐사探査하는 조선고적조사 촉탁 관야 박사 일행 6명은 그 일정을 변경하여 26일 황해도 은율군의 고비를 조사하고 27일 용강을 향하였다는데 그 금후 여행 일징을 들은즉 29일 신안주를 지나 안주에 도착하고 10월 1일 개천북원에 도착하고 그 후 시흥리, 희천, 이강리, 강계 만포리를 경유하여 10일 동구洞溝에 도착하여 20일까지 체재하고 22일부터 26일까지 5일간 성내에 체재하며 또는 장진을 경유하여 하여 31일 함흥에 도착하여 11월 5일까지 체재하고 정평, 영흥, 문천, 원산을 지나 11일 철원에 도착하여 13일까지 동지에 체재하고 14일 경성에 도착한다더라.

만주 집안현으로 향하기 전의 조사를 요약하면 대략 다음과 같다.

시기	지역	조사원	내용	발견물	시대	비고
1913년 9월	평남 진남포	關野貞, 谷井濟一, 栗山俊一, 今西龍	대상면 매산리 고분(狩獵塚)	벽화 발견	고구려	

287 關野貞 外 5人, 『樂浪時代の遺蹟(本文)』, 朝鮮總督府, 1927; 關野貞, 「滿洲輯安縣及び平壤附近に於ける高句麗時代の遺蹟」, 『考古學雜誌』 제5권 제3호, 4호, 1914년 11월, 12월; 小田省吾, 「古代朝鮮の民族と其の遺蹟」, 『朝鮮と建築』 2집 2권, 1923.

시기	지역	조사원	내용	발견물	시대	비고
1913년 9월	진남포	關野貞, 谷井濟一, 栗山俊一, 今西龍	신북면 화상리 고분(大蓮花塚, 星塚)	벽화 발견	고구려	
1913년 9월	용강군	關野貞, 谷井濟一, 栗山俊一, 今西龍	일연지면 안성동 大塚, 雙楹塚	벽화 발견	고구려	
1913년 9월	평양 용강군	關野貞, 谷井濟一, 栗山俊一, 今西龍	해운면 성현리 어을동고성	다수의 古瓦	낙랑	일부 도쿄대학과 도쿄국립박물관으로 반출
1913년 9월	평안남도 대동군	關野貞, 谷井濟一, 栗山俊一, 今西龍	대동강면 토성리 토성	「大晋元康」, 「樂浪禮官」, 「樂浪富貴」, 「千秋萬歲」의 와당, 銅鏃, 銅印, 五銖錢, 靑銅製 및 玻璃製裝飾品 등 다수	낙랑	일부 도쿄대학 문과대학 표본실과 도쿄국립박물관 역사부로 반출
1913년 10월	강계군	關野貞, 谷井濟一, 栗山俊一, 今西龍	문옥면 문악리 화동의 문구리 고분		고구려	

점선비(秥蟬碑) 발견

1913년 9월의 조사에서 당시 세키노는 총독부 기수 아이사와 게이지相澤啓治와 함께 평양을 경유하여 먼저 진남포에 이르러 9월 23일 동산리 수도수원지사무소 관사에 투숙하여 그 부근 매산리, 화상리의 고구려고분을 조사하고, 야쓰이와 이마니시는 함께 평양에서 토성을 답사하고 고와당을 채집한 후 9월 24일 동산리에 도착하여 세키노 일행과 합류를 했다. 2개조가 24일 동산리에서 합류한 다음 이마

점선비

니시 등이 채집한 와당을 보고 순전히 한식임에 놀라 토성이 필시 낙랑군치지의 유지遺址로 단정했다. 그리고 어을동 고성에도 필히 한식고와漢式古瓦가 유존할 것으로 믿고 이마니시 류今西龍를 어을동에 파견했다. 그런데 막상 고성에 도착하여 수색한 결과 평와파편平瓦破片은 있었으나 끝내 문양이 있는 와당은 하나도 발견할 수 없었다. 이에 실망하던 이마니시 류今西龍가 면장에게 고적이 더 없느냐고 물으니, 면장이 '한 고비古碑가 있으나 해독할 수 없으며 만일 그것을 읽으면 비 아래 있는 황금을 얻을 수 있다는 전설이 내려오고 있다'고 대답했다.

이마니시는 즉시 그곳에 도착하여 보니 이때는 이미 황혼이라 문자를 알아보기는 어려워 용강으로 다시 돌아오고, 다음날 다시 그곳에 가서 탁본을 하여 가지고 돌아왔다. 우리들은 평양객사에서 모여 등불 아래에서 이를 보니 먼저 그 서체가 한예漢隷로 놀라는 중에 '점선秥蟬' 2자를 발견하고 다른 문자는 대부분 읽을 수가 없었다. 비문 중에 '秥蟬' 라는 두자가 들어 있음을 알고 이 비가 낙랑군 점제현과 관계가 있음을 처음으로 알게 되었다.[288]

288 「樂浪時代의 遺蹟(其二)」, 『古蹟調査特別調査報告 第四册』, 朝鮮總督府, 1927, pp.234-235.

이 비의 발견에 대하여 이마니시는 『조선고사朝鮮古史의 연구』 「열수고洌水考」에서, "이 비碑 발견의 전말顚末에 대해서 야쓰이谷井 학사 등이 총독부에 제출하여 인쇄 공표한 특별보고서의 기사記事는 학사의 기억記憶은 오류誤謬" 한 것이라고 하면서 "대정2년大正二年 9월 하순에 소생은 세키노關野 박사의 지휘 아래 야쓰이谷井 학사 등과 함께 고적조사에 종사, 박사의 명을 받들어 용강군 서의 어을동고성於乙洞古城의 한와漢瓦를 채집하기 위해 일행과는 별도로 단신으로 어을동에 도착했다. 이 때 우연히 점제장관이 평산군에 사祠를 세운 비를 발견했다" 라고 하고 있다.[289]

오다 쇼고小田省吾에 의하면, 이 비가 처음 발견된 것은 이마니시가 이곳에 도착하기 전인 같은 해 가을에 시라토리 구라키치白鳥庫吉가 탁본을 하였으나 문자를 판별할 수 없었다고 한다.[290]

점선현치지 발견 와
(도쿄대 공과대학 소장, 『조선고적도보』제1책)

이 비의 탁본은 1915년 3월에 발간한 『조선고적도보』 제1책에 점선비를 3장의 사진으로 게재했다.

문정창文定昌은 이에 대해 다음과 같이 반박하고 있다.

그 중 정면이라 칭하는 사진의 제1행의 문文이 전재된 비문과 같으니 이는

289 今西龍, 『朝鮮古史の研究』, 近澤書店, 1932.
290 小田省吾, 「古代朝鮮の民族と其の遺蹟」, 『朝鮮と建築』 第2輯 2卷, 1922.

이마니시 류가 탁본해온 이른바 점제비문 제1행의 원형原型인 것이다. 그런데 조선총독부는 동경공과대학장의 촬영이라 칭하고 그 제3면에 "年四月戊"의 4자를 만들어 넣어 놓았다. 그 후 조선총독부가 1919년 2월 조선금석총람을 발간하였으며, 금석총람은 그 맨 첫머리에 『점제현神祠碑』 라는 제하에서, 다음 3단계의 정체불명의 일석비를 한대 낙랑군의 점제비인 양 꾸며 내놓았다는 것이다.

첫째, 비문의 탁본에는 「縣」자가 없다. 그런데 조선총독부는 「縣」자를 첨가하였나.

둘째, 조선총독부촉탁 세키노 타다시關野貞는 동경공과대학장이라는 탈을 쓰고 촬영이라는 명목 하에 원본에 없는 「年四月戊」의 4자를 결여된 부분에 끼어 넣었다.

셋째, 이 비문에는 그 건립 년대를 추정할 만한 하등의 단서가 없다. 그런데 조선총독부는 세키노 타다시關野貞가 만들어 넣어 놓은 그 4자를 발판으로 그 위에 「漢長帝元和乙」의 6자를 첨가하여 그것이 한 낙랑군 점제현비라고 주장하기 시작하였다는 것이다.[291]

건비建碑의 연호에 대하여 발견 당시부터 이론이 많았다. 오다 간지로小田幹治郎의 「용강고비龍岡古碑의 연호고증年號考證」에 의하면, 초행연호初行年號는 이미 마멸되어 알아볼 수 없었으나 조선고적도보 해설에는 '한영제광화이년漢靈帝光和二年' 으로 기록하고 있고, 이마니시 류今西龍는 '광화원년光和元年', 도리이 류조

291 『龍岡郡誌』, 平安南道 龍岡郡民會, 1988.

鳥居龍藏는 '한안제영초이년漢安帝永初二年', 아사미 린타로淺見倫太郎는 '위명제경초원년魏明帝景初元年', 1914년 참사관실에서는 총독이 참사관실에 금석문 수집을 돌아볼 때 '한장제원화이년漢章帝元和二年' 으로 설명하기도 했다고 한다.[292]

비는 1914년 총독부에서 그 위치를 후방으로 옮기고 새로이 비좌를 만들고 비각을 세웠다.

『조선중앙일보』 1933년 9월 1일자에는 다음과 같은 점선기의 답사기를 게재하고 있다.

> 고적답사기
>
> 용강지방은 점선현秥蟬縣의 유지遺址 진남포에서 서북쪽으로 삼화 구읍을 거쳐 가지고 이문동 골짜기를 거슬러 이어 쇠우개 높은 영을 넘어 가노라면 누구에게나 눈앞에 곧 띠어지는 곳은 티끌 하나의 거칠메도 없는 일망무제한 서해의 프른 물결과 그 안으로 벌려져 있는 광막한 옥야沃野 그곳일 것이다. 우거진 푸른 들에 덤덤이 산재한 인가들을 보면 온정리로 통하는 경사진 신작로를 걸어 나가노라면 왼편 길가에 조금 두드러진 언덕위에 쓸쓸한 비각 하나가 오고가는 나그네의 시선을 끌고 있다.
>
> '저 비각은 무근 비각인가?'

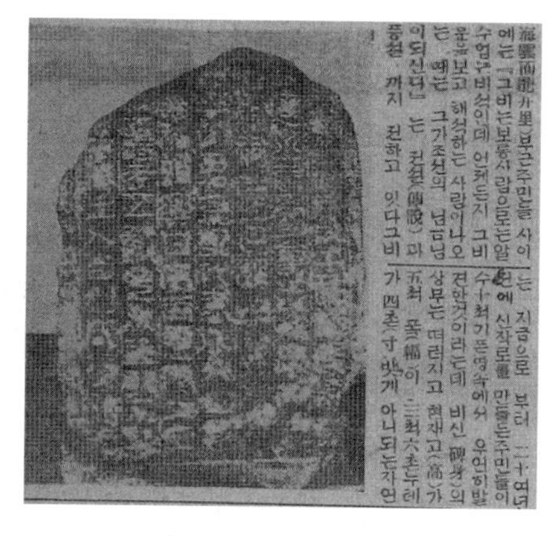
海雲面龍井里) 부근주민들 사이에는 「그비는보통사람으로는알수업는비석인데 언제든지 그비문을보고 해석하는 사람이나오는 때는 그가조선의 님금님이되신다」는 전설(傳說)과 풍설 까지 전하고 있다그비는 지금으로 부터 二十여년전에 신작로를 만들든주민들이 수十척기픈땅속에서 우연히발견한것이라는데 비신(碑身)의 상부는 떠러지고 현재고(高)가 五척 폭(幅)이 三척六촌두레가 四촌(寸)밧게 아니되는자연

292 小田幹治郎,「龍岡古碑の年號考證」,『朝鮮彙報』, 朝鮮總督府, 1920.

누구에게나 수수께끼와 같은 의문과 호기심의 대상이 되어 있어 동 비각의 소재지인 용강군 해운면 용정리 부근 주민들 사이에는 "비는 보통 사람으로는 알 수 없는 비석인데 언제든지 그 비문을 보고 해석하는 사람이 나오는 때는 그가 조선의 임금님 되신다"는 전설과 풍설까지 전하고 있다. 그 비는 지금으로부터 2천년 전에 신작로를 만들던 주민들이 수십척 깊은 땅 속에서 우연히 발견한 것이라는데 비신의 상부는 떨어지고 현재 고가 5척 폭이 3척6촌 두께가 4촌밖에 아니 되는 자연석으로 된 판석의 일면을 깎아서 글자를 새긴 것이나 오랜 동안에 바람에 쓸리어 처처에 지워진 곳도 적지 않다. <중략>
이상의 문구로 보아 동 비석은 옛날에 점제현秥蟬縣(속칭 점선현이라고도 부른다)에서 산신령님께 "오곡 풍성하게 하고 경내 가정 온하게 하여 달라"는 기도문을 새겨 두었던 것이 틀림없으나 그러면 점제현이란 조선 역사상에 어떠한 시대에 있었던 일인가? 서력 기원 3세기 초 후한말 헌제의 진안년 중에 지금의 용강군 해운면 일대가 낙랑군 18현 중에 하나인 점제현의 판도 안에 속하여 있었던 점으로 보아 지금으로부터 1천8백18년 전 옛날의 다스리던 자취를 찾아 볼 수가 있다. 전문가의 문헌에는 이 비는 조선 안에서는 물론 일본에서도 이 비석 만치 오랜 금석 중에는 가장 오랜 비석이라고 하는데 조선고대사를 연구하는 무상한 재료라고 하여 역사가들의 발지취가 많이 이 비각에 멈추게 된다고 한다. 어을동 옛 성터에 부서진 기와장이 흩어져 있어 수만 생령의 사던 자취가 완연하건만 무심한 푸른 풀만 우거졌구나.

1913년 10월

만주 일대의 고구려 유적과 함경도 유적 조사

세키노 타다시關野貞, 이마니시 류今西龍, 야쓰이 세이이치谷井濟一, 구리야마 슌이치栗山俊一 등 4명과 총독부 아이사와相澤啓治 기수는 1913년 10월에 압록강을 건너 만주 집안현 치지에서 11일간 머물면서 고구려시대의 유적을 조사했다.

세키노는 1902년 이후 7년의 공백기를 가지고 1909년부터 매년 한반도에 대한 고적조사를 실시하였다. 그러나 이전에도 그의 첫 한반도 조사에서 빠졌던 부분을 조사하고자 했으나 뜻을 이루지 못했다.[293]

1907년에 세키노는 도쿄제국대학의 명에 의해 북청지방 특히 봉천, 철령, 장춘, 길림방면을 조사하고 다시 압록강 상류를 거쳐 통구 지역의 유명한 고구려 광개토대왕비를 조사하고 다음으로 한국에 들어와 전에 실지 답사한 지역을 돌고 귀조할 예정이었다. 그러나 그 계획은 예산 등 여러 가지 사정으로 광개토대왕릉비 등에 대한 조사를 못했다.[294] 그것이 세키노의 한국 조사에서는 중요한 부분이었지만 뜻을 이루지 못하다가 1913년에 와서야 드디어 현장을 조사할 수 있었다.

원래 이곳에 중국 행정관청이 설치되기 전에는 청국 조정의 금지禁地였기 때문에 주민이라고는 거의 없었다. 청말에 유민의 잠입을 막을 수 없게 되어 집

293 關野貞은 『韓國建築調査報告書』의 緖言에서 "近代에 있어서 약간 세밀함은 多寡 때문에 부득이한 일이 있었던바 평양, 부여 기타 지방의 중요한 자료를 빠트린 것은 조사에 미치지 못한 바로써 다시 후일에 재조사할 기회를 기다려 이를 補正하려고 할 뿐이다"라고 기술하고 있다.

294 「彙報」, 『歷史地理』 제10권 2호, 歷史地理學會, 日本歷史地理學會, 1907년 8월.

광개토대왕비

안현輯安縣을 처음 설치할 때에 환도성丸都城 부근에는 우리 한인이 약 3,4호, 청인이 20여 호 살았다고 한다. 집안현을 창설할 때 환도성을 현성으로 삼았는데 이때 현당국에서는 이 현성을 능안성이라 부르고 서북 골짜기를 통하는 개울을 동구洞溝라 불렀다.[295] 1935, 1936년 양차에 걸쳐 이케우치 히로시池內宏 일행이 대대적인 학술조사를 하여 널리 알려진『통구通溝』라는 조사보고서가 발표된 뒤부터는 일본학계에서 이곳을 통구라 부르고 있다.

세키노關野는 이 황량한 산야에 기복하고 있는 적석총군을 보고 "무려 수만無慮數萬"이라 하며 고구려 발전기의 흔적에 놀라워했다. 이곳 구릉 경사지를 이루는 대지 위에 유일하게 완형完形으로 남겨져 있는 장군총이라는 적석총을

295 李得榥,「丸都의 回想」,『白山學報 第1號』, 白山學會, 1966년 12월.

장군총

발견하였다. 장군총이라는 명칭의 유래는 모두 민간 전설에서 나온 것으로 옛날 한사람의 장군을 묻었다는 전설에서 생겨 나온 것으로 근대 이후의 일이다.[296] 이 장군총은 일찍이 산적山賊들이 도굴을 했다는 이야기가 전해지며,[297] 『집안현지輯安縣志』[298]와 문일평文一平의 유저遺著 『호암전집湖岩全集』[299]에도 비슷한 이야기가 전해지고 있다.

이 무덤은 7층의 방단方壇으로 축조築造되었으며 현실에는 목관木棺의 좌석座

296 方起東, 「千秋塚 太王陵 將軍塚」, 『好太王碑と高句麗遺跡』, 讀賣新聞社, 1988.

297 三宅米吉, 『考古學研究』, 1929, p.65.

298 王德貴, 「將軍墳論」, 『輯安縣志』, 1931, 張洪垣 補編에,
"適有石工二將墓南面第四層杜門之巨石鑿開石工中近北壁有石棹一金製供器五件常明燈一盞置諸其上鑿開時燈猶未熄此物咸爲石工所得(此係傳聞未識果否)."

299 文一平, 『湖岩全集』 第3卷(民俗苑, 1982), '史外異聞' 條에 의하면,
1912년경 어느 중국인이 廣開土王의 御寶를 갖고 있다는 말을 듣고 당시 중국에 있던 申圭植이 그를 찾아가서 사실이냐고 물었더니 사실이라고 하여 그것을 조선인에게 팔 수 없느냐고 물었더니 아주 정중하게 거절하더라는 이야기다.

石으로 생각되는 것이 2개가 상병相並되어 있고 부장품은 어떤 것도 발견되지 않았다. 세키노關野 등이 조사시에 외부 각층의 단상에서 수 개의 파와巴瓦, 평와平瓦, 파와破瓦들이 발견되어 세키노關野는 이에 대하여 당초에 각층의 단상에 기와로 즙葺했을 것으로 추측했다.[300] 이에 대하여 후일에 사이토 타다시齋藤忠는 "주혈열柱穴列도 있는 것으로 보아 구축물構築物이 있었던 것 같다"[301]고 한다.

이 장군총 외에 석총으로 중요한 것을 들면, 광개토왕비에서 서남 토구자산록土口子山麓의 태왕릉太王陵과 마선구麻線溝의 평야 계류의 동방에 있는 천추총千秋塚을 들 수 있는데, 공히 당초에 축조된 것으로 생각되는 각층의 단석을 잃어버리고 하나의 큰 돌무더기로 되어 있어 어느 왕의 릉이라는 것을 밝히기 어렵다고 했다. 이곳에서 석퇴石堆와 섞이어 파와, 평와의 파편이 발견되었는데[302] 태왕릉은 석퇴石堆사이에서 '원태왕릉안여고여악願太王陵安如固如岳' 이라 명銘한 전塼을 발견했다고 해서 명명命名했으며, 마선구麻線溝의 천추총千秋塚은 석퇴사이에서 '천추만세영고千秋萬歲永固', '보고건곤필保固乾坤畢' 이라 명銘한 전塼이 발견되어 명명命名하였다.[303]

천추총 발견 와

광개토대왕릉비는 1905년 조거용장鳥居龍藏의 조사 이후 학자로는 두 번째로 1913년 세키노關野와 이마니

300 關野貞,『朝鮮 美術史』, 朝鮮史學會, 1932, p.28.
301 齋藤忠,『古代 韓國文化와 日本』(孫大俊 譯), 원광대학출판부, 1981, p.25.
302 關野貞,『朝鮮美術史』, 朝鮮史學會, 1932, pp.29-30 參照.
303 梅原末治,『朝鮮古代の墓制』, 國書刊行會, 1972, p.37.

시今西의 조사가 이루어졌다. 이 비는 1880년 이전에 발견되어 일본인에게 알려진 것은 1880년 만주 일대의 병요지지자료를 수집하기 위해 파견되었던 밀정 사코 가게노부酒匂景信에 의해 그 탁본이 1883년에 일본에 들어가면서 비의 연구가 활발해 졌으며 비문의 내용을 일본이 조선지배에 유리하게 해석하기 위해 왜곡시켜 발표[304]하면서 주목의 대상이 되었던 것이다.

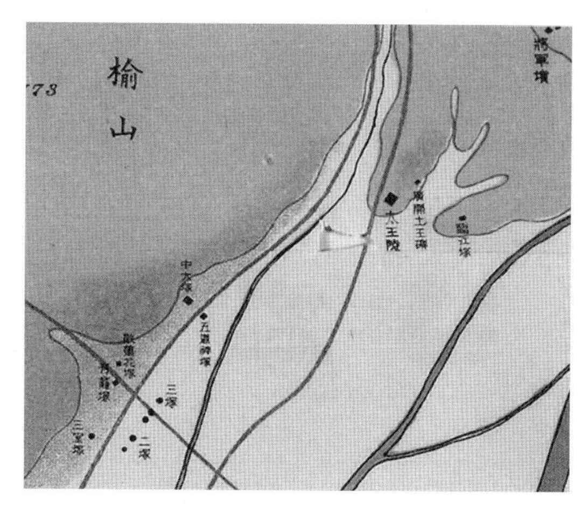

집안현 유적도

이 비의 주인이 어느 무덤인가 하는 것이 오늘날까지도 많은 의문을 가지고 있다. 이에 해당되는 것으로는 광개토왕비로부터 320미터쯤 떨어진 태왕릉이라 불리는 적석총과 1.5키로 쯤 떨어진 장군총의 적석총밖에 없다.

세키노는 "이 석총將軍塚을 광개토왕의 무딤으로 믿고자 한다. 또 동강東崗과 마선구麻線溝에는 한층 규묘가 큰 석총의 폐지가 모두 거의 붕괴되어 일대석퇴一大石堆를 이루고 있는데 전자에서「원태왕릉안여산고여악願太王陵安如山固如岳」의 명銘을 가지고 있는 전塼이 많이 나와 우리들은 태왕릉太王陵의 명칭을 부여했다. 종래의 학자들이 이를 광개토왕의 무덤으로 의심하고 있으나 잘못된 것이다. 후자

304 小田省吾,「朝鮮古代の民族と其の遺蹟(下)」,『朝鮮と建築』第2輯 3卷, p.15에서, "..... 高句麗와 日本이 衝突하기에 이르렀다. 일본이 평양으로 와 고구려와 전쟁을 하였다. 이러한 등의 事蹟은 일본 역사에도, 조선의 역사에도 결여되어 전하지 않는다. 다행히 현재 존재하는 同王(好太王碑를 稱)에 의해 밝혀졌다" 라고 하고 있다.

는 「천추만세영고千秋萬歲永固」 및 「보고건곤상필保固乾坤相畢」의 명을 가진 전이 발견되어 가칭 천추총千秋塚이란 이름을 부여했다. 이런 등의 묘는 광개토왕과 먼 년대에 건축한 것으로 어느 왕에 속하는지는 밝힐 수가 없다"[305]라고 하고 있다.

연변대학의 박진석朴眞奭도 세키노와 같은 견해로 장군총을 호태왕릉으로 추정하고 있다. 박진석은 장군총은 서남쪽으로 축조되어 위치와 방향에 문제가 없으며, 장군총이 자리를 잡고 있는 곳의 지세는 호태왕비문의 내용과 잘 부합된다는 이유를 들고 있다.[306]

미야케三宅米吉는 사코酒匂가 광개토대왕 비문의 탁본을 가져 갈 때 태왕릉 부근에서 출토된 고와古瓦 10여 개를 현지인으로부터 약간의 돈을 주고 사서 가져와 도쿄박물관에 보관하였는데 그 명문에 「원태왕릉안여산고여악願太王陵安如山固如岳」의 명이 있는데 명의 자체字體가 광개토대왕비문의 자체字體와 동필법同筆法으로 필시 비와 동시同時에 제작되었거나 동일인同一人의 수서手書일 것으로 생각된다고 한다. 따라서 태왕릉을 광개토대왕의 무덤으로 추정하고 있다.[307]

이케우치 히로시池內宏는 광개토대왕릉에 비정比定할 만한 것은 태왕릉 밖에는 생각할 수 없다고 한다. 이케우치는 1935년 이곳을 조사하고 오바 쓰네키치小場恒吉와 함께 태왕릉에서 석퇴石堆 중에서 광개토대왕비와 동질同質의 석편石片을 발견했는데 이 석재는 함께 퉁구평야의 부근 산에서 나온 것임을 확인했다. 또 이케우치는 장군총에 대해서는 산상왕山上王의 능으로 추정하고 있다.[308]

---

305 關野貞, 「國內城及び丸都城の位置」, 『史學雜誌』 第25編 第11號, 1914년 11월.
306 朴眞奭, 『高句麗 好太王碑 硏究』, 아세아문화사, 1996.
307 三宅米吉, 『考古學硏究』 岡書院, 1929.
308 池內宏, 「滿洲國 安東省 集安縣 高句麗遺蹟」, 『考古學雜誌』 28-3, 1938년 3월.

또 사이토齋藤忠는『고대 한국문화와 일본』[309]에서,

이에 관하여 일본인 학자 가운데는 세키노가 장군총이라 생각하고 이케우치는 태왕릉이라 주장했다. 태왕릉이라 생각하는 것은 비가 가장 가까운 거리에 있다고 하는 것으로도 하나의 통설通說이 되어 있으나, 이 통설에 대해서 세키노는 비가 서있는 방향과 태왕릉의 방향은 모순矛盾이 된다는 점을 들어 의문을 제시했다. 즉 비의 제 1면은 태왕릉의 방향과 직각으로 남동면 하고 있으며, 만약에 이 비가 태왕릉에 속한다고 한다면 이와 같은 비의 지점을 선정할 리가 없다는 것이다. 또 이 비와 태왕릉과의 사이에 4, 5개의 적석총이 존재하고 있으며 비록 순장이라고 하더라도 능과 비 사이에 이와 같은 총을 만들 리는 없고 이것은 비와 태왕릉은 관계가 없다고 하는 것을 말해 주는 것이라는 것이다. 장군총은 골짜기도 그 사이에 있으며 좀 먼 느낌은 있지만 비로부터 일직선으로 장군총이 있는 고지를 바라보며, 만약에 참도를 만든다고 한다면 비의 제 1면은 참도를 향하고 장군총과 비와의 위치관계는 일치한다고 하는 것이다. 이에 대하여 이케우치는 장군총과 비하고 서로 일치하느냐 하는 것은 참도參道의 존재를 가정하고서 하는 말이며, 만약에 참도가 없다고 가정한다면, 비와 장군총과는 관계가 없고 오히려 비의 제 1면을 동남으로 향하게 한 것은 압록강의 수류의 방향을 기준으로 한 것이라 볼 수 있다.

309 孫大俊 譯, 圓光大學校出版局, 1981, pp.28-29.

라고 하고 있다.

고유섭은 태왕릉에서 「원태왕릉안여산고여악願太王陵安如山固如岳」이란 명의 와가 발견되었지만 기명記銘의 태왕은 미칭美稱으로 어느 왕에게나 쓸 수 있는 것으로, 고구려 역대에는 태조대왕太祖大王, 차대왕次大王, 신대왕新大王 등 실제 대왕으로 칭호稱號된 왕도 있으니 '願太王陵 云云'의 구句는 호태왕 만을 지칭하는 것이 아닐 것으로 보고 있다. 또 태왕릉의 현실 연도는 서남향하고 있고 비는 릉의 동북으로 3정 떨어져서 제1면이 동남향하고 있어 비 부근의 능으로서는 이것 밖에 없지만 비와 능은 너무 배반背反된 방향에 있는 점을 들어 태왕릉이 광개토대왕의 능으로 보는 것에 반대하고 있다.[310]

세키노 일행은 광개토대왕비를 조사하면서 일대에서 초석, 와편 등을 발견하고, 장군총, 태왕릉, 천추총, 등을 조사하여 다수의 와편과 전을 수집했다. 구갑총, 삼실총 등에서 벽화를 발견하고 다시 강계로 돌아와 황초령을 넘어 함흥으로 나왔다.[311] 함흥으로 나온 후 함경남도 각지의 건축물, 성지, 능묘 등을 조사했다. 『매일신보』 1913년 11월 22일자에는 다음과 같은 기사가 있다.

> 금회 고적조사를 하기 위해 관야 박사는 조사한 결과에 함흥군 읍내로 5리되는 지점에서 성지, 고총, 석비 등을 발견하였는데 옥저시대의 물이듯하다고, 지난 15일 밤에 당지 공립고등소학교에서 2시간의 강화를 행하였

310 高靑, 「高句麗古都 國內城 遊觀記」, 『朝光』, 1938년 9월.
311 關野貞, 「滿洲輯安縣及び平壤附近に於ける高句麗時代の遺蹟」, 『考古學雜誌』 제5권 제3호, 4호, 1914년 11월, 12월.

는데 동 16일 당지에서 출발하여 원산 안변 등지를 차제 조사하고 경성으로 귀향할 예정이라 한다.

조사 과정에서 함남도청의 의뢰로 「함경도의 고적조사」란 제목으로 강연을 한 내용은 대략 다음과 같다.

본인이 조선에 순역함이 전후 6회에 함경남도는 금회가 처음이오. 4,5일 전에 도착하여 이 부근의 고적을 조사하였다(「'함경도의 고적조사 1' 관야 박사의 강연」, 『매일신보』 1914년 1월 9일).

금회 2개소에서 최고한 성지를 보았는데 상파천면 오노리 후산에 있는 성지로 속칭 백두산성이라 하고 하나는 함흥에서 동북 4리반 덕천면의 고성이라 하는데 이 두 성지가 옥저沃沮시대의 물로 생각하는 바로 그 형상을 말하면 오노리의 있는 것은 약 5백 척 가량의 정상에 약 3, 4십 척의 석담을 둘리고, 덕천에 있는 것은 역시 이와 동형인데 <중략> 오노리산성에 3개소의 고분이 있었으나 선년 조거룡장 씨가 이곳에 왔을 때 다 발굴하였다고 하는바 이 산성과 고분과는 밀접한 관계가 있는 고로 금회 발굴한즉 1개소에는 하등의 물도 없고 1개소에는 원형대로 그 석곽이 상존한데 이 일명은 현실이라고도 하고 입구는 연도羨道라고도 한다. 사방 벽은 불규칙의 자연석으로 적성하고 그 덮개는 2매의 돌을 사용하였는데 조거씨가 발굴한 후가 됨으로 어떤 물도 없고 다행히 발굴할 때 토기파편 2, 3개를 발견하였다. 이 파편은 신라 임나시대 물과 같고 또 석곽의 구조도 동시대의 물로 생각하는데 이를 고성 기타의 고적 재료와 대조하여 보면 옥저시대의 물인 듯하나 가정에 불과하다.

다음으로 삼국시대의 비가 중령진에 있다고 함으로 이 실물을 조사한즉 이 비는 비문을 보면 신라진흥왕이 대가야를 격하고 경계를 정한 사적을 조각한 것으로 거금 1천 4년 전의 물이라 천여 년을 경과한 것이면 풍마우세風磨雨洗하여 문자가 다 마멸함을 면치 못하였을 터인데 이는 불연不然하여 신조한 것과 같은즉 천년 이상 경과한 것으로 믿지 못할 것이라. 그러나 지나에서는 사적을 보존하기 위하여 왕왕 비를 개립改立하는 사事가 있은 즉 혹 이러한 예를 모방하여 그 후에 다시 세운 것으로 생각하나 그 진부에 대하여는 자세히 연구할 문제라(「'함경도의 고적조사 2' 관야 박사의 강연」, 『매일신보』 1914년 1월 10일).

신라가 삼국통일한 시대의 석조물은 곳곳에서 함흥부근에는 전혀 없고 개성 방면에는 비교적 많으나 함흥부근에는 없는데 금번 덕천면의 산성을 연구할 때 북문과 남문변에서 기와파편을 습득하여 본 바 고려시대 물로 생각하는 바이다. <중략>

귀곡사歸谷寺는 명치41년, 천불암千佛庵은 명치40년에 소실된 것으로 지금에 있는 것은 재건한 것에 불과하다(「'함경도의 고적조사 3' 관야 박사의 강연」, 『매일신보』 1914년 1월 11일).

11월 15일 밤의 세키노의 강연 내용에서 함경남도는 4, 5일 전에 도착하여 조사를 했다는 것으로 보아, 11월 10일경부터 15일까지 함경남도 지역을 조사하고 11월 16일에 원산, 안변 방면으로 떠난 것으로 보인다. 그런데 집안현 일대의 고구려 유적 조사를 하고 돌아오던 중 함경남도 안변 근처의 숙소에서 화재를 만났는데 세키노는 "경원철도선 중간쯤의 삼방에서 화재를 만나 우리들이 집안지방에서 조사한 서류견취도書類見取圖 등이 전부 오유烏有로 돌아갔다"[312]고 하는 것으로 보아 상당수 중요한 자료를 잃게 되어 보고서 작성에 어려움이 있었을 것으로 보인다. 다행히 사진과 동행한 구리야마, 야쓰이, 이마니시의 자료는 무사하여 이후 세키노는 집안의 조사를 언급할 때 도면은 구리야마와 야쓰이의 것을 사용했다.[313]

삼실총 전경(『조선고적도보』)

312 關野貞, 『朝鮮の建築と藝術』, 岩波書店, 1941, pp.263-264.
313 藤井恵介, 早乙女雅博 외 2명 편, 『關野貞アジア踏査』, 東京大學總合研究博物館, 2005, p.241.

이 해의 조사결과를 세키노關野는 1914년 11월, 12월에 『만주 집안현 급 평양 부근에 있어서의 고구려시대의 유적』 이란 제하의 글을 『고고학잡지』(제5권 9호)에 발표했다.

집안현에서 조사한 주요한 것은 요약하면 대략 다음과 같다.

시기	지역	조사원	내용	발견물	시대	비고
1913년 10월	집안	關野貞, 谷井濟一, 栗山俊一, 今西龍	장군총	古瓦	고구려	일부 도쿄예술대학, 도쿄국립박물관으로 반출
1913년 10월	집안	關野貞, 谷井濟一, 栗山俊一, 今西龍	천추총	고와, 문자전(석퇴사이에서 「千秋萬歲永固」, 「保固乾坤畢」이라 銘한 塼이 발견)	고구려	일부 도쿄대학, 도쿄예술대학, 도쿄국립박물관으로 반출
1913년 10월	집안	關野貞, 谷井濟一, 栗山俊一, 今西龍	태왕릉	고와, 문자전(石堆사이에서 「願太王陵安如固如岳」이라 銘한 塼을 발견	고구려	일부 도쿄대학, 도쿄예술대학으로 반출
1913년 10월	집안	關野貞, 谷井濟一, 栗山俊一, 今西龍	광개토대왕비	瓦片	고구려	일부 도쿄국립박물관으로 반출
1913년 10월	집안	關野貞, 谷井濟一, 栗山俊一, 今西龍	삼실총	벽화 발견	고구려	
1913년 10월	집안	關野貞, 谷井濟一, 栗山俊一, 今西龍	산성자 귀갑총, 미인총	벽화	고구려	
1913년 10월	집안	關野貞, 谷井濟一, 栗山俊一, 今西龍	대석총, 임강총	와편	고구려	일부 도쿄대학으로 반출[66]

314 谷豊信, 「五世紀の高句麗の瓦に關する若干の考察」, 『東洋文化研究所紀要』 제108冊, 1989년 2월.

일본으로 반출한 만주 집안현 일대의 수집 유물

한반도에 대한 초기의 고적조사는 세키노 일행이 주도적으로 행했으며, 채집된 유물들은 조사에 참가한 연구자와 관계있는 대학이나 박물관에 반출하였다. 세키노 역시 그가 조사한 유물 등은 일본으로 반출하여 상당수 대학이나 학계에 기증했다.

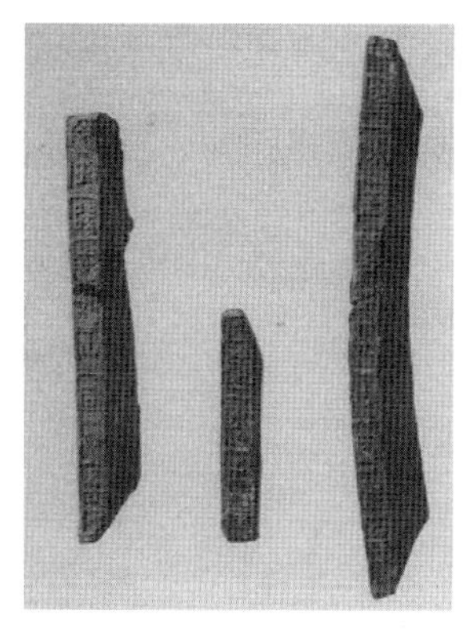
태왕릉 출토 전

세키노 일행은 만주 집안현 일대에서 발견 채집한 상당수의 중요한 와전을 바로 일본으로 반출해 갔다. 도쿄대학종합연구자료관에는 장군총, 천추총, 태왕릉에서 출토된 와전이 상당수 소장되어 있는데, 다무라 고이지田村晃一는 이에 대해, "도쿄대학종합연구자료관에 소장하고 있는 집안의 적석총 출토의 와당류는 다이쇼大正2년(1913) 세키노 씨 일행이 수집한 유물로 생각된다. 도쿄박물관에는 1914년에 야쓰이 세이이치의 이름으로 기증한 만주 집안현 고구려 유적에서 발굴 수집한 와전이 보인다. 이것은 세키노 일행이 1913년 만주 집안 일대에서 수집한 것으로 다무라 고이이치田村晃一는 이에 대해, "도쿄국립박물관에 소장된 와당류는 대장臺帳에 야쓰이谷井 씨가 다이쇼大正3년(1914)에 기증한 것" 이라고 한다.[315]

다니 도요노부谷豊信의 논문[316]을 보면 '집안 적석총 출토와의 수장 현황'을

315 田村晃一,『樂浪と高句麗の考古學』, 同成社, 2001, p.325.
316 谷豊信,「五世紀の高句麗の瓦に關する若干の考察」,『東洋文化研究所紀要』제108冊, 1989년 2월.

나타내고 있는데, 일본 소재 고구려분묘 발견 와를 중심으로 5기의 석총에서 수집한 80점의 와를 소장처별로 헌환와, 환와, 평와 등 세 종류로 분류하여 구체적으로 밝히고 있다. 이를 간략하게 표시하면 다음과 같다.

소장처	將軍塚	千秋塚	太王陵	大石塚	臨江塚	계
도쿄대학 종합연구자료관	11	6	22	4	3	46
도쿄대학 문학부 열품실			2			2
도쿄국립박물관	2	2	11			15
교토대학 문학부박물관	1	3	9	3	1	17
계	14	11	44	7	4	80

위 4개소에서 소장한 집안지역 분묘 발견의 와의 대부분은 1913년 세키노 일행이 수집한 것이고, 도쿄대학 종합연구자료관, 도쿄국립박물관, 교토대학 문학부박물관 소장의 세키노 일행 수집품에는 공통으로 동일인으로 생각되는 필체로 발견지가 명기되어 있다고 한다. 그리고 이 3개소에는 1935년, 1936년에 하마다, 이케우치, 우메하라 등이 수집한 것도 포함되어 있다고 한다.[317]

이 외에도 일부는 현재 도쿄예술대학 자료관에 소장되어 있는데, 그 목록[318]을 보면 다음과 같은 것이 게재揭載되어 있다.

317 谷豊信,「五世紀の高句麗の瓦に關する若干の考察」,『東洋文化研究所紀要』 제108册, 1989년 2월, pp.231~233.
谷豊信,「五世紀の高句麗の瓦に關する若干の考察」,『東洋文化研究所紀要』 제108册, 1989년 2월, pp.231~233.

318 『東京藝術大學 藝術資料館藏品 目錄』, 東京藝術大學 藝術資料館, 1992.

양각명「원태왕릉안여산」

(陽刻銘「願太王陵安如山」)

양각명「안여산고여악일」 묵서「태왕릉」

(陽刻銘「安如山固如岳一」 墨書「太王陵」)

양각명「원태왕릉」 묵서「태왕릉」

(陽刻銘「願太王陵」 墨書「太王陵」)

양각명「천추만세영고」 묵서「마선구천추총」

(陽刻銘「千秋萬歲永固」 墨書「麻線溝千秋塚」)

양각명「보고건천상필」 묵서「마선구」

(陽刻銘「保固乾川相畢」 墨書「麻線溝」)

양각명「만세영고」 묵서「마선구」

(陽刻銘「萬歲永固」 墨書「麻線溝」)

양각명「추만세」,「천」,「영」

(陽刻銘「秋萬歲」,「千」,「永」)

이러한 등은 "다이쇼大正3년 10월 22일 세키노 타다시關野貞 씨 기증(大正三年 10月 22日 關野貞氏 寄贈)"으로 기록되어 있음을 보아 세키노는 이곳에서 채굴한 와전들의 상당수를 곧바로 반출하여 갔음을 알 수 있다.

또 세키노 일행이 1913년 만주 집안 일대에서 채집한 유명전파편有銘塼破片 및 화와파편花瓦破片 100여점은 일본고고학회에 기증했다. 세키노 일행이 일본고고학회에 기증한 태왕릉 발견 전을 비롯한 와편은 1914년 1월례회에서 일부

배부하고, 일부는 회원 또는 소개를 받은 자에 한해 판매했다.[319] 그들 「고고학회 기사」에는 다음과 같은 기록이 있다.

> 고구려의 전와파편의 기증
>
> 공학박사 세키노 타다시關野貞, 야쓰이 세이이치谷井濟一 양씨는 본회에 만주집안현滿洲輯安縣 태왕릉(이 릉에서 발견한 전에는 어떤 것은 원태왕릉안여산고여악願太王陵安如山固如岳의 명이 있다)에서 발견한 유명전파편급화와파편有銘塼破片及花瓦破片 총계 백여 개를 기증寄贈받아 구랍舊臘에 현품現品을 틀림없이 수령受領함, 깊이 그 호의에 감사함.[320]

반출된 와전은 마치 전리품처럼 일본 고고학회에서 그들 회원들을 중심으로 일부는 나누어 가지고 그 일부는 경매에 붙였는데(회원 또는 소개를 받은 자에 한해) 그 경매가競賣價는 다음과 같다.

一. 有銘塼破片	第一種	一個	金壹圓 以上
一. 同	第二種	同	金五拾錢 以上
一. 花瓦破片	第一種	同	金五拾錢 以上
一. 同	第二種	同	金參拾錢 以上[321]

319 「高句麗瓦片の寄贈」, 『考古學雜誌』 제4권 6호, 1914년 2월.
320 「考古學會記事」, 『考古學雜誌』 第4卷 6號, 1914년 2월, p.66.
321 「考古學會記事」, 『考古學雜誌』 第4卷 6號, 1914년 2월, p.67.

이마니시는 1913년 9월부터 12월까지 세키노, 야쓰이, 구리야마 등과 함께 평안남북도, 함경남도 각지의 유적을 조사하면서 11일 동안 집안의 유적을 조사했다. 그 때 태왕릉, 장군총, 천추총을 비롯한 그 주변의 지역에서 많은 와전류를 수집했다. 교토대학 종합박물관에 소장된 고구려 유물 중에는 1914년에 이마니시 류(금서룡)가 기증한 총 60점의 와전류가 소장되어 있다. 이 와전류는 요시다 히데오吉井秀夫가「일본 서일본지역 박물관에 소장된 고구려 유물」에서 소개한 바, 총 62점으로 '교토대학 종합박물관 소장 고구려 유물(집안 출토품)'이라 하여 표로 소개하고 있다.[322]

세키노 일행의 조사에서 들어난 광개토대왕비에 대한 석회도부(石灰塗付)

사코 가게노부酒匂景信의 쌍구가묵본 제작 당시부터 일부의 문자에 한해서 개작을 해오던 일본 육군참모본부는 드디어 1900년을 전후하여 비의 4면에 두께 2센치 정도의 석회를 바르고 자획을 새로 파서 조작造作하는 석회도부石灰塗付의 만행蠻行이 자행되어 자형字形이 애매한 것은 작업자가 마음대로 만들어 놓았기 때문에 자형字形이 달라졌음은 물론 문자를 탈바꿈한 것이 적지 않았다.

1913년 10월에 광개토대왕비를 조사한 세키노 타다시關野貞는 일본『고고학잡지考古學雜誌』에,

322 吉井秀夫,「日本 西日本地域 博物館에 所藏된 高句麗遺物」,『高句麗研究』12, 社團法人 高句麗研究會編, 2001.

또한 비면이 거칠어서 탁본 문자가 뚜렷하지 않아 10여 년 전부터 문자 주위의 사이에 석회를 발랐다. 이후 매년 석회로 곳곳을 보충하였다고 한다. 그리고 자세히 살펴보니 문자의 틈바구니는 석회를 발랐을 뿐 아니라 왕왕 자화字畫를 보충하고 또한 전혀 새로이 석회 위에 문자를 새긴 것이 있으며 그럼에도 이 같은 보족補足은 대저 원자를 틀리게 하지 않은 듯하다. 그렇더라도 절대적인 신용은 두기 어렵다.[323]

고 하면서 상당한 의문을 제기하고 있었으나 당시 세키노는 집안 일대의 다른 고적조사로 인하여 상세한 조사를 하지 못하고 “비문의 해석은 이미 선배들이 설하였으며 이러한 등의 탁본에 근거하여 원비에 대하여 보이는 다소의 오류誤謬를 이마니시今西 문학사가 그 조사를 전적으로 담당하였으므로 설명하지 않고 타일 동 박사의 연구의 공표公表를 기다리기로 한다”[324]라고 하면서 이마니시 류今西龍에게 그 조사를 담당케 했다.

그러나 이마니시 류今西龍은 무슨 이유에서인지 곧바로 발표를 미루고 1915년 10월 『정정증보 대일본시대(고대)부록訂正增補 大日本時代(古代)附錄』에 「광개토경호태왕릉비廣開土境好太王陵碑에 대하여」라는 제목으로 발표하는데 그 내용 중에는 석회도부에 대해 다음과 같이 기술하고 있다.

원 비면에 의지해서 탁본을 만들면 심히 모호하여 자형字形을 알아볼 수

---

323 關野貞, 「滿洲 輯安縣 及び 平壤附近に於ける 高句麗時代の遺蹟」, 『考古學雜誌』 5-4, 1914년 12월, p.2.

324 關野貞, 「國內城 及び 丸都城の位置」, 『史學雜誌』 제25編 12號, p.5.

없는 것이 많다. 이 때문에 제1면처럼 비면이 깊이 패여 탈락된 부분은 진흙으로 메워 넣었으며 다시 사방 주위 전면은 석회로 칠을 해서 다만 자형字形만을 나타나게 했고 아울러 평편한 자字 외에는 비면의 요철엔 모두 메워 넣어 오직 탁본이 선명하게 나타나기만을 힘쓰게 되었다.

이 비문은 사료로서 역사를 고증하려는 사람은 깊이 경계를 요한다. 원비면에 하등 인공을 가하지 않고 혹은 탁본에 먹으로 가공하지 않은 순량한 탁본은 나는 이를 문학사 호리타케 다케시堀竹雄소장품에서 본적이 있다.[325]

각행 41자어로 제1면 11행, 제2면 10행, 제3면 14행, 제4먼 9행으로 봉선으로서 각행을 구획區劃하고 상하의 양단에 횡선으로 그었다.[326]

이마니시今西는 비면에 석회를 바르고 문자를 새로 개작한 것은 물론 제3면이 원래 14행이었다는 것까지 밝히고 있다.

이마니시는 1913년 10월에 집안의 고구려 유적을 조사할 때 광개토대왕비탁본 1부 4매를 직접 입수하여 나중에 덴리天理대학도서관에 기증하기도 했다.[327]

세키노와 이마니시에 이어 1918년에 광개토대왕비를 조사한 구로이타 가쓰미黑板勝美는 1918년 10월 18일 도쿄제국대학에서 개최된 일본 역사지리학회 제109회례회에서 광개토대왕비를 중심으로 사진 탁본 등을 소개하면서 강연을 하였는데 그 중에 다음과 같은 내용을 말하고 있다.

---

325 今西龍,「廣開土境好太王陵碑に就て」,『朝鮮古史の研究』, pp.454-455.

326 今西龍,「廣開土境好太王陵碑に就て」,『朝鮮古史の研究』, p.449.

327 武田幸男,「天理圖書館藏「高句麗廣開土王陵碑」拓本について」,『朝鮮學報』第174輯, 朝鮮學會, 200년 1월.

광개토대왕비 탁본 제1, 2면
(조선총독부박물관 소장, 조선고적도보)

> 대왕비의 전前에 백성옥百姓屋이 있고 이 집의 노인이 상매商賣를 위해 많은 탁본을 하고 있다.
>
> <중략> 또 탁본을 선명하게 하기 위하여 칠식漆喰을 하였으며 과연 글자들이 모두 원명 그대로 인가를 확인하기 위하여 먼저 비면을 씻고 서양정(西洋釘 : 못)으로 석회를 떼어냈다. 용이한 일이 아니었다. 그러므로 먼저 의문의 글자들을 골라잡아 석회를 긁어내었더니 본명本銘과 다른 글자들이 여럿이 나왔다.[328]

라고 하고 있다.

단재丹齋 신채호申采浩 신생은 일본인들이 광개토대왕의 비문을 석회로 도부塗付하고 왜곡歪曲, 개작改作하고 있음을 다음과 같이 지적하고 있다.

> 광개토경평안호태왕廣開土境平安好太王의 비가 금봉천성집안현今奉天省輯安縣 북 이리허二里許에 있는 바, 장이 약 이십일 척이니 만인滿人 영희榮禧가 발견하여 인행印行하매, 비에 결자缺字가 많더니, 그 뒤에 일인이 그 비를 차지하여 인행 발매發賣하여, 그 결자를 혹 석회로 도부塗付하여 첨작添作한 곳이 있으므로 학자가 그 진眞을 실失함을 한한다.[329]

1935년 가을에 도쿄대학의 이케우치 히로시池內宏, 교토대학의 하마다 고우사쿠濱田耕作, 우메하라 스에지梅原末治 등에 의하여 광개토대왕비의 조사가 있었는데, 1936년 『청구학총靑丘學叢』의 '휘보'란에 약간의 기록을 남기고 있다.

---

328 『歷史地理』第32卷 第5號, 日本歷史地理學會, 1918년 12월, p.79.
329 『丹齋 申采浩先生全集』(改訂版) 上卷, 1977, p.212.

비가 이제는 ... 혹은 석회로써 비면을 평탄하게 하여 새로 문자를 조각하고 혹은 불명료不明瞭한 문자를 정양釘樣으로 각刻한 형적形迹이 역연歷然한 등 가공한 사료개작史料改作이 행해지고 있다.[330]

라고 사료 개작을 밝히고 있다. 1939년경에는 미야케 도시나리三宅俊成가 남만교육회회원 4명과 함께 광개토대왕비를 조사하였는데,

현재 항간에 유포되고 있는 호태왕의 비문 탁본 중에는 오진이 생긴 것이 발견된다. 즉 도전호 선생 등이 상상한 것과 같이 비문 중에 칠식이 칠해져 있고 원자를 보족할 때 잘못이 생겨났다. 호태왕비의 발굴 후 탁본에 의한 비문의 연구가 성하였으나, 실지實地 비를 보면 논하는 학자가 많이 타당妥當을 결缺한 점이 생기고 있다.[331]

라고 하며 그도 학자들의 연구가 잘못 개작된 비문을 가지고 연구하고 있음을 지적하고 있다.

1938년 9월에 간행한 잡지 『조광朝光』 朝鮮日報出版部에 고청高靑[332]이란 필명으로 수록한 「고구려고도국내성유관기高句麗古都國內城遊觀記」에 다음과 같은 기록이 있다.

---

330 「滿洲國安東省 輯安縣에 있어서의 高句麗遺蹟의 調査」, 『靑丘學叢』, 1936년 2월, pp.171-172, 《彙報》.

331 三宅俊成, 「安東省輯安縣城附近 高句麗の遺蹟」, 『滿蒙』 第十六年 九月, 特輯號, p.20.

332 高裕燮의 筆名.

발견 초에는 이끼가 몹시 덮여 있어서 이것을 우분牛糞을 발라 소제燒除한 까닭에 비면도 손상되고 자획字劃도 박락剝落되고 또 그 박락된 부분은 비탁장이 니토를 진충하야 혹 적의신자適宜新字로 보궐補闕도 하였다하니 비문의 정확은 상당한 주의를 요한다하겠다. 내가 이곳에 와서 이 비를 볼 때에도 만주국 정부에서 파견되었다는 비탁장碑拓匠이 이 거비를 취탁取拓코 있었다. 일부 인탁印拓에 3인이 30일 걸릴 예정이라 한다. 비각 중복中腹에 1단의 단계段階가 있어 이곳에 올라보는 원관遠觀은 좋으나 비문을 읽기 쉬운 것은 아니다.

특히 1918년 구로이타 가쓰미黑板勝美가 소사시 촬영한 비면의 사진에도 비면에 석회를 바르고 새로 각자刻字한 모습이 나타나 있다. 처음에는 뚜렷하게 탁출되었던 문자가 세월이 지나면서 석회가 엄동에 얼었다가 기온이 상승하면서 녹아 터져 박리현상이 일어나 1907년부터는 일부의 문자가 무너져 내리기 시작하였으며,[333] 1918년경에는 덧붙인 석회가 떨어져 나간 모습이 뚜렷하게 나타남으로서 석회도부의 악랄한 음모가 백일하에 들어 나기 시작했다.

그러나 일제기에 있어서 이것이 문제화 될 수는 없었다.[334] 1959년『서품書品』100호에 실린 미즈타니水谷悌二郎의「호태왕비고好太王碑考」에서 이 사실이 처음

---

333 이진희는「日本에서의 廣開土王碑 연구」(『東方學志』43, 1984)에서, 1903年 양수경이 입수한 탁본에는 그토록 자획이 뚜렷하게 나타났으나 1907년 프랑스 사반느가 탁한 탁본에는 '來'자가 반쯤 무너진다고 한다.

334 이 점에 대해 王健群은「廣開土王 中 "倭"의 實體」,『廣開土好太王碑 研究 100年』에서, 그 후 數十年間 日本 史學會의 學者들 중에는 軍部의 권력과 세도가 두려워 감히 이 문제를 해명하려 하지 않는 자들이 있는가 하면은 이와 같은 주장들을 그대로 믿으면서 是非를 시변하지 못하는 자들도 있었으며 맹목적으로 나라에 충성하고 군부의 주장에 同調하여 못된 짓을 하였다.

1918년경의 모습
(구로이타 촬영, 국립중앙박물관 소장 유리건판)

지적되었고,[335] 다시 1972년 『일본역사日本歷史』 287호에 사에키 아리키요佐伯有淸가 일본 육군참모본부에서 처음에 비문 석독 작업釋讀作業을 비밀리에 진행했다는 사실을 고발했다.

이어서 재일교포 이진희李進熙는 일본 각처에 간직된 탁본과 당시의 현황 사진 등 광범위한 자료를 수집하여 1972년 5월 『사상思想』 제575호에 「광개토왕릉비의 미謎」를 써서 일본 군국주의자들의 개작改作, 날조捏造한 범죄행위를 일일이 밝혀서 공박했다. 이진희는 비면에 석회를 바르고 탁본한 사실에 대해, 비면에 요철이 심해 탁본하기 어려워 글자가 없는 곳에 석회를 바르고 그 과정에서 비문을 변조한 것이라고 한다. 그 이유는 사코우酒匂의 쌍구가묵본을 보강하기 위한 것으로 일본 육군참모본부가 저지른 것이라고 폭로했다.

석회도부와 관련한 이진희의 주장하는 바의 그 요점은, 사코酒匂의 쌍구가묵

335 1959년 水谷悌二郎은 「好太王碑考」를 발표하여, 漆喰에 의해 비면을 修補한 것을 '假面'이라 하여 "假面의 漆喰이 被覆되어 거의 전비면에 이르는 일로서 假面에 의해 만들어진 字畫이 전비면을 변모시키고 있다. 심하게는 30자 가량은 다른 문자가 假面에 만들어져 있다."(水谷悌二郎, 「好太王碑考」: 佐伯有淸, 「高句麗廣開土王碑をめぐる諸問題(李進熙氏の所論によせて)」, 『歷史學硏究』 401號, 1973년 10월, 歷史學硏究會編輯, p.45)

본의 제작시에 비문을 변조한 이외에 이를 은폐하기 위하여 1899-1900년 사이에 일본 군부의 공작원들이 비면에 석회를 발라 문자를 위조했다. 그 후 그전에 석회도부한 것에 대한 수정 보완을 1905년 여름 이전에 했다는 내용이다.

1972년 이진희가 주장한 소위 석회도부설石灰塗扶作戰은 학계에 큰 파문을 일으켰으며 특히 일본 측은 큰 충격으로 받아들여 이후 이진희의 주장을 뒤집어 보려는 연구자들의 집요한 글들이 뒤이어 발표되었고, 이진희는 그때마다 이에 반격을 하였다.

논쟁은 수 년 뒤에 거의 종식되었는데 1983년 길림성문물고고학연구소장吉林省文物考古學研究所長 왕건군王健群의 논문 『호태왕비적발현화삽박好太王碑的發現和揷拓』, 그 다음 해는 『호태왕비의 연구』가 발표되자 그에 힘입어 다시 맹렬한 반격이 일어났었다. 일본의 아사히신문朝日新聞은 제1면 톱기사로, 왕건군의 현지조사로 "이진희의 변조설變造說이 사실무근임이 증명되었다"고 보도(1984년 7월 28일)하고, 뒤이어 유명, 무명의 잡지들이 '변조설 붕괴'론을 전개하는 글들을 게재하였다.[336] 특히 잡지 『(동아시아의)고대문화』 43호(1985 春), 44호(1985 秋)에서는 이 문제를 특집으로 다루었다. 현지조사를 통한 왕건군의 연구는 상당한 설득력을 가지고 일본 측의 반격에 가장 큰 힘을 불어넣었다.

1981년 왕건군은 방기동과 함께 비문에 대한 현지조사를 한 후 현재 비면상에 나타난 잔존흔적에 근거해 보면 석회를 칠한 것과 글자를 고쳤다는 사실을 인정하면서도 석회도부에 대한 논쟁의 쟁점인 일본 육군참모본부의 개입설을 부정, 다음과 같이 주장하고 있다.

---

336 이진희, 「광개토대왕비를 둘러싼 구년의 논쟁」 『박영석박사화갑기념한국사학논총』, 1992, 『고구려사논문선집』 제7권.

1. 비면을 덮고 있던 이끼는 현지인 초천부初天富가 제거했으며, 초기의 쌍구가묵본은 초천부初天富가 제작했다.
2. 비면에 석회를 칠하고 또 석회를 이용해서 비면의 글자를 고치고 기워 넣은 것도 역시 초천부이다.

왕건군은 광서光緖 초년(1875)부터 1882년을 전후하여 쌍구가묵본이 유행했던 시기로[337] 이 시기에 쌍구가묵본을 제작한 사람은 누구인가 하는 문제에서 왕건군은 이대룡(기단산까지 포함)을 제하면 주요 인물은 초천부初天富이며, 이끼는 누가 제거했는가 하는 문제에 있어서 그것은 초천부라고 단정을 하고 있다. 이 일은 그가 세키노 타다시關野貞와의 대화에서 밝힌 것처럼 방법은 말똥을 칠하여 마른 후 불을 사르는 것으로, 왕건군이 이번 조사에서 접촉한 사람들도 역시 비는 초천부가 태운 것이라고 말하고 있다.[338]

왕건군이 주장하는 바 광서초부터 쌍구가묵본이 유행했다는 것은 이는 이미 앞에서 능비의 재발견 시기와 관련하여 살펴 본 바와 같이 광서초부터 쌍구가묵본이 제작되었다는 것은 신빙성이 부족하다. 따라서 장연후의 발跋을 인용하여 광서초에 이대룡이 50벌을 탁본했다는 왕건군의 주장도 그 설득력을 가지지 못한다.

그 다음은 초천부初天富인데, 세키노와 이마니시의 기록에는 초붕도初鵬度라는 인물이 비를 불태운 것으로 기록하고 있다. 1913년 이곳을 조사한 세키노는,

---

337 王健群은 廣開土王碑의 採拓史를 다음 다섯 시기로 나누고 있다.
1. 雙鉤加墨本의 製作時期(대략 1875~1882년), 2. 雙鉤本과 正式拓本이 竝行되던 時期(1882~1900년), 3. 글자 사이에 石灰를 발라 拓本을 뜬 時期(1900~1902년), 4. 石灰로 文字를 수정보충하고 拓한 시기(1902~1937년), 5. 석회를 씻어 버린 후 拓한 시기(1963년~).

338 王健群 著 / 李東錫 譯,『廣開土王碑 硏究』, 역민사, 1985, p.26.

> 비석 부근 초가집에 초붕도라는 자가 살고 있었다. 그는 탁본하는 것을 업으로 삼고 있었다. 그는 금년 66세이며 30년 전부터 이곳에 살고 있었으며 당시 지현의 명을 받아 탁본을 하였다. 비석면에 이끼가 많아서 불로 그것을 태웠다. 그 결과 비각이 떨어져 나갔다.[339]

이마니시도 세키노와 마찬가지로 초붕도에 관한 기록을 남기고 있다. 이마니시는 「광개토경호태왕릉비에 대하여」에서,

> 이 비의 관리인은 초붕도라고 하는 66세(1913년 당시)의 노인이다. 근 비석 수변에 가설물을 설치해 놓고 공인을 한 사람 고용하여 끊임없이 탁본작업을 했다. 공인은 고려지를 비면에 대고 연속적으로 탁본을 했다. 이렇게 하여 탁본이 비교적 용이하자 탁본의 매 부 4장의 가격을 10원 넘지 않게 매겼다. 이 노인의 말에 의하면, 이 비는 30년 전에 비면에 장화長花가 무생茂生하여 문자의 유존 여부를 자세히 알 수 없었다. 그가 지현의 명을 받고 그 장화를 소각하여 문자를 노출시켰다. 당시 비를 소각할 때 비의 일부분이 훼손되었다. 그 후에 그는 비석 옆에 살면서 탁본의 일에 종사하였다.[340]

라고 하고 있다.

1981년 6월과 7월에 왕건군과 방기동이 초천부 부자에 관해 현지를 조사한

339 關野貞, 「滿洲 輯安縣 及び 平壤附近に於ける 高句麗時代の遺蹟」, 『考古學雜誌』 5-4, 1914년 12월, p.?

340 今西龍, 『朝鮮古史の研究』, p.454.

결과를 보면, 초천부初天富(1847~1918)는 그의 형 초천귀初天貴와 함께 회인현이 설치되기 전에 산동에서 통구로 들어온 자이다. 초천부는 그의 아들 초균덕初均德과 계속해서 그 비석 옆의 작은 초가에 살아왔다. 부자 2대에 걸쳐 60여 년 동안 탁본을 일로 삼아 살다가 1938년경에 초균덕이 이곳을 떠날 때까지 계속되었다. 왕건군이 초씨 부자에 대한 현지 탐문조사를 요약하면 다음과 같다.

> 1981년 6월 8일. 양유재(남, 79세) 방문 기록
> 양은 1921년에 이곳 집안현으로 와 수레를 모는 일을 했다
> 초대비(초천부의 아들 均德)는 비석의 뒤편에 초막을 짓고 살았다. 그는 커다란 공책을 한 권 갖고 있었는데 거기에는 비문이 적혀 있었다. 그가 뜬 비 탁본은 한 질에 10원씩 팔 수 있었다. 약간의 외국인도 와서 사갔다. 그러나 외국인으로서 직접 탁본을 했던 사람은 없었다.
> 일찍이 초대비에게 '언제부터 탁본을 시작했느냐? 당신 이전에 어떤 사람이 탁본 한 적이 없었느냐?' 고 묻자 그는 그가 언제부터 탁본을 뜨기 시작했다는 얘기는 않고 다만 자기 집안 외에는 탁본을 떠간 사람이 없다고 했다. 그러면서 그는 덧붙이기를 '과거에 이 비석에는 이끼가 아주 두텁게 끼어 있었는데 뒤에 우리가 이끼 위에다가 쇠똥을 바른 후 그 쇠똥이 마르자 불을 붙여 태웠다. 이끼가 다 타자 글자를 탁본해 낼 수 있었다. 그리고 태울 때 비석이 터져 한 덩어리가 깨어졌다' 라고 했다.

> 1981년 7월 1일. 신문후(남, 83세) 방문 기록
> 신은 1915, 1916년경에 이곳에 이주했다.

그가 들은 바로는 비에는 원래 이끼가 가득 끼어 있었는데, 뒤에 심양 사람이라는 사람이 와서 글자를 보겠다고 하자 초씨 늙은이는 한 가지 방법을 생각해 냈다. 즉 비 표면에 쇠똥을 바르고 그 쇠똥이 마른 후 기름을 붓고 불을 붙였다. 이때 비석 한 부분이 깨졌다고 했다. 비를 탁본하던 초씨에게는 아들이 있어 둘이 함께 일을 했다. 1915년경 초씨는 당시 60세 정도 되었고 아들은 30여 세였다. 초씨가 탁본에 쓰던 먹은 모두가 가마솥 밑의 그으름과 먹 그리고 아교 등 세 가지를 섞어 만든 것이다. 내가 비석을 탁본하는 것을 본 것은 초씨 부자뿐이었다. 그 어떤 외국인도 이곳에 와서 탁본해 가지는 않았다.
초천부는 1925, 1926년경에 죽었다.

1981년 7월 3일. 초원영(53세, 초천귀의 손녀) 방문 기록
초천부나 초균덕은 공부를 제대로 하지 못한 처지이나 비문의 글자는 모두 알아내었다.
초천부는 평생 대왕비가 있는 그곳에서 살았다. 초천부의 형제 항렬에는 그 누구도 초붕도란 사람이 없다.
그의 탁본일은 관가의 공무였다. 관가에서 그에게 증명서를 주었는데 거기에 그의 사진이 붙어 있었다.
초균덕은 비문의 저본底本을 갖고 있었는데 붓으로 쓴 것으로 모두 넉 장이며, 비문의 글자가 떨어져 나갔거나 확실치 않은 곳은 이 저본底本을 이용해 고쳤다.

1981년 10월 23일. 초문태(남, 43세, 초원영의 동생) 방문 기록
초문태는 '비문저본碑文底本(碑文手抄本)'과 또한 초균덕과 어떤 일본인과

찍은 사진(왕건군은 1935년경으로 추정) 한 장을 흔연히 넘겨주었다.

왕건군은 이상의 현지 조사를 통하여 “초붕도初鵬度라는 사람이 바로 호태왕비의 일체의 사건에 대한 열쇠를 쥐고 있는 사람으로 여겨진다” 라고 하면서,

> 세키노 타다시關野貞가 1913년 집안현에서 조사를 할 때 이 사람을 보았다고 했다. 그러나 설명을 해준 사람은 초천부지 초붕도가 아니다. 초천부의 형은 초천귀이며 두 형제는 회인현이 설치되기 전에 산동에서 통구로 온 자들이다. 일반적으로 하나의 평범한 농민이 이렇게 붕도라는 아취스러운 이름을 썼을 리도 없으며, 그의 형의 이름과도 관련이 희박하기 때문이다. 그와 세키노關野가 한 말 중에 30년 전에 지현의 명령으로 그곳에서 탁본을 했다고 했다. 30년 전이라면 광서9년(1883)이 된다. 당시 장월은 회인현의 지현이었으며 관월산은 회인현에 있었다. 이를 보아 관월산이 이 비를 발견한 것이며 관월산은 바로 지현의 서계관書啓官이었다. 따라서 이일을 처리하는데 관월산은 연관이 없을 수 없다. 또한 관월산이 비석을 발견하고 탁본을 뜬 일에 대해 옆에 살던 초천부는 당연히 알았을 것이다. 그는 아마도 세키노 타다시關野貞에게 관월산의 일에 대해 예기를 했을 것이며 붕도는 관월산의 자가 아닌가한다.[341]

이 같이 왕건군은 관월산과 초붕도를 동일인으로 보고 있다. 허나 왕건군이 주장하는 것처럼 관월산이 초붕도가 될 수는 없다. 이는 이미 앞에서 밝혔듯이 지현 장

341 王健群 著 / 李東錫 譯,『廣開土王碑 硏究』, 1985, 역민사, p.42.

월이 1882년 정월에 이임을 하였기 때문에 관월산도 1882년 1월 이전에 이곳을 떠났을 뿐 아니라 또한 금석학에 밝아 여가가 있으면 밖으로 다닌다는 관월산이 어찌 한 곳에 머물 것인가. 이런 식자가 그것을 업으로 한다는 것은 상상하기 어렵다.

초기의 관월산의 수탁을 제외하고 완탁본으로는 장연후의 기록에는 이대룡(광서초), 담국환의 기록에는 담광경, 영희의 기록에는 방단산, 유승간의 기록과 섭장치의 기록에는 이운종이 정탁본을 한 것으로 나와 있다. 이처럼 모두가 특정한 전문가를 시켜 탁본케 했다. 따라서 왕건군이 주장하는 바, "비를 태운 것은 초천부이다"[342]하는 것과 세키노 등의 기록에 나오는 초붕도의 기록은 성립되기 힘들다.

세키노의 기록대로 초붕도가 30년 전에 지사의 명으로 이끼를 태우고 탁출을 했다는 기록과 왕건군의 현지 조사에서 나타난 초천부의 비면 소각작업의 시기가 일치하기는 하지만 초씨 일가가 처음부터 탁본을 했다면 가장 뛰어난 전문가였을 것이며 그의 명성이 없을 리 없다. 세키노 보다 앞선 기록에 있어서 초씨에 관한 기록은 전혀 찾아볼 수가 없다는 것은 이상하지 않는가! 추측컨대 이곳에 있던 농부로 많은 탁본가들의 탁본 장면을 목격하고 탁본 방법을 익혔을 것이다.

세키노와 이마니시의 기록은 석회 밑에는 다른 글자가 있음을 인정하면서도 하나같이 석회도부는 비 옆에 살고 있는 초붕도라는 자가 단순히 판본을 판매하기 위한 수단으로 석회도부한 것으로 하고 있다. 왕건군도 이에 동조하여 석회도부는 현지 탁공의 고가매매를 위한 단순한 욕심에서 자획이 뚜렷한 탁본을 만들어 고가로 팔기 위해 나온 가공이라고 하여 일제의 조작 가능성을 일축했다.

왕건군은 1900년을 전후하여 국내외의 학자들이 모두 호태왕비의 탁본을 구

342 王健群 著 / 李東錫 譯,『廣開土王碑 硏究』, 1985, 역민사, p.67.

하려 들어 탁본이 잘 팔리자 작업시간을 단축하고 문자의 명확함을 위해서라고 하고 있는데, 석회도부의 시기가 1899년~1900년 사이임에 틀림없고 일부 비문이 수정 · 첨가된 것이 1905년 여름 이전으로 올라가는데, 그 무렵 탁본이 아직 현지에서는 매매의 대상이 되지 않았으며 매매의 대상이 된 것은 1909년 이후의 일이며 그 때까지는 북경에서 파견된 탁공이나 회인현지사의 명령으로 극소수 작성된데 불과하다.

1922년 『남연서南淵書』를 날조한 곤도 나리사토權藤成鄕란 자가 1925년에 간행한 『훈역남연서訓譯南淵書』 에서 "메이지明治27년(1894) 우리 정청군征淸軍이 이곳을 점령하여 그 탁본을 떠옴으로서 비로소 본방本邦 학자들의 연구 자료가 되었다"고 하고 있으며, 1908년 12월에 나온 『고구려영락대왕고비』 에서, "그 탁본은 아직 천하에 유포되기에 이르지 못하였다. 현재 우리나라에 있는 것도 제국박물관 소장의 것酒匂雙鉤本을 제외하면 겨우 하나 둘에 불과하다" 라고 적고 있는 점으로[343] 보아 이때까지는 매매가 되지 않았음을 알 수 있다. 탁본이 현지에서 매매의 대상이 되는 것은 고대 한일 관계사를 주목한 일본인들이 구입했기 때문이다. 요컨대 탁본을 사려오는 사람이 없었던 1899~1900년에 자획이 선명한 탁본을 만들어 비싸게 팔 것을 예견하여 석회를 바른 다는 것은 실제 있을 수 없는 일이다.[344]

문제의 핵심인 석회도부에 대해서 왕건군은 "비면에 석회를 칠하고 또 석회를 이용해서 비면의 글자를 고치고 기워 넣은 것도 역시 초천부" 라는 근거로 다음과 같이 제시하였다.

---

343 李進熙, 「廣開土王陵碑文の謎」, 『思想』 575號, 岩波書店, 1972년 5월, p.84.
344 李進熙, 「日本에서의 廣開土王碑 硏究」, 『東方學志』 43, 1984, p.27.

1) 초천부는 스스로 세키노 타다시關野貞에게 비에 회칠을 한 것은 자신이라고 밝히고 있다.

2) 초천부 부자는 "비문의 저본底本을 가지고 비면의 글자가 떨어져 나가거나 명확치 못한 것은 그 저본에 맞추어 고쳤다"고 하는 저본底本의 원고를 초문태로부터 입수하였는바 이것이 곧 초씨 부자가 비문을 고쳤다는 확실한 증거다.

그런데 왕건군은 초씨 부자가 소지한 저본에 대해,

> 그 저본은 그가 스스로 베낀 것인지 아니면 남에게 부탁하여 베낀 것인지 지금으로서는 알 길이 없다. 다만 그것을 이용해서 비문을 수정할 때 '범본範本'으로 삼은 것은 분명하다. 초씨 부자가 낮은 지식으로써 이 '범본範本'을 잃게 되면 보수된 글자에 다시 회칠을 하여 전과 일치하게 하기란 곤란했기 때문에 이것을 대단히 소중하게 여겼던 것이다. 이 저본은 마땅히 초씨가 비석에 회칠을 하여 글자를 보수했다는 가장 설득력 있는 물증으로 삼아야 한다.[345]

왕건군이 말한 바와 같이 어떻게 그런 낮은 지식으로 새로운 문자를 만들어 낼 수 있었는가 하는 문제는 남의 것을 베낀 것일 수 도 있다는 것인데, 그가 직접 만든 것이 아니면 이것을 만들어 준 자는 누구란 말인가. 또 어떻게 사코본酒匂本과 여러 곳이 동일하게 할 수 있는가 하는 문제가 남게 된다.

이진희는 탁공이 자획을 뚜렷한 탁본을 만들 목적으로 석회를 발랐다고 한다면 비문을 한자씩 확인하면서 거기에 석회를 발라 비문만을 부각시켰을 것이

345 王健群 著 / 李東錫 譯,『廣開土王碑 研究』, 역민사, 1985, p.69.

다. 그런데 거기에는 실제 잘못된 것임에도 불구하고 일부 문자에 대해서는 사코본酒匂本과 같은 문자로 했다는 것[346]은 그의 자의가 아님을 보여 주는 것이라 할 수 있다. 특히 비의 제3면 1행은 사코본酒匂本에서 빠져 있는 것과 같이 초씨 일가가 소지하고 있던 저본에서도 제3면 1행을 비문에 넣지 않고 있다. 이에 대해 왕건군은 "초씨 집에 소장되었던 비문 보수용의 원고 저본 또한 이 한 줄이 없다. 이것은 초씨 부자가 이 한 줄 아래에 다만 '궤潰'자 하나만 있어 앞뒤로 연결도 안되고 중요한 것 같지도 않아 방치해 두고 탁본에 제외했기 때문이다."[347]라고 하고 있다. 왕건군 자신은 제3면 1행의 조사에 있어서 '궤潰' 자 외에 제27자 '사辭', 제31자 '출出', 제39자 '잔殘', 제40자 '왜倭'를 판독[348]해 냈을 뿐 아니라, "이상의 자 외에 기타 각각의 글자들은 모두 잔흔殘痕을 나타내고 있다"[349]라고 했다. 그렇다면 오랜 세월 현지에서 탁본을 하면서 비면을 살핀 초씨가 이러한 것을 놓칠 리가 없는 것이다. 그가 만약 명확한 문자를 만들기 위함이었다면 왕건군이 발견한 이러한 문자에 대해서도 주위에 석회를 칠하고 문자를 명확하게 했을 것이며, 그 저본에도 나타나 있어야 마땅한 일이다. 특히 저본 4면 상단에 일본어(のち)가 나타나 있는 것은 무엇을 말하는가. 이에 대한 설명이 있어야 할 것이다. 또한 일본인과 함께 찍었다는 사진에 대한 해명도 있어야 한다.

---

346 李進熙는 '奴'를 '怒'(제2면 3행 31자)는 정정할 수 있었는데도 '閣'과 '關'(제1면 10행 22자), '白'과 '口'(제2면 4행 17자), '兵'과 '軍'(제2면 8행 36자)을 구별하지 못하고 酒匂本대로 '閣', '白', '兵'이 재현될 리가 없을 것이다. 또한 새로이 비문을 써 보탠다든가 하지도 않았을 것이다. '倭'의 활동을 보강하는 비문을 추가하는 것은 석회를 바른 것이 자획을 명확하게 하기 위한 拓工의 소행이 아닌 움직일 수 없는 증거라고 하고 있다(李進熙著 李基東譯, 『廣開土王陵碑의 探求』, 1982. 一潮閣, pp.15-16).

347 王健群 著 / 李東錫 譯, 『廣開土王碑 硏究』, 역민사, 1985, p.72.

348 王健群 著 / 李東錫 譯, 『廣開土王碑 硏究』, 역민사, 1985, p.208.

349 王健群 著 / 李東錫 譯, 『廣開土王碑 硏究』, 역민사, 1985, p.76.

중국학자 서건신徐建新이 「중국학계에서 고구려호태왕비 비문과 탁본 연구」[350]에서 제시한 <자료1> '북경 왕소잠王少箴 구장본舊藏本에 첨부된 요화姚華의 발문 四'에 나타난 것을 보면, 낙관 날짜는 1917년 10월 하순으로 글 가운데는 "근문위일본인소침수, 불허추탑(추탁)의(近聞爲日本人所侵守, 不許椎搨(捶拓)矣)"라 것이 보이고 있어 적어도 당시 일본인들이 광개토왕비의 취탁取拓에 관여하고 있었음을 알 수 있다.

이상으로 다음과 같은 추정을 끌어 낼 수 있다.

1. 1913년 세키노關野 등의 조사시調査時에 만난 초붕도初鵬度는 가명假名이다.

2. 초천부는 일본 육군 참모본부와 깊은 관련을 가지고 있다.

1905년 鳥居龍藏이 촬영한 것으로 추정되는 대왕비와 가구 사진에 나타난 인물이 복장으로 보아 중국인으로, 소위 초천부로 추정 (鳥居龍藏, 『滿蒙の探査』 (1928년, 萬里閣書房)에 의함)

왕건군의 현지조사에서 방문한 사람들은 모두 세키노關野의 조사 시점인 1913년에는 그곳에 아직 이주하지 않았던 자들이다. 그 사람들조차 초붕도라는 사람의 이름을 들어보지 못했다. 따라서 1913년 세키노關野와 이마니시今西의 조사 시에 현지에 있었던 초붕도라는 사람은 가명假名을 사용했을 것임에 틀림없다. 그 이유는 이미 일본참모본부에 매수되어 석회도부에 참여했을 것으로 짐작되며 이에 대한 자신의 이름을 은

350 徐建新(徐日範 옮김), 「中國學界에서의 高句麗 好太王碑 碑文과 拓本 研究」, 『廣開土好太王碑 研究 100年』, 학연문화사, 1996, p.111.

폐하기 위한 것으로 보인다. 아니면 초천부가 스스로 가명을 사용했을 수 있다.

초천부가 말하는바 비면을 태우고 그가 처음부터 이곳 현지에 살고 있었다면 분명 그간 사코본酒匂本을 만들 때의 상황을 지켜보았을 것이며 그 후 도리이 류조鳥居龍藏, 세키노 타다시關野貞, 이마니시 류今西龍, 구로이타 가쓰미黑板勝美 등 일본 학자들이 현지에서 비문을 조사한 사실 등을 가장 잘 알고 있었을 것이다. 그러나 왕건군 등이 현지인들과 대화에서는 이러한 일본인들과의 접촉에 관한 내용은 전혀 보이지 않는다. 이는 왕건군이 현지 조사에서 놓치지 않고 조사했을 것이나, 현지 방담 내용에서 전혀 보이지 않는 것은 초천부 부자가 이 부분에 있어서는 이웃에게까지 일체 입을 다물고 누설하지 않았다는 점을 추정할 수 있다. 그 이면에는 참모본부의 비문 개작 내지는 문자의 삭탈과 관계가 있기 때문에[351] 일본 육군참모본부의 특별한 지시에 의한 것이 아닌가 의심된다. 왕건군이 초천부初天富가 석회도부石灰塗付의 장본인이라는 근거로 제시한 그 저본底本이야 말로 매수당한 가장 확실한 근거로 볼 수 있다.

평양 대동강면 오야리고분 발굴

1913년 10월에 대동강면 오야리의 한성광업회사 발전소정지 내에서 연돌 기초공

351 李進熙는 비는 높이 6.3미터, 4면으로 이루어진 거비에 전 석회를 바르고 비문을 재현한다는 것은 상당한 시간을 요하는 것이기 때문에 참모본부의 변장한 군인들이 직접 손을 대기는 어려울는지 모른다. 그래서 중국인을 매수하여 臺本을 건네주고 그대로 재현 시켰을 가능성이 가장 크다고 주장하고 있다(李進熙,「日本에서의 廣開土王碑 研究」,『東方學志』43, 1984, p.31).

사를 하던 중 지표로부터 약 11척 되는 곳에서 목곽이 발견되었다. 이 사실이 도지사에게 보고되고 도 기수 후가타 구누죠深田九馬三가 그 지점에 대해 조사를 하였다. 결과 도호陶壺, 동원銅鋺, 철제직도鐵製直刀, 부두斧頭(『조선고적도보』 제1책 제111도~제118도) 등이 출토하여 도청에 보관하였다. 세키노 일행은 1913년 12월 9일 평양에 갔을 때 후가타 기수로부터 상세한 보고를 듣고 도청에 보관하고 있는 목곽 및 목관의 잔재殘材와 출토품을 조사하여 낙랑시대의 목곽고분임을 확인하게 되었다. 이 유물들은 평양교육회도서관에 보관했다가 다시 총독부박물관으로 옮겼다.[352]

오야리고분 목곽 및 목관 용재, 발견 부장품(조선고적도보)

352 谷井濟一, 「朝鮮平壤附近た於ける新たに發見せられたる樂浪郡の遺蹟」, 『考古學雜誌』 제4권 8호, 1914년 4월; 關野貞 外 5人, 『樂浪時代の遺蹟(本文)』, 朝鮮總督府, 1927.

구 북묘(北廟) 입찰 매수

동부관내에 있는 구 북묘를 실업가 이봉래 씨가 5천5백 원에 입찰 매수하였다.[353]

석굴암 해체 중수공사

데라우치寺內의 현지답사 후 석굴암 보수공사 계획은 일사철리로 진행되었는데, 원형에 대한 기본적인 학술조사도 거치지 않고 일개 토목기사에게 맡겨져 응급의 조사가 이루어졌다.

위에서 본 석굴암(국립중앙박물관 소장 유리건판)

1913년 4월에 총독부기사 구니에다 히로시國枝博[354]의 현지출장에 따른 복명서로 '석굴암수선공사사양서石窟庵修繕工事仕樣書'와 '석굴암수선공사예산서石窟庵修繕工事豫算書'가 작성되었으며, 1913년 9월 12일부 토목국에서 내무부 앞으로 '석굴암보존공사 설명서 및 설계도면設計圖面'이 송부送付되었다. 이 서류에다 총독부 고적조사 촉탁 세키노 타다시關野貞은 도면만 보고 동의하는 자신의 의견서를 첨부하

353 『每日申報』 1913년 10월 5일자.

354 1905년 동경대학 공과대학 졸업, 1906년 한국정부 촉탁으로 도한, 1907년 통감부 기사로 임명, 1910년 조선총독부로 옮겨 營繕課에 근무.
『隆熙2年 6月 職員錄』, 『在朝鮮 內地人 紳士名鑑』 參照.

여 1913년 9월 13일 공사착수를 위한 데라우치寺內 총독의 결재가 이루어졌다.

이로써 최종절차가 완료되면서 1913년 10월부터 착공되는 공사에 현지감독관으로는 일개 토목기사인 이이지마飯島 기수가 임명되어 그의 지휘아래 토목공사의 성격을 가지고 긴급수리에 착수하였던 것이다.

수리공사 관계자 가운데 또 한 사람으로 기코 도모다카木子智隆는 일본에서 고건축물의 수리작업에 참가한 적이 있었고, 1911년과 1912년에는 세키노의 고적조사에 동행하기도 했다. 하지만 영선과 기사들의 일은 총독부 관련 건물의 설계 및 건축이며, 학술적으로 고적을 수리하는 입장은 아니었다.[355] 수리공사 계획에 동의하는 의견서를 제출한 세키노는 석굴암 수리공사가 진행되는 동안 현상을 놀아볼 여유도 없이 평양, 황해도, 집안의 고적조사에 몰두했다.

보수공사는 1913년 봄부터 이이지마 겐노스케飯島源之助가 현장주임이 되어 착수하였다. 1단계공사는 1913년 11월에 시작된 석굴암 본존불과 본존불 천정의 궁륭부에 대한 해체용 버팀목을 설치하는 것이었다.[356]

2단계공사는 1914년 5월 21일부터 시작되었는데, 석굴암의 원형을 파괴하는 방향으로 진행되었다. 6월 15일까지 돔 주변을 둘러싼 석재 제거를 완료하였는데, 예상보다 보름 이상을 경과한 것으로 이렇게 많은 석재가 쌓여 있을 것으

355 吉井秀夫, 「일제강점기 석굴암 조사 및 해체수리와 사진촬영에 대하여」, 『경주 신라 유적의 어제와 오늘』, 성균관대학교 박물관, 2007, p.202.

356 성균관대 유리원판 사진을 보면, 철조망으로 폐쇄된 입구오른쪽에 간판이 보인다. 梅原고고자료의 사진을 관찰한 결과 이 간판에는 "고시 / 一柵內에 들어가는 것 / 一부근에 모닥불을 피우거나 흡연하는 것 / 이상을 엄금한다 / 大正二年十二月 / 경상북도"라고 되어 있다고 한다(吉井秀夫, 「일제강점기의 석굴암 조사 및 해체수리와 사진촬영에 대해서」, 『(성균관대학교 박물관 수장 유리원판건 II) 경주 신라 유적의 어제와 오늘』, 성균관대학교 박물관, 2007, pp.203-204).

중수 전의 석굴암 외부 모습
(『新羅舊都 慶州古蹟圖彙』)

해체한 모습

로 예상하지 못하였다고 한다.[357]

이후 콘크리트 구조물을 설치하고 모든 석조물를 재조립하고 1915년 8월에 일단 준공하게 되었다.

당시 신문지상에는 「석굴암개안법회石窟庵開眼法會」란 제하의 다음과 같은 기사가 있다.

> 지난 대정2년 6월 그의 설계조사를 마치고 동년 10월 중 공사에 착수하여 경주석굴암은 실로 해발 일천삼백척의 준봉 정상에 있어 운수행통運輸行通이 지난至難하여 공사재료의 공급 기타 제반의 연락聯絡이 아주 곤란함에도 불구하고 관계당국관헌이 경비의 안배와 재료의 공급과 현장의 경비를 함께 원조하의 주임기수 이이지마 겐노스케飯島源之助 씨의 노력으로 본월 13일에 그 보존공사의 준성竣成을 보기에 이르렀다. 그간에 소비한 일자는

357 김대식, 「이제강점기 경주지역 문화재의 수리복원사례」, 『경주 신라 유적의 어제와 오늘』, 성균관대학교 박물관, 2007.

사백사십삼일, 제직공 인부 일만 일천이백인, 보족석재補足石材 팔천오백체八千五百切, 공사비 전액의 총독부 보조를 보면 이만이천칠백십칠원칠십전二萬二千七百十七圓七十錢의 거액에 달했다. 이어 보존공사 낙성을 지난 15일 오후 10시 동사에서 본도장관대리 이리사와入澤 제1부장, 구니에다國枝 총독부기사, 와타나베渡邊 총독부서기, 다카다高田 본도관방주임 이하 경주 각 관공서수뇌자, 경주고적보존회 관계자, 민동유지 및 신문기자가 참열하여 성대하게 개안법회開眼法會가 이루어져 당일 예배를 위해 모인 노약老若 약 400에 달했다. 이 심산유곡에서 근년 희유의 성사라 하겠다.[358]

이 같이 대규묘 공사가 만 3년에 걸쳐 이루어 졌으나 준공 이후 2년이 못되어 굴 내에 누수현상이 나타났다. 이로 인하여 다시 보수공사가 시행되었는데 이때 석굴암 주지 명의의 신청서에는 "굴내의 누수 침투로 점차 내부의 불상을 오손할 염려가 있어 이대로 두기가 어렵다" 했다. 공사보조비 시령안에 첨부한 회계장부 기록에는 "설계불비에 기인된 것" 이라고 이러한 사태의 원인을 지적하고 있다.

수리 후의 석굴암
(국립중앙박물관 소장 유리건판)

그리하여 1917년 7월에 이르러 이를 방지하는 공사가 이루어 졌다. 이는 1917년 6월부터 7월까지 약 1개월에 걸쳐 오직 굴상부 봉토면에 대한 응급조치에 그쳤으며, 불과 3년 후에 이르러 다시 대규묘의 중수공사를 다

358 奧田耕雲,『新羅舊都 慶州誌』, 大正8년 9월, p.15에서 轉載.

시 할 수밖에 없었다. 3차공사는 1920년 9월 3일부터 전후 4년에 걸쳐 이루어졌다.

그러나 이는 처음 1차수리공사부터 출발이 잘못되어 2, 3차수리공사를 하였으나 근본적인 치유는 될 수가 없었다.

당시 『개벽』(제28호, 1923년 8월)의 '소식란' 에는 다음과 같이 비평하고 있다.

공사 중 발견된 석조물

이 굴이야 말로 퇴폐頹廢는 하였을지라도 여하한 폭우에도 일점의 옥루屋漏는 없었던 것을 일차 일본식의 수보자修補者의 손을 대인 후부터는 소우小雨의 감당이 말유末由하야 지금 다시 개수에 급급함을 보면 이것이 이른바 혹 떼려다가 도로 붙이는 것과 무엇이 다름이 있으랴!

석굴암 수리공사의 기본골격이라 할 수 있는 '석굴암수선공사사양서石窟庵修繕工事仕樣書'[359]는 다음과 같다.

1. 중앙에 안치하는 불상에 손상이 가지 않도록 목재로 포장하고 주위 벽면에는 판을 대고 각 요소에 버팀목을 하고 천정은 비기목飛機木으로써 돌의 추락을 방지하는 설치를 하며, 또 판을 깔아 굴내 전부를 덮고 서서히 천정석을 취제取除하여 석벽 밖을 둘러 싼 흙을 걷고 석벽 내면에 출래하

359 文敎部文化財管理局, 『石窟庵修理工事報告書』, 1967, p.16.

는 요철을 고치며 외위外圍에 두께 3척 균일 콘크리트를 밝는다.

1. 천정은 구형과 같이 수보하고 상부에 두께 3尺의 콘크리트를 밝아 전부를 덮고 성상盛上할 것

1. 전면 무개無蓋의 곳은 철근鐵筋 콘크리트로 옥개屋蓋를 만든다.

위의 구니에다國枝 기사의 사양서仕樣書는 처음부터 통일신라의 예술혼을 무시하고 신식 콘크리트로 완전히 개조하겠다는 기본골격이 구상되어 있었던 것이다.

이 계획은 사전에 전문학자에 의한 원형에 대한 검토도 없었을 뿐 아니라 원형에 대한 최소한의 기본조사 조차도 실측으로 남기지 않아 이후 복구에 대한 혼란을 초래하게 하였다. 또한 보수공사의 설계에도 전문학자의 참여 없이 작성되어 석굴암의 원형이나 고고미술학적인 면을 완전 무시하고 공사가 이루어졌던 것이다. 이점에 대해서 총독부간행의『불국사와 석굴암』에서 해체한 석굴암 사진 해설을 보면,

본 도판은 그 수리공사 때 기념 촬영한 것으로 본존불을 제외한 다른 것을 일단 전부 떼어내어 튼튼한 기초공사를 한 뒤 복원한 것이다. 다만 석굴의 주위에 두꺼운 회반죽을 하고, 여러 개의 돌을 교체하여 쌓았으며, 또 전면에 새로운 돌을 쌓아서 공사를 한 탓에 옛 모습을 잃었고 심하게 존엄을 잃은 것은 참으로 유감이 아닐 수 없다.

이에 1920년 봄부터 1923년 말에 걸쳐 재수리가 행해져, 봉토를 두껍게 하여 튀어나온 장대석을 쌓은 부분을 덮고 자연 석재를 이용하여 옛것을 보존하려 노력했지만 최초의 연구에 불충분한 점이 있었음으로 오늘에 만

족할 수 없는 점이 불소不少하다"[360]

라고 하고 있다. 또 서언序言에서 "불국사나 석굴암의 미술사적 또는 고고학연구는 아직 충분이라 말할 정도에 미달이며, 필요한 기본적인 조사를 행하지 않고 먼저 수리공사를 실시하였기 때문에 금일에는 이미 원형이 불명한 부분이 발생하고 있다" 라고 그들 스스로도 과실을 인정하고 있다. 뿐만 아니라 해방이후 수리공사시에 각 부재部材를 조사해 본 결과 준공도면이 실제와 많이 다르고 어떤 부분은 전혀 사실과 다르게 되었다.[361] 이는 원형대로 하지 않고 공사과정에서 편리한대로 그때그때 임의로 왜곡하였다는 것으로 이 공사가 얼마나 문화재에 대한 인식이 없이 토목공사 위주로 이루어졌는지를 말해 주는 것이다.

* 일제강점기 중수공사의 문제점

당시의 공사는 본존불을 제외하고는 석굴 전체를 해체하였는데, 1차공사 때 이이지마飯島는 "해체에 있어서 당초 예기豫期했던 파손석재 이외에 외부에서 규지窺知할 수 없었던 파손석재가 다수임을 발견한 것은 본직本職이 유감으로 여기는 바이다"[362]하여 토목기사로서는 규명할 수 없는 석재에 대한 난제를 토로하고 있다. 이러한 부분에 대해서 제멋대로 모자라는 석재는 새로 깎고 보충

360 朝鮮總督府,『佛國寺と石窟庵』圖版23 解說, 1938, p.58.
361 文教部文化財管理局,『石窟庵修理工事報告書』, 1967, p.60.
362 飯島의 年度報告,『石窟庵修理工事報告書』, 文教部文化財管理局, 1967, p.19.

1차수리 후의 前室

하였던 것이다. 석굴암 천장의 보충한 석재 중에는 일인 석공들의 작난으로 추정되는 '日本'이라 각명刻銘한 것까지 있었다. 내부구조는 그래도 옛 모습을 거의 간직하고 있으나 굴 외곽부는 보수공사로 인하여 원형을 완전히 잃어버렸다. 또한 석굴 전면에는 석축을 쌓아 오히려 외관상 고색을 상실케 하였다.

이 수리공사는 당시에도 문제점이 많아, "그 수리에 대하여 이곳을 방문하는 사람들은 여러모로 비평을 하였다. 전문가는 전문가대로 그 밖의 사람은 그들대로 시간과 비용을 생각하지 않고 많은 비평을 퍼부었다"[363]라고 하고 있다.

권덕규는 경주 여행기에서 다음과 같이 비평을 가하고 있다.

이 굴이 근일에 와서 황괴荒壞가 심함으로 대정4년에 이도 또한 수리를 가하얏는데 수리라 하면 원형 그대로 하는 것이 아니라 입구의 천정을 헐어 업시

363 大坂六村, 『趣味の慶州』, 慶州古蹟保存會, 1939, p.105.

하야 동글한 석조불감石造佛龕과 같이 되어 굴이라는 생각이 도모지 붓지 아니한다. 그리하야 어찌하면 가마갓다 노흔 것 갓기도 하며 또한 달마의 육계肉髻갓기도 하다. 게다가 수리 전 보다 우수雨水가 삼루滲漏하야 조상彫像이 하야케 분粉을 발라서 아주 녯빗이란 족음도 업다. 지금도 세멘트 칠을 자꾸 한다. 내 생각 가타서는 세멘트칠만 하지 말고 근본적으로 원형대로 수보修補하는 것이 조흘 듯하다. 원형을 일흔 수보는 개조요 수보가 아니며 고적 보존의 본의를 일흔 것이라 한다. 수리 공사에 감역監役하는 기사가 우리에게 일종의 권면勸勉을 주는데 고적을 보존하는 우리로는 자기의 고적을 아끼어 구경 오는 여러분에게 감사를 하노라 하며 잇대어 시기지 아니하는 설명을 한다.[364]

먼저 석굴의 윗부분을 보면, 1차수리 전의 사진에는 굴개부窟蓋部의 즙와葺瓦모습이 남아 있어 석굴 위에 기와를 덮었다는 추정이다.[365] 석굴정상부의 마감처리는 둥글게 기와를 덮음으로써 빗물의 침투를 막았던 것인데,[366] 이 같은 원형을 근본부터 임의 변경하여 석굴외부의 돌은 모두 깨어버리고[367] 그 대신 주벽에는 파손된

364 權悳奎,「경주행」,『개벽』 제18호, 1921년 12월.

365 1991년 5월 3일 한국정신문화연구원 인문과학부 연구원 대강당에서『석굴암의 제문제』에 관한 학술세미나가 열렸다. 이 날 김상현(金相鉉) 교수는『석굴암에 관한 문헌자료의 검토』라는 논문 발표에서, 일제가 1913년 석굴암 복원공사를 시작하기 전에 찍은 사진에는 기와지붕이 덮여 있고 봉토가 없지만 석굴암의 외곽을 "소릉과 같고 잔디가 덮여 있다"는 임필대(任必大)의『遊東都錄』에 실린 1767년의 방문기의 묘사를 비롯한 기록으로 보아 수리 전인 18, 19세기에는 릉과 같은 모습을 하고 있었다고 밝혔다. 따라서 그 이후의 기와지붕이 원래 있다가 중간에 없어진 것을 복원한 것인지, 아니면 원래 없던 것을 새로 만든 것인지는 앞으로 규명해야 할 것이라고 지적했다(한국일보 1991년 5월 3일 기사 참조).

366 黃壽永,『佛國寺와 石窟庵』, 教養國史叢書, 1974, p.142;『朝鮮古蹟圖譜』第5册, 圖版(1829-1910) 解說;『石窟庵修理報告書』, p.102.

367 現場寫眞을 보면 화강석의 파편들이 산더미처럼 쌓여 있다. 이는 이미 깨어버린 殘骸

추가한 팔부신장

이들 둘은 다른 팔부신장에 비해 유난히 적다.
처음 조상할 때의 시기가 다른 신장과 다르거나 다른 장소에 배치되었을 가능성을 시사하고 있다.

석재를 갈아 끼우고 석굴돔을 약 3척 두께의 콘크리트로 덮고 정상부에는 그대로 흙을 덮고 다시 잔디를 입혔었으며 전실은 천장을 만들지 않고 방치하여 두었다.

이 공사에 대해 해방 이후 석굴암 수리를 위해 1962년 이 부분을 해체한 결과 잘못된 부분이 명백하게 드러났다.『석굴암 수리공사 보고서』에 의하면,

석굴 입구 좌우석원左右石垣 및 석계단 공사도 진행되었던 바 그 기법과 석축

임을 알 수 있다.

방식에 있어서 일식日式이 가미된 것은 약 20명이 되는 석공 전부가 모두 일인이었다는 사실만으로도 이해될 것이다. 굴입구 상면 및 전실 좌우 양벽면 상부에 높은 석단축石段築도 이때 마련되었으며, 전실입구 부근에서 발견된 팔부상 2구를 다시 부가하되 좌우 벽과 잘못 굴곡시켜 인왕상과 상대케 한 작업도 이때 이루어 졌다. 이것은 일정공사에 따르는 석굴변형의 하나인 바.[368]

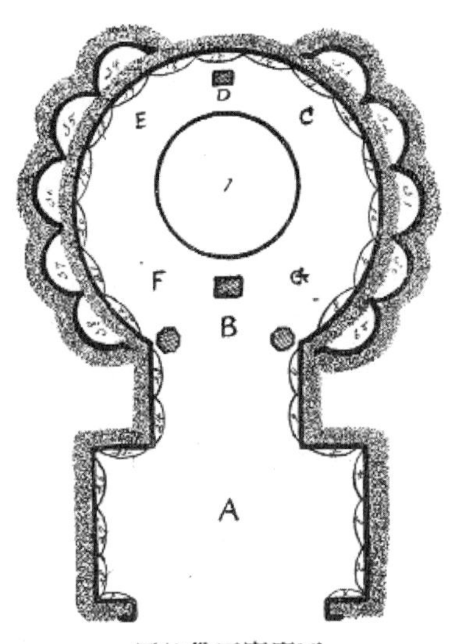

(『慶州之美術』)

라고 하고 있다.

일본인들의 보수에 있어서 전실부는 노천으로 하고 남북 양벽에 팔부신장八部神將을 6체는 서로 마주보게 하고 나머지 2체는 반면半面을 꺾어 서향西向하게 한 것이다. 전실부가 과연 원래부터 이러했는지 자세한 보고서가 없을 뿐 아니라, 굴곡부의 두 신장도 어디에서 나왔는지 정확한 기록이 없다.

다만 요시오카 겐타로吉岡堅太郎는 『계鷄의 림林』에서 이 두 팔부신장八部神將에 대해, "그리고 입구 쪽에는 반파된 금강신金剛神이 좌우 2개가 서향西向으로 나란히 서 있는데 이것은 중수할 때 석굴암 부근에

368 文教部文化財管理局, 『石窟庵修理工事報告書』, 1967, p.20.

서 발견한 것을 추가한 것인데 말하자면 사족蛇足이라 할 수밖에 없다"[369]라고 하여 불상이 원래부터 있었던 것이 아니라 굴 부근에서 출토되었다는 것이다. 이러한 것을 아무런 고증도 없이 추가시킨 것이다.

나카무라 료헤이中村亮平는 '석굴암석불위치도石窟庵石佛位置圖'에 있어서 직각으로 꺾은 부분의 두 상에 대하여 "다이쇼大正2년 부가附加"로 표시하고, "금강신金剛神의 2체를 보충하여 전실의 형태를 제멋대로 구조構造한 것은 확실히 불요의不要意한 부가附加이다" 라고 하고 있다. 그리고 "이런 것의 2면二面을 여기에 부가附加한 것은 실로 추태醜態의 극極이며 대담한 추가라고 말하지 않을 수 없다" 라고 비난하고 있다.[370]

1910년에 간행한 『조선미술대관朝鮮美術大觀』에는 1909년 즉 석굴보수공사가 이루어지기 전의 석굴입구의 원형모습을 담은 사진 한 점이 실려 있다. 이 사진을 보면 전실의 남면에는 3구軀의 팔부신장八部神將이 서있고 그 모서리는 적석積石으로 나타나 있으며 문제의 신장은 보이지 않는다. 그런데 새로 발견한 것을 모서리 적석으로 보이는 이 부분에 추가하고 전실의 모습을 제멋대로 왜곡시켜버린 것이다.

이 보수에 대해 일본인 야나기 무네요시柳宗悅는 다음과 같이 혹독한 비평을 하고 있다.

> 근년에 이런 상태의 석불사를 중수한 것은 조선총독부였다. 이 중수는 1913년 10월에 시작하여 1915년 8월에 준공되었다. 세키노關野 박사도

369 吉岡堅太郎,「慶州 見物」,『鷄의 林』, 1924, p.184
370 中村亮平,『慶州之美術』, 1929, p.34, p.61, p.55

1909년경으로 추정되는 석굴 입구의 모습(『朝鮮美術大觀』, 1910)

직접 관여했고 주로 이이지마 겐노스케飯島源之助 기사의 감독 아래 공사를 진행했다. 이 중수 때에 추가된 것은 그림 가운데의 추가번호 EX29, EX30(입구) 두 금강신을 서쪽으로 면하게 세운 것이다. 그러나 이보다 더 대담하게 추가한 것은 이 굴 밖 주위의 돌담이다.

나는 이를 보고 그 몰취미한 행위에 그만 놀라지 않을 수 없었다. 무슨 생각으로 꼭 터널의 입구로 오인될 것 같은 담을 건설한 것일까? 굴원을 수리한 것이 아니라 새로이 훼손한 것이라고 밖에 생각할 수 없다.

<중략> 오늘날 굴 밖의 구조가 옛날 그대로의 모습을 잃은 것은 대단히 섭섭한 일이다.

<중략> 그러나 오늘날 수리라는 이름 아래 새로운 모욕을 당한 것이다. 나는 전체적으로 통일되어 있는 저 굴원에 추한 중수로 새로운 불순이 추

가된 것을 한탄하지 않을 수 없다.

<중략> 나는 파괴된 채 있던 당시의 사진과 수리 뒤의 사진을 보고 예술을 모르는 죄 많은 과학의 행위를 미워하지 않을 수 없다[371]

전실부분에 대한 복원은 해방 후 수리공사를 하면서 상당한 논란과 진통을 겪은 후에야 이루어 졌다. 굴곡부에 대한 복원문제는 수차에 걸쳐 논의가 되었다. 일인들이 임의로 요석腰石을 구부려 놓은 흔적이 있고 요석 자체가 풍기는 일인들의 솜씨 등으로 보아 팔부신장은 전개展開시켜 전실에 맞도록 해야 한다는 주장과, 굴곡부의 팔부신장을 일본인들이 임의로 꺾어서 행하였다는 증거가 희박하니 지금현상을 그대로 두고 수리한 후 더 정확한 자료가 나타났을 때 다시 복원해야한다는 두 주장이 맞섰다.

결국 1963년 10월 12일 '제16차회의'에서 굴곡부를 펴는 것이 좋다는 결론을 내려 일정기에 축조한 석축과 굴곡부를 해체하여 정리하였다.

또 노천露天으로 두었던 전실의 가구공사架構工事도 이때 이루어 졌는데, 당시 전실구조의 목조지붕 존재여부에 있어서 "대한제국말기까지만 하여도 전실에는 목조가구가 있

석굴암 전실(수리공사 이전의 모습 『성균관대학교박물관 소장 유리원판전 II』)

371 류종렬, 「석불사 조각에 대하여」, 『예술』, 1919년 6월, 『조선을 생각한다』에서.

었고 일정수리 직전에는 전실과 굴정부에 와즙瓦葺한 모습과 개와蓋瓦들이 있었다"로 결론을 내렸다.[372] 처음 설계는 2층가구로 하였으나 수리공사 마지막단계에서 전실상량前室上樑을 수 일 앞둔 1963년 가을에 최순우 선생에 의해 겸재謙齋의 『교남명승첩嶠南名勝帖』에 실린 <경주골굴석굴도慶州骨窟石窟圖>가 소개됨으로서 이 그림에 나타난 것과 같이 단층으로 변경하여 축조築造하였다.[373]

그러나 전실 목조가구에 대한 논란은 오늘날에도 계속되고 있다. 세키노關野는 『조선미술사』 에서 "이 석굴은 평면원형으로 지름 6.8미터이고 그 앞면에 입구가 있으며 바깥에 직사각형의 전실이 만들어져 있다. 이 전실은 당초에는 어떤 종류의 지붕이 있은 듯하지만 지금은 그 윗부분이 소실되었다"라고 하고 있다. 그러나 배진달은 정시한丁時翰의 1688년 5월 15일 여행기에서 "석문 밖 양변에 커다란 돌에 새긴 불상이 각각 네다섯 개 있는데 기교하기가 짝이 없다. 석문은 잘 연마된 것으로 무지개 형태를 하고 있다" 라는 대목을 들어 전실은 지금과 같은 목조건물이 가설되지 않은 개방된 상태였음을 지적하고 있다.[374]

---

372 당시 보수공사 과정에서 출토된 기와류와 鐵釘 등이 이러한 사실의 자료로 제시되었으며, 특히 謙齋의 그림은 결정적인 역할을 하였다.
『佛國寺と石窟庵』의 '25. 석굴의 구조 2'에서는, "전실의 조상을 새긴 돌 위에는 좌우 4개의 肘木 모양의 돌을 돌출시켜 본래 그 위에 지붕이 있었던 것을 알 수 있고 석조였는지 목조였는지는 명확하지 않지만, 굴내 매몰된 흙 속에서 다수의 기와, 못, 걸쇠 등이 발견된 것으로 보아 전면에는 목조의 지붕과 입구가 만들어져 있었던 것으로 추정된다"라 기술하고 있으며, '26. 석굴의 정면'에서는, "굴 문의 입구 좌우 모서리에 금강역사와 사천왕상을 만들고 직각점 바깥쪽 밑바닥에 둥글게 구멍을 낸 대좌 같은 모난 돌이 깔려 있던 것이 大正2년 실측도에 기입되어 있어, 이 모든 정황으로 보아 이곳에 方立을 놓아서 문짝을 달았다고 생각되며, 전실 좌우위에 肘木과 함께 목조 부속 건물이 존재했음을 추정할 수 있다" 라고 해설을 붙이고 있다.

373 文敎部文化財管理局, 『石窟庵修理工事報告書』, 1967, '日誌', '分科委員會 會議錄', 參照.

374 裵珍達, 「石佛寺 石窟構造의 原形과 淵源」, 『新羅文化祭學術發表論文集』, 東國大學校 新羅文化硏究所, 2000.

이 사진은 『朝鮮慶州之美術』의 부록편에 실린 사진을 연결한 것이다.
이는 1910년에 발간한 『朝鮮美術大觀』에 실린 사진과 일치하고 있다.

남천우는 원래 구조에서는 목조전실이 없었으며, 그것이 새롭게 조성된 것은 18세기 초의 중수 때로 보고 있다.[375]

1960년대의 수리시에 "대한제국 말기까지는 목조가구가 있었을 것"으로 추정

375 南天祐, 「龕佛을 포함한 諸像과 石窟法堂의 教理的 解釋」, 『歷史學報』 111, 1986년 9월, p.17.

하고 있으나, 1910년에 간행한 『조선미술대관』에 실린 1909년경의 석굴 입구의 모습을 보면 전실 벽의 윗부분은 물론이거니와 주실 입구의 윗부분에까지 잡초들이 수북하게 자라고 있다. 이는 외부로부터 완전히 노출된 상태를 보여 주는 것으로, 최소한 1차수리 직전에는 전실에 천정부가 있었다는 증거를 찾을 수가 없었다.

해방 이후 보수공사와 관련하여 김원룡은 "오늘날 석굴암 보수에 있어서 이 전실을 어떻게 덮는가가 큰 문제거리로 되어 있는데 여기는 원래 목조지붕이 씌워져 있었으리라고 생각된다"고 하며[376] 일부 의문을 가지면서도 전실가구는 인정하였다. "모든 것이 불확실한 것으로 보아 이런 불확실한 점을 갖고서 이와 같은 중대한 사건을 쉽게 결정짓는 것 보다 지금의 현상대로 두어야 할 것으로 본다"라고 하면서 여기에는 좀 더 시간을 가지고 확실한 자료가 나올 때까지 기다리자는 신중한 자세를 보이기도 했으나,[377] 결국에는 당시의 세를 따를 수밖에 없었다. 앞으로 이에 대한 확실한 자료가 더 발견되어야 결론이 날 것으로 보인다.

해방 후 수리공사에 앞서 1958년 석굴암 현황을 조사한 조사단은 "일정기日政期 보수시補修時 토목공사적인 시공으로 40년 후인 오늘에까지 끼쳐진 피해가 신라창건기로부터 한말에 이르는 천여 년간의 손상보다 막심하다"고 지적하고 있다. 일개 토목기사에 의해 이루어진 이 공사는 당시 보수전의 상세한 실측과 개수과정의 상세한 자료를 남기지 않았기 때문에 너무나 많은 문제를 안고 있어 해방 후 여러 차례 보수공사를 했으나 많은 결함을 지니고 있다.[378]

376 金元龍, 「石窟庵隨想」, 『考古美術』 2-8, 1961년 8월.
377 文教部文化財管理局, 『石窟庵修理工事報告書』, 1967, p.109.
378 『경북지역의 문화재수난과 국외 반출사』

1913년 11월 18일

개성 태평관 철거

옮기 전의 개성 태평관(조선고적도보11)

개성보승회에서는 개성 서소문 밖에 있는 태평관을 개성 선죽교 부근에 옮겨 새로이 건축하기 위하여 1913년 11월 18일부터 훼철에 착수하여,[379] 1914년 3월에는 이 건물을 선죽교 근처로 옮겨 구 태평관과 흡사하게 건축했다.[380]

황해도 해주군 은적암隱寂庵, 빈발암賓鉢庵을 폐지하고 사유 재산은 신광사神

379 『每日申報』 1913년 11월 28일자.
380 『每日申報』 1914년 3월 14일자.

光寺에 귀속시키다.[381]

1913년 11월

고고자료의 수집

총독부 내무부에서는 1912년 6월부터 실시한 유실물법 제13조에 의하여 학술기예고고의 참고자료가 되고 그 소유자가 불명한 물에 대하여 그 발견한 때마다 각지에서 이를 수집하여 내무부 지방국에서 관리해왔다. 근일에 그 수가 많이 증대하여 일간 이를 일정한 장소에 진열하고 이런 등의 연구에 종사하는 자 기타 특종의 사람에게 열람을 허락한다고 하다.[382]

강서고분 관람 통제

1912년 9월 세키노 일행의 강서고분에 대한 조사 후 고분의 벽화가 널리 알려지자 일반인의 무단출입을 우려하여 출입을 통제하기로 했다.[383]

381 『朝鮮總督府官報』 1913년 11월 18일자.
382 『每日申報』 1913년 11월 6일자.
383 『每日申報』 1913년 11월 29일자.

오대산사고본 실록 일본 도쿄대로 반출되다.

1912년 11월 5일에 세키노 일행이 오대산사고를 조사했는데, 오대산사고는 2동으로 이루어졌으며 주위는 석담을 두르고 있었다. 남동南棟은 실록각으로 누상樓上에는 실록을 납하고 궤에 보관하였으며, 계하階下에는 사서, 시문집의 간본 등을 장치해 두었다. 그리고 북동北棟은 선원보각璿源寶閣으로 계보류系譜類를 납納하고 궤櫃에 수장收藏하였다하고, 선원보각소장의 순조원년에 중교보간한『선원계보기약璿源系譜紀略』간본 8책을 꺼내어 조사했다는 기록이 있다.[384]

아사미 린타로淺見倫太郎는「구정부의 비장한 기록」에서,

> 강원도 오대산에는 산성은 무無하난 종래 이조에서 병화의 우患에는 멀리 있는 지역이라 함이오. 이곳에는 유명한 상원사라는 절이 있으니 관찰한 사람의 말에 의한 즉 보존에는 상당히 노력한 형적이 역력하다하더라. 사고는 원래 강원부의 소관이 되어 승군을 조직하여 방비의 임무를 지게 한 것인데 <중략> 장서는 선원각과 별관에 충실하였더니 선원각에 저장한 것은 이왕가의 계보와 제종의 의궤류 기타 정부의 인쇄한 것과 개인의 인쇄물을 납본한 것이니 이 사판도 2, 3백부에 달한다 하나 모두 영조 이후의 인본으로 인認할만한 것에 불과하고 이 사각史閣의 실록은 지금은 도쿄제국대학에 보관하여 있으며.[385]

라고 하여 오대산사고본 실록이 이미 도쿄제국대학으로 반출되었음을 알리고 있다.

384 谷井濟一,「朝鮮通信2」,『考古學雜誌』第3卷 第5號, 1913년 1월, pp.58-59.
385『每日申報』1916년 10월 4일자.

「이조실록오태산본 월정사사적말미」에 의하면,

> 다이쇼大正3년(1914) 3월 3일 총독부 속원과 평창군 서무주임 히구치樋口 고원, 조선동 등이 본산에 와서 머무르며 선원보각에 장藏한 사책史冊 150짐을 강릉군 주문진으로 옮기고, 곧바로 일본 도쿄대학으로 보냈다. 이때 운반한 사람들은 다섯 동리에서 데려와 거행했고 3일부터 11일까지 사역하였다.[386]

라고 하여, 오대산사고본의 실록이 일본 도쿄대학으로 반출된 과정을 기록하고 있다. 반출 시기에 있어서는 착오가 있는듯하나, 총독부 직원의 지휘 아래 조직적으로 반출되었음을 알 수 있다.

오대산사고본 실록을 도쿄제국대학로 반출하는데 주동적인 역할을 한 자는 시라토리 구라키치白鳥庫吉다. 오대산사고본 실록에 탐이 난 도쿄제국대학은 시라토리를 한국에 파견하여 수 차 데라우치 총독을 만나 도쿄대학에 기증해 줄 것을 간청했다. 1913년 여름에 조선총독 데라우치로부터 허락이 떨어지자 시라토리는 도쿄대학의 출장을 명받아 이를 옮기기 위해 8월 하순에 한국에 건너왔다.

시라토리는 "내가 도착하기 전에 데라우치 총독의 명으로 이미 경성에 수송한 고로, 반수는 바로 도쿄으로 보내고, 오대산에 남아 있는 잔부殘部는 직접 도쿄로 수송하기로 하여 11월에 이르러 전부 도쿄에 도착하여 도쿄제국대학도서관에 비장하게 되었다" 라는 것으로 보아 도쿄제국대학의 요청을 받고 데라우치 총독은 시라토리가 한국에 오기 전에 이미 오대산사고본을 경성으로 옮기

386 黃壽永,『日帝期文化財被害資料』, 韓國美術史學會, 1973.

고 있던 과정에 시라토리가 한국에 건너온 것으로 보인다. 그래서 시라토리는 경성에 옮겨진 것은 바로 도쿄로 보내고, 미처 옮기지 못한 것은 오대산으로 본인이 직접 가서 도쿄로 반출하여 1913년 11월에 도쿄제국대학에 비장한 것이다.[387] 이는 태조 때부터 철종 때까지의 기록으로 권수는 통계 1700권이고 책수는 1200여 책이나 되었다.[388]

당시 도쿄제국대학에서 실록을 진장한데 자극받은 교토제국대학의 사와 야나기澤柳 총장도 총독과 교섭하는 중이며 조만간 교토대학에도 기증될 것으로 예상하고 있었다.[389] 그런데 어떤 연유인지 모르지만 교토제국대학에는 실록이 기증하지 않았다. 아마 한국인의 감정을 고려하여 불허했던 것이 아닌가 생각한다.

도쿄제국대학으로 반출된 오대산사고본의 운명은 너무나 가혹하여 1923년 9월 1일 관동대지진 때 대부분 불타 버리고, 겨우 157권 57책을 남겼다. 오대산사고본이 소실되자 경성대학 법문학부에서는 세키노가 중시하던 또 하나의 태백산사고본[390]을 저본底本으로 하여 1930년에서 1932년까지 3년에 걸쳐 30부를 사진판으로 발행하여 그 대부분을 일본으로 가져갔다.[391] 그 대가인지는 모르지만 도

---

387 「李朝實錄につきて」, 『史學雜誌』 第25編 第2號, 史學會, 1914년 2월, p.127.

388 稻葉岩吉, 「震災と鮮滿史料の佚亡に就て」, 『朝鮮史講座』, 朝鮮史學會同人, 1923.

389 「李朝實錄につきて」, 『史學雜誌』 第25編 第2號, 史學會, 1914년 2월, p.127.

390 1930년 경성제국대학(서울대학)으로 이관되어 보관해 오다가 1985년 총무처 정부기록보존소장의 요청으로 현재 부산의 정부기록보존소로 이관되었다.

391 「李朝實錄の影印出版」, 『靑丘學叢』 第2號, 1930년 11월, pp.182~184; 李謙魯, 『通文館 책방비화』, 1987.
裵賢淑의 조사(태백산사고 실록 판본고)에 의하면, 일제가 影印을 하면서 解冊했었을 가능성도 다분히 있다고 한다. 이때 다시 編綴하면서 原綴絲을 사용했는지 아니면 새로운 철사을 사용했는지 여부는 미상이나 만약 원철사을 버리고 새로운 철사를 사용했다면 원철사는 한 책도 없다고 한다.

쿄대학로 반출되어 화재를 면한 157권 57책 중에서 59권 27책은 1932년에 경성대로 돌려받고 나머지 98권 30책은 도쿄대학에 소장되었다.[392] 나머지 30책과 그 후 더 발견된 17책을 합쳐 47책은 2006년에 기증 형식으로 고국으로 돌아왔다.

조선왕조실록은 처음에 태조, 정종, 태종실록은 각 2부를 등사하여 1부는 춘추관에 1부는 충주사고에 봉안하였으며, 세종27년에 다시 2부씩을 등사하여 신설사고인 전주와 성주에 분장하여 이때부터 춘추관春秋館과 성주星州, 전주全州, 충주忠州의 사고史庫에 분장分藏하여 보관하였는데, 임진왜란으로 전주를 제외한 나머지는 모두 타버렸다. 충주사고는 선조25년 4월에 고시니 유기나가小西行長와 구로다 나가마사黑田長政의 군대에 의해 소실燒失되었으며 성주사고도 구로다 나가마사黑田長政의 군대에 의해 소실되었다. 춘추관사고는 4월말 어가御駕가 의주義州로 향해 도성을 떠나자 난민들이 궁에 들어가 홍문관弘文館 수장收藏의 서적書籍과 타고他庫에 수장되었던 사초史草, 승정원일기承政院日記 등과 함께 불태웠다.

전주사고는 왜군들이 전주를 공격하자 참봉參奉 오희길吳希吉과 선비 손홍록孫弘祿, 안의安義가 6월 22일 실록을 정읍 내장산의 용굴암龍窟庵으로 소개疏開시켰기 때문에 화를 면할 수 있었다. 1년 후 선조가 강서에 있을 때 사관史官 선전관宣傳官 등이 파견되어 정읍 내장산에서 손홍록 안의 등과 함께 실록을 아산으로 옮겨 다시 해로를 통해 해주로 옮기게 되었다. 선조28년에는 해주에서 강화로 이안移安되었으며 선조 30년 4월에는 정유재란으로 다시 향산香山으로 이안하였다. 선조34년에는 영변부내寧邊府內 객사客舍로 이안하였다가 선조36년 다

392 『鄉土』 第1卷 1號, 正音社, 1946년 7월.

시 강화에 봉안함으로서 실록의 명맥을 보전할 수 있었다.[393]

선조39년(1606)에 이 잔본을 기초로 하여 4부를 중간하여 춘추관과 태백산, 묘향산의 사고에는 신인정본新印正本실록을, 오대산에는 교정인쇄본校正印刷本을 분장分藏하고, 원본 즉 전주본은 강화 마니산 사고에 보관하였다. 그 뒤 묘향산사고는 인조11년(1633) 청과의 관계 악화로 무주 적상산으로 옮기고, 마니산본은 인조14년(1636) 병자호란 때 대파하여 낙장落張과 낙질落帙이 많이 생긴 것을 현종顯宗 때 다시 보수하여 신설한 동군同郡의 정족산사고鼎足山史庫로 옮기어 두었으며, 춘추관본은 인조2년(1624)에 있었던 이괄李适의 난 때 화재를 만나 불타버렸다. 이후 정족산본과 춘추관본을 합쳐서 1건을 형성하였으나 또 효종 때에 마니산사고의 화재로 일부가 소실되었다. 이에 낙권落卷을 보충하기 위하여 수보修補하였으니 전후 4차에 걸쳐 수보修補가 있었다. 1차는 춘추관 잔본殘本으로 보완할 때, 2차는 효종孝宗 때, 3차는 현종顯宗 때, 4차는 숙종肅宗 때이다.[394]

이후부터는 역대실록을 편찬하여 인출할 때마다 3사고에 추가 봉안하였는데 전례에 의하여 정족산, 태백산, 적상산에는 정인본을, 오대산에는 교정인쇄본을 두었다.

임진왜란으로 인해 이처럼 피해를 입은 조선왕조실록은 일제에 의해 또 다시 수난기를 맞게 되었다.

한일합방 이후에 정족산 및 태백산실록은 규장각도서와 함께 총독부 학무과분실學務課分室로 이장移藏하였고 적상산실록은 장서각에 이장하였다.

이후 조선총독부는 식민지 지배체제支配體制 확립確立을 위한 기초조사사업

---

393 丸龜金作, 「朝鮮全州史庫實錄の移動と宣祖の實錄複印」, 『史學雜誌』 第49編 6號, 1938; 裵賢淑, 「太白山史庫 實錄 板本考」, 『奎章閣 11』, 서울대학교도서관, 1988, pp.2-3.

394 瀨野馬熊, 「李朝實錄 所在의 移動에 대하여」, 『青丘學叢』 第4號, 青丘學會, 1931, 裵賢淑, 「鼎足山史庫本 實錄 調査記」, 『奎章閣 10』, 서울대학도서관, 1987, p.83.

오대산사고(국립중앙박물관 소장 유리건판)

의 일환으로 실록대조작업을 하였다. 서지학자 이종학 씨가 입수한 자료에는 우리나라 조선왕조연구에 가장 기본적인 사료가 되는 조선왕조실록의 현존하는 정족산본과 태백산본 사이에는 상당한 차이가 있음을 밝히고 있다. 이 실록대조표는 일제 하 조선총독부 중추원에서 작성한 것으로 조선왕조시대 태조- 임란직전인 명종까지의 13대 왕조실록에서 보여 지는 두 실록본 간의 상이相異한 글자는 4만여 개에 달한다고 한다. 이 자료는 '조선총독부 중추원' 이라 인쇄된 용지에 필사본으로 된 원본이다.[395] 이때의 조사는 그 목적이 영구히 보존하기 위한 것이 아니라 통치를 위한 자료로 원용하려 했다.[396]

오대산에는 철종까지의 실록 761책, 의궤 380책, 기타서적 2,469책, 계 3,610책이 었다. 이들은 모두 궤櫃에 넣었는데, 궤는 실록궤 82, 서책궤 86, 공궤 7궤가 봉안되어 있었다.[397] 『황성신문』 1900년 11월 13일자 기사를 보면, "강화 정족산성사고책자 폭서시에 1책을 분실한 일로 비서랑 이병소李秉韶가 황주 철도로 3년간 유배되었다"는 기록 등으로 보았을 때 이때까지는 보관에 철저를 기했던 것으로 보인다.

그 후에 오대산사고본은 1906년 4월에 폭서한다는 기록이 보이고 있다.[398]

395 『전통문화』 1985년 10월.
396 裵賢淑, 「鼎足山史庫本 實錄 調査記」, 『奎章閣 10』, 서울대학도서관, 1987, p.60.
397 裵賢淑, 「五臺山史庫와 收藏書籍에 대하여」, 『書誌學研究』 創刊號, 書誌學會, 1986, p.86.
398 『皇城新聞』官報, 1906년 4월 21일.

1909에는 궁내부 사무관 무라카미 류키치村上龍吉가 사고를 조사하고 궁내부대신에게 보낸 오대산사고 조사보고서에 의하면 "사고의 상고上庫에 봉장奉藏한 책자에는 이상이 없었으나 실록궤의 자물쇠가 파손되거나 분실된 적이 있었을 뿐만 아니라 붙인 장첩粧帖이 파손되기도 하였고 홍복紅袱 등이 없는 것도 있다고 하였다. 그리고 하고下庫에 상장尙藏한 책자에는 부식腐蝕이 있고 자물쇠의 파손과 분실은 상고보다 심하여 궤의 부후腐朽와 파괴도 많았고, 붙인 번호와 목록이 상이相異한 것도 많은 실정" 이라고 보고한 것이다.[399] 통감부시기에 와서 상당히 등한히 했던 것이 아닌가 생각된다. 분실에 대한 기록은 볼 수 없으나 그 관리가 얼마나 소홀했는지를 말해 주고 있다.

1910년 9월 30일에는 칙령 제356호로 조선총독부에 취조국을 설치하고[400] 1911년 6월에 조선총독부 취조국이 이왕직의 역대기록, 기타 도서 14만 8백여 책과 홍문관, 규장각, 집옥재, 시강원, 북한산이궁北漢山離宮: 行宮, 강화의 정족산, 무주 적상산, 봉화 태백산, 평창 오대산사고를 강제 접수하였다.[401]

강제 접수한 이후 총독부에서는 1910년 11월부터 강원도 강릉군 오대산에 있는 사고에 관한 사무는 강릉군수가 구관句管(맡아서 다스림)하기로 결정했다.[402] 당시의 사정은 1911년의 기록을 보면, 사고 수호를 위해 사고에는 승군 40명을 20명씩 1년 교대로 근무했다는 기록이 있다.[403]

---

399 『隆熙三年十月二十五日五臺山實錄曝曬時形止案』: 裵賢淑, 「五臺山史庫와 收藏書籍에 대하여」, 『書誌學研究』創刊號, 書誌學會, 1986, 재인용.

400 『朝鮮總督府30年史』, 朝鮮總督府, 1940, p.225-226.

401 『朝鮮慣習制度調査事業概要』, 朝鮮總督府中樞院, 1938, p.25.

402 『每日申報』 1910년 11월 16일자.

403 「五臺山月精寺僧應元等處〈禮曹完文〉」, 『朝鮮寺刹史料』下, 朝鮮總督府 內務部地方局 纂輯, 1911년 3월, pp.68~70.

1912년 11월에 오대산사고를 조사한 세키노는 다음과 같이 기술하고 있다.

> 강화도사고, 춘양 태백산사고, 강릉 오대산사고, 무주 적상산사고 중에서 가장 볼만한 것은 태백산과 오대산의 사고로 공히 선조39년의 경영으로 될 것이다.[404]

이처럼 오대산사고본을 중요시하자, 이에 탐이 난 도쿄제국대학은 총독 데라우치에게 도쿄제국대학에 오대산사고본을 기증해 줄 것을 간청했던 것이다.[405]

각 사찰의 주지취직인가 신청이 있을 때 본인의 품성 소행은 물론 신청서에 첨부한 이력서에 대하여 조사한 후 다음 사항에 해당하는 자는 인가하지 말 것을 시달하다.

> 1. 연령 25세 미만 자
> 2. 비구계 및 보살계를 수지受持하지 않은 자
> 3. 법랍오하法臘五夏 미만자
> 4. 수학정도는 적어도 4집과 또는 초등과를 졸업한 경력을 가진 자
> 5. 초대계석의 관례인 것을 증명하지않고 인법융통人法融通을 인허받은 이외의 사찰에서 수보자를 택한 자

『朝鮮寺刹史料』는 1910년 8월부터 경기도, 충청북도, 전라남도, 경상남북도, 강원도, 평안도, 황해, 함경남도의 現存 寺刹에 있는 碑文, 事蹟, 重修記, 懸板, 上樑文 등의 資料를 수집하여 1911년 3월에 朝鮮總督府 內務部地方局에서 『朝鮮寺刹史料』 2册을 간행한 것이다.

404 關野貞,『朝鮮の建築と藝術』, 岩波書店, 1941, p.172.

405 稻葉岩吉,「震災と鮮滿史料の佚亡に就て」,『朝鮮史講座』, 朝鮮史學會同人, 1923.

6. 주지수보자의 이력서에는 반드시 본사 주지로 하여금 서명 날인케 하고 본말사법에 정한 자격에 결궐이 없는 것을 보증케 할 것[406]

강화도 동막에서 선사시대 토기를 발견하다.

와다 유지和田雄治 등에 의해 강화도 동막東幕 부근에서 선사시대의 석기 토기 등을 발견되었는데, 『매일신보』 1913년 11월 6일자에는 다음과 같은 기사가 있다.

강화江華 석기 토기 발견. 금회 와다和田 이학박사는 강화도 동막東幕 부근에서 선사시대의 석기 토기 등을 발견하였더라. 우右에 대하여 박사는 어語하야 왈曰 선일先日 이나다 카즈히코稻田勝彦 씨가 동씨 경영에 계係한 강화도 동막의 채석장에서 발굴한 석부石斧를 견見한즉 기 장長이 3촌 3푼, 인폭刃幅이 1촌 8푼, 최대最大한 후厚가 1촌 1푼이오, 석질은 사암沙岩, 인刃은 일단一端에 미소微小한 결손缺損이 유有하나 원형圓形의 마제磨製오, 병柄은 초원동형稍圓筒形으로 타제打製라. 기 형상은 선년 만석동万石洞에서 오타太田씨의 습拾한 것과 방불彷彿하며 기타에 일개가 유有하나 석공石工이 타할打割하여 타처에 기각棄却하였다는데 여사如斯한 석부가 발견된 이상은 동막 부근에 선사시대의 유물포함층이 유有함은 명백明白이라. 고로 여予는 거去 1일 이나다 씨와 선은鮮銀의 요코야마橫山 지점장과 실지 답사에 출근하여 행幸히 이나다구미稻田組

406 『朝鮮總督府官報』 1913년 11월 22일, 12월 2일자.

출장소원 제군諸君의 간독懇篤한 조력助力으로 포함층 1개소를 발견한바 기타는 강화군 하도면 사기동 분오리라 칭하여 원돈대元墩臺가 유有한 곳으로 지금은 이나다구미 석재채취 특허지 내에 속하여 매일 수십 명의 일인日人 지나인支那人이 축항용재築港用材를 굴절堀切하는 처處이라. 기 지세를 견見한즉 일소반도一小半島의 고지로 동서남의 삼방三方이 전혀 타개打開하고 전면은 영종도 기타 제도의 나열함을 망望하고 원遠히 인천의 인연人煙을 견見하는 소위 '조일직사국석일일조국朝日直射國夕日日照國' 이라 천손天孫의 의자宜諮하신 지세를 구비한 처이라. 금회는 발굴이 근僅히 1, 2시간에 불과하였으나 수다數多의 직선식直線式 문양文様이 유한 토기파편을 득得하였고 동명洞名의 사기沙器에 고考하여도 차변此邊에는 왕고往古 사기를 발견한 사事가 유有할는지도 난측難測인즉 일층탐견一層探見할 필요가 유有하다 하노라 운운.

1913년 12월 1일

데라우치 총독의 헌상품

12월 데라우치 총독은 총독정치의 성과를 보고하기 위해 일본에 건너갔는데, 이때 그의 치적을 알리기 위해 궁내성에 다음과 같은 물품을 헌상했다.[407]

---

407 『每日申報』 1913년 12월 2일자; 12월 6일자.

조선통치상의 성적서(1부)	
조선 13도의 물산(수 상자)	농산물 공예품으로 분류하였으며, 농산물은 신구를 비교하여 개량의 정도를 나타냈다.
신고려소화병(1대)	공업전습소에서 제작
신구공업품(수 점)	
과물(果物)(수 상자)	대구, 인천, 수원 용산 등에서 재배한 것

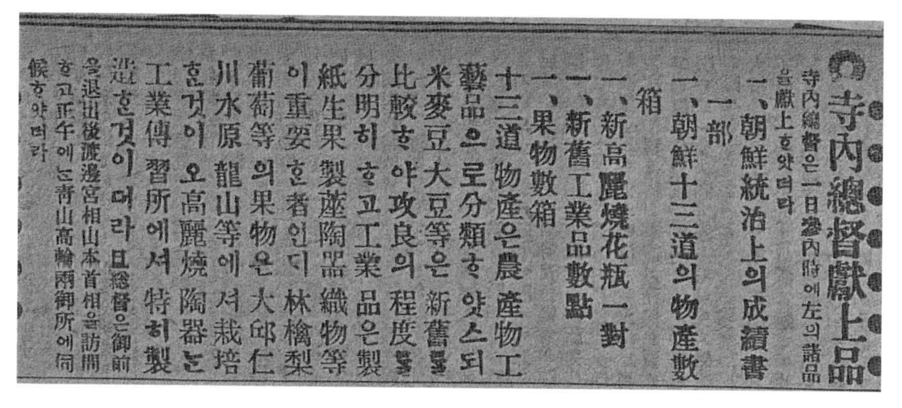
◎寺內總督獻上品
寺內總督은 一日參內時에 左의 諸品을 獻上ᄒᆞ얏더라
一、朝鮮統治上의 成績書 一部
一、朝鮮十三道의 物産數箱
一、新高麗燒花瓶一對
一、新舊工業品數點
一、果物數箱
十三道物産은 農産物工藝品으로 分類ᄒᆞ얏스되 米麥豆大豆等은 新舊를 比較ᄒᆞ야 改良의 程度를 分明히ᄒᆞ고 工業品은 製紙生果製産陶器織物等이 重要ᄒᆞᆫ者인ᄃᆡ 林檎梨葡萄等의 果物은 大邱仁川水原龍山等에셔 栽培ᄒᆞᆫ것이오 高麗燒陶器ᄂᆞᆫ 工業傳習所에셔 特히製造ᄒᆞᆫ것이더라 且總督은 御前을 退出後 渡邊宮相山本首相을 訪問ᄒᆞ고 正午에ᄂᆞᆫ 靑山高輪兩御所에 伺候ᄒᆞ얏더라

『매일신보』 1913년 12월 2일자

1913년 12월 4일

세키노 일행의 평양일대 재조사

세키노 일행은 만주 일대의 고구려 유적을 조사하고 11월 30일에 서울로 돌아온 후 12월 4일부터 평양 일대를 재조사했다. 관련하여 다음과 같은 기사가 있다.

황해도로부터 평남 순유를 마친 관야 일행은 지난 30일 밤에 입경하여 파성관에 투숙하였는데 4, 5일간 체경한 후 충청도를 조사하기위해 출발한다더라(『매일신보』 1913년 12월 1일자).

파성관에 체재 중인 관야 일행은 금년 6월말부터 북선방면을 반이상 조사하고, 2,3일내로 평양 이북에 다시 재조사할 필요가 있어 출장하였다가 귀경할 터이오 동상기는 래20일경에 재하리라더라(『매일신보』 1913년 12월 2일자).

관야 일행은 4일에 출발하여 평양을 향하였는데 동지에서 갑산을 경유하여 입경하였다가 다시 경주를 시찰하고 동경으로 돌아갈 예정이다(『매일신보』 1913년 12월 3일자).

관야 박사의 시찰. 지난 4일 내양한 관야 박사 일행은 5일 산기山崎 학무계 주임을 따라 평양부 대동강면 오야동에 출장하여 고분 기타 고물 등을 시찰하였다더라.(『매일신보』 1913년 12월 6일자)
관야 박사 동정, 지난 5일 관야 박사의 평양부 대동강면 고분 시찰은 동일 평양에 돌아와 유옥에 투숙하고 6일 오전 6시 50분 발차로 용강군 진지동을 향하여 17리의 고성 및 비갈을 조사하고 온정리에서 1박 후 7일 황산의 고분을 조사하고 당일 귀경하였다가 8일 1번차로 평북 곽산군을 향하였다더라(『매일신보』 1913년 12월 7일자).

관야 박사의 귀경. 관야 박사의 일행 5명은 작 9일 오전 8시 착 열차로 귀경하여 파성관에 입하였더라(『매일신보』 1913년 12월 10일자).

1913년 12월 30일

덕수궁 화재

1913년 12월 30일 덕수궁에서 화재가 일어나 소방대가 출동하여 불을 껐으나 사무실 전부를 소실하고 중요한 서류가 불에 탔다. 이 사무실은 1913년에 신축한 것인데 화재의 원인은 사령 2명이 사무실행랑을 쓰느라고 기름을 끓이다가 기름에서 불이 나서 순식간에 집 위로 연소한 것이라 한다.[408]

화재 장면(『매일신보』 1914년 1월 1일자)

1913년 12월

함경남도 함흥군 덕천면 동학리 산상에는 오래된 귀부가 있고 이곳이 오래된 절터라는 소문이 있어, 함흥경찰서에서 수색한 결과 최근 철불 1좌를 발견하였다.[409]

408 『每日申報』 1914년 1월 1일자; 『권업신문』 1914년 1월 18일자

409 『每日申報』 1914년 1월 2일자.

구 사직단(社稷壇)의 양여 불허

구 사직단 소재지에 대하여는 대부 또는 양여를 출원하는 자가 많아, 특별한 사유를 제한 외에는 사직단 소재지 및 그 경승景勝상 필요한 지역을 당분간 허가치 아니하기로 결정하고 각 도 내무부장이 각부 및 군수에게 통첩을 발하였다.[410]

도리이 류조(鳥居龍藏)의 제3회 사료조사

도리이 류조鳥居龍藏의 제3회 사료조사는 1913년 12월부터 1914년 3월까지로, 주로 경상남북도의 유사이전의 유적을 조사하고 인종상 풍속, 체격 등을 조사하고, 경남 창녕에서 진흥왕순수비를 조사한 것이 주목된다.[411] 김해 회현리 패총, 밀양 읍내 남마암산, 경주 내동면 사천왕사지, 창녕, 영주 안정면 안심동, 봉산 사리원, 고성 철성면 수남동 패총, 간도 등지에서 많은 유물을 채집했다.[412]

관련하여 다음과 같은 기사가 있다.

> 조거룡장씨 통과. 조거룡장 씨는 9일 연락선으로 래착하여 즉시 경성에 향함(『매일신보』 1914년 1월 10일자).
>
> 동경제국대학 이과대학 강사 조선총독부 촉탁 조거룡장 씨가 대구에 내박

---

410 『每日申報』 1914년 1월 16일자.
411 「조선에서의 박물관사업과 고적조사사업사(史)」, 『국립중앙박물관 소장 조선총독부박물관 문서』, 목록 번호 : 96-284.
412 「鳥居龍藏의 蒐集品目錄」, 국립중앙박물관 소장 조선총독부박물관 공문서, 목록 번호 : 96-149.

來泊하여 본월 2일 3일은 당지에 체류하되 4일 오후경에 상시고등소학교 내에서 강연을 열고 5일은 경주군으로 출발하여 연해 각 군을 유역한 후 진보군에서 안동, 의주 등 각 군을 관람하고 본월말경에 대구로 돌아와 바로 경성으로 출발할 여정 예산인데 그 목적은 역사재료의 채집이라(『매일신보』 1914년 3월 5일자).

같은 해

1913년도 도쿄국립박물관의 기증 및 구입품

유물명	시대	출처	비고
甕	가야	『東博圖版目錄』2004, 圖76	기증. 1913년 赤星佐七
黑釉水注		『東博圖版目錄』2007, 圖389	기증. 1913년 3월, 赤星佐七
金銅製鍍金玉		『收藏品目錄』, 1956.	기증. 赤星佐七
陶製坩 2개	개성부근	『收藏品目錄』, 1956.	기증. 赤星佐七
陶製脚附壺	대구부근	『收藏品目錄』, 1956.	기증. 赤星佐七
陶製盌		『收藏品目錄』, 1956.	기증. 赤星佐七

유물명	시대	출처	비고
陶製壺, 陶製橫甕	삼국	『收藏品目錄』, 1956.	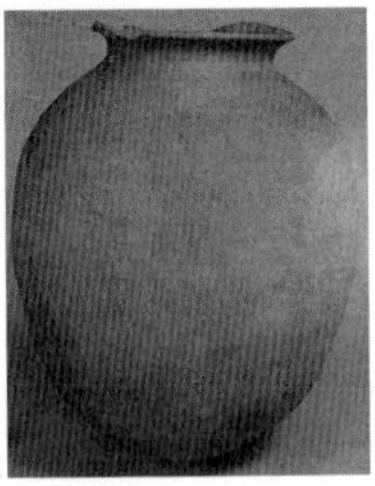 기증. 赤星佐七
崔忠獻墓誌	고려	『收藏品目錄』, 1956.	기증. 赤星佐七
砥石	삼국	『收藏品目錄』, 1956.	기증. 赤星佐七
高杯	신라	『東博圖版目錄』2004, 圖184	 구입. 1913년
台付長頸壺	신라	『東博圖版目錄』2004, 圖254	 구입. 1913년
台付長頸壺	신라	『東博圖版目錄』2004, 圖258	 구입. 1913년

유물명	시대	출처	비고
印花文骨壺	신라	『東博圖版目錄』2004, 圖305	구입. 1913년
高杯	신라	『東博圖版目錄』2004, 圖184	구입. 1913년
台付長頸壺	신라	『東博圖版目錄』2004, 圖254	구입. 1913년
台付長頸壺	신라	『東博圖版目錄』2004, 圖258	구입. 1913년
印花文骨壺	신라	『東博圖版目錄』2004, 圖305	구입. 1913년
瓜形水注	고려	『東博圖版目錄』2004, 圖404	구입. 1913년
壺 2개	고려	『東博圖版目錄』2004, 圖405, 408	구입. 1913년
瓶 2개	고려	『東博圖版目錄』2004, 圖415, 416	구입. 1913년
瓶 2개	조선시대	『東博圖版目錄』2004, 圖419, 421	구입. 1913년
瓶	고려	『東博圖版目錄』2004, 圖425	구입. 1913년

우리 문화재 수난일지

1914년

1914년 1월 13일

대원사 화재

●智異山寺의回祿
智異山中에著名ᄒᆞᆫ山淸郡大源寺ᄂᆞᆫ去十三日夜半브터出火ᄒᆞ야舍利殿一棟을除ᄒᆞᆫ外廣大ᄒᆞᆫ殿閣皮付寮舍와寺內에在ᄒᆞᆫ私立源明學校ᄭᆞ지全部燒失ᄒᆞ얏다ᄂᆞᆫ딕其出火의原因은未詳ᄒᆞ야目下調査中이거니와損害額이略五万圓可量이라더라

『매일신보』
1914년 1월 18일자 기사

경남 산청군 대원사大源寺는 승려가 수백 명이나 되는 선종사의 굴지의 대사원인데, 1월 13일 밤에 미곡창고에서 불이나 2시간 만에 사리전을 제한 광대한 전각 및 보물 전부를 소실하였다.[413]

이후 1917년에 건물을 중수 했으나, 1948년에 또 다시 소실되었다.

1914년 1월

독일 도서관장 한국본 수집

독일 라이피치도서관장 미폐일 박사가 도서전람회를 개최하기 위해 각국의 도서를 수집하기 위하여, 경성에 와 조선의 고서진본을 수집하다.[414]

413 『每日申報』 1914년 1월 18일자, 1월 23일자, 7월 12일자; 『권업신문』 1914년 7월 26일자.
414 『每日申報』 1914년 1월 13일자.

만연한 도굴

한일합방을 전후하여 고려자기의 대난굴과 전 국토에 도굴이 번져 도굴자와 골동상들이 늘어가면서 일본인들로부터 받은 악습은 한국인들에 급속도로 번져갔다. 1914년 1월 13일자 매일신보 사설 '고물보존'에는 당시의 폐단을 다음과 같이 개탄하고 있다.

> 근래는 내지인 및 외국인이 많은 수가 왕래하야 천금만금을 아깝다 하지 않고 언필칭言必稱 고물고물하므로 고물의 귀중함을 알아 조선인도 역시 고눌고물이라 하니 고물의 어떤 정신과 어떤 기술은 생각하지 않고 항시 외인外人에게 매각 급급하야 심한 자는 자기 선조의 황원단갈荒原短碣까지 얼마의 금전에 양도하니 인정의 불인不仁함이 반反히 고물을 알지 못할 때만 불여不如하다 할지로다.

처음 한국인들은 무덤 속에서 나온 유물이나 석조물들이 골동품으로서의 경제적 수단으로 사용될 것이라는 것은 꿈에도 생각지 못하였다. 그러나 이것들이 모두 매매의 대상으로 외국인들에게 비싼 가격으로 팔리자 차츰 한국인들도 일본인들을 따라다니면서 도굴과 밀매에 참여하게 되었다.

1914년 2월 2일

고려 희종릉 도굴

희종 석릉

2일 밤에 경기도 강화군 양도면 길정리 진강산 중록 고려왕 희종熙宗의 석릉碩陵이 도굴되어 석곽이 완전히 파괴되었다. 이 능은 수년 전에도 1차 도굴된 일이 있었다.[415]

1914년 4월 1일

일본 사학회《사료참고품전람회》

일본 사학회 제16회대회가 1914년 4월 1일부터 3일까지 도쿄제국대학교에서 개최 되었다. 이때 문과대학교실 및 표본실에서《사료참고품전람회》를 개최하였다. 이 전람회는 '국사의 부', '동양사의 부', '서양사의 부'로 나누어 진열하였다. 그 중 '동양사의 부'에는 조선왕조실록, 왜구관계 자료 및 문집류 90부와 고경古鏡

415 『매일신보』 1914년 2월 21일자.

등을 진열하였다. 왜구관계 자료는 남만주철도회사, 내각문고, 대학도서관, 제국도서관, 학습원도서관, 기타 개인 소장을 한자리에 진열한 것이다. 『조선왕조실록』을 제외한 다른 사료는 목록이 없어 알 수가 없으나, 특히 "왜구사료는 조선, 지나, 일본에 걸쳐 망라하고 있다"고 하는 것으로 보아 한국에서 가져간 사료가 많이 진열되었을 것으로 보인다. 또 조선, 중국, 일본의 고경 약 140점을 연대순으로 진열했다고 하는데 구체적인 품목은 알 수 없다. 당시 강연회에서는 야쓰이 세이이치의 「조선의 문고」라는 강연이 있었는데 그 내용은 알 수 없다.[416]

1914년 4월 8일

도쿄제국대학 《건축학과 제5회 전람회》

1914년에는 4월 8일부터 10일까지 3일간 공과대학 건축과에서 《건축학과 제5회 전람회》를 가졌다. 조선예술에 관한 것은 세키노, 야쓰이 등이 조선사적 답사의 결과로 가지고 온 것이라고 한다. 낙랑 대방 및 고구려(제1실), 삼국시대(제2실), 신라통일시대(제3실), 고려 및 조선시대(제4실) 등으로 나누어 진열하였다.

제1실은 낙랑 대방 고구려 부로, 평양 대동강면 조사 유물, 용강군 일대의 조

416 「史學會の展覽會」, 『考古學雜誌』 제4권 제8호, 1914년 5월; 「史學會の展覽會」, 『考古學雜誌』 제4권 제9호, 1914년 6월; 「史學會第16回大會」, 『歷史地理』 제23권 제5호, 1914년 5월, pp.108-109.

사 유물, 만주 일대의 조사 유물이 진열되었다. 그 중 특히 주목되는 것은 고구려시대의 진남포 매산리수총, 화상리고분, 용강 안성동대총, 강서 우현리고분 벽화모사도, 광개토대왕비탁본, 기타가 진열되었다. 광개토대왕비탁본에 대해서는 "광개토왕비탁본 비문은 신공황후 정벌에 관한 기사로 아국의 사료로 진품이다" 하고 있다.[417]

제2실은 삼국시대의 부로, 오바 쓰네키치小場恒吉와 오오타 후쿠죠太田福藏가 모사한 고구려시대 고분벽화 모사도와 가야시대 고령, 함안, 진주 등지에서 발굴한 유물 및 사진들을 진열하였는데 "야마토大和민족의 해외 발전의 사적을 추회追懷" 한다고 소감을 적고 있다.

제3실은 통일신라시대 부로 부여, 경주, 강원도 오대산 일대에서 수집한 유물과 사진들을 진열하였다.

제4실은 고려 및 조선시대 부로 개성 만월대 수집 유물, 각종 석탑비, 조선시대 복장류, 도기, 서적류 등이 진열되었는데, 서적류는 주로 지지 및 지도류와 기타 임진왜란 관계류라고 하는데 그 서목은 알 수 없다. "이상 진열품의 대부분은 세키노가 최근 조선에서 가지고온 것" 이라고 하고 있다.

상당수는 이미 제4회전람회에 선보인 것이고 새로 반출해간 것을 추가한 것이다. 주로 평양 일대의 고구려 유물과 벽화가 주가 되고 있다.

전시한 그 목록은 다음과 같다.

---

417 「東京工科大學建築科 第5回展覽會」, 『歷史地理』 제23권 5호, 歷史地理學會, 日本歷史地理學會, 1914년 5월.

《건축학과 제5회 전람회》 목록[418]

품목	개수	출토지	반출년	비고
조선역대연표, 고적조사여행경로				
平壤地方有城圖, 江西龍岡地方遺蹟圖, 鳳山郡帶方遺蹟圖				
대방태수묘 실측도	1매			
대방태수묘 有銘塼	6매	봉산군 미산면	1913년	
봉산군 고분 사진	1매			
점선비 탁본	1매	용강	1913년	
토성(낙랑군치지)塼 및 瓦	5종	평양	1913년	
대동강면 낙랑고분 사진 및 실측도	7매			
陶器	5종	평양 대동강면 낙랑고분	1913년	
鏡, 刀, 劍, 戟, 指輪, 腕輪 등	9函	평양 대동강면 낙랑고분	1913년	
塼	5종	평양 대동강면 낙랑고분 사용	1913년	
낙랑고분 부장품 사진	2매			
塼	3종	강동 지례동 고분 사용	1913년	
집안현 고구려 유적도	1매			
모구검기공비 출토처 사진	1매			
瓦	6종	집안현 산성자 발견	1913년	
瓦	6종	집안현 통구 동대자 발견	1913년	
광개토왕비 사진	7매			
광개토왕비 탁본	4매	집안현	1913년	
장군총 실측도	1매			

418 「朝鮮藝術展覽會」, 『史學雜誌』 第25編 第5號, 史學會, 1914년 5월; 『考古學雜誌』 第4卷 第9號, 1914년 5월.

품목	개수	출토지	반출년	비고
태왕릉 사진	1매			
천추총 사진	1매			
瓦	2종	집안현 장군총 및 후방 소석총 발견	1913년	
瓦 및 塼	5종	집안현 태왕릉 발견	1913년	
瓦 및 塼	7종	집안현 천추총 발견	1913년	
삼실총 사진 및 견취도	7매			
평양 고구려 유적도	1매			
용강군 진남포 부근 고구려 유적도	1매			
평양 사진	3매			
매산리수총 실측도 및 사진	8매			
매산리 狩塚고분벽화모사도	5매	진남포	1913년	小場恒吉과 太田福藏이 모사
瓦	6종	강동 한평동 한왕묘 출토	1913년	
한평동 한왕묘 실측도	1매			
한평동 한왕묘 사진	3매			
강서 간성리 고분 실측도 및 사진	3매			
진남포 화상리 고분 실측도 및 사진	4매			
진남포 성총 실측도 및 사진	4매			
진남포 대연화총 실측도 및 사진	4매			
대연화총벽화 模寫圖	13매	진남포		小場恒吉과 太田福藏이 모사
용강궁 안성동 대총 사진	2매			
쌍영총 실측도 및 사진	11매			
쌍영총벽화 모사도	6매			小場恒吉과 太田福藏이 모사
강서 우현리3묘 실측도 및 사진	4매			

품목	개수	출토지	반출년	비고
강서 우현리3묘벽화 모사도	18매	강서	1912년	小場恒吉과 太田福藏이 모사
평양외성 내 발견瓦 1종		평양		
대동강면 토성 발견 와	9종	평양		
안학궁지 발견 와	15종	평양		
고령 가야 유적도 및 사진	4매			
대가야왕궁지 발견 瓦	1종	고령		
고령고분 발견 陶器	4종	고령		
함안 가야 유적도	1매			
함안 가야 고분 사진	1매			
진주 가야 고분 실측도	1매			
가야고분 발견陶器	8종	진주		
가야고분 발견 武器馬具	1箱	진주		
함안 및 안변산성 사진	2매			
함안 고분 사진	4매			
하시동 고분 사진	2매			
하시동 고분 발굴 도기 사진	1매	강릉	1912년	
대구 부근 발굴 도기	23종	대구부근		
경주 부근 신라 유적도	1매			
부여 부근 백제 유적도	1매			
유인원기공비 타본 및 사진	3매			
진감선사비 기타 사진	6매			
하동 쌍계사 진감선사비 탁본	1폭			
함흥 황초령 진흥왕순수비 탁본	1매			
괘릉 기타 사진	13매			
괘릉, 흥덕왕릉 지형도	2매			

품목	개수	출토지	반출년	비고
부여정림사지탑 탁본 및 사진	5매			
여주 신륵사전탑 기타 사진	9매			
불국사 다보탑 기타 사진	15매			
염거화상탑 및 금산사사리탑 사진	2			
법주사쌍사자석등 기타 사진	8매			
석굴암 사진	20매			
상원사종 사진	5매			
상원사종 탁본	1폭			
봉덕사종 탁본	3매			
삼국시대 소동불	8구			
삼국시대 도기	6개			
花瓦	28개			
平瓦	5개			
□尾瓦	1개			
有文塼	6개			
施釉塼	2개	경주 사천왕사지		
개성 만월대 고려왕궁지도 및 사진	3매			
원주 흥법사 진공대사비 기타 고려비 탁본	16매			
원주 흥법사 진공대사비 기타 고려비 사진	23매			
부석사 무량수전 및 조사전 사진	8매			
월정사팔각구층탑 기타 고려탑 사진	4매			
부석사 본존상 및 기타불상 사진	4매			
원주 법천사지 지광국사탑 기타 고려 부도 사진	8매			
태조현릉 견취도	1매			

품목	개수	출토지	반출년	비고
공민왕릉 등 사진	6매			
천흥사동종 및 대흥사동종 사진	2매			
李公壽石棺	1개			
소불상	1구			
복식품 등	5函			
硯	3면			
錠	1개			
銅匙	6개			
개성 고려왕궁지 발견 瓦	13종			
원주 흥법사지 발견 와	4종			
청평사 극락전 기타 사진	14매			
오대산사고 기타 사진	14매			
경복궁 배치도	1매			
근정전 기타 사진	7매			
원각사탑 기타 사진	3매			
螺鈿飾箱	1개			
조선시대 도기	18종			
燭臺	1개			
창덕궁옥상 소용 瓦	1개			
조선시대 碧瓦 및 기타 瓦	7종			
刀子	3본			
工匠用具	9종			
因果應報圖	1매			
士人一生繪圖屛風	1폭			
서적	30부			
문무관 및 부인복식품	약간			

품목	개수	출토지	반출년	비고
공주망일사은비 탁본	1매			
해인사 사명대사석장비 탁본	1매			
건봉사 사명대사기적비 탁본	2매			
恭愍王所願法華經跋文				개성 모 일본인 소유
金剛山楡岾寺藏 懶翁和尙戒牒				개성 모 일본인 소유
五臺山上院寺重創勸善帖				
世祖 및 世子 以下 當代 知名 諸臣의 自署, 印章				

1913년 세키노 일행이 채집한 상당수의 중요한 와전을 바로 일본으로 반출해 갔다. 도쿄대학종합연구자료관에는 장군총, 천추총, 태왕릉에서 출토된 와전이 상당수 소장되어 있는데, 다무라 고이지田村晃一는 이에 대해, "도쿄대학종합연구자료관에 소장하고 있는 집안의 적석총 출토의 와당류는 다이쇼大正2년(1913) 세키노씨 일행이 수집한 유물로 생각된다. 또 도쿄국립박물관에 소장된 와당류는 대장臺帳에 야쓰이谷井 씨가 대정3년(1914)에 기증한 것"이라고 한다.[419]

《건축학과 제5회 전람회》에 진열했던 서적류와 문서류는 그 목록이 구체적으로 밝혀져 있지는 않다. 그러나 실록에 대해서는 "오대산의 실록은 구랍舊臘 옮겨져 현재 도쿄제국대학 부속도서관에 보관되어 있다"고 하고 있다. 그런데 전람회에 진열한 중요 목록 중에는 놀랍게도 『오대산상원사중창권선첩五臺山上院寺重創勸善帖』과 세조世祖 및 세자 이하 당대 지명제신知名諸臣의 자서自署, 인장

419 田村晃一, 『樂浪と高句麗の考古學』, 同成社, 2001, pp.311~317, p.325.

등이 나타나 있다.[420] 이들은 모두 오대산사고에 진장되었던 것으로 보이는데 당시 진열되었던 조선 관계 유물에 대해 "이상 진열품의 대부분은 세키노 박사가 최근 조선에서 가지고온 것"이라고 하고 있다.[421] 세키노 일행이 반출한 것이라면 1912년 11월 5일에 오대산 상원사와 오대산사고를 조사하고[422] 곧바로 반출한 것으로 보인다. 하지만 당시 세키노 일행이 어떤 것을 얼마나 반출했는지 알 수 없다. 오대산사고에 함께 보관되어 있던 기타 서적의 행방에 대해서도 꾸준한 노력이 필요하다.

1914년 4월 21일

강도가 덕주사에 불을 지르다.

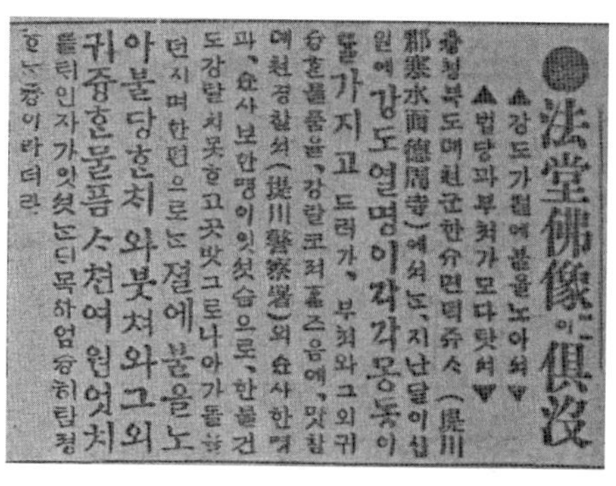

法堂佛像이俱沒

▲강도가절에불을노아서▼
▲법당과부쳐가모다탓서▼

츙쳥북도뎨쳔군한슈면덕쥬ᄉᆞ(堤川郡寒水面德周寺)에셔ᄂᆞᆫ、지난달이십일에강도열명이각각몽둥이를가지고드러가、부쳐와그외귀즁ᄒᆞᆫ물픔을、강탈코져ᄒᆞᆯᄌᆞ음에、맛참뎨쳔경찰셔(堤川警察署)의슌사한명과、슌사보한명이잇셧슴으로、한물건도강탈치못ᄒᆞ고곳밧그로나아가돌늘던지며한편으로ᄂᆞᆫ절에불을노아불당ᄒᆞᆫ치와부쳐와그외귀즁ᄒᆞᆫ물픔ᄉᆞ천여원어치를티인자가잇셧ᄂᆞᆫᄃᆡ목하엄슉히탐졍ᄒᆞᄂᆞᆫ즁이라더라.

『매일신보』 1914년 5월 9일자 기사

충북 제천군 한수면 덕주사德周寺는 『신증동국여지승람』에는 "월악산 밑에 있다. 속담에 전하기를, '덕주부인德周夫人이 이 절을 세웠기 때문에 인하여 이름지었다' 한

420 『考古學雜誌』 第4卷 第9號, 1914년 5월, p.57.
421 「朝鮮藝術展覽會」, 『史學雜誌』 第25編 第5號, 史學會, 1914년 5월; 『考古學雜誌』 第4卷 第9號, 1914년 5월.
422 谷井濟一, 「朝鮮通信2」, 『考古學雜誌』 第3卷 第5號, 1913년 1월, pp.50-59, 藤井恵介, 早乙女雅博 외 2명 편, 『關野貞アジア踏査』, 東京大學總合硏究博物館, 2005.

덕주사 극락전(국립중앙박물관 소장 유리건판)

다" 라고 할 뿐, 그 창건 유래는 명확하지 않다.

4월 21일에 강도 10명이 각각 몽둥이를 가지고 덕주사에 들어가 불상과 그 외 귀중품을 강탈하려고 했는데, 마침 제천결찰서 순사 1명과 순사보 1명이 있었으므로 물건은 하나도 가져가지 못하고 절에 불을 지르고 달아났다. 그로 인하여 불당 한 채와 불상과 그 외 귀중 물품 4천원어치가 소실되었다.

일제말에는 덕주사 경내의 구 건물지에서 금구禁口, 범종, 각 1좌와 불기佛器 수점이 출토되었다는데 곧 제천경찰서에 탐지되어 강탈당했다고 한다.[423]

이 고찰은 6 · 25 때 전소되었다. 제천군 한수면 송계리 월악산 중복의 사지에는 마애석불 등 수점의 유물이 현존한다.

1914년 4월 25일

아사미 린타로淺見倫太郎가 한남서림에서 『해동고승전海東高僧傳』을 구입하다.

423 鄭永鎬의 「堤川 月岳山 德周寺址의 調査」(『考古美術』 第三卷 第十號, 考古美術同人會, 1962)에 의하면, 특히 범종은 고약 1.5척인데 명문이 있고 天人, 花紋 등의 문양이 유려하였다는데 당시 일인 서장이 직접 來訪하여 탈취하였다고 한다.

미국 버클리대 동아시아도서관 내 아사미문고에 소장되어 있는『해동고승전海東高僧傳』에는 "大正3年 4월 25일에 백두용으로부터 이 책을 샀다" 라는 아사미 린타로의 메모가 있다고 한다.[424]

1914년 4월

사무관 스에마츠 구마히코末松熊彦를 전남과 충청에 보내어 요지를 조사하게 하다.

사무관 스에마츠 구마히코末松熊彦를 전라남도 장흥, 강진, 해남, 광주 등 4군 및 충청남도 부여군에 보내어 고려 소요유적燒窯遺跡을 조사하게 하였다.[425]

도리이 류조(鳥居龍藏)의 제4회 사료조사

도리이 류조鳥居龍藏의 제4회 사료조사는 1914년 4월부터 동6월까지, 경북 경주 및 전남 전반에 걸쳐 유사 이전의 유적을 조사했다.[426]

고성읍 폐사지 석탑편(1914년 鳥居龍藏 촬영)

424 이민희,『백두용과 한남서림 연구』, 도서출판 영락, 2013, p.244.

425『純宗實錄』1914년 4월 6일자.

426「조선에서의 박물관사업과 고적조사사업사(史)」,『국립중앙박물관 소장 조선총독부박물관 문서』, 목록 번호 : 96-284.

도리이 류조鳥居龍藏는 경상남북도 진주, 진해, 김해, 함안, 통영, 거제도, 고성, 남해도, 하동, 부산, 동래, 밀양, 대구, 경주, 영일만, 청송, 안동, 죽령, 상주, 김천, 왜관 등지를 3개월에 걸쳐 조사한 다음, 신라시대의 고배, 토기, 가야시대 철기, 그외 석기 녹각기鹿角器, 석부石斧, 석창石槍, 석포정石庖丁 등을 수집했다.[427]

전남 강진군 대구면 청자요지 조사

1880년경부터 개성, 강화도 등지에서 우수한 고려청자가 도굴되어 세상에 나왔으나 그 원산지에 대해서는 불명으로 남아 있었다. 그러다가 1914년 4월에 전남 강진군 대구면의 도요지가 발굴되어 고려청자의 제작소가 밝혀지게 되었다.

강진군 대구면의 도요지가 처음 발견된 것은 스에마츠 구마히코末松熊彦의 조사 1년 전인 1913년 봄이었다. 당시 강진경찰서 대구주재소원이 관내를 순시하던 중 당전리의 밭에서 정교한 청자파편을 발견한 적이 있었다.[428] 그러나 이것은 주위 사람들에게 소문으로만 번졌을 뿐이지 발굴 조사의 결정적 계기는 되지 못했다.

1914년 3월에 박물관 직원 스에마츠 다미히코末松多美彦가 강진군에 있는 경선궁慶善宮 소유 토지조사를 위해 전라남도에 출장을 갔다가 강진군 대구면에서 고려청자명高麗靑磁皿이 붙어 있는 한 파편을 습득하여 이를 이왕가사무관 스에마츠 구마히코末松熊彦에게 주었다. 이것이 결정적 동기가 되어 스에마츠 구마히

427 鳥居龍藏, 「新羅伽倻以前の南韓族」, 『朝鮮及滿洲』 제82호, 朝鮮及滿洲社, 1914년 5월; 濱田耕作, 『考古學研究』, 座右寶刊行會, 1939, p.297; 趙由典, 「日帝 마구잡이 發掘로 '任那日本府說' 造作」, 『慶南鄕土史論叢 Ⅵ』, 1997, p.215.

428 『釜山日報』 1926년 7월 6일자.

코는 1914년 4월 상순에 통역관 1명을 데리고 대구면에 출장하여 산야 등에서 종래 발견된 우수한 고려청자와 동일한 청자파편이 산일한 것을 발견하게 되어 이 지역이 고려소 제조장임을 확인하게 되었다. 청자요지임을 확인한 스에마츠는 고마쓰小宮 차관에게 전보를 하여 촉탁 야기 쇼자부로八木奘三郎 외 관원 2명을 파견하게 되었다. 이래 50여 일간 대구면에 체재하면서 청자요지를 발굴하게 되었다.

발굴 장면

그 결과 요지 10여 개소를 발굴하여 우수한 청자파편을 발견하게 되었다. 그 요지 중에서 가장 우수한 것이 발견된 곳은 당전리堂前里의 3개소로, 종래 개성 및 강화도 일대의 고분에서 나온 가장 우수한 것이 모두 이곳에서 나온 것과 동일한 것으로 판명되었다.[429]

조사 후 보고서는 별도로 작성하지 않고 스에마츠 구마히코末松熊彦가 「고려청자요 신발견」이란 제목으로 『매일신보』 1914년 6월 3일부터 6월 6일까지 4회에 걸쳐 발표를 하였다. 『매일신보』 1914년 6월 3일자에는 조사 동기를 밝히고 있는데, 다음과 같다.

429 「高麗燒롱跡發見」, 『歷史地理』 제24권 1호, 歷史地理學會, 1914년 7월; 野守健, 「扶安郡に於ける高麗陶窯址」, 『陶磁』 제6권 제6호, 1934; 小山富士夫, 「高麗の古陶磁」, 『陶器講座 7』, 雄山閣, 1938.

고려청자요신발견-말송웅언 담

금회 발견된 청자요지는 전라남도 강진군 대구면으로 그 서단에 재한 것은 미산인데 그곳은 자고로 미산尾山 또는 미산美山이라고 기하였고 다음은 당전리인데 미산의 동에 재하고 다기 동방에는 남북이 상대하여 만경대와 관찰산이 있으니, 이 만경대와 당전리는 남면하여 상병相並하고 그 중 낮은 지대는 곡절하여 북으로 들어가 일산간이 되었는데 서방에는 용문리가 있고 동방의 곡간谷間에는 도적굴이 있으며 이런 등지에 모두 고도요가 있고 중간에 계류가 남류하여 만경대의 횡측에서 다시 서류하여 강진만에 입入하고 항동港洞의 땅은 또 도적굴의 산을 돌아 그 오지에 재하니 이것이 대구면의 끝이 되고 <중략>

대구면의 청자요도 고려의 멸망과 함께 그 적跡이 세世에 매몰된 이래로 5백기춘추를 지나 자玆에 당시의 현상을 발견함은 실로 시운時運의 사연使然함이라 이를지라 그러나 그 존재를 알게 된 것은 오인 이외에 또 일파의 사람이 있으니 동군 칠량면의 순사 中?穀重 군이라는 씨는 경성 재직 시에 이미 고려자기를 알고 그 후 이곳으로 옮겨 순회할 시에 대구면에서 그 파편을 습득하여 이를 강진의 관민에게 보였다는데 이는 작춘 3월경이라 그 후 10월 11월경에 이르러 점차 동지방인사가 주의하기에 이르러 하마구치濱口 모가 미산록의 매장물 발견자 되는 이름으로 동지 경찰에 신

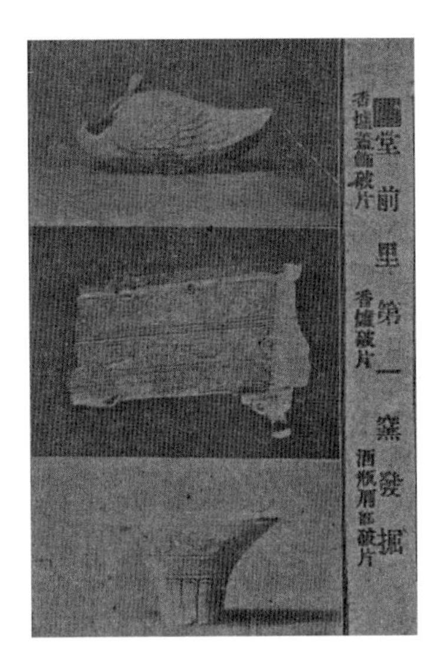

출토 유물

고함에 이르게 되었으나 아직 이를 조사하는 자가 없고 단 고구려시대의 고도요적인 듯하다 하는 사로 금일에 이른 바이라. 그러나 오인간의 발견은 앞의 사람과는 하등 관계가 없이 전혀 별종의 사정에 기인함이니 그 차제를 말하건데 원래 강진군에는 원 경선궁慶善宮의 소재지가 유함으로 매년 직원을 파함이 상례인데 본년 3월에 직원末松多美彦이 동 지방에 출장하여 대구면에서 하나의 자편磁片을 습득하여 돌아와 이를 나에게 보여 주기로 내가 이를 보니 청자파편이므로 4월 초순에 이를 조사하게 된지라 나의 대구면에 도착함에 우선 파편 산재지를 일순하여 각소의 파편을 수집하고 살펴본즉 개성 강화 기타 동 부근에서 발견되는 정교정미한 고려청자의 파편을 득하여 계속하여 이 地에서 수년간 찾고자 하던 고려고도요지라는 것을 알게 되었으나 유적이 광대함으로 소궁차관에게 연락하여 팔목외 2명의 관원을 급파하기를 구하여 금회의 조사를 행하기에 이르게 되었다.

전라남도 강진군 대구면의 고려청자요지의 발견은 이후 널리 알려지면서 이를 발굴한 공적에 대해 스에마츠가 대부분 종사한 것으로 나타나 있으나,[430] 고야마 후지오小山富士夫는 "세상에는 당시 이왕가박물관의 스에마츠 구마히코末松熊彦의 공적으로 전하고 있지만 실제적 조사는 야기 쇼자부로八木奘三郎가 담당하였다"고 한다.[431]

도리이 류조鳥居龍藏도 제주도로 향하던 중 1914년 5월 9일에 강진군 대구면의 요지를 답사하고 청자파편 일부를 채집한 것으로 보인다. 『매일신보』 1914년 5월 12일자에는 다음과 같은 기사가 있다.

---

430 野守健,「扶安郡に於ける高麗陶窯址」,『陶磁』 제6권 제6호, 1934.
431 小山富士夫,「八木奘三郎先生の功績」,『陶磁』 제10권 제2호, 1938년 9월, p.27.

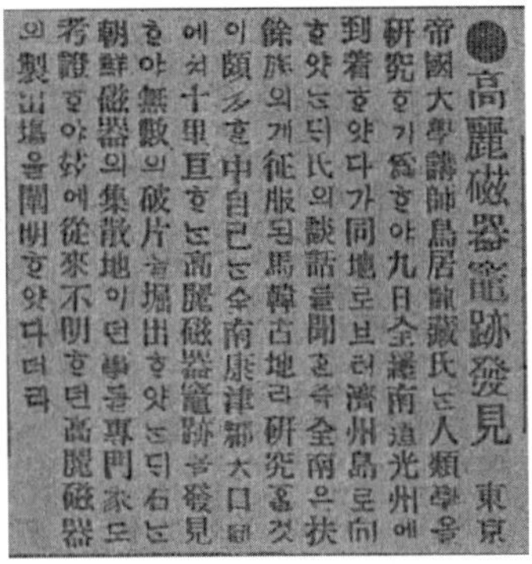

고려자기룡적(高麗磁器竜跡) 발견

동경제국대학 강사 조거룡장 씨는 인류학을 연구하기 위해 9일 전라남도 광주에 도착하였다가 동지로부터 제주도로 향하였는데 씨의 담화를 들은 즉 전남은 부여족에게 정복된 마한 고지라 연구할 것이 파다頗多한 중 자기는 전남 강진군 대구면에서 10리에 긍亘하는 고려자기요지를 발견하여 무수한 파편을 굴출하였다는데 석石은 조선자기의 집산지었던 사事를 전문가도 고증하여 자에 종래 불명하던 고려자기의 제출장製出場을 천명闡明하얏다더라.

1914년 5월 2일

세키노 타다시關野貞는 5월 2일자로 조선 고와전 233점을 도쿄제국대학에 기증하다.[432]

432 關野貞硏究會 編『關野貞日記』(중앙공론미술출판, 2009)에 의하면, 1914년 5월 31일에 동경제국대학총장으로부터 조선 고와전 233점을 대학에 기증한데 대한 영수 및 감사장이 도착했다고 한다.

1914년 5월 9일

무장사비편와 서동화상탑비편 발견

이 비는 오래 전에 도괴되어 소재를 잃어버렸던 것을 영조38년(1760) 홍양호洪良浩가 경주부윤으로 있을 때 사람을 시켜 이를 찾게 되었다. 홍양호의 『이계집』 권16, '제 무장사비'에,

> 내 계림에 윤尹으로 고적을 찾다가 고노故老에게 들으니 신라 무장사에 김생 서 비가 있는데 이제 소재를 알지 못한다 말하므로 내 심히 개연하여 읍지에 안찰하여 리를 보내어 찾아 산의 가장 깊은 곳에 들어가, 중의 말이 '이 무장사 구허舊墟라 한다. 고전古傳에 신라여주新羅女主가 이에 장병藏兵하였다 하며 비는 보이지 않은 지 오래다.'한다. 리吏가 실상으로써 돌아와 보고하거늘 내 이르되 '이미 옛터를 얻었으니 비가 혹 림박林薄에 매몰하였는지? 다시 가서 찾으라' 하였더니 수일 만에 와서 말하되 '사후寺後에 콩가는 맷돌이 있어 맥리脈理가 범석凡石과 다르므로 일으켜 그 배를 보니 곧 고비의 그 반을 꺾은 것이라' 내 듣고 이상하게 여겨 공工을 보내어 수본數本을 탑搨하여 오니 과연 무장사비로서 <중략> 내 서귀西歸한에 미쳐 상국 유문익 공을 뵈오니 공이 이르되 군이 계림에서 있었으니 무장비를 얻어 보았는가? 내 구해 얻은 시말로서 대답하니 공이 기뻐하여 가로되 노부의 평생에 금석록을 모으기 수 백 권이었으나 홀로 이 비를 얻지 못하여 영절嶺節을 영절嶺節하면서 구하기 부지런히 하였으나 아는 자가 없더니

군이 이에 얻었으니 호고好古하기 정말 내게 지나도다. 내게 1본一本을 나누기 원하노라. 드디어 받들어 드리고 이에 1본一本으로 인각비의 아래에 부장附粧하였더니 뒤에 들으니 장서가에 이미 무장사비 전본全本의 전 후면을 갖춘 이가 있는데 이제 나의 탑搨한 바는 곧 전면前面의 반이고 후면은 콩가는데 멸滅한 바로 되었으니 거듭 가석可惜하도다.

라고 기술하고 있다.

비는 『신증동국여지승람新增東國輿地勝覽』에 기사가 있음을 보아 중종25년(1530)까지는 무사하였던 것으로 보인다. 홍 부윤이 재임한 영조38년(1762)에 와서는 절도 거의 폐하여졌고 비도 두 동강으로 부러진 채 맷돌로 된 뒤 그 동강만이 발견되었던 것인데 그 이후 또 다시 행방불명이 되었다. 순조純祖17년(1817)에 조선 근대 금석학의 대가 추사 김정희가 수색한 결과 비신의 단석斷石 2편二片을 발견하였다. 추사가 발견한 것은 깨어진 비신 두 조각으로 그 비문 중에 '봉조아미타불상일奉造阿彌陀佛像一' 이라는 구절이 남아 있어 『삼국유사』에 실린 무장사아미타전에 안치했던 아미타여래상의 조상의 유래를 적은 것임을 알게 되었다. 그러나 얼마 후 다시 소재를 잃어버리고 말았다.

무장사아미타여래조상비
(국립중앙박물관 소장 유리건판)

1913년 이래 조선총독부에서 일본의 식민지 지배정책의 토대 마련을 위한 작업의 일환으로 『조선금석문총람朝鮮金石文總攬』을 편찬하기 위한 금석문 수집에 따라 일부 조사가 이루어 졌다.

1913년 2월에는 정무총감의 이름으로 '조선고서 및 금석문 탁본 수집에 관한 건'을 각도 장관에게 통첩하였다. 별지別紙에 나타난 주요한 내용은 조선도서의 수집, 금석문의 수집, 판목, 편액 등의 조사, 경문 및 기록 등을 조사하여 통보하라는 것이다. 그리고 이러한 통첩에 이어 주요한 금석문에 부쳐 목록을 작성하여 각도에 송부하고 동년 9월 각 도 장관과 각 도 경무국 부장에게 참고가 될 만한 6종의 자료를 수집하라는 의뢰문을 발송하였다. 이 때 포함된 자료는 조선금석문, 조선도서, 조선각군읍지, 고문서, 책판, 참고품이었다.[433]

당시 총독부 참사관실의 서기관 오다 간지로小田幹治郎[434]가 중심이 되어 1914년 4월 경무부장회의에서 각도에 있는 금석문의 목록目錄을 송부送付하고 대대적인 금석문 수집을 하였다. 이에 따라 1914년 5월에 출장원 김한목金漢睦, 나가사토中里伊十郎에 의해 무장사지鍪藏寺址가 조사되었다. 무장사지는 경상북도 경주군 내동면 암곡리에 있는 폐지로 이곳에는 왕휘지자로 집각集刻한 무장사아미타여래조상비鍪藏寺阿彌陀如來造像碑가 있어 『동경잡기東京雜記』[435]와 『삼국

433 『朝鮮舊慣制度調査事業概要』, 朝鮮總督府中樞院, 1938, pp.40~44.

434 小田幹治郎은 1875년생으로 1901년 司法官 試補가 되어 1903년 이후 地方裁判所 判事로 근무하다가 1906년 韓國政府의 招聘에 따라 한국에 건너와 法典調査局 事務官, 調査課長을 兼하였다. 1910년에 朝鮮總督府 取調局이 設置되자 取調局事務官으로 任命되었으며, 1913년에는 辭書審査委員, 1914년에는 總務課 兼務, 中樞院 書記 등을 거쳐 1918년에는 朝鮮總督府 調査課長으로 활동하였다. 이후 中樞院 書記長官을 歷任하였다.
參考 : 『隆熙二年 六月 職員錄』(內閣記錄課); 『朝鮮人士 興信錄』, 1922, 朝鮮新聞社; 『京城市民名鑑』, 1921, 朝鮮中央經濟會.

435 『東京雜記』 '佛宇' 條에,
鍪藏寺: 부의 동북쪽 30리 암곡촌 북쪽에 있다. 전설에, '고려 태조가 삼국을 통일한 후 무기와 투구를 감추었으므로 그런 이름이 붙었다' 한다. 옛날 비석이 있다.

허물어진 무장사석탑

유사三國遺事』[436]에 기록되어 있는바 수색에 나섰던 것이다.

무장사비의 소재에 대한 단서端緖는 1912, 1913년경에 오다간지로小田幹治郎가 경주를 여행하던 중 묵고 있던 여관주인으로부터 북쪽 4리의 산중에 문자文字가 새겨져 있는 작은 석편石片을 보았다는 이야기를 듣고 지도를 근거하여 살펴보니 무장사지로 추정되는 곳이었다.[437] 당시는 곧 바로 조사를 행하지 못했으나 금석문 수집을 계기로 총독부에서 김한목金漢睦, 나가사토中里伊十郎 등을 파견하게 된 것이다.[438] 무장사비을 찾기 위해 출장원들이 이 사지의 일대를 수색한 결과 1914년 5월 9일 내동면 암곡리 지연止淵이라 부르는 계류溪流의 언덕에서 무장사아미타여래조상비鍪藏寺阿彌陀如來造像碑의 귀부와 이수[439] 그리고

436 『三國遺事』 3권, '鍪藏寺阿彌陀' 條에,
절의 위쪽에는 아미타의 古殿이 있다. 곧 昭成大王의 妃 桂花王后는 대왕이 먼저 서거하였으므로, 근심이 가득하여 황황하고 어찌할 바를 몰랐으며 지극히 슬퍼하여 피눈물을 흘리고 마음을 상했다. 이에 그는 밝은 덕을 그윽히 찬양하고, 명복을 찬란하게 나타나게 하려고 생각했다. 이때 서방에 아미타라는 대성이 있어 지성으로 귀의하면 잘 구원하여 맞아 준다는 말을 듣고 '이것이 사실이라면 어찌 나를 속이겠는가?' 하고는 이에 六衣의 화려한 옷을 희사하고 九府에 저장해 두었던 재물을 모두 내어 명공들을 불러들여 아미타불상 한 구를 만들게 하였으며 아울러 神衆들도 아울러 모셨다.

437 小田幹治郎, 「鍪藏寺碑の發見」, 『小田幹治郎遺稿』, 1931, p.151.

438 1913년 '慶州古蹟保存會 事業施行大要'를 보면, 鍪藏寺石塔에 대해 修繕工費를 寄附받아 鐵柵 등을 설치할 계획으로 나타나 있는 것으로 보아 경주고적보존회에 의한 1차 조사가 있었던 것으로 보인다(『考古學雜誌』 第3卷 11號).

439 『寺塔古蹟攷』, "在內東面暗谷里溪東大山國有林中存倒壞石塔一基及龜趺一基."

전에 추사가 색출한바 있었던 단석斷石 2편二片 외 1편을 발견하였다.[440] 또한 이곳에서 신라서당화상탑비新羅誓幢和上塔碑[441]의 비신 하반부에 해당되는 단석

440 무장사아미타여래조상사적비(鍪藏寺阿彌陀如來造像碑) 안내 입간판에 대한 약간의 천견(淺見).

'무장사아미타여래조상사적비 이수 및 귀부' 안내 입간판의 내용은

"1915년 이 주변에서 '무장사사적비'라는 비석의 조각을 발견하여 절 이름이 무장사였던 것을 알았다"라고 기술하고 있다.

1934년에 경주고적보존회에서 발간한『신라구도 경주고적 안내』의 '무장사지' 조를 보면, 寺는 일찍이 폐하고 그 사지는 내동면 암곡리에 있으며 사지에 미타불의 비는 王羲之 字를 集刻한 것으로 "도괴되어 소재를 잃어 대정4년(1915) 단석 3편을 발견해 총독부박물관에 보관했다" 라고 기록하고 있으며, 신라서당화상탑비(新羅誓幢和上塔碑)에 대해서도 1915년에 발견했다고 한다.

이를 근거로 한 것인지는 모르지만 1974년에 한국불교연구원에서 발간한『신라의 폐사(1)』(일지사, p.71)에서도 "碑座 위에 있던 비신은 왕희지의 글씨를 집각한 것인데, 1915년 파편 중 세 조각만이 발견되어 현재 서울국립박물관에 보관중이다. 이 비편 발견으로 이 절터가 무장사였음이 확인되었다" 라고 하고 있다.

葛城末治의『朝鮮金石攷』(大阪屋號書店, 1935)에서는 "대정3년 5월 9일에 총독부 출장원 金漢睦, 中里尹十郎의 양씨가 사지의 부근에서 이 비의 이수 귀부 및 전에 김정희가 捜出한 단석 2편과 외 1편을 사지로부터 1리 떨어진 止淵이라 칭하는 계류 중에서 발견했다"고 한다.

葛城末治의『朝鮮金石攷』에는 小田幹治郎은『朝鮮及滿洲』 대정3년 7월호에「鍪藏寺碑の發見」을 게재한 것으로 나타나 있다.

朝鮮總督府에서 발행한『朝鮮金石總覽 上』(1919)에도, "21. 慶州鍪藏寺阿彌陀如來造像事蹟碑. 所在 본부박물관(대정3년 5월 암곡리 止淵에서 발견)"이라고 하고 있다.

따라서 입간판의 "1915년 이 주변에서 '무장사사적비' 라는 비석의 조각을 발견하여 절 이름이 무장사였던 것을 알았다"에서 "1915년"에 발견했다는 것은 좀더 考究해야 할 문제로 보인다.

441 誓幢和上이란 元曉大師를 가르키는 것으로, 또 한편이 1968년 9월에 경주시내 동천동 傳稱 東泉寺址 부근의 한 농가에서 발견되어 동국대에 수장되었다.

황수영의「한국의 금석문」에 의하면, 발견 장소는 전 동천사지(이곳은 葛城이 발견한 비편의 발견지와 약 10리의 거리이다)인데 일정 때 사지중앙에는 日人 경영의 제지공장이 있었다. 해방 후 그 공장은 철거되었고 다시 답으로 변경되었을 때 이 비편이 출토되었다. 황수영 박사가 이 지역을 조사하였을 때 동행하였던 昔氏가 이고 민가에서 보관된 '글씨 새긴 돌'을 찾던 끝에 비로소 이 고비편의 존재를 알게 되었다. 그런데 이 비편이 어찌하여 이 지역에서 발견되었는지는 확실한 자료가 없다. 황수영 박사는 아마도

3편도 함께 발견하여 조선총독부로 옮겼다.[442]

1914년 5월 16일

이왕직사무관 스에마츠 구마히코를 전남지방에 파견하여 고려 요적을 조사하게 하고 요지에서 거두어들인 도자기 파편 등은 이왕직 박물관에 보관하다.

이왕직사무관 스에마츠 구마히코末松熊彦를 고려高麗 요적窯跡을 조사하기 위하여 전남지방에 파견하여 강진군의 대구면大口面에서 고려 요적窯跡 유지遺址를 발견하였다. 탐방할 즈음에 당시 폐기된 불완전한 도자기 및 파편 등의 물건을 많이 얻어서 이왕직 박물관에 보관하였는데, 도토陶土가 있는 땅 약간을 또한 사두었다.[443]

1914년 6월 1일

스에마츠 구마히코末松熊彦가 전남 강진 도요지에서 가지고 온 도자기 파편을

이 부근에서 이 一片 만이 유리되어서 동천리 제지공장의 일인에 의하여 보관되어 온 것으로 보인다고 한다. 이 일인은 고물 수집에 상당한 취미가 있었다고 한다.

442 葛城末治,『朝鮮金石攷』, 大阪屋號書店, 1935, pp.226-227.
葛城末治,「朝鮮の集字碑に就いて」,『稻葉博士還曆記念滿鮮史論叢』, 稻葉博士還曆記念會, 1938.
1935년 5월 24일 附 朝鮮總督府告示 第 318號로 鍪藏寺阿彌陀如來造像碑의 귀부와 이수는 보물 제198호, 鍪藏寺石塔은 보물 제199호로 지정되었다(朝鮮總督府官報 제2507호).

443 『純宗實錄』1914년 5월 16일자.

주합루宙合樓에 진열하고 신문 잡지 기자 15명을 초대하여 관람케 하였다.[444]

1914년 6월 17일

조선총독부의 헌상품

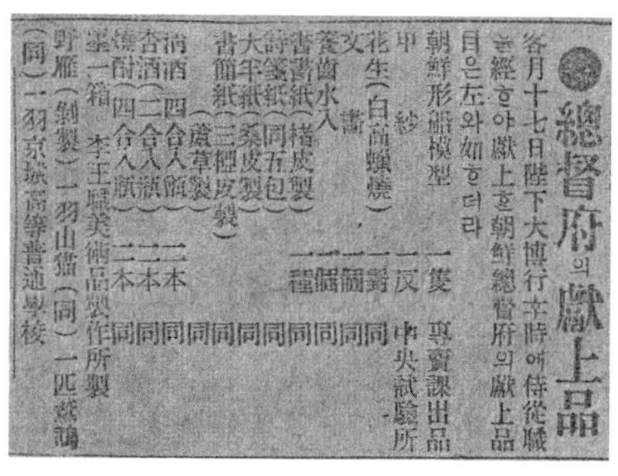
總督府의 獻上品

各月十七日陛下大博行幸時에 侍從職을 經호야 獻上호 朝鮮總督府의 獻上品目은 左와 如호더라

朝鮮形船模型 一隻 專賣課出品
甲紗 一反 中央試驗所
花生(白磁蠟燒) 一對 同
文書 一個 同
養齒水入 一個 同
書畵紙(楮皮製) 一種 同
詩箋紙(同五包) 同
大半紙(桑皮製) 同
書簡紙(三種皮製) 同
(蘆草製) 同
清酒(四合入餅) 二本 同
杏酒(二合入瓶) 二本 同
燒酎(四合入瓶) 二本 同
螺鈿一箱 李王職美術品製作所製
野雁(剝製) 一羽 山猫(同) 一匹 燕鷄(同) 一羽 京城高等普通學校

총독부의 헌상품(『매일신보』 1914년 7월 16일자)

1914년 3월 20일부터 열린 대정박람회에는 조선관을 건립하여 조선 13도에서 산출한 물품을 이곳에 진열하였다. 조선총독부에서는 진열품 일부를 일본왕실에 헌상하였다. 1914년 6월 17일 일왕의 대박(대정박람회) 행차 시에 시종직을 경유하여 헌납한 조선총독부의 헌납 품목은 다음과 같다.

조선형선모형朝鮮形船模型	1쌍	전매과 출품
갑사甲紗	일반	중앙시험소
화생花生	1대	중앙시험소
문화文畵	1개	중앙시험소
양치수입養齒水入	1개	중앙시험소

444 『純宗實錄』 1914년 6월 1일자.

서화지書畵紙	1종	중앙시험소
시전지詩箋紙		중앙시험소
대반지大半紙		중앙시험소
서간지書簡紙		중앙시험소
청주淸酒	1본	중앙시험소
행주杏酒	2본	중앙시험소
묵일상墨一箱		이왕직미술관제작
야안박제野雁剝製		경성고등보통학교
산묘박제山猫박제		경성고등보통학교
취청박제鷲鶄剝製		경성고등보통학교

조선 총독부는 소위 다이쇼大正 박람회에 규장각 도서의 일부와 활자活字, 고서지도류古書地圖類등을 출품했는데 그 후 활자들이 거의 없어진 것을 보면 다른 책이나 지도류 등이 얼마나 잘 보존되어있었는지 의문이 남는다. 또한 정조시대에 편찬한 도서 가운데 그림들이 들어있는 『해동여지통재海東與地通載』(60권), 『성제도설城制圖說』(3권), 『성도전편城圖全編』(4권) 등의 귀중도서들이 지금 전해지지 않고 있다. 해외에 유출된 도서 가운데 특히 그림이 들어있는 책이 많다[445]는 사실을 생각할 때 이 책들도 반출된 것으로 추정된다.

조선총독부 참사관분실參事官分室이 규장각 도서를 정리하던 시기에 장기간에 걸쳐 상당한 인력을 동원해서 도서와 기록류를 검토하고 일부 도서들에 대

445 한영우, 「규장각 자료의 정리와 활용」, 국사관논총73집, 1997.

해서는 간단한 해제까지 작성하였는데,[446] 신용하 교수는 오늘날 규장각 도서 중의 기록류를 열람하다보면 반드시 있어야 할 자리에 당연히 꼭 있어야 할 자료가 인위적으로 빠져 있음을 발견하게 된다고 한다. 만일 이것이 그 기록 이후에 누군가 손을 대어 이러한 현상이 일어났다면, 그 가능성은 조선총독부 참사관실이 규장각 도서를 정리한 시기(1912년~1922년)에 일어났을 가능성이 가장 높다는 것이다.[447]

공사 중인 조선관(『매일신보』 1914년 2월 11일자)

1914년 6월 29일

공진회사무장정(共進會事務章程) 공포

1914년 6월 29일 훈령訓令으로 공진회사무장정共進會事務章程을 공포했다. 사

446 白麟, 『奎章閣藏書에 대한 硏究』(1962, 연세대학교도서관)에 의하면,
참사관실에서는 모든 도서를 편저자에 의하여 우선 조선본과 중국본으로 二大別하고 이를 사고전서의 분류법에 의거하여 분류하고 類別假目錄을 작성하였다. 그리고 도서에는 함부로 '朝鮮總督府'의 朱印을 찍었으며 도서번호, 카드번호, 서가번호 등을 표시한 소위 '番號紙'를 첨부하였다. 그 후 1919년 3월에는 참사관 분실에서 『朝鮮圖書解題』를 편찬하였다.

447 愼鏞廈, 「奎章閣圖書의 變遷過程에 대한 一硏究」, 『奎章閣 5』, 서울大學校出版部, 1981, p.76 參照.

역사중인 공진회장(『매일신보』 1915년 5월 14일자)

무장정事務章程에 의하면 공진회의 사무를 처리하기 위하여 회에 사무총장, 사무원장, 사무원을 두고 출품심사를 위하여 심사장, 심사부장, 심사관, 심사원을 두었다. 또 공진회에 관한 중요사항을 심의하기 위하여 평의원을 두고, 사무총장은 정무총감이 맡고 기타직원은 총독부 직원 중에서 총독이 명하고 또 평의원은 각 부 장관, 외사과장, 학무국장, 경무국장, 철도국장, 농상공부장관, 비서관, 사무관, 기사 이하 31명에 대하여 사무위원에 속하게 하고, 기수 이하 24명에 대하여 사무원 혹은 촉탁에 임명했다. 부장관, 국장, 도장관 이하 151명에 대하여 총독부 또는 각 도 평의원 촉탁으로 하고 이에 사무위원은 누차 회동하여 공진회에 관한 제반諸般의 예규例規, 진열관, 기타 건물의 배치, 영선공사營繕工事 방침 기타 필요한 사항을 정하도록 했다. 1914년 8월 6일 총독부 고시告示로 회기를 1915년 9월 11일부터 10월 31일까지 공진회를 경복궁에서 개최한다

는 것을 고시告示하였다.[448]

이 같은 방대한 조직은 무엇보다도 조선통치의 선전에 총력을 기울이겠다는 심산으로 보인다.

1914년 7월 9일

경복궁 건물 경매

경복궁이 대대적으로 훼손毁損되기 시작한 것은 1915년 즉 경술국치 후 5년째 되던 해였다. 이해를 그들은 합방 5주년 기념으로 '조선물산공진회朝鮮物産共進會'라는 박람회를 개최하여 산업 외 제반시설의 실적을 전시 내지 그 기타 참고품參考品을 출진出陳하여 총독부 신정新政이 마치 엄청난 혜택을 주고 있는 것처럼 선전 왜곡하고 도래渡來한 일본인에게 조선의 상황을 소개한다[449]는 고도의 정치적 계략計略을 바탕으로 1914년에 그 계획을 수립하였다.

시정5주년기념공진회장을 한창 준비하던 1914년 7월에는 근정전 전면에 있는 흥례문과 이를 연결한 회랑, 기타 동쪽 공지에 있는 동궁, 자선당, 시강원 등 모든 건물과 문, 담장 그 외 이용하지 않은 석재들이 제거되었다.

『매일신보』 1914년 7월 5일자에는 다음과 같은 기사가 있다.

448 京城府, 『京城府史 第3卷』, 1934, pp.255~257; 岩井長三郎, 「總督府新廳舍の計劃及び實施に就て」, 『朝鮮』, 1926년 4월.

449 朝鮮總督府, 『施政5年記念朝鮮物産共進會報告書』 第1卷, '開催趣旨 및 計劃', 朝鮮總督府官房總務局, 1916년 9월.

기념공진회 설비 장소는 경복궁 내

대정4년 추기에 개최할 시정5년기념물산공진회 회장 설비의 개요를 들은 즉 장소는 경복궁 내로 하여 전면 반부를 이용하고 정면된 광화문을 출입 정문으로 하고 동문된 건춘문과 서문된 영추문을 출구로 하여 광화문을 들어와 제1문 및 부속 회랑을 훼철하고 그 기지에 넓이 60칸間, 길이 35칸 건평 1천2백평의 물산진열관을 신축하고 본관에는 조선 각도의 물산을 출품하여 나열케 하며 본관 우편 정면에는 정면 35칸과 넓이 10칸에 건평 3백평은 참고관으로 1동을 신축하여 본국 및 각 식민지 기타의 참고품을 진열하는데, 이상 2관은 모두 목조로 풍취가 있는 구조를 선택하여 도안한 바이오. 또 이와 상대케 하는 광화문 우방 정면에 중간 토벽을 훼철하고 종래의 건물을 수리 응용하여 우사牛舍를 건축하고 그 북편에 계사鷄舍를 설치하고 또 광화문 좌방에 돈사豚舍를 신설하고, 본관 후면 근정전 우편에 연속하여 남면으로 참고관을 측면으로 보이는 지점에 미술관을 특설했다. 본관의 중앙부는 계상계하를 통하여 70평의 물품진열소로 하며 기타 신축물로는 음악당, 매점, 부속 소건물이오. 재래의 건물 중 필요한 것은 수리를 하거니 개축하여 일부는 진열관 일부는 귀빈접대실, 사무실, 기타에 충당할 계획이라. <중략> 근정전 및 경회루는 여하히 이를 이용할까 함에 대하여 연구 중이나 현재 기공 중인 것은 미술관 기초공사로 8월 중순에 기공할 예정이며 보토공사도 계속하여 착수할지며 기타 다과점, 매점 등을 설치할지나 즉 직원의 임명을 불견하므로 미결정이니 상세 사항은 직원 임명 후 결정을 볼 것이라 한다.

시정5년기념공진회장을 설비하기 위해 1914년 7월 9일에 흥례문 외 24건을 갑호 9건, 을호 7건, 병호 3건, 정호 6건으로 나누어 경매입찰에 붙여 불하했다.

景福宮內 建物競賣期

共進會場에充用홀景福宮內에拂下홀興禮門外二十四件은九日午前十時로브터總督府調理課에셔競賣入札을執行호기로決호얏는딕右二十五件은甲號九件乙號七件丙號三件丁號六件에分호야每各號를入札에付홀터이라는딕入札希望者는入札注意其他詳細를調査課에就知홈이可호며此等의建物은入札을終호야契約을畢호後三十日內로撤去홀者이라더라

『매일신보』 1914년 7월 7일자 기사

『매일신보』 1914년 7월 10일자에는 경매 결과를 다음과 같이 보도하고 있다.

> 시정5주년 조선물산공진회장 건축에 착수하기 위하여 광화문 내 제1문 凹자형 구건축물 기타를 毁撤하기로 지난 9일 오전 10시부터 이를 입찰하였는데 호성적으로써 경매되었는데 그 가격은 다음과 같다.
>
> 갑건물- 금6155원, 낙찰인 이윤창
>
> 을건물- 금2395원, 낙찰인 藤田國太郎
>
> 병건물- 금2350원, 낙찰인 秋葉邦太郎
>
> 정건물- 금477원, 낙찰인 이윤창

舊建物競賣好績

施政五年朝鮮物産共進會場建築에着手호기爲호야光化門內第一門凹字形舊建物其他를毀撤호기로昨九日午前十時브터此를入札호얏는딕好成績으로써競賣되얏는딕其價格은左와如호더라

甲建物 金六千百五十五圓 落札人 鮮人 李潤昌
乙建物 金二千三百九十五圓 同上 藤田國太郎
丙建物 金二千三百五十圓 同上 秋葉邦太郎
丁建物 金四百七十七圓 同上 李潤昌

『매일신보』 1914년 7월 10일자 기사

근정전 전면前面에 있는 흥례문과 이를 연결한 회랑 기타 동쪽 공지에 있는 동궁東宮, 자선당, 비현각, 시강원 등 모든 건물과 문, 담장류, 그 외 이용하지 않는 석재류를 제거하여 건물 15동棟, 문 9개소(총건평 791평)를 1914년 7월에 대금代金 1만1천3백74원70전에 공매公賣했다. 또 전시에 장애가 된다고 하여 수목樹木 26

본本을 1914년 9월에 대금 63원에 공매하였다. 공매에 붙인 건물의 취불완료取拂完了와 동시에 1914년 9월에 땅을 고르는 공사를 시작으로 근정문에서 동남 구외構外를 통하는 재래배수로在來排水路의 개축공사와 기타 소재의 석담, 교량 등을 신설하는 공사는 1915년까지 완료하여 그 사용건물은 총계 5천2백26평이었다.[450]

공진회 회장은 경복궁내 7만 2천여 평의 땅에 정면 광화문光化門을 정문正門으로 하고 정문에서 동서 양측에 있는 건춘建春, 영추迎秋의 두 문과 건춘문 북쪽의 신설문을 통용문通用門으로 했다. 광화문 안 광장 및 건춘문 내 일대의 공지와 근정전 북쪽에 있는 모든 궁전을 진열관, 기타 본회의 설비구역으로 하고, 경회루의 남북과 영추문 내 일대의 지역을 각도 휴게소休憩所 및 협찬회에서 운영하는 매점 또는 여흥장, 음식점 등으로 사용하고, 기타 사용되지 않는 기존의 건물은 이 기회를 이용하여 일소一掃시켜 버렸다.

시정5주년 기념공진회 준비 이후부터 헐어 버린 궁궐 건물은 민가를 비롯한 요정, 일본 불교사원, 일본인 부호의 저택 등으로 팔려 나갔다.

당시 경성부내(서울시내) 서사헌정西四軒町 192번지 남산별장南山別莊은 건춘문내建春門內의 비현각丕顯閣[451]을 이축移築하였고, 남산정이정목南山町二丁目 50번지 화월별장花月別莊은 건춘문내建春門內의 한 건물을 이축移築하였고,[452] 또

450 朝鮮總督府, 『施政5年紀念朝鮮物産共進會報告書』 第1卷, 朝鮮總督府官房總務局, 1916년 9월, pp.53~55.

451 비현각에 대한 또 다른 기록은, 金昌俊, 「日帝 强占期의 景福宮 毁損과 復原事業」(『文化財』 제30호, 1997)에,
일본인 건축가 中村與資平(1880~1963)이 1912년 봉래동 자기집으로 뜯어가 설계사무소로 사용하다가 누전으로 불타버렸다는 기록이 있다고 한다.

452 若山牧水, 「景福宮の整理」, 『京畿地方の名勝史蹟』, 朝鮮地方行政學會, 1937, pp.81-82

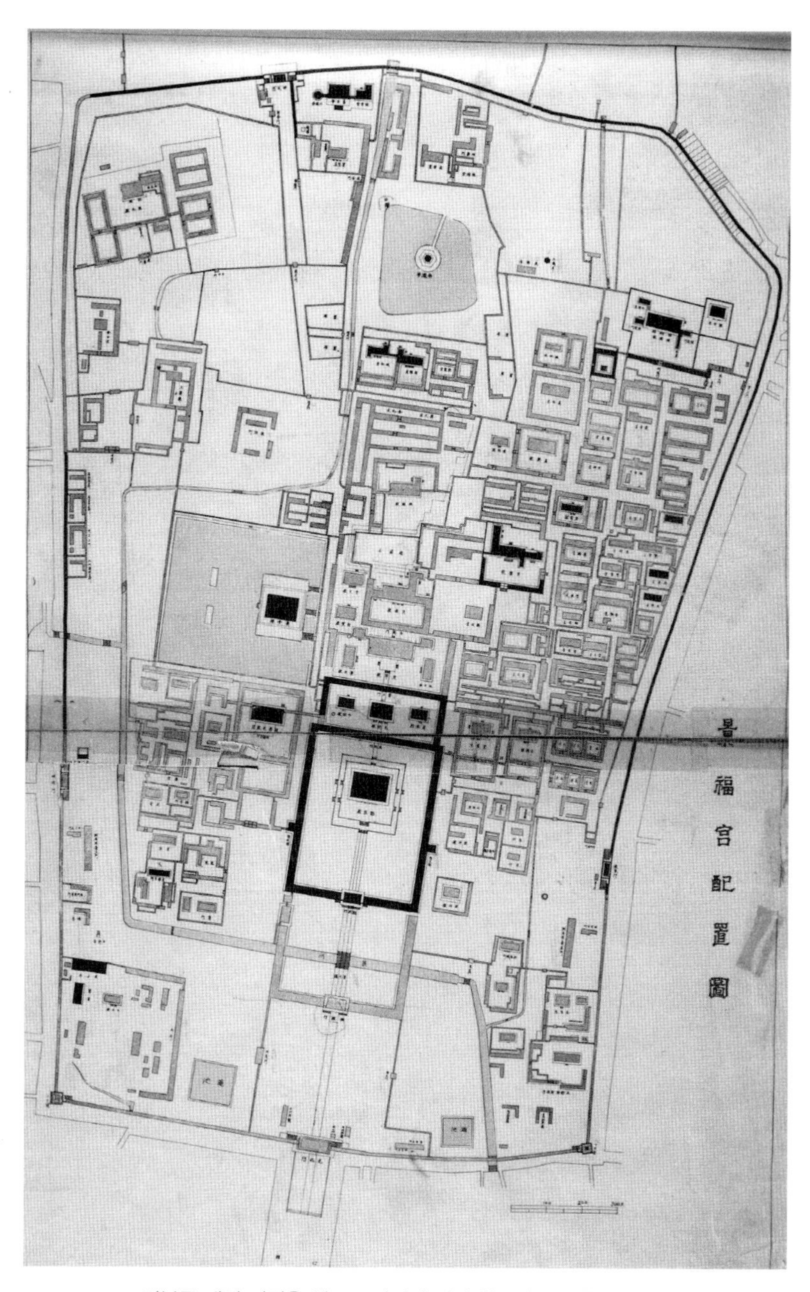

경복궁 배치도(짙은 색으로 나타난 것이 현존하는 건축물이다.)

1917년 11월에 창덕궁 대조전大造殿 등이 실화失火로 19동棟 50여 평이 소실燒失되자 경복궁을 철저하게 훼손하는 빌미가 되어 경복궁내의 강령전康寧殿, 교태전交泰殿과 그 외 여러 동의 전각殿閣을 헐어 1920년에 이축하였다. 원 경복궁 만경전萬景殿의 재목은 창덕궁 경훈각景薰閣의 건축 재료에 쓰고, 교태전의 재목은 대조전, 원 흠경전欽敬殿의 구 재목은 생과방, 원 강녕전 구 재목은 희정당으로 하고, 그리고 현관은 원 연생전延生殿의 구재를 사용하였다.[453]

서울 뿐 아니라 심지어 일본에까지 반출되어 이산가족의 신세가 되었다. 데라우치寺內는 자기의 고향에 조선관을 만들고, 오구라집고관大倉集古館에 경복궁의 자선당慈善堂[454] 건물을 기증하였다. 자선당慈善堂은 데라우치寺內가 일본의 오구라 기하지로大倉喜八郎에게 보내 준 것으로 오구라大倉은 이것을 오구라집고관大倉集古館의 일부로 이건移建하였다. 오구라집고관大倉集古館은 제1, 제2, 제3의 진열관과 자선당으로 구분되어 있었는데 진열관내에는 조선에서 반출해간 막대한 양의 고려자기를 비롯한 고미술품이 소장되어 있었으며, 야외 정원에는 경기도 이천 향교 가까이에 있던 5층석탑을 1918년 조선총독부로부터 기증 받아 이건하였다. 그러나 1923년 대지진으로 제1관의 일부를 제외한 나머지는 모두 소실되었다. 자선당 건물 역시 완전히 불타버리고 주춧돌과 기초 부석축, 돌계단만이 남아 있다.[455]

광화문이 옮겨지고 조선총독부가 경복궁에 들어서게 되면서 경복궁은 옛 모

453 『每日申報』 1920년 1월 16일자.

454 자선당은 경복궁의 정전인 근정전의 동궁으로 왕자의 침실겸 공부방으로 사용됐던 목조 1층건물인데, 대지진으로 주춧돌과 기초 부석축, 돌계단만이 도쿄 오쿠라 호텔의 산책로에 남아 있는데 호텔측은 한국에서 정식요청이 있으면 반환은 어렵더라고 조사정도는 가능할 것이라고 전했다(『한국일보』, 1995년 7월 25일자 참조).

455 仙人掌生, 「大倉集古館」, 『中央史壇』 第9卷 第3號, 國史講習會, 1924년 9월; 藤懸靜也, 「大正大地震に於ける 美術品の喪失」, 『中央史壇』 第11卷 第3號, 國史講習會, 1925년 9월.

습을 완전히 잃게 되었다.

이로서 원래 북궐도형北闕圖形에 도시圖示된 건물의 수는 509동 6,806간이고 북궐도형 제작당시에 이미 이전되었거나 훼철毁撤된 건물의 수는 113동 1,301간으로 조선총독부 건립 이전에 남아 있었던 건물의 수는 396동 5,505간이었다. 해방 후 남아있는 건물의 수는 40동 857간으로 일제 때 철거되거나 궁 밖으로 이건된 건물은 356동棟 4,648간間이나 되었다.[456]

1929년에 오게 되면 근정전, 사정전, 수정전, 자경전, 경회루, 광화문元南門, 건춘문東門, 영추문西門, 신무문北門 등 중요 건물만 남기고 모두 철거하게 된 것이다. 당시 『별건곤』에 게재한 「경성이 가진 명소와 고적」란 글에는 잔존한 경복궁의 건물에 대해 다음과 같이 설명하고 있다.

> 근정전과 경회루는 규모가 굉대하고 건축이 또한 교묘하니 경회루는 칸 수 108(階下287평)로 145척 되는 석주 48본이 있고 그 주위에는 연지蓮池가 있으며 지중池中에 2도島가 있으니 전일에 군신君臣이 연회하던 곳이오. 근정전은 경복궁의 정전이니 왕의 즉위 및 기타 공식대례公式大禮를 행하던 곳이다(此殿도 四門이 있었으니 남왈근정南曰勤政, 우기又其 남왈南曰 홍례弘禮, 동왈東曰 일화日華, 서왈西曰 월화月華). 원래에는 광화문으로 들어가면 전면에 흥례문(또는 弘禮)이 있고 흥례문 내에는 근정문간이 있으며 이 양문의 중간에는 동서로 관류貫流하는 구거溝渠(즉 錦川)가 잇고 천상川上에는 금천교錦川橋란 석교가 있었으나 지금은 정문과 근정문에 있는 여러 가지의 시설한 것을 다 철거

456 金昌俊, 「日帝 强占期의 景福宮 훼손과 복원사업」, 『文化財』 제30호, 1997, p.80 參照.

하고 그 기지에 총독부 신청사를 건축하였다. 전의 동행각東行閣에는 륭문隆文, 서행각西行閣에는 륭무隆武의 2루가 있고 전의 전정前庭에는 화강석의 석첩石疊을 부敷하고 중앙 보도의 좌우에는 문무 양반의 석차席次를 시示한 정일품으로 종9품까지의 석주가 서있었으며 전의 기단 좌우 양단에는 대동정大銅鼎이 1개씩 있고 그 외측의 주위 2층 석계에는 웅대한 석란石欄을 설設하였으니 이 전殿은 조선 건축물 중 최대한 것일 뿐 아니라 중국 당대唐代 이래의 궁전의 제制에다 조선 독특한 기공을 가한 것으로 족히 세계에 자랑할 만한 것이다. 사정전은 在勤政殿北 왕의 편전으로 매 조정사朝政事를 시視하던 곳이오. 수정전은 왕의 청정聽政의 궁전으로 한국시대에 일시 내각에서 이용하다가 지금은 박물관의 일부 진열실이 되었다(光化門 외 他 宮門은 他項에 載함). 이어移御 후 24년간 국정은 이 궁궐에서 요리되었더니 거금 34년 전 을미 2월11일(음 정월2일)에 태황제가 아관俄館으로 파천播遷하였다가 그 익년 정유(建陽2년) 2월20일에 경운궁(즉 德壽宮)으로 이어하고 다시 돌아오지 아니하니 그 궁전은 수遂히 폐궁廢宮이 되어 처연랭우凄烟冷雨에 오작烏雀이 난명亂鳴할 뿐이러니 대정4년 공진회시대에 근정전, 경회루 등 중요 건물을 제한 외 기타 건물은 또 철훼撤毁하고 당시 미술관은 박물관으로 잉존仍存하여 금일까지 이르렀으며 전일에 왕 및 왕후의 정침正寢이 되었던 강녕, 교태 양전은 대정6년에 창덕궁 내로 이건하고 지금은 그 후정後庭의 아미산峨眉山만 옛 자취를 지키고 있을 뿐이다. 궁의 주위 석장은 1,813보, 고는 21척1촌이오 광廣은 신무문 이남만이 약 13만평이니 석장石墻은 지금 대부분 철훼撤毁되었다.[457]

457 考古生, 「京城이 가진 名所와 古蹟」, 『별건곤』 제23호, 1929년 9월.

사라진 금천교

'조선물산공진회朝鮮物産共進會'의 행사장을 꾸미기 위해 경복궁을 헐었지만 그 보다도 더 근본적인 흑막은 조선총독부청사朝鮮總督府廳舍 건립建立을 위한 하나의 절차였던 것이며, 경복궁 안에 총독부청사를 건립하여 조선정궁朝鮮正宮을 더욱 철저하게 파괴함으로서 나라의 존엄을 완전 말살하고 한국을 영원한 속국으로 만들고자 했던 것이다.

1914년 7월

시라토리 구라키치(白鳥庫吉) 수집 조선본 진열

남만주철도주식회사에서는 이미 1909년 11월에 도쿄지사에서 시라토리 구라키치白鳥庫吉가 중심이 되어 수집한 조선본을 중심으로 대대적인 사료전람회를 가진 바 있다. 그 이후 이 같은 귀중 서적을 도쿄지점에 상시 진열한 것으로 보인다. 『국민보』 1914년 7월 25일자에는 다음과 같은 기사가 있다.

> 귀중한 한국서적, 남만철로회사에 진열
>
> 한국의 귀중한 물건으로 전래하던 고물 가운데 더욱 귀중하여 가장 보배롭고 가치 있게 치는 여러 가지 서적이 남만철로 도쿄지점 다락 위에 버려있는 고로 역사가와 고물학자들은 제일 취미있게 아는 중에 조선의 옛 자취를 생각하고 크게 슬퍼한다고 중국인 어느 잡지에 장황히 게재.
>
> 그 귀중품 되는 서적은 원래 일본에서 유명한 인물로 지목을 받는 백조 박사가 조선과 만주 등지로 여행하며 우리의 고대문명을 수색하다가 중국 고물에 몇 가지 진귀한 물품과 같이 얻은 바이라. 이제 이 소식을 듣는 자로 하여금 후생의 장래를 위하여 조국의 역사와 고적을 생각하면 그 마음은 응당 다시 한번 찌름을 받을 듯.
>
> 대개 그 진열된 서적의 종류를 구별하건대,

귀즁ᄒᆞᆫ한국서적
▲남만텰로회샤에진렬
한국의 귀즁ᄒᆞᆫ 물건으로 전래ᄒᆞ
든 고물가온ᄃᆡ 더욱 귀즁ᄒᆞ야 가쟝
보배롭고 가치잇게치ᄂᆞᆫ 여러가지셔
적이 만한텰로 동경지뎜 다락우에
벌혀잇ᄂᆞᆫ고로 력샤가와 고물학쟈들
은 뎨일 취미잇게 아ᄂᆞᆫ즁에 됴션의
녯자최ᄅᆞᆯ 생각ᄒᆞ고 크게 슬허ᄒᆞᆫ다
고 즁국인 어ᄂᆞ잡지에 쟝황히 게재
그 귀즁품되ᄂᆞᆫ 서적은 원래 일본
에셔 유명ᄒᆞᆫ 인물로 지목을밧ᄂᆞᆫ 백
됴박사가 됴션과 만쥬등디로 려행
ᄒᆞ며 우리의 고대문명을 수색ᄒᆞ다
가 즁국고물에 몃가지 진귀ᄒᆞᆫ 물품과
갓치 엇은바ㅣ라 이제 이소식을 듯
ᄂᆞᆫ쟈로 ᄒᆞ여금 후생의 쟝래를 위ᄒᆞ
야 조국의 력샤와 고젹을 생각ᄒᆞ면
그 마음은 응당 다시 한번 씰음을
받을듯
대개 그 진렬된 서적의 종류를구
별ᄒᆞ건ᄃᆡ
(一) 인물고八十책 (二)동문션八
十책(三)졍고진계十六책(四)간독진
젹六책(五)란여「리씨됴의정권쟁탈」
五十책 (六)홍재전셔「정종황뎨의어
제」一百책(七)됴야쳠재十책(八)됴
야회통「태조로 경종까지」五十책
(九)연려긔술 四十二책(十)고려샤

一인물고 八十 책, 二동문선 八十 책, 三정고진게 十六 책, 四간독진적 六 책, 五란여「이씨조의 정권쟁탈」五十 책, 六홍재전서「정종 황제의 어제」一百책 七, 조야첨재 十 책, 八조야회통「태조로 경종까지」五十 책, 九연려기술 四十二 책 , 十고려사.

1914년 7월 이나다 자스케稻田義助는 함경북도 종성군 남산면 하삼봉의 석기시대 유물 산포지에서 수십개의 석부, 석족, 흑요석을 수집하였다.[458]

1914년 9월

야쓰이 세이이치(谷井濟一)의 1914년도 고적조사

야쓰이 세이이치谷井濟一와 이마니시 류今西龍은 9월 상순부터 평안남도 용강군 해운면 성채동 방형대분을 발굴하여 도기편 등을 채집했다. 황해도 은률 운화동 지석묘를 조사 후[459] 함경북도 경흥, 경원, 은성, 간도, 회령, 부령 조사하고 12월에 경성으로 돌아왔다.[460]

한편 오바 쓰네키치小場恒吉는 세키노 등이 전년도에 조사한 평남 용강의 안성동 쌍영총, 대총, 화상리 연화총, 성총의 벽화를 모사했다.

458 稻田義助,「朝鮮發見の黑曜石」,『考古學雜誌』 제6권 제2호, 1915년 10월, p.95.
459「考古學會記事」,『考古學雜誌』 제5권 제6호, 1915년 5월.
460「考古學會記事」,『考古學雜誌』 제5권 제6호, 1915년 5월.

조사를 마치고 「함북지방의 고분」 이란 제목으로 『매일신보』 1914년 12월 6일자에 게재한 내용은 다음과 같다.

함북지방의 고분

조선총독부 사료조사 곡정, 금서 양 문학사 일행은 한경북도 각지 및 간도 지방 조사를 마치고 그 개요에 대해 곡정문학사는 말하여 왈

조선사료조사에 착수함은 1909년인데 6년간의 시일을 경과하였는지라 조사 여행은 매년 가을 약 3개월간에 대하여 거행함을 보통으로 하나니 북선지방의 여행은 가을과 겨울이 가장 편리하니 사적은 조사상 초목이 울창한 시기가 아니므로 인하여, 본년은 일행 중 금서 문학사는 9월 15일 경성을 출발하여 해로로 단천端川으로부터 상륙 해안선을 취하여 종성에 향하야, 우리 등은 9월 28일 경성 발 10월 1일 독진에 상륙하여 종성에서 금서 씨의 일행과 합동하여 부거富居에 이르러 부거의 고분을 조사하였는데 동지에서는 시대의 감정에 자資할 것은 발견하지 못했으나 고분 이외의 성벽의 고적이 잔존하니 모두 발해나 금시대의 유물인 듯하며 동시대에는 상당 유력한 자가 체재한 상황이 있어 방시 발해의 일본과 교통함은 가히 찰지察知하기 무난하며 부근 석기의 다수 산재함을 보았는데 다시 웅기를 경유하여 나가면 조산에는 전승대라 칭하는 것이 있으니 이는 거금 3백 년 전에 무관 이순신이 이곳에 있어 만력년간 초에 대안에 거주하는 야인 등이 일본 록도의 둔전이 양숙穰熟함을 보고 내습략등來襲畧等코저 하는 것을 조산으로부터 북방 약 14, 15정町되는 지점에서 이를 격퇴하였을 시에 이를 기념하기 위하여 이 대를 설하고 건비한 것인데 비문에는 이를 기록하였고 조산으로부터 하류 2리 토리지방을 조사

하였으나 이 지방에는 사료로 칭할 것은 한 개도 발견한 것이 없으며 노지 경계에 광서12년에 세운 토자비土字碑를 일견하였으나 경계를 가리키는 표석뿐이라. 부근의 경흥의 적도赤島에 대하여는 이조 발생지라는 전설이 있으나 이는 풍설에 불과하며 신건원新乾源에서는 헌병파견소로부터 서로 5정되는 산복에 잡초가 무성한 가운데 여진문자女眞文字의 1비를 발견하였는지라 이 비는 고가 5척 폭이 2척되는 방형인데 석질은 사암이라 상부에는 파손이 있으나 자체판명字體判明하며 여진의 문자는 한자漢字도 아니오 언문諺文도 아니오 일종 특별한 자체를 이루었는데 독일학자는 이를 연구하여 1개 사전을 발간하였으므로 이에 의하여 색인한 즉 이 비문의 의미를 판명케 함을 얻을지라. 신건원新乾源의 북방 약 1리반 두만강 강안에 동림산성이 있고 이곳에는 거금 6백년 전 이조 태조의 숙부 환종桓宗이 처음으로 거주하던 성지라 하며 일행은 이곳에서 발굴한 와편을 검사한즉 6백 년 전의 제작품을 확정하였으나 기타 이를 증명할 유물은 한 개도 발견한 것이 없고,
<중략> 은성으로부터 조선의 최북단 유원진柔遠鎭을 순회하여 종성으로 나와 성지와 건축을 보았는데 종성은 고래로 간도와 교역이 성한 지역이니 종성의 남방 2리반 아래 삼봉의 헌병파견소로부터 방단진에 이르는 도중 일대에 석기가 다수 산재함을 발견하고 이로부터 간도에 들어가니 육도구 부근에는 여진시대의 읍성의 고적 및 산성, 분묘가 존재하고 금시대의 성지가 있는데 <중략>
간도를 조사하고 간도에서 회령으로 향하는 도중에 회령에서 2리 되는 지점에서 다수한 석부, 석저 등이 산재한 지점이 있으니 이는 당시의 석기제조 유출지인 듯하더라. 회령으로부터 석기류를 발견하였을 뿐이오. 회령

의 동 3리 산성산의 성지는 규묘가 매우 웅대하여 금일까지 견문한 금시대의 유적 중 가장 가관자可觀者이라 회령의 서 4, 5정에는 여진의 묘라하는 것이 있다하는데 매우 의아하겠으며 회령의 서방 두만강안에 1조의 석성을 보았고 동방산복에 동형의 것이 있으며 기타 광관진 및 은성군 각처에서도 동형의 성지가 있는데 그 예날 행성의 유적을 조선인은 이를 만리장성이라 불러 적국의 침입을 방어하기 위해 두만강에 연하여 <중략>
서2리에 여진의 묘라 칭하여 고려식 분묘가 있어 거금 약 7백 년 전 것인데 여진의 묘는 과연 분명하며 오국성은 금시대의 성지를 후세에 축조한 것이오. 지금의 성지는 220년 전 영조 신해년에 보을하진甫乙下鎭을 이곳에 설치한 것이라 천연의 현무암을 이룬 절벽을 이용하여 풍광이 매우 뛰어남으로서 옛날부터 군수 등의 유람지가 되었으며 오국성과 휘종황제 간에 관계가 있다는 전설은 허위라 오국성 대안에 간성현이라 하는 땅이 있으니 청조 발양지로 전래하여 유명한 지방인데 그 진위는 미상이겠으나 청조가 이 부근으로부터 일어난 것은 사실이고 회령으로부터 청진 간에 이르는 사이에 대하여 별도로 말할 것이 없다하더라.

조선철도호텔 준공과 흩어진 환구단 건축물

대부분의 건물이 사라진 환구단지에 1914년 9월에 조선철도호텔 건물이 준공되었다.

1911년 2월 20일에는 환구단의 건물과 부지가 모두 총독부에 인계되었으며,

『매일신보』 1914년 9월 8일자 기사

1913년에는 일제가 환구단을 철거하고 조선철도호텔(조선호텔 전신) 건설을 계획하게 되었다.[461]

이 기지에 대해 『별건곤』제23호에 실린 「조선호텔과 소공주궁 · 환구단」이란 글에는 다음과 같이 설명하고 있다.

> 조선호텔(기지 6,700평, 건평 583평, 총실수 69, 공비 84만3천원, 독인 게데라란데 설계)은 원래 환구단지다. 환구단에 관한 사事는 환구단의 원 기지는 태종 제이녀 경정공주(慶貞公主 소위 小公主)의 저邸니 평양군 조대림(소위 惡亡尉)에게 하가下嫁하였다가 조가 횡폭교사함으로 대사헌 맹사성, 지평 박안신이 상계치 안코 고신한 후로 그 궁은 수히 폐하였더니 그 후 의안군 성(선조 삼남 인빈금씨 소생 早死)의 궁이 되였다가 임진란 때에 우키타 히데이에浮田秀家가 이에 류진留陣하였고(自宗廟로) 히데이에가 퇴경退京 후 리여송이 또 류진하였었다. 그 뒤 명이 망하고 청과 화약 후 그 사절의 영빈소를 삼었으니 소위 남별궁南別宮이 이것이다. 시구개정 전까지는 그 부근 일대를 소공동이라

461 『京城府史』 第3卷, 朝鮮鐵道史; 『每日申報』 1913년 4월 26일자.

하였으니 즉 소공주동小公主洞이란 의미다. 지금도 그 동문 광선문光宣門은 아직까지 있고 그 안은 총독부도서관이 되었다.[462]

전 남별궁 환구단 기지에 신축한 조선철도 호텔(『매일신보』 1914년 10월 10일자)

환구단圜丘壇은 원구단圜丘壇으로 불리어지기도 했다.[463] 이 터는 원래 고려 숙종의 목멱괴궁궐木覓壞宮闕 터로, 조선 태종의 제2왕녀 경정공주慶貞公主의 저택으로 되었다가 선조 때는 제3자 의안군의 저택으로 사용되기도 했다. 그 후에 청의 사절 숙박소가 되었으며 남별궁南別宮이라 했다.

1897년에 러시아 공사관에서 경운궁으로 환궁한 고종은 1897년 국호를 대한

---

462 「朝鮮호텔과 小公主宮 · 圜丘壇」, 『별건곤』 제23호, 1929년 9월.

463 즁츄원 의관 민영션 리쳔군슈 리지셩 륙픔 송슈만을 원구단 황궁우 역소 별감동을명ᄒᆞ오시다(『미일신문』 1898년 10월 12일자).
掌禮院典祀補郭漢鳳任圓丘壇典祀補叙判任官五等(『皇城新聞』 1910년 8월 11일자).
掌禮院主事金敎憲任 園丘壇祠祭署令叙判任官五等(『獨立新聞』 1900년 1월 20일자).
원구단 거동, 대왕폐하께서 음력 본월 18일에 원구단에 거동하오셔…(『大韓每日申報』 1907년 12월 15일자).
총독부사회과, 경성제대, 보물 고적 명승 천연긔렴물의 보존담당자협의회, 新羅石塔, 總督官邸內의 石佛, 朝鮮호텔안에 잇는 圓丘壇, 海印寺三層石塔, 安州 日祥樓, 成川東明館, 安邊駕鶴樓等七十三種, 帶方時代古墳…云云(『每日申報』 1935년 8월 7일자).
명칭의 통일을 위해 문화재청은 2005년에 圜丘壇으로 명칭을 통일했는데, 결정사유는 "고종황제가 제사를 지낸 1897년 10월 12일자 독립신문의 기록을 존중하여 한자표기 및 독음을 환구단(圜丘壇)으로 한다"는 것이다. 이에 대해 이순우는 『통감관저, 잊혀진 경술국치의 현장』(도서출판 하늘재, 2010)에서 여러 논증 자료를 제시하여 '원구단'으로 읽어야 한다는 주장을 펴고 있다.

제국으로 선포하고 환구단에 나아가 천지에 고하는 제사를 드린 후 황제에 즉위했다. 환구단은 3층의 화강암 단으로 상부에는 금색 원추형 지붕이 있었다. 환구단을 세운 2년 후에는 환구의 북쪽에 신위판神位版을 모신 황궁우皇穹宇를 세웠다. 황궁우는 화강암 기단 위에 3층 8각 지붕으로 축조했다. 1902년에는 고종 즉위 40년을 기념해 제천祭天을 위한 악기인 석고石鼓도 만들었다.[464]

일제가 한국을 강점하고 1911년 2월 20일에 환구단의 건물과 부지가 모두 총독부에 인계되었으며, 1913년에는 일제가 환구단을 철거하고 조선철도호텔(조선호텔 전신)을 세우게 되었다.[465] 이 무렵 전국적으로 철도건설이 일단락되고 철도 이용객의 증가와 외국인 수의 증가에 따라 외국인 수의 증가에 따라 서양식 호텔이 필요한 상태가 된 상황이기도 했다.[466]

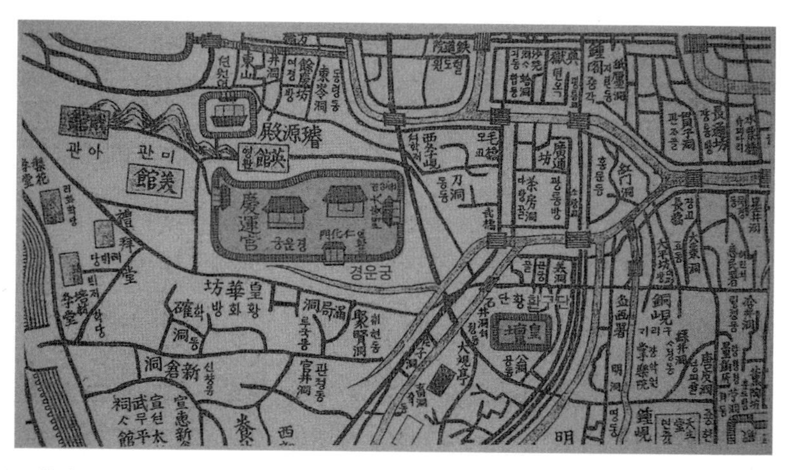

한성부지도(1901년)에 나타난 환구단 위치(출처: 『환구단 정문 정밀실측조사보고서』)

464 考古生, 「京城이 가진 名所와 古蹟」, 『별건곤』 제23호, 1929년 9월.
465 『京城府史』 第3卷, 朝鮮鐵道史, 『每日申報』 1913년 4월 26일자.
466 서울특별시 중구청 공원 녹지과, 『환구단 정문 정밀실측조사보고서』, 2009.

철도호텔이 들어서기 전의 모습(출처 : 『환구단 정문 정밀실측조사보고서』)

그런데 왜 하필이면 호텔 자리를 대한제국의 출발이자 황제국으로서의 격상과 함께 대한제국의 상징적인 환구단 건물 부지에 호텔을 짓게 되었을까? 이는 대한제국의 흔적을 완전히 제거함으로써 식민지국임을 알리는 전략적인 측면이 있다고 볼 수 있다.[467] 이때 총독부에서는 황궁우와 석조물 몇 기를 제외한 모든 부속건축물을 철거하여 경매에 붙여 모두 사방으로 흩어졌다.

조선철도호텔이 들어서면서 환구단의 정문은 호텔의 정문으로 사용했다. 석고각의 정문인 광선문光宣門은 1927년 6월 남산의 북쪽 기슭에 있던 동본원사

467 『매일신보』 1912년 5월 14일자에 의하면, 철도호텔의 위치로 원구단도 그 후보지로 유력한데 다소 남대문정차장에서 거리가 먼 것이 험이라고 하고 있다.
『매일신보』 1912년 6월 18일자에 의하면, 그 후보지로 탁지부관사 정지, 남대문역 大屋장관관저 부근, 원구단 이렇게 3개 지역이 후보라고 한다.
『매일신보』 1912년 8월 31일자에 의하면 호텔 건설지로 환구단을 대략 내정한 후에도 철도 측에서는 제1희망지로 남대문정차장 앞의 대옥장관 관저 근처라 하고, 제2는 남대문통의 탁지부장관 관저 부근을 희망했다.

東本願寺로 옮겨져 정문으로 사용되었다. 석고각은 1931년 완공된 이토 히로부미를 위한 박문사博文寺로 옮겨져 종루로 사용되었다. 석고각이 있었던 자리는 1923년 경성도서관이 들어서게 된다. 석고각 속의 석고단[468]도 나중에 조선호텔의 후원으로 사용되었다.[469]

* 데라우치가 반출한 환구단(圜丘壇)부속건축물

데라우치는 권력기구를 통하여 수집한 상당수의 한국 유물을 일본으로 반출하여 그의 고향 야마구치현에 조선관을 꾸며 진열해 두었다. 이 조선관 건물은 한국에서 옮겨간 전 환구단 내에 건축하였던 궁전의 부속건물로서, 1915년 5월 26일자 『매일신보』에는 다음과 같은 기사가 있다.

468 한성부민회는 회합 장소로 석고단을 자주 사용했다. 석고단은 1901년 12월 관민 유지의 뜻에 따라 頌聖建議所를 설치하고, 고종의 성덕 표송을 위해 단을 축조하기로 결의하면서 축조되었다. 송성건의소는 먼저 궁정 보조금을 청원하고 각도 관찰사, 부윤, 군수를 비롯해 기타 유지들과 소학교에 이르기까지 기부금을 모집하였다. 1902년 1월 6일 부지를 원구단 동쪽에 마련하고, 기사 심의석의 설계에 따라 석고단과 광선문 축조에 착수하였다. 11월 말에는 외각공사를 마치고 이듬해 준공하였다. 石鼓란 周代 石鼓文에서 기인하였다. 석고단은 현재(1934) 조선총독부도서관의 뒤뜰에 있다. 1935년에 이르러 박문사로 이전하기로 결정했고, 도서관 현관 앞에 있던 단의 정문인 광선문은 1927년 6월 남산 오타니파(大谷派) 본원사별원의 문으로 이축했다(서울특별시 시사편찬위원회, 『國譯 京城府史』 제2권, 2013).

469 서울특별시 중구청 공원 녹지과, 『환구단 정문 정밀실측조사보고서』, 2009.
이 보고서에 의하면, 1967년 조선호텔의 신축과 함께 당시까지 남아 있던 환구단의 정문과 재실, 전사청 등의 부속건물은 해체되어 방매되었다고 한다. 그 후 환구단의 정문은 우이동의 그린파크 호텔에서 발견했다고 한다.

총독과 문고. 총독 향리에 조선 가옥 전 환구단圜丘壇부속건축물

데라우치 총독은 그 향리에 문고 1동을 건축 중인데 이 건물의 재목은 전 환구단 내에 건축하였던 궁전의 부속건물이니 이곳에 조선호텔을 세우게 됨으로 훼철하게 되어 총독부에서는 다른 건물과 같이 공히 불용품不用品으로 일반의 입찰에 부쳤는데, 총독은 원래부터 적당한 조선가옥을 향리에 세우고 문고를 만들고자하는 희망이 있었던 고로 입찰자에 교섭하여 다시 동인에게 이를 매수하여 향리에 수송한 후 건축에 착수하였는데, 이 건평수는 불과 24, 25평의 고옥이나 이를 운반한 일체 비용을 계산하면 수천원에 달하였다는 고로 총독은 그 친근자에게 대하여 말하되 "보기는 그래도 돈이 많이 든 집이다" 하고 크게 웃은 일도 있다는데 이 가옥이 낙성 후에는 앵포문고櫻圃文庫라고 명명하고 조선 고래의 도서와 기타 평소 총독이 수집한 모든 미술품을 이곳에 옮겨 영구히 조선의 문물을 보존하고 조선 연구의 자료를 만들고자 하는 계획이라 한다.

總督과 文庫

總督鄕里에 朝鮮家屋
前圜丘壇附屬建築物

寺內總督은 其鄕里周防國吉敷郡宮野里에 文庫一棟을 建築中인ᄃᆡ 此建物의 材木은 前圜丘壇內에 建ᄒᆞ얏던 宮殿의 附屬建築物이니 此處에 朝鮮ᄒᆞ뎰을 建ᄒᆞ겟슴으로 毁撤ᄒᆞ게되야 總督府에셔는 他의 建物과 共히 不用品으로 一般의 入札에 附ᄒᆞ얏는지라 總督은 元來브터 適當ᄒᆞᆫ 朝鮮家屋을 鄕里에 建ᄒᆞ고 文庫를 作코자ᄒᆞ는 希望이 有ᄒᆞ얏던바인고로 入札者에 交涉ᄒᆞ야 更히 同人에게 此를 買受ᄒᆞ야 鄕里에 輸送ᄒᆞᆫ後 建築에 着手ᄒᆞ얏는ᄃᆡ 其建坪數는 不過二十四五坪의 古屋이나 此를 運搬ᄒᆞᆫ 一切費用을 計算ᄒᆞ면 數千圓에 達ᄒᆞ얏는고로 總督은 某親近者에 對ᄒᆞ야 言ᄒᆞ되 「보기는 그래도 돈만히든집이라」ᄒᆞ고 大笑ᄒᆞᆫ 事도 有ᄒᆞ다는ᄃᆡ 此家屋이 落成後는 櫻圃文庫라고 命名ᄒᆞ고 朝鮮古來의 圖書와 其他平日總督이 蒐集ᄒᆞᆫ 諸

『매일신보』 1915년 5월 26일자 기사

1913년 조선철도호텔이 들어서면서 철거하는 건축물들을 방매할 때 누구에게 방매를 했는지는 알 수 없다. 데라우치가 자신의 고향에다 조선관을 꾸민 목재 등은 바로 환구단의 부속건축물을 철거하여 경매에 붙여 방매했을 때 그 일부 건축물을 반출한 것이다.

데라우치寺內가 한국에서 약탈해 간 서적은 그의 사후死後에 야마구치현山口縣 미야노무라宮野村의 그의 구저舊邸에 앵포데라우치기념문고櫻圃寺內紀念文庫라 하여 그곳에 보관해 두었다. 1922년 말에 조사한 것에 따르면 조선본朝鮮本 432책(46部), 조선고간독법첩류朝鮮古簡牘法帖類 191책(150部)이 소장되어 있으며, 특히 조선고간독법첩류朝鮮古簡牘法帖類는 조선 역대 어필을 시작으로 석유碩儒의 유고遺稿, 서축書軸 등은 다시없이 귀한 것들이며 한국에서는 볼 수 없는 것들이다.[470]

데라우치가寺內가 약탈해 간 많은 문화재는 일부 산실散失되긴 했으나 현재 일본의 야마구치현립여자대학山口縣立女子大學에 2,000여 점이 넘는 우리나라 고분의 유물이 소장되어있다.[471] 데라우치寺內가 약탈해 간 한국문화재를 한일협정 때 반환 받기 위해 백방으로 노력하였으나 실패하고 말았다. 그 후에도 끈질기게 노력하여 1996년에 일부(135점)를 경남대로 반환 받기에 이른다.

1990년 이종영이란 사람이 우연히 야마구치여대山口女大에 자신의 선조인 이암선생(고려 충선왕 때 청백리)의 작품이 있다는 것을 알고 국사편찬위원회에 반환을 호소하게 되어, 이때부터 한일의원연명, 한일친선협회 등이 중심이 되

470 松田甲,『日鮮史話』第2編, 朝鮮總督府, 1931, pp.18-19; 松田甲,『朝鮮漫筆』, 朝鮮總督府, 1928, pp.119-120.
寺內는 號를 魯庵으로 하고 別途로 櫻圃라 하였는데, 이에 따라 櫻圃文庫라 했다고 한다.
471『한국문화사』, 이대출판부, 1992.

어 반환에 노력하였다.

반환받은 전적류 135점 중에는 국보, 보물급들이 수두룩하다. 김정희의 친필 정죽입학도첩, 이황, 유성룡, 김성일 등의 서간을 묶은 근유첩, 이항복의 백사 수적, 김홍도와 석양정 등의 화집 홍운당첩 등은 이 문고에 학자와 명필 화가들의 작품이 얼마나 많은지를 짐작케 하고 있다.[472]

다음은 당시 문화재를 반환 받아온 경남대 김봉렬 씨의 이야기이다.

> 일본 측은 어디까지나 기증을 주장하였고, 우리 측은 반환을 주장해 '반환 기증식'이라는 독특한 명칭이 붙을 정도로 말과 글 하나하나에 몹시 신경이 쓰였던 순간, "야마구치여대 담당자들은 감정이 몹시 상해서 약탈이란 표현이라면 돌려 줄 수 없다고 해서, 총장이 직접 언론사를 찾아다니고, 일본 야마구치 대학 측에 사과도 하는 등 혼줄이 났다"고 한다. 우리 문화재를 받아 오긴 했으나, 몇 년간 공든 탑이 하루아침에 무너질 뻔했다.[473]

반환 받은 것으로 1996년 9월에 덕수궁에서 《데라우치문고 특별전》을 개최하기도 하였다.

---

472 『백년 이웃』, 두산그룹, 1996.
473 『백년 이웃』, 두산그룹, 1996.

1914년 10월 9일

해인사 팔만대장경판 조사

대장경판大藏經板의 인출印出에 앞서 1914년 8월에 데라우치寺內는 아키야마秋山 참사관에게 명하여 경판經板을 조사케 하였으며 이에 아키야마秋山는 참사관실 사무관 오다 간지로小田幹治郎에게 조사의 주임主任을 맡겨 조사 겸 판목정리板木整理를 하였다.

1914년 10월 9일부터 11월 5일까지 28일간 출장원 2명 외 인부 총계 643명을 투입하여 해인사 팔만대장경판을 조사했다.

조사한 결과 현존 판수板數는 8만 1천240매이고 결판缺板이 18매枚나 발견되었다.[474] 당시 조사한 내용을 보면,

> 오다사무관小田事務官의 설명에 의한 즉 경판의 수는 최근에 번호를 부附하야 조사를 한 결과 81,240매枚, 결판缺板 18매枚, 완수完數 81,258매枚인데 결판缺板은 목하目下 조각彫刻 중에 속하고 용재用材는 재목梓木인데 길이 7촌2분七寸二分, 넓이 2척2촌5분二尺二寸五分, 두께 1촌2분一寸二分 내지乃至 1촌5분一寸五分, 판면板面은 길이 7촌4분七寸四分, 폭 1척5분一尺五分인데 4우四隅에 동제銅製의 금구金具를 부附하고[475]

474 「大藏經奉獻顚末」, 『朝鮮彙報』, 朝鮮總督府, 1916년 4월.
475 『每日申報』 1915년 4월 1일자.

해인사대장경판고(『매일신보』 1915년 4월 1일자)

라고 하고 있다. 이 같은 결판이 그간의 훼손에 의한 것인지 아니면 분실에 의한 것인지는 밝혀지지 않았다.

1899년 4월에 해인사대장경 4부를 인쇄印刷하여 1부는 해인사에, 1부는 송광사松廣寺에, 1부는 통도사通度寺에, 그리고 1부는 13도 여러 절에 나누어 보관하였는데 이때 경판 결손이 일부 발견되어 순비純妃의 명에 의해 2만냥전二萬兩錢으로 장판藏板을 보수하였다.

후지타 료사쿠藤田亮策에 의하면, "데라우치 총독의 지시 하에 해인사대장경 인출시에 잡판고가장雜板庫架藏의 「해인사고적海印寺古籍」, 「대장경인성발大藏經印成跋」에 관한 것도 함께 인출하여 「해인사사적」 으로 1책으로 철하였으며, 그 안의 「대장경판수보발문大藏經板修補跋文」의 내용에 광무3년 인출시 장판보수사실을 기록하고 있다"[476]고 한다.

1906년 봄에는 내탕금內帑金 6천원을 내어 해인사에 있는 대장경판 정장釘裝을 보수하고 불경 1400권을 인쇄하여 금강산 정양사正陽寺에 봉안奉安하여 빠진 책을 보충하게 한 적이 있기 때문에[477] 결판缺板이 생긴 시기는 1906년 이후의 훼손 내지는 분실로 보여진다.

476 藤田亮策, 「海印寺史蹟に就いて」, 『書物同好會會報』 第18號, 1942년 3월.

477 中村榮孝, 「室町時代の日韓關係」, 『岩波講座 日本歷史』, 岩波書店, 1934, pp.13-14; 李能和, 『朝鮮佛敎通史』, 1917.

결국 결판缺板의 18매를 보완하기 위해 조선 내의 사찰에 잔존殘存하는 대장경의 조사가 있었으며 이에 따라 강원도 월정사, 금강산 정양사의 구인본과 일본의 도쿄 증상사, 교토 동본원사의 인본을 등사하여 이를 가지고 판을 보충하였으며, 판의 측면側面에 <대정4년조각大正四年雕刻>이라 각刻하였다.[478] 당시 보충에 관한 내용은 다음과 같다.

> 이 경판의 인본은 해인사 기타 조선 내의 사찰에 다소 잔존함으로서 전부 조사하였으나, 근년 인본은 다 결판 부분이 결정缺丁되어 있었다. 다만 강원도 평창군 월정사 및 회양군 정양사에 구인본 수 책이 있었는데, 이에 대하여 원고를 작성하고, 또 동경 증상사增上寺 및 경도 본원사本願寺에 그 인본印本이 있기에 이 양사에 원본의 등사謄寫를 의탁하고, 피차彼此 대조한 후에 원고를 확정하고, 용재用材는 서울 부근 수개 처에서 배나무를 베어 판을 만들었다. 임원경제법林園經濟法에 기록한대로 소금물에 절이고 증자烝煮하여 말리기도 하였으나, 건조에 2개월 이상이 걸려서 작업에 지장이 생김으로서 공업전습소에 의탁하여 증기건조법을 행하고 한국인 중 조각에 교묘한 이 수 명을 가려 뽑아 새기게 하고 왜지歪止를 끼워 견출見出을 새기고, 전면에 옻칠을 하고, 사우四隅에 동제의 금구金口를 쳐서 원판의 예에 의하여 왜지의 측면에 '大正四年雕刻'이라 새기고, 그 보충을 명시하였다. 또 경문인쇄 뒤 제본 전 결자의 유무를 검열하였으니 결함한 곳이 136개 처, 1,017자나 있었다. 그래서 다시 결판예에 의하여 각 사의 인본을 조

478 「大藏經奉納顚末」, 『朝鮮彙報』, 朝鮮總督府, 1916년 4월, p.29; 池內宏, 「高麗朝의 大藏經」(下), 『東洋學報』 第14卷 1號, 東洋協會學術調査部, 1924년 7월, p.102.

사하고 이를 조각 보충하였다.[479]

오다 간지로小田幹治郎는 1923년 3월에 중추원서기장관을 사임하고 1929년 3월에 병몰病沒하였는데, 그의 사후死後 고베神戸의 호루혼야古本屋 하루운도白雲堂에서 오다가小田家 구장舊藏의 해인사대장경인성海印寺大藏經印成에 관한 사료史料를 일부 구입하였다. 이 속에는 오다小田가 해인사대장경의 인출을 주재하면서 이에 관련한 중요 서류를 거의 망라하고 있다. 그 중에는 「대장경판보충재료大藏經板補充材料」 건이 있는데 이는 인성印成 당시에 경판의 부족으로 일본의 증상사와 동본원사에 조회하여 보각할 때의 왕복문서를 철한 것으로 당시 보각補刻의 사정을 알 수 있게 된 것이다.[480]

1915년의 보판(補板: 紛失된 大藏經板)은 다음과 같다.

1. 玄函	大般若波羅密多經	卷二十一	十二丁
2. 黃函	〃	卷一	二十六丁, 二十七丁
3. 黃函	〃	卷三	十二丁, 十三丁
4. 宙函	〃	卷五十六	三丁, 四丁

479 小田幹治郎, 「大藏經奉獻顚末」, 『小田幹治郎遺稿』, 1932.

480 大屋德城, 「寺內總督の海印寺大藏經板印成に關する史料に就いて」, 『書物同好會會報』 第12號, 1941년 7월.
小田家 舊藏의 海印寺大藏經의 印成에 관한 史料에는 다음과 같은 17種이 있다고 한다. 海印寺大藏經板 補充材料 4冊, 海印寺經板 保護에 관한 總督指令 1通, 高麗板大藏經(德富蘇峰 提出)1冊, 海印寺 所藏 經板 印刷에 관한 件 1通, 報告 1冊, 朝鮮 古書 蒐集保護에 관한 意見書 1通, 海印寺藏板 大藏經補遺板木彫造年代調 1綴, 大藏經奉納始末, 大藏經印刷 終了報告(等) 1綴, 印大藏經跋(等) 1綴, 大藏經板彫造 年代調査 3冊, 大藏經印刷終了草稿 1冊, 海印寺事蹟 1冊, 大藏經印刷計劃 書類 1冊, 大藏經 記事 1冊, 南禪寺 高麗板 大藏經書類 1袋, 高麗板 大藏經印刷顚末 1冊, 等 17種이다.

5. 宙函	〃	卷五十六	十五丁, 十六丁
6. 洪函	〃	卷六十七	九丁, 十丁
7. 洪函	〃	卷六十八	二丁
8. 黃函	〃	卷七十三	二丁
9. 辰函	〃	卷百二十六	十九丁, 二十丁
10. 列函	〃	卷百四十一	六丁
11. 列函	〃	卷四百四	二十四丁
12. 張函	〃	卷百五十三	二十丁
13. 節函	阿毘達磨大毘波波論	卷八十八	五丁, 六丁
14. 志函	順正理論	卷七	十七丁, 十八丁
15. 是函	廣百論釋	卷四	十五丁
16. 起函	菩堤心離相論		六丁
17. 星函	集古今佛道衡	卷四	四十四丁
18. 盤函	出曜經	卷二十五	十七丁

1914년 10월 18일

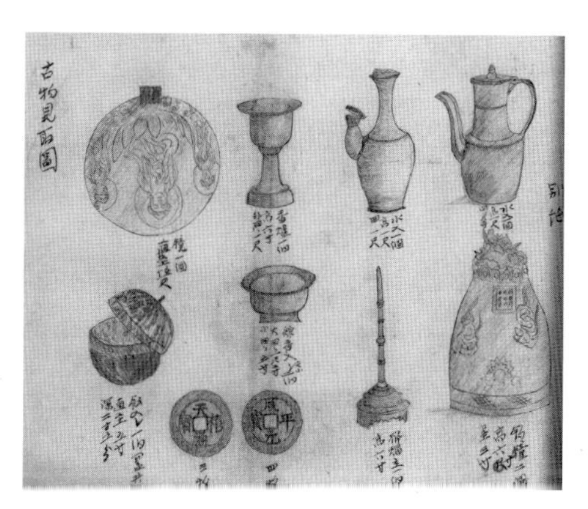
고물(古物) 견취도

10월 18일 경상남도 하동군 화개면 부춘리에서 택지의 일부를 개간 중 조종釣鐘의 각종 유물을 발견하여, 하동경찰서에서 이를 국고에 귀

속케 하였다.[481]

1914년 10월 22일

도쿄예술대학 예술자료관에 기증한 유물[482]

기증 일	유물	기증자	시대	비고
1914년 10월 22일	輻線蓮花文軒丸瓦(考古-53)	關野貞	고구려	墨書「麻線溝千秋塚」
1914년 10월 22일	輻線蓮花文軒丸瓦(考古-54, 59, 65)	關野貞	고구려	墨書「太王陵」
1914년 10월 22일	輻線蓮花文軒丸瓦(考古-67, 68, 69)	關野貞	고구려	墨書「平壤土城」
1914년 10월 22일	輻線蓮花文軒丸瓦(考古-64, 66)	關野貞	고구려	
1914년 10월 22일	蓮花文軒丸瓦(考古-70, 74, 91)	關野貞	고구려	
1914년 10월 22일	蓮花文軒丸瓦(考古-88, 89, 90)	關野貞	고구려	墨書「通溝附近」
1914년 10월 22일	蓮花文軒丸瓦(考古-85)	關野貞	고구려	墨書「平壤」
1914년 10월 22일	蓮花文軒丸瓦(考古-87)	關野貞	고구려	墨書「東抬子」
1914년 10월 22일	唐草文軒丸瓦(考古-88)	關野貞	고구려	
1914년 10월 22일	瓦破片(考古-76)	關野貞	고구려	
1914년 10월 22일	軒丸瓦中房部分(考古-63)	關野貞	고구려	
1914년 10월 22일	鬼面文軒丸瓦(考古-73)	關野貞	고구려	墨書「 城子」
1914년 10월 22일	鬼面文軒丸瓦(考古-71)	關野貞	고구려	墨書「東抬子」

481 1914년 12월 9일 경상남도 경무부장이 학무국장에게 보낸 '埋藏物 發見에 關한 件', 『국립중앙박물관 소장 조선총독부박물관 공문서』, 목록 번호 : 97-발견03.

482 『東京藝術大學 藝術資料館藏品 目錄』, 東京藝術大學 藝術資料館, 1992.
동경미술학교가 1966년 동경예술대학으로 통합된 후 예술자료관을 설립하여 이곳에 미술품 등을 수장하고 있다.

기증일	유물	기증자	시대	비고
1914년 10월 22일	鬼面文軒丸瓦(考古-77, 78)	關野貞	고구려	墨書「山城子」
1914년 10월 22일	布目瓦(考古-52)	關野貞	고구려	墨書「麻線溝千秋塚」
1914년 10월 22일	布目瓦(考古-83)	關野貞	고구려	墨書「龍岡乙洞」
1914년 10월 22일	布目瓦(考古-81)	關野貞	고구려	墨書「龍岡於乙洞」
1914년 10월 22일	布目瓦(考古-86)	關野貞	고구려	墨書「臨江石塚」
1914년 10월 22일	布目瓦(考古-79)	關野貞	고구려	墨書「將軍塚」
1914년 10월 22일	布目瓦(考古-89)	關野貞	고구려	墨書「龍岡於」
1914년 10월 22일	布目瓦(考古-80, 82)	關野貞	고구려	
1914년 10월 22일	文字塼(考古-93)	關野貞	西晋	황해도 신천 발굴
1914년 10월 22일	條塼(考古-62)	關野貞	고구려	陽刻銘「安如山固如岳一」墨書「太王陵」
1914년 10월 22일	條塼(考古-84)	關野貞	고구려	陽刻銘「願太王陵」墨書「太王陵」
1914년 10월 22일	條塼(考古-58)	關野貞	고구려	陽刻銘「千秋萬歲永固」墨書「麻千溝千秋塚」
1914년 10월 22일	條塼(考古-55)	關野貞	고구려	陽刻銘「保固乾川相畢」墨書「麻線溝」
1914년 10월 22일	條塼(考古-50)	關野貞	고구려	陽刻銘「萬歲永固」墨書「麻線溝」
1914년 10월 22일	條塼(考古-57)	關野貞	고구려	陽刻銘「千」
1914년 10월 22일	條塼(考古-56)	關野貞	고구려	陽刻銘「永」
1914년 10월 22일	條塼(考古-51)	關野貞	고구려	陽刻銘「千萬歲」
1914년 10월 22일	條塼(考古-61)	關野貞	고구려	

1914년 11월

야마나카상회는 1914년 11월에 오사카미술구락부에서 《고대미술품대전람회》를 개최하였다. 이 때 일본, 중국, 조선, 희랍, 프랑스 기타 각국에서 수집한 불상, 고도기, 금석물 등 수천 점의 우수한 고미술품을 진열하고, 도쿄미술학교장 마사키 나오히코正木直彦와 도쿄미술학교 교수 기무라 세이가이木村西崖를 초빙하여 각종 고미술에 대해 강연회를 개최하기도 했다.[483]

1914년 12월 2일

경매에 붙여진 소의문(昭義門)

소의문昭義門은 속칭 서소문西小門이라 부르는데, 원래 소덕문昭德門이라 하였으나 예종비睿宗妃의 시호諡號를 휘인소덕徽仁昭德으로 추상追上하게 되자, 이를 피하기 위하여 성종3년에 소의문昭義門으로 개칭改稱하였다고 한다.[484] 원래 초루譙樓가 없었으나 금위영禁衛營에 명하여 이를 짓게 하였는데 영조20년(1744)에 초루가 완성되자 이때 소의문昭義門이란 문편門扁을 걸게 되었다.[485]

1912년에 수립한 경성시구 개수 계획에 따라,[486] 1914년에 대한문 앞 광장에

---

483 故山中定次郎翁編纂會, 『山中定次郎傳』, 1939.
484 門內漢, 「京城 八大門과 五大宮門의 由來」, 『별건곤』 제23호, 1929년 9월.
485 『英祖實錄』 영조20년 8월 4일 조.
486 「京城市區 改修豫定計劃 路線表」, 『朝鮮總督府官報』 1912년 11월 6일자.

소의문(국립중앙박물관 소장 유리건판)

서 서소문통을 거쳐 독립문통에 이르는 노선의 확장 개수 공사가 시작되면서 소의문도 철거에 이르게 된다.

『매일신보』 1914년 11월 25일자에는 다음과 같은 기사가 있다.

경매훼철에 붙인 서소문

총독부 토목국 조사과에서는 이번에 도로를 정리하기 위하여 경성 서소문을 무너뜨려버릴 차로 12월 2일에 경매입찰을 시행한다는데 당사자의 말을 들은 즉 서소문과 같은 것을 시내 각처에 남겨두면 그것을 보

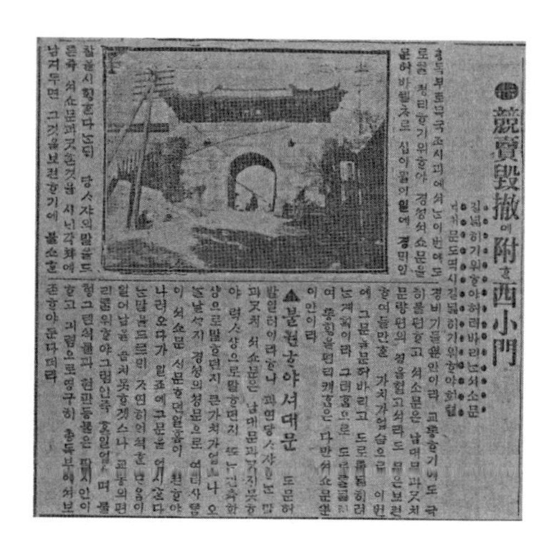

競賣毁撤에附ᄒᆞᆫ西小門

존하기에 적지 않은 경비가 들 뿐 아니라 교통하기에도 극히 불편하고 서소문은 남대문과 같이 성을 헐고서라도 문을 보존하여 둘만한 가치가 없으므로 이번에 그 문을 무너뜨려버리고 도로를 넓힐 계획이라 그러함으로 도로를 넓혀 통행을 편리케 함은 다만 서소문 뿐만 아니라 불원하여 서대문도 무너뜨려버릴 터이라 하니 과연 당사자 하는 말과 같이 서소문은 남대문 같이 못하여 역사상으로 말하든지 또는 건축학상으로 말하든지 그 가치가 없으나 오늘날까지 경성의 성문으로 여러 사람이 서소문 새문하던 이름이 전하여 오다가 일조에 그 문을 없어진다는 말을 들으매 자연히 애석한 마음이 일어남을 금치 못하겠으나, 물형 그린 석물과 현판 등은 팔지 않고 총독부에 보존한다더라.

1914년에 야쓰이 세이이치의 이름으로 도쿄국립박물관에 기증한 만주 집안현 고구려 유적에서 발굴 수집한 와전이 보인다. 이것은 세키노 일행이 1913년 만주 집안 일대에서 수집한 것으로 다무라 고이이치田村晃一는 이에 대해, "도쿄국립박물관에 소장된 와당류는 대장臺帳에 야쓰이谷井 씨가 다이쇼大正3년(1914)에 기증한 것"이라고 한다.[487]

487 田村晃一,『樂浪と高句麗の考古學』, 同成社, 2001, p.325.

같은 해

군산공원으로 옮긴 천방사3층석탑

전라북도 옥구 천방산에 있던 천방사는 신라 김유신이 당나라 군대를 청병하였을 때 지었다 하며, 뒤에 선림禪林이라 하던 것을 고려 숙종 때에 중수하고 천방사라 했다고 한다. 『삼국사기』나 『삼국유사』에는 보이지 않고 『신증동국여지승람』 에는 다음과 같은 창건 설화가 전해진다.

大東古事
△千房寺 난在沃溝郡東十里千房山하니唐蘇定方이將舟師하고攻百濟할시來泊山下하니烟霧蔽暗이라暗禱于山靈호되若使開霽면當建千寺以報之라하니卽天地淸明이어날因登山周覽하니勢甚窄小하야不可建千寺라只排千石하야以象寺形하고建一寺하야號曰千房이라하더니後에改稱禪林하고高麗肅宗時에重修하야復號千房ᄒᆞ니今有遺址하니라

천방사 기사
(『황성신문』 1906년 4월 24일자)

천방사千房寺 : 천방산에 있고. 이응정의 중수기가 있다. 전하는 말에 신라 김유신 장군이 백제를 치려고 당나라에 청병請兵하였는데, 당나라에서는 소정방을 시켜 배로 군사 12만 명을 거느리고 천방산 아래에 정박하게 하였다. 그런데 연기와 안개가 자욱하게 덮여 천지는 캄캄하였다. 김유신이 산신령에게 기도하기를, “만일 활짝 개게 해 주시면 마땅히 정 1천 채를 세워 부처님을 받들겠습니다” 하니, 즉일로 천지가 맑게 밝았다. 그리하여 산에 올라 두루 살펴보니, 지세가 너무 좁아 정 천 채를 도저히 세울 수 없으므로, 다만 돌 1천 개를 배치하여 절의 형태만 만들고, 절 한 채를 세워 천방사라 부르다가 후에 선림禪林이라 고쳐 불렀다. 고려 숙종 때 근신近臣을

보내어 중수하고, 불상을 안치하였으며, 지금은 천방사千房寺라 부른다.

라고 기록하고 있다. 이같이 천방사는 백제의 멸망과 신라의 삼국통일 과정에서 김유신과 관계 깊은 창건 전설을 가지고 있다.

천방산에는 나당연합군이 머물렀던 관계로 인해 1933년에는 천방산에 김유신의 유적비를 세우게 되는데, 그 동기는 그 전까지 김유신의 유적에 대해 모르다가 군산에 거주하는 김씨화수회에서 『옥구군지』를 발견했는데, 여기에 김유신과 천방산의 관계가 나타나 있어,[488] 김씨화수회 회장 김홍두 씨의 발기로 유적비와 영정각을 세우게 된다는 기사가 보이고 있다. 『신한민보』 1933년 2월 2일자에는 『옥구군지』 '권지 1'의 내용을 게재하고 있는데 다음과 같다.

불우. 천방산이 미면 설림산에 있다. 승람을 참고하건데 천방산에 이응정의 중수기가 있다 하였고, 유전하는 말에 의하면 신라 장수 김유신이 백제를 진공하려고 당나라에 청병한바 당이 소정방 장군으로 하여금 수병 12만을 거느리고 산 아래에 이르매 연무가 자욱하여 <중략> 오직 하나의 절을 건축하고 천방사라 하다. 그 후에 선림이라 개칭하고, 고려 숙종시에 근신을 파견하여 중수하여 불상을 이안하고 다시 '천방 길상사'라고 칭하다. 승람에 의하면 천방산에 있는 절을 그 후 선종암이라고 개칭하였다. 지금 저수지로 인하여 은적사로 부처를 옮겼다.

488 『동아일보』 1933년 1월 13일자.

興武王金庾信 遺跡碑를建立

◇옥구군지발견하고서

群山府外千房山에

【군산】 흥무왕(興武王) 김유신(金庾信)의 유적지 군산부외 천방산(群山府外千房山)에 유적비를 건립케되엇다한다 지금까지 그의유적을 모르든바 군산에거주하는 김씨화수회(金氏花樹會)에서 옥구군지(沃溝郡誌)를 발견하게되자 회장 김홍두(金洪斗)씨의 발기로 그와가티 유적비를세우게된바 군지를보면 다음과 갓다고한다

『옥구군지』 발견 기사(『동아일보』 1933년 1월 13일자)

『옥구군지』가 언제 간행되었는지는 알 수 없으나 천방사의 유래는 『신증동국여지승람』에 기록한 내용과 거의 일치하고 있는데, 이후 '천방 길상사', '선종암' 등으로 개칭되었다가 천방사가 있는 곳에 저수지를 만들면서 부처는 은적사로 옮겼다는 이야기가 추가되어 있는데, 길상사는 『신증동국여지승람』에 천방사와 함께 천방산에 있다는 기록이 보이고 있어, '천방 길상사' 라는 것은 합병을 의미하는 지 명확하지 않다. 『황성신문』 1906년 4월 24일자 「대동고사」에는, "그 이름을 천방千房이라하더니 후에 개칭하여 선림禪林이라 하고 고려 숙종 시에 중수 하야 다시 천방이라 하니 지금 유지遺址가 있다" 하니

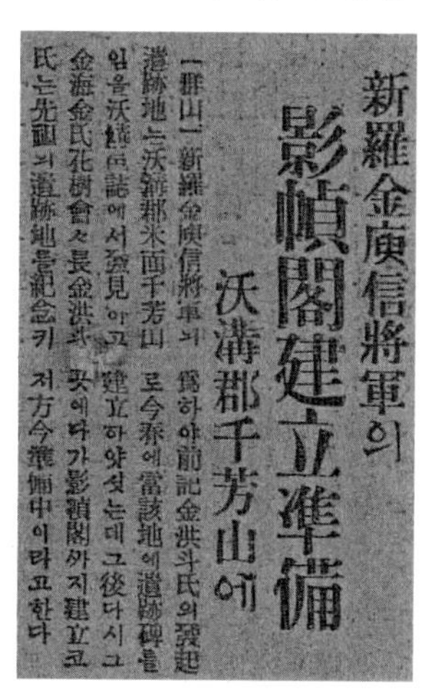
新羅金庾信將軍의 影幀閣建立準備

沃溝郡千芳山에

【群山】新羅金庾信將軍의 [illegible]하야前記金洪斗氏의發起 遺跡地는沃溝郡米面千芳山 로今春에當該地에遺跡碑를 임을沃溝邑誌에서發見하고 建立하얏섯는데그後다시그 金海金氏花樹會々長金洪斗 씨에다가影幀閣까지建立코 氏는先祖의遺跡地를紀念키 저方今準備中이라고한다

『매일신보』 1933년 12월 14일자

그 시기는 알 수 없으나 천방사가 폐사가 되어 그 터가 남아있음을 기술하고 있다. 그리고『옥구군지』와 신문 기사 등에는 천방사의 석탑에 대해서는 전혀 언급이 없다.

선종암삼층석탑(국립중앙박물관 소장의 유리건판, 소장품 번호: 000506)

국립중앙박물관 소장의 유리건판에는 '군산 선종암 삼층석탑' 이라 하여 사진 1매가 남아있다. 이 사진의 촬영 시기는 알 수 없으나, 정돈된 평지의 짚 가래 사이에 안치된 모습을 하고 있어 선종암 내에 있음을 알 수 있다.

천방사석탑
(오하라 도시타게(大原利武) 보고서)

선종암은 1912년에 와서 군산의 식수를 충당하기 위한 수원지 공사를 하면서 폐사가 되어 소장한 유물들도 흩어지거나 사라지게 되었다. 선종암에는 어떤 유물이 있었는지는 알 수 없으나 불상은 은적사로 옮겨지고, 3층석탑은 군산공원으로 옮겨지게 되었다.

『국립중앙박물관 소장 조선총독부 공문서』의 지정 문서 중 1914년 3월에 등록한 '군산공원 내 팔층석탑'이 나타나 있는데, 그 유래에 대해서는 "대정3년 당부當府 상수도 저수지의 수원지 공사로 옥구군 미면 신풍리 소재 천방산 선종암의 정전庭前에 건설하였던 것"이라고 기록하고

이다. 또한 1932년도에 생산한 「전라북도 소재 고적 및 유물 지정 대장」에도 '군산공원 8층석탑'이라 하고 그 유래는 1914년에 기록한 내용과 동일하게 기재하고 있다. 따라서 8층석탑이라는 것은 오기로 보이나 선종암에서 옮겨온 것임을 알 수 있다.

그리고 1929년에 오하라 도시타게大原利武가 황해도와 평안남도 고적을 조사하고 보고한 「황해도 은율군, 신천군, 평안남도 용강군 고적조사 복명서」[489]를 보면, 조사 내용과는 관련 없는 사진 몇 장이 들어 있다. 경주 석가탑, 분황사탑, 정림사지탑, 천방사탑 등이다. 사진 촬영 당시의 현상 등의 기록은 보이지 않고, "사진 제8호 / 신라식 석탑(통일시대) / (전라북도 옥구군 미면 천방사석탑)"이라고 기록하고 조사자 2명이 석탑 앞에 앉아 촬영한 모습이다. 앞의 유리건판(소장품 번호 : 000506)과 비교하면 석탑의 보존 상태는 일치하나 전혀 다른 장소에 소재함을 알 수 있다. 탑 주변의 경관으로 보아 군산의 월명공원으로 옮겨진 후의 모습으로 추정된다.

월명공원으로 옮겨진 천방사석탑은 해방 후에도 계속 공원 남아 있었으나 관리 소홀로 상당부분이 훼손되었다. 결국 1976년에는 은적사로 옮겨 보존했는데, 은적사에 옮겨진 후의 사진을 보면 이미 탑신부의 훼손은 물론이고 상륜부의 부재도 이미 사라져 정체불명으로 보수했다.

489 『국립중앙박물관 소장 조선총독부박물관 공문서』

군산근대역사박물관이 건립되어 이 석탑도 은적사로부터 2011년에 박물관 앞마당으로 옮겨 보존하고 있다.

가와이 히로다미(河合弘民)의 도요지 조사

1914년 봄에 가와이 히로다미河合弘民는 황해도 옹진군 일대 요지, 신천군 용문면 추산동 야왕산 사기곡 요지 발굴하여 상당량의 고려자기편, 분청사기편 수집했다.[490]

인천관측소장 와다 유지和田雄治는 강원도 강릉 일대의 오죽헌, 보현사, 문수사 석불, 석주, 심복사의 석탑 석불을 조사하고, 심복사지에서 문자명와를 채집했다.[491]

490 河合弘民, 「黃海道に於ける新發見の高麗窯」, 『朝鮮及滿洲』 제88호, 朝鮮及滿洲社, 1914년 11월.

491 和田雄治, 「江原道 江陵の石柱」, 『歷史地理』 제17권 제6호, p.42.

우리 문화재 수난일지

1915년

1915년 1월 16일

경주사담회(慶州史談會) 발회식 개최

1914년부터 일부 유지들 간에 재창해 오던 경주사담회가 16일 보통학교에서 발회식을 가졌다.

1915년 1월 16일에는 경주사담회慶州史談會가 발회되는데, 오노小野 판사를 회장으로 야마다山田 교장, 사이토齋藤 교장 및 모로가諸鹿를 간사로 정했다. 매월 2회의 모임을 갖고 경주를 중심으로 한 역사지리, 고고학 등의 연구를 하고 수시로 강연회를 개최하여 역사취미를 고취하고 경주의 신라유적을 세상에 소개하는 것을 목적으로 했다. 발회식에서 야마다山田는 「금성金城 소재의 연구」, 모로가는 「고구려호태왕비의 발견과 조선역사에 대하여」라는 제목으로 강연을 하였다.[492] 이러한 모임은 모두 경주를 중심으로 한 일본인 유지들로 결성되어 그들의 친목을 도모하기 위한 것으로 한국인의 정서와는 사실 거리가 있다고 할 수 있다.

492 『釜山日報』 1915년 1월 20일자.

1915년 1월 21일

다솔사(多率寺) 화재

경남 사천군 곤명면 용동 다솔사多率寺가 1월 21일 밤 10시에 불이 나서 때마침 불어오는 바람에 삽시간에 전소되었는데 그 절에 보관하였던 대부분의 유물은 소실되었다.

泗川古刹燒失

손ᄒᆡ가일만이쳔원

경상남도 ᄉᆞ쳔군곤명면 룡동다솔ᄉᆞ(慶尙南道泗川郡昆明面龍洞多率寺)ᄂᆞᆫ지나간이십일일밤열시에불이일어나그ᄯᅢ몹시부ᄂᆞᆫ바ᄅᆞᆷ을ᄯᅡ라졈ᄉᆞ연쇼되야삽시간에젼쇼(全燒)ᄒᆞ얏ᄂᆞᆫᄃᆡ그뎔에 감초아두엇던 보물(寶物)대부분은 모다쇼실되야 그에ᄃᆡᄒᆞᆫ손ᄒᆡᄋᆡᆨ은 대략일만이쳔원이라ᄒᆞ며 원인은잘못ᄒᆞᆫ일로인ᄒᆞ야 발화되얏고 다ᄒᆡᆼ히인축의 ᄉᆞ상은업섯다ᄂᆞᆫᄃᆡ 그졀은신라지증왕(新羅智證王)ᄉᆞ년 계미년에창설ᄒᆞᆫ오ᄅᆡᆫ명찰이라더라

『매일신보』 1915년 1월 24일자 기사

1915년 1월

기무라 우타로木村宇太郎가 일본고고학회에 석기시대 토기편을 기증하다.

기무라 우타로木村宇太郎은 언제 한국에 건너왔는지 알 수 없으나 통감부문서 1902년의 기록을 보면, 성진각국거류지 일본인 임시총대를 지낸 것으로 나타나 있다. 함경북도 성진에 재주하면서 성진일대를 중심으로 석기시대 유적 유물을 조사하여 일본『고고학잡지』에도 여러 차례 발표를 하기도 했다.[493] 기무라는

493 다음과 같은 논문이 있다.
木村宇太郎,「城津に於ける石器時代遺物遺跡發見始末」,『考古學雜誌』 제4권 9호, 日本考古學會, 1914.
木村宇太郎,「銅鏃と土器」,『考古學雜誌』 제5권 제4호, 日本考古學會, 1914.
木村宇太郎,「石器の磨製と裂製に就て」,『考古學雜誌』 제6권 제3호, 日本考古學會, 1915.
木村宇太郎,「城津市内の遺跡と遺物」,『考古學雜誌』 제7권 7호, 日本考古學會, 1917.
木村宇太郎,「錘石の形狀」,『考古學雜誌』 제12권 제2호, 日本考古學會, 1921.

1906년 5월에 성진 송오리에서 타제석부 1개를 처음 발견했으며, 이로부터 1914년까지 성진일대에서 많은 석기시대 유물을 채집했다.[494] 그간에 수집한 유물 중에서 석기시대 토기편 한 상자는 1915년 1월에 일본고고학회에 기증했다.[495]

1915년 2월 6일

경주 온고회(溫古會) 모임

경주 재주의 야마다 다미지로山田民次郎가 도서기로 영전함에 따라 경주 온고회 회원들이 6일 오후 3시에 송별회를 시바다여관柴田旅館에서 가졌는데, 야마다 다미지로山田民次郎, 하다 쓰네다카羽田常孝, 오지마野島, 시바다 단구로柴田團九郎, 시바다 와사후로柴田和三郎, 하루히 세이구로春日淸九郎, 히라노 고모리枚野素盛, 이토伊藤利衛門 등 8명이 회합을 가졌다.

1907년 재경주 일본인은 합해 겨우 30여 명에 불과했었는데 당시 전국적으로 의병이 봉기하여 일본인의 신변이 위험하자 일본인 유지 12명이 자위단을 조직하여 의병들의 내습을 경계하게 되었다. 이를 기념하기 위하여 온고회溫古

木村宇太郎, 「吉州城の古文書發見」, 『考古學雜誌』 13-5, 日本考古學會, 1923.
木村宇太郎, 「石器時代の遺跡新發見」, 『考古學雜誌』 제15권 제12호, 日本考古學會, 1925.

494 木村宇太郎, 「城津に於ける石器時代遺物遺跡發見始末」, 『考古學雜誌』 제4권 9호, 日本考古學會, 1914.
채집 장소와 날짜까지 상세히 기록하고 있다.

495 「考古學會記事」, 『考古學雜誌』 제5권 제6호, 1915년 2월.

會를 조직하여 매년 춘추 2회에 회원들이 당년의 용사회합한 친교를 나누어 왔다.[496] 이 모임이 경주 재주의 일본인 친목단체 중에 가장 오래된 모임이라 할 수 있다.

시바다여관

시바다 단구로柴田團九郎는 1907년경에 한국에 건너와 경주에서 시바다柴田여관을 운영하였다. 각지에서 경주를 방문하는 유명 인사들은 이 여관에 머물게 되어 넓게 인맥을 유지하게 되었다. 1927년 4월에는 그의 회갑을 맞아 각지의 우인들을 초대했는데, 조선의 각지는 물론이고 도쿄, 만주 등지에서까지 초대하여 무려 3백여 명이 모였다고 한다.[497]

1915년 2월 12일

도쿄예술대학 예술자료관에 기증한 오바 쓰네키치의 유물.

496 『朝鮮時報』 1915년 2월 15일자.
497 『釜山日報』 1927년 4월 14일자.

도쿄예술대학(도쿄미술학교) 예술자료관에 기증한 유물[498]

기증일	품명	기증자	시대	비고
1915년 2월 12일	輻線蓮花文軒丸瓦(考古-53)	關野貞	고구려	朱筆「將軍塚出土」
1915년 2월 12일	寶相華文軒丸瓦(考古-132)	小場恒吉	신라	朱筆「四天王寺址」
1915년 2월 12일	寶相華文軒丸瓦(考古-96)	小場恒吉	신라	朱筆「慶州芬皇寺辺ニテ拾得 大正三年十一月二十七日 小場」
1915년 2월 12일	花文軒丸瓦(考古-123)	小場恒吉	신라	朱筆「慶州芬皇寺辺ニテ拾得 大正三年十一月二十七日 小場」
1915년 2월 12일	蓮花文[在城]銘軒丸瓦(考古-150)	小場恒吉	신라	朱筆「慶州半月城上ヨリ拾得 大正三年十一月二十七日 小場」
1915년 2월 12일	單弁蓮花文軒丸瓦(考古-104)	小場恒吉	신라	朱筆「慶州雁鴨池付近ヨリ拾得 大正三年十一月二十七日 小場」

498 『東京藝術大學 藝術資料館藏品 目錄』, 東京藝術大學 藝術資料館, 1992.
동경미술학교가 1966년 동경예술대학으로 통합된 후 예술자료관을 설립하여 이곳에 미술품 등을 수장하고 있다.

기증일	품명	기증자	시대	비고
1915년 2월 12일	單弁蓮花文軒丸瓦 (考古-105, 106, 107, 113, 145, 151)	小場恒吉	신라	朱筆「慶州芬皇寺辺ヨリ拾得 大正三年十一月二十七日 小場」
1915년 2월 12일	複弁蓮花文軒丸瓦 (考古-109)	小場恒吉	신라	朱筆「慶州芬皇寺辺ヨリ拾得 大正三年十一月二十七日 小場」
1915년 2월 12일	複弁蓮花文軒丸瓦 (考古-129)	小場恒吉	신라	朱筆「雁鴨池付近」
1915년 2월 12일	細弁蓮花文軒丸瓦 (考古-108, 112, 115)	小場恒吉	신라	朱筆「慶州芬皇寺辺ヨリ拾得 大正三年十一月二十七日 小場」
1915년 2월 12일	蓮花文軒丸瓦(考古-153)	小場恒吉	신라	
1915년 2월 12일	蓮花文軒丸瓦 (考古-122, 131)	小場恒吉	신라	朱筆「慶州芬皇寺辺ヨリ拾得 大正三年十一月二十七日 小場」
1915년 2월 12일	忍冬蓮花文軒丸瓦 (考古-95, 111, 114)	小場恒吉	신라	朱筆「慶州芬皇寺辺ヨリ拾得 大正三年十一月二十七日 小場」

기증일	품명	기증자	시대	비고
1915년 2월 12일	忍冬蓮花文軒丸瓦 (考古-148, 152)	小場恒吉	신라	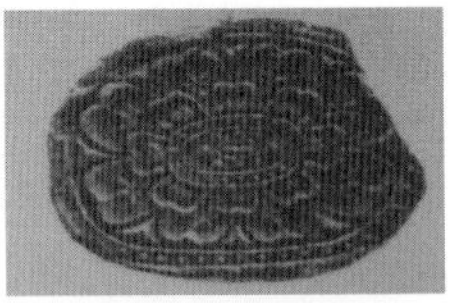
1915년 2월 12일	忍冬蓮花文軒丸瓦 (考古-130)	小場恒吉	신라	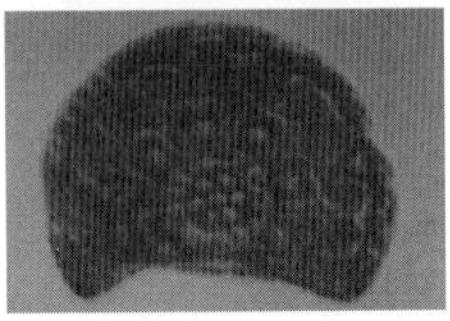 朱筆「雁鴨池辺」
1915년 2월 12일	忍冬蓮花文軒丸瓦 (考古-127)	小場恒吉	신라	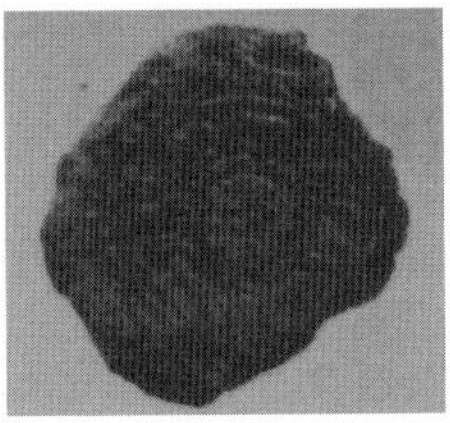 朱筆「雁鴨池辺ヨリ拾得 大正三年十一月二十七日 小場」
1915년 2월 12일	忍冬蓮花文軒丸瓦 (考古-110)	小場恒吉	신라	朱筆「慶州芬皇寺辺ヨリ拾得 大正三年十一月二十七日 小場」
1915년 2월 12일	忍冬蓮花文軒丸瓦 (考古-142)	小場恒吉	신라	朱筆 「慶州芬皇寺辺ヨリ 小場」
1915년 2월 12일	均正唐草文軒平瓦 (考古-149)	小場恒吉	신라	朱筆「慶州芬皇寺辺ヨリ拾得 大正三年十一月二十七日 小場」
1915년 2월 12일	唐草文軒平瓦(考古-143)	小場恒吉	신라	朱筆「慶州半月城下ヨリ拾得 大正三年十一月二十七日 小場」
1915년 2월 12일	唐草文軒平瓦(考古-118)	小場恒吉	신라	朱筆「慶州芬皇寺辺ヨリ拾得 大正三年十一月二十七日 小場」

기증일	품명	기증자	시대	비고
1915년 2월 12일	唐草文軒平瓦(考古-144)	小場恒吉	신라	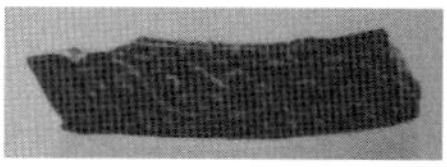 朱筆「慶州四天王寺址ヨリ拾得 大正三年十一月二十七日 小場」
1915년 2월 12일	均正唐草文軒平瓦(考古-97)	小場恒吉	신라	朱筆「慶州半月城下ヨリ拾得 大正三年十一月二十七日 小場」
1915년 2월 12일	均正唐草文軒平瓦(考古-138)	小場恒吉	신라	朱筆「芬皇寺」
1915년 2월 12일	均正唐草文軒平瓦(考古-119)	小場恒吉	신라	 朱筆「慶州芬皇寺辺ヨリ拾得 大正三年十一月二十七日 小場」
1915년 2월 12일	唐草文軒平瓦(考古-135)	小場恒吉	신라	朱筆「四天王寺址」
1915년 2월 12일	唐草文軒平瓦(考古-121)	小場恒吉	신라	朱筆「慶州芬皇寺辺ヨリ拾得 大正三年十一月二十七日 小場」
1915년 2월 12일	唐草文軒平瓦(考古-134)	小場恒吉	신라	朱筆「半月城下」
1915년 2월 12일	唐草文軒平瓦(考古-133)	小場恒吉	신라	
1915년 2월 12일	忍冬唐草文軒平瓦(考古-146)	小場恒吉	신라	朱筆「慶州四天王寺址 大正三年十一月二十七日 小場」
1915년 2월 12일	葡萄唐草文軒平瓦(考古-100)	小場恒吉	신라	朱筆「慶州芬皇寺辺ヨリ拾得 大正三年十一月二十七日 小場」
1915년 2월 12일	葡萄唐草文軒平瓦(考古-139)	小場恒吉	신라	朱筆「芬皇寺」
1915년 2월 12일	菊唐草文軒平瓦(考古-140)	小場恒吉	신라	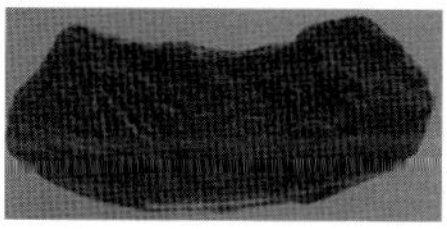 朱筆「四天王寺

기증일	품명	기증자	시대	비고
1915년 2월 12일	四弁花文軒平瓦(考古-137)	小場恒吉	신라	朱筆「芬皇寺」
1915년 2월 12일	蓮花文軒平瓦(考古-125)	小場恒吉	신라	朱筆「慶州四天王寺址ヨリ拾得 大正三年十一月二十七日 小場」
1915년 2월 12일	飛天文軒平瓦(考古-98)	小場恒吉	신라	朱筆「慶州芬皇寺辺ヨリ拾得 大正三年十一月二十七日 小場」
1915년 2월 12일	軒平瓦(考古-128)	小場恒吉	신라	朱筆「慶州四天王寺址」
1915년 2월 12일	鬼瓦(考古-116, 120, 147)	小場恒吉	신라	朱筆「慶州芬皇寺辺ヨリ拾得 大正三年十一月二十七日 小場」
1915년 2월 12일	蓮花文軒平瓦(考古-126)	小場恒吉	고려	朱筆「朝鮮開城滿月臺ヨリ拾得 大正三年十一月十九日 小場」
1915년 2월 12일	唐草文方塼(考古-94)	小場恒吉	신라	朱筆「慶州芬皇寺辺ヨリ拾得 大正三年十一月二十七日 小場」
1915년 2월 12일	寶相華文塼(考古-141)	小場恒吉	신라	朱筆「慶州芬皇寺辺ヨリ拾得 大正三年十一月二十七日 小場」
1915년 2월 12일	寶相華方文塼 (考古-99, 101, 102, 103, 124)	小場恒吉	신라	朱筆「慶州芬皇寺辺ヨリ拾得 大正三年十一月二十七日 小場」

기증일	품명	기증자	시대	비고
1915년 2월 12일	花文方塼(考古-136)	小場恒吉	통일 신라	朱筆「四天王寺址」
1915년 2월 12일	綠釉方塼(考古-117)	小場恒吉	통일 신라	朱筆「慶州四天王寺址ヨリ拾得 大正三年十一月二十七日 小場」

1915년 3월 2일

고달사지 원종대사혜진탑비 도괴

1916년 9월 28일 여주 고달사지를 조사한 이마니시 류今西龍의 『대정5년도 고적조사보고서』에,

> 비와 탑신은 귀부와 이수 함께 유존되어 있었는데 언제인지 지상에 넘어져 훼손된 흔적이 있다. 대정3년(1914)에 여주군에서 다시 세워 비신을 귀부상에 안치하고 이수를 부재附載하였는데, 대정4년 3월 2일 오후 7시에 원인 모르게 돌연 후방北方으로 전도顚倒되어 비신과 귀부의 갑상甲上이 충돌하여 비신이 8개로 괴단壞斷되었다. 비신의 하반은 귀부의 후부위에 있고, 그 상반은 귀부 후방 지상에 있다. 이수는 원위치에서 약 20척 후방北에 추

락墜落되어 이수의 한 모퉁이가 떨어져 나갔다. <중략> 비신은 금회今回 전도될 때 전기 8편八片의 괴단壞斷 외에 수많은 소편小片이 박락剝落되어 특히 귀부와 충돌하면서 이면裏面에서 박락剝落된 것이 많다. 보존방법으로 원처元處에 두어서는 보존이 불가능하며, 또 이 지역은 근년에 금광채굴로 외지방인들의 출입이 잦아 <중략> 현재 비와 파편을 후기後記의 2석탑二石塔(두 부도탑을 가르킴)과 함께 박물관으로 옮길 것을 희망한다.[499]

탑비의 도괴상태(『대정5년도고적조사보고』)

라고 기록하고 있다. 1차전도一次顚倒의 원인은 밝혀지지 않고 있다. 2차전도二次顚倒에 대해서 이마니시 류今西龍는 1차전도一次顚倒 후 비신을 다시 세울 때 완벽함을 기하지 못한 부실로 보고 있다. 다행히 조선총독부에서는 파괴되기 전에 탁본을 하여 총독부에 박물관에 소장을 하였고 파괴된 비신은 여주 군청에 옮겨 보관해 오다가 경복궁으로 옮기게 되었다.[500]

고달사지는 여주군 북내면 상교리[501]에 소재하는 것으로, 신라 경덕왕 때 창건

499 今西龍,「京畿道 廣州郡, 利川郡, 驪州郡, 楊州郡, 高陽郡, 加平郡, 楊平郡, 長湍郡, 開城郡, 江華郡, 黃海道 平山郡 遺蹟遺物調査報告書」,『大正5年度 古蹟調査報告』, 朝鮮總督府, 1917. pp.120~124.

500 葛城末治,『朝鮮金石攷』, p.347.

501 上橋里는 1914년 行政區域改編에 따라 舊北面上高里와 橋頂里를 合倂하여 上橋里라 改稱하였고 面名 역시 合倂하면서 北內面으로 고쳤다.

되어[502] 신라시대 이래 삼원三院[503]의 하나로 국가의 비호를 받던 대 사찰이다.

강원도 선림원지禪林院址의 홍각선사弘覺禪師의 비문碑文에, "원감선사圓鑑禪師가 중국에서 귀국하여 혜목산慧目山에 머물며 산비탈에 단단히 얽은 것을 새로 중건하니 한 달이 못되어 완공되었다"[504]하는 것으로 보아 경문왕대에 현욱玄昱이 이곳에 처음 교화활동을 펼 때에는 아주 작은 암자의 규묘였던 것으로 보인다.

현욱玄昱은 경문왕景文王의 청으로 오랫동안 혜목산慧目山 고달사高達寺에서 교화활동을 하여 혜목화상慧目和尙이라 불렀다. 봉암사鳳岩寺의 적소탑비寂昭塔碑에 「혜목육慧目育」이라 하는 것도 바로 현욱玄昱을 가르키는 것이다.[505] 현욱은 헌덕왕憲德王16年(824)에 입당入唐하여 수학한 후 희강왕僖康王2年(829) 왕자 김의종金義宗을 따라 귀국하여 처음 실상사에 안거安居하다가 혜목산록에 띠집을 짓고 거주하였다. 민애閔哀, 신무神武, 문성文聖, 헌안憲安의 4조에 걸쳐 사師의 예우禮遇를 받았으며, 경문왕景文王9년(869) 10월에 입적하니 시호諡號는 원감圓鑑이라 하였다.

862년에는 진경眞鏡 심희審希가 이 절에 와서 현욱에게 출가하여 제자가 되었다. 고려 광종 이후에는 역내 왕들의 비호를 받으며 큰절의 면모를 유지했다. 고달사가 사세가 커진 것은 원종대사 찬유璨幽에 이르러 이었으며, 원종대사는 고달사에서 진경대사에게 법을 전수 받은 이후 이곳에서 28년 간 머물렀다.

502 奉恩寺本末寺志.

503 高達院, 曦陽院(현재 경북 문경군 가은읍 희양산의 鳳巖寺), 道峰院(도봉산 寧國寺 지금의 望月寺)을 가리키는 것으로 원종대사혜진탑비의 음기에, "건덕9년(971, 광종22)세차 신미 10월 21일에 원화전에서 대장경을 읽을 때 황제폐하가 조서를 내리기를 '국내 사원 가운데 오직 세 곳은 단지 그대로 두어 변동하지말고 문하의 제자로 이어 주지하여 대대로 끊이지 않게 하되, 이로써 법을 삼으라' 하였다."

504 『譯註 韓國古代 金石文 Ⅲ』, 駕洛國史蹟開發研究所, 1997

505 中吉功, 『海東の佛教』, 國書刊行會, 1973. p.23.

사명寺名에 대해서는, 대사의 본명이 고달이었기 때문이라는 설[506]도 있다. 또 다른 설은 원종대사가 이곳에 머무는 동안 사방의 먼 곳에서 학인과 신도들이 고달사에 몰리게 되자 절을 크게 중창하게 되었는데 그때의 석공의 이름이 고달이란 이름을 가졌다는 설[507]에서 유래되었다고 하는데 이러한 설을 근거로 한다면 원종대사 이전에는 다른 사명이 있었을 것으로 생각된다.

『신증동국여지승람 제7권』 '여주목' 편에,

> 혜목산에 있다. 고려 한림학사 김정언金廷彦이 지은 중 혜진의 탑비가 있다. 한수韓脩의 시에, '20년 전이 꿈같구나, 젊었을 때의 친구들은 반이나 황천객이 되었네, 이제 고달 옛 절에 옴은, 원통圓通 큰복전이 있기 때문이네, 사면의 산 병풍은 절을 둘렀는데, 한 개 비석은 푸른 하늘에 기대었네'

하였다. 고달사가 언제 폐사가 되었는지는 알려진 것이 없으나 『신증동국여지승람』에 이미 '옛절'이라고 나타나 있는 것을 보면 1530년 이전에 폐사가 된 것 같다.

「혜목산고달선원원종대사혜진탑비慧目山高達禪院元宗大師慧眞塔碑」의 비문에,

> 김정언이 짓고 장단열이 쓰고 아울러 전액을 하다.
>
> 대사의 존칭은 찬유요 자는 도광이며 속성은 김 씨로서 계림 하남 사람

506 『전통사찰 총서 3』, 사찰문화연구원, 1993. p.208; 김승호, 『절따라 전설따라』, 대원정사, 1999, pp.300~308.

507 『전통사찰3』, pp.212-213.

> 이다. <중략> 현덕5년(958, 광종9)세차 무오년 가을 8월 20일에 대사는 입적하고자 목욕을 마치고 방안에서 문생들에게 명하여 모두 뜰 안으로 모이게 하고는 유훈을 하기를 '만법은 다 공한 것이라 나 이제 떠나 가련다 일심은 곧 근본이니 너희는 힘쓰도록 하라 <중략>' 라고 하고는 말을 마친 다음 방안으로 들어가 단정히 가부좌하고 고달원 선당에서 인멸하였다. <중략> 임금은 대사가 입적하였다는 말을 듣고 선월禪月이 빨리 사라지고 각화覺花가 먼저 진 것을 슬퍼하여 사자를 보내어 곡서鵠書로 조문하였다. 시호는 원종대사라 추증하고 탑호를 혜진이라 하였으며, 영정 한 벌을 만들었다. 이어 국공國工에게 돌을 다듬어 여러 층으로 된 사리탑을 만들게 하였다. 문인들은 소리쳐 울며 시신을 받들어 혜목산 서북 언저리(산기슭)에 탑을 세우니 불법에 따른 것이다.
>
> ...... 개보開寶8년(975)세차歲次 을해10월일에 세움 글자를 새긴이 이정순李貞順[508]

원종대사혜진탑비문

라고 그 건립연대와 부도지를 밝히고 있다. 그런데 비문 이면에 의하면 탑비는 966년 공사를 시작하여 977년에 완공하였다는 내용이 기록되어 있다. 이것은 탑비공사가 김정언에 의하여 비문이 완료된 966년에 시작되어 975년 10월에 끝났는데, 추가적으로 비각을 건립하는 공사가 977년에 완공되었음을 의미하

508 『羅末麗初金石文』, 韓國歷史學會, 도서출판 혜안, 1996.

는 것으로 추정된다.[509]

1911년의 혜진탑비(『조선의 건축과 예술』)

지금의 고달사지 터에는 부도(국보 제4호), 원종대사 혜진탑 및 비의 귀부와 이수(보물 제6호), 초석, 석불대좌(보물 제8호), 계단석 등이 있으며, 귀부 위에 있었던 비석은 보이지 않고 석등 등의 유구는 옮겨져 버렸다.

1912년 11월 총독부촉탁 세키노關野 일행이 조사한 『다이쇼원년 조선고적조사보고大正元年朝鮮古蹟調査報告』에 의하면 당시 고달사지에 유존한 석조물은 다음과 같다.

갑. 폐고달원 원종대사 혜진탑廢高達院 元宗大師 慧眞塔

갑.	동	비碑
을.	동	서북부도西北浮屠
을.	동	비귀부碑龜趺
을.	동	석조불좌石造佛座

509 嚴基杓, 『新羅와 高麗時代 石造浮屠』, 학연문화사, 2003, p.76.

원종대사혜진탑비는 1912년까지는 상당히 완전한 상태로 유존遺存되었음을 당시의 사진을 보아도 알 수 있다.[510] 1912년 11월에 이곳을 탐방한 야쓰이 세이이치谷井濟一의 보고에도 아무런 손상이 없음이 나타나 있다.[511]

1915년 3월 6일

돈의문(敦義門) 경매

돈의문敦義門은 서울 성곽의 4대문 중 서쪽에 있다고 하여 서대문西大門이라고도 한다.

1912년에 수립한 경성시구 개수 계획에 따라,[512] 도로 확장 공사가 시작되면서 소의문이 1914년 12월에 훼철되고, 이어 서대문도 1915년 3월에 와서 훼철에 이르게 된다.

『매일신보』 1915년 1월 20일자에는 도로확장공사에 대해 다음과 같은 기사를 싣고 있다.

> 서대문통 도로개정, 금년 여름 안에 준공
>
> 이미 총독부에서 행하는 경성시구개정 제1기공사 중 동대문통과 광화문 앞 황토현으로부터 서대문 밖 의주가도에 이르는 일선은 이달부터 토지

---

510 關野貞, 『朝鮮の建築と藝術』 도판(번호 1911)의 상태를 보면 이 혜진탑비는 완전한 상태로 남아 있음을 보여주고 있다.

511 谷井第 ·, 「朝鮮通信」, 『考古學雜誌』 3-6, p.49.

512 「京城市區 改修豫定計劃 路線表」, 『朝鮮總督府官報』 1912년 11월 6일자.

를 매수하기에 착수하야 본년도 안에 전부를 마치고 봄의 해빙기를 기다려 역사를 시작하여 여름까지 준공할 예정인데 그 공사의 내용을 들은즉 황토현 광화문통과 서대문통과 십자길을 만들 터이므로 서대문에 이르는 사이는 동대문통과 한가지로 열다섯 칸 넓이 길거리로 하고 성밖 즉 서대문으로부터 의주통 십자길에 이르는 사이는 열 칸 길거리로 할 터이오. 이 황토현으로부터 의주통에 이르는 길 연장은 대략 9정 여나 되겠다더라.

이 같은 도로확장계획에 따라 총독부 토목국에서는 돈의문을 경매입찰에 붙여 3월 6일 공매하기로 했다.[513]

돈의문이 헐리기 직전『매일신보』1915년 3월 4일자에는 이 문을 의인화하여 다음과 같은 글을 남기고 있다.

'나는 경성 서대문 올시다'
나는 세종조 즉위 3년 즉 1421년에 축성도감의 지휘하에 팔도 장정 30만명의 손으로 탄생된 경성의 8성문되는 우리 8형제 중에 둘째 되는 돈의문敦義門이 올시다. 세상 사람이 통칭 부르기를 서대문이라 하며 또 말하기를 새문이라 하는 고로 몇 백 년 내려오면서 나는 많이 먹어도 항상 '새악이 새악이' 하는 음으로 '새문 새문'하더니 지금은 이 새문이 아주 경성의 여러분과 인연이 지나서 오는 6일에는 경매가 되어 간다합니다. 새벽서리 찬바람에 삼십삼 파루소리가 종로 종각에서 뎅뎅 울려나오면 수문 군사는 단단히 닫혔

513『每日申報』1915년 3월 2일자.

돈의문(국립중앙박물관 소장 유리건판)

던 그 당시 말로 팔만장안 억만 가구의 늙은 이 젊은이가 마음대로 나가기도 하고 팔도 삼백육십 관의 사나이 여편네가 마음대로 들어오기도 하다가 저녁에는 인왕산을 넘어가고 밝은 달이 세상을 차지할 때 이십팔수 인경소리와 같이 입을 다물어 성외 도적의 출입을 막고 불시지변도 방비하던 나로소이다. 평시에 나의 직무는 삼백육십일 밤낮 이러한지 만일 국가에 병화가 생길 때에 나도 능히 국가의 간성干城 노릇을 하여 성 아래 몰려오는 군사의 탄환과 화살을 모두 나의 홑몸으로 향하여 모여들건마는 이를 능히 견디고 이때까지 엄연하게 한성 서편을 지키고 있다가 다만 몇 푼에 경매가 되어나가 나의 영화롭고 훈공 많고 귀중한 이 몸이 무무한 백성의 집 뒷간 기둥이 될는지 하룻밤 남의 잠잘 자이라고 아궁이 신세를 지고 한 주먹 재가 되어 사나운 봄바람에 정처 없이 떠다닐 생각을 하니 늙은 신세에 눈물이 저절로 옷깃을 적십니다. 당초에 우리 팔형제가 생길 때에 당시 우의정 이원이라는

재상이 도읍의 성곽은 집안의 울타리라 하며 여덟 문을 세우고 도성을 중수하자 조정에 의론을 제우셨으므로 우리 팔형제는 그 중대한 책무를 스스로 어렵게 알아 임진 병자란과 홍경래의 큰 난리에 만고풍상을 다 격고 말았으니 나의 문루를 지정하여 주는 <중략> 세월이 가고 시세가 변하고 변한 것을 어찌할 수 있으리까 우리 끝에 동생 서소문은 지난 섣달에 헐려갔고 우리 맏형 동대문과 셋째 아우 남대문은 좌우 편성이 뭉주러져 몇 해 이래로 우리 형제와 연신이 전혀 끊어졌는데 지금의 이 몸조차 형체을 잃게 되니 이전을 돌아보고 지금을 생각하매 감구지회를 어찌 금하오리까. <중략> 동대문이나 남대문 같이 잘생기지도 못하여 옆으로 길을 돌리고 보존하여 주기를 바랄수도 없는 고로 일희일비로 사백구십오년을 한세상으로 알고 돌아가며 경향제위에게 작별을 고하옵니다.

돈의문은 예정대로 3월 6일 오전에 경매입찰을 행하여 2백5원 50전에 경성 염덕기에게 낙찰되었는데, 경매한 것은 목재와 기와이며 석재는 도로에 사용하고 고고학상 참고할 것은 총독부에 보관했다.

『매일신보』 1915년 6월 11일자에는 다음과 같은 기사를 남기고 있다.

최후의 서대문

경성의 사대문 중의 하나 되는 서대문은 근 오백년 역사를 섭섭히 머무르고 250원의 화목 값으로 경매되어 지난번에 문루와 문짝 등은 없어지고 돌덩이 홍여 형상만 두어 달 동안 풍우의 침로에 맡겼더니, 10일 정오경에는 아주 홍여 형상의 큰 돌까지 붕괴되어 버렸더라 이전에 한양 백성이 편안하라고 쌓았던 도성의 성문이라 홍여트러 쌓은 석재는 주춧돌 말고 열일곱 개라 그것이 모두 길이 다섯 자 폭이 석자 두께가 석자, 한 개의 중량이 삼천 근이나 되는 큰 돌인고로 인부가 위에서 무너뜨려 칠 때에 '쿠화앙' 하고 땅을 울리더라. 그리고 문의 좌우 옆에 쌓인 돌은 모두 3일 안에 무너 없앤다고 한즉 이로써 서대문은 영구히 사라지게 되겠더라. 문의 주초까지 파인 후에는 홍화문 앞에서 서대문 밖까지 열칸 폭의 평탄한 큰길이 만들어질 모양이라 역사는 금년 가을 공진회 안에 준공될 터인 즉 두어 달만 지나면 그 근처는 면목이 일신하겠더라. 원래 종로에서 홍화문까지 가기에는 이리저리 휘어진 길이었으나 이번에는 황토현에서 홍화문 앞까지는 곳곳이 열다섯 칸 폭의 대로로 넓히게 되얏고 홍화문 앞에서는 왼편으로 꺾여 서대문에 통하는 길은 종래의 담을 헐고 넓고 좋은 길이 될 터이라. 요사이 그 근처에 쌓인 흙은 종로통의 얕은 곳으로 실어다 메우는 중이라. 요사이 이 치도역사에 종사하는 인부는 일백 수십인데 교통이 빈번한 곳이라 역사도 여히 진행되지 못할 염려도 있다하며 전차는 15일까지 서대문의 안팎에서 바꾸어 타며 사람은 오른편으로 넘어 다니더라.

1915년 3월 24일

이왕직 직원사무분장 규정의 개정

이왕직사무분장규정李王職事務分掌規程을 다음과 같이 개정하였다.

이왕직 사무 분장 규정李王職事務分掌規程[514]

제1조 이왕직李王職에 다음의 1사司 6과課를 설치하여 사무를 분장한다. 장시사掌侍司, 서무과庶務課, 회계과會計課, 주전과主殿課, 제사과祭祀課, 농사과農事課, 장원과掌苑課이다.

제2조 장시사는 다음의 사무를 관장한다.

1. 창덕궁昌德宮의 신변에 관한 사항이다.
2. 창덕궁의 진후 조약診候調藥 및 위생衛生에 관한 사항이다.
3. 창덕궁 나인內人에 관한 사항이다.
4. 창덕궁의 공선供膳 및 향연饗宴에 관한 사항이다.
5. 의식儀式, 빈객 접대賓客接待에 관한 사항이다.
6. 왕가의 보첩譜牒, 사장詞章, 고인古印 등의 관수管守에 관한 사항이다.

제3조 서무과는 다음의 사무를 관장한다.

1. 직원職員의 진퇴進退와 신분身分에 관한 사항이다.
2. 장관長官, 차관次官의 관인官印 및 직인職印의 관수에 관한 사항이다.

514 『純宗實錄』 1915년 3월 24일 조.

3. 궁규宮規 및 기타 중요한 공문서公文書의 기초起草 및 심사審査에 관한 사항이다.

4. 공문서류公文書類의 접수接受, 발송發送, 편찬編纂, 보관保管 및 통계 보고統計報告에 관한 사항이다.

5. 도서圖書의 보관保管, 출납出納 및 반납返納, 종람縱覽에 관한 사항이다.

6. 증답贈答에 관한 사항이다.

7. 다른 주관主管에 속하지 아니한 사항이다.

제4조 회계과는 다음의 사무를 관장한다.

1. 출납出納 및 용도用度에 관한 사항이다.

2. 재산財産에 관한 사항이다.

3. 미술공장美術工場 및 구사廏舍에 관한 사항이다.

4. 공가公家의 회계 감독會計監督에 관한 사항이다.

제5조 주전과는 다음의 사무를 관장한다.

1. 궁제宮第 및 창덕궁 내 소재의 청사廳舍와 아울러 그 부속물附屬物의 관수에 관한 사항이다.

2. 영선營繕에 관한 사항이다.

제6조 제사과는 다음의 사무를 관장한다.

1. 제사祭祀에 관한 사항이다.

2. 묘廟, 전殿, 궁宮, 능陵, 원園, 묘墓의 관수에 관한 사항이다.

제7조 농사과는 다음의 사무를 관장한다.

1. 임업林業에 관한 사항이다.

2. 농장農場에 관한 사항이다.

3. 종마 목장種馬牧場 및 유우장乳牛場에 관한 사항이다.

제8조 장원과는 다음의 사무를 관장한다.

1. 박물관博物館에 관한 사항이다.

2. 동물원動物園에 관한 사항이다.

3. 정원庭苑 및 식물원植物苑에 관한 사항이다.

제9조 이 태왕李太王의 부속 직원〔附職員〕은 다음의 사무를 관장한다.

1. 덕수궁德壽宮의 신변에 관한 사항이다.

2. 덕수궁의 진후 조약 및 위생에 관한 사항이다.

3. 덕수궁의 공선 및 향연에 관한 사항이다.

4. 덕수궁의 나인에 관한 사항이다.

5. 덕수궁의 서무에 관한 사항이다.

6. 덕수궁 내 소재의 청사와 아울러 그 부속물의 관수에 관한 사항이다.

7. 기타 덕수궁에 관한 일체 사항이다.

제10조 왕세자王世子의 부속 직원은 다음의 사무를 관장한다.

1. 창덕약궁昌德若宮의 신변에 관한 사항이다.

2. 창덕약궁의 진후 조약 및 위생에 관한 사항이다.

3. 창덕약궁의 서무에 관한 사항이다.

4. 기타 창덕약궁에 관한 일체 사항이다.

제11조. 공족公族의 부속 직원은 각 공가公家의 서무 및회계를 관장한다.

본 규칙規則은 대정大正 4년 4월 1일부터 이를 시행한다.

1915년 3월

총독부로 옮긴 감산사석조미륵보살입상과 아미타여래입상

1915년에는 경주군 월성군에 소재하는 감산사지甘山寺址의 조사가 스에마츠 구마히코末松熊彦와 와타나베 아키라渡辺彰에 의해 이루어 졌다. 조사 때에 수전水田 중에 넘어져 있는 두 불상을 발견하였다. 이는 삼국유사에 기록된 감산사석조미륵보살입상과 감산사아미타여래입상으로 광배의 뒷면에 조상 유래와 연대가 명시[515]되어 있는 신라의 조각으로 매우 귀중한 자료이다. 이 두 불상은 1915년 3월에 조선총독부로 반이搬移하여 총독부 시정5주년기념 조선물산공진회장 특설미술관에 전시하였다.[516]

나카기리 이사오中吉功는 감산사지 두 석불의 반이에 대해 다음과 같이 설명하고 있다.

---

515 『三國遺事』, '南月山' 條.

이 절에는 서울에서 동남쪽으로 20리 가량 되는 곳에 있다. 金堂主彌勒尊像火光後記에는 다음과 같이 기록되어 있다.

開元7년 己未(717) 2월 15일에 重阿湌 金志誠이 그의 죽은 아버지 仁章 一吉干과 죽은 어머니 관초리부인을 위해서 감산사와 석미륵 하나를 정성껏 만들고, 아울러 개원 아찬과 아우 간성 소사, 현도사, 누이 고파리, 전처 고로리, 후처 아오리와 또 서형 급한 일길찬, 일당 살찬, 총민대사와 누이동생 수힐매 등을 위하여 이 선한 일을 했다.

미타불화광 후기에 는 다음과 같이 기록되어 있다.

중아찬 김지성은 일찍이 상이봉어와 집사시랑으로 있다가 67세에 관직에서 물러나 집에서 한가롭게 지냈다. 국주대왕과 이찬 개원, 돌아가신 아버지 인장 일길간, 돌아가신 어머니....... 감산의 장전을 내놓고 절을 세웠다.

516 中吉功, 「新羅甘山寺石造彌勒・阿彌陀像に就いて」, 『朝鮮學報』 第9輯, 朝鮮學會, 1956 參照.

감산사석조미륵보살입상과 감산사아미타여래입상
(현재 국립중앙박물관)

이 양상은 경상북도 경주군 내동면 신계리의 감산사지에 있던 것들인데, 대정4년(1915) 3월의 시기에 총독부시정5주년 조선물산공진회 개최에 맞추어 회장 내의 특설미술관을 장식하기 위해, 당시 와타나베 아키라渡邊彰와 스에마츠 구마히코末松熊彦 양씨兩氏에 의해 미술관으로 옮겨져 일단의 광채를 더해 주었고,[517]

이 내용을 보면, 감산사지 석불의 반이는 순전히 1915년 9월에 개최하는 시정5주년기념물산공진회장의 진열품으로 하기 위한 것이었다.

『매일신보』 1915년 3월 2일자에는 "경주석불 진열. 공진회미술관에서는 저 유명한 경주의 석불 3체를 진열하기로 결정하고 곧 도착할 터인데 남대문에 도착하는 동시에 경복궁으로 운반하리라더라"는 기사가 보이고 있어, 그 시기가 1915년 3월 초로서 당시 감산사지 두 석불만이 아니라 삼릉계약사불도 함께 옮겼음을 알 수 있다.

나카기리 이사오中吉功의 기록에는 1915년 3월 전기 2씨(渡邊彰, 末松熊彦)가 경주지방의 고적조사를 할 때 발견되어 경성의 경복궁으로 옮기게 된 것으로, 당시 감산사지에는 십 수개의 초석이 산재하고, 석탑의 잔재와 두 상이 수전水田 중에 도복倒伏되어 있었다고 한다.[518] 국립중앙박물관 소장 유리건판 사진(감산사지석탑

517 中吉功, 「新羅甘山寺石造彌勒 · 阿彌陀像について」, 『朝鮮學報』 제9輯, 1956년 3월, p.275.
518 中吉功, 「新羅甘山寺石造彌勒 · 阿彌陀像について」, 『朝鮮學報』 제9輯, 1956년 3월, p.276.

붕괴 상태)을 보면 감산사지가 모두 논으로 변해 있음을 알 수 있다. 이렇게 본다면 와타나베와 스에마쓰가 1915년 3월에 처음 발견하여 반이 한 것처럼 보인다.

그러나 감산사의 석불을 시정5주년기념공진회장으로 옮길 계획은 1914년 10월에 이미 세워져 있었다. 『매일신보』 1914년 10월 9일자에는 다음과 같은 기사가 있다.

감산사지석탑 붕괴 상태

공진회와 경주석불

명추明秋 개최할 기념물산공진회 출품계획에 대하여는 낭자曩者(저번) 이시즈카石塚 위원장이 각도 장관에게 통첩을 발하여 11월 중에 각각 의견을 구具하여 회보하라는 지旨로 명하였는데 우회보가 내來한 후에 구체적 결정을 견見함은 지완遲緩하여도 12월내에는 될 지며 또 전자부터 총독부에 출품할 물품으로 협의 중이던 최근 경주에서 발굴한 신라조의 석불 3구는 미술관 중앙에 설設할 1실 정면에 안치하고 주위에는 유명한 경주 석굴암 석벽조각의 모형으로써 할

◎共進會와慶州石佛

明秋開催할紀念物産共進會出品計劃에對하야는當者石塚委員長이各道長官에게通牒을發하야十一月中에各各意見을具하야回報하라는旨로命하얏는딕右回報가來한後에具體的決定을見할은遲緩하야도十二月內에는될지며또前者브터總督府에셔出品할物品으로協議中이던最近慶州에셔發掘할新羅朝의石佛三躰는美術館中央에設할一室正面에安置하고周圍에는有名한慶州石窟庵石壁彫刻의模型으로써할計劃인딕工業傳習所技術官中村某氏는右模型을採用하기爲하야曩者에同地에出張하야現今此에從事하는中이라元來朝鮮은多年苛政에古美術이多히荒廢되고또最近各種商工業의勃興을見하다하나始政함이僅々數年에不出하즉其萌芽가生함에不過하다謂할지며隨하야共進會出品計劃에對하야는當局者의가장辛苦한바이라前記慶州의石佛及石壁의模型은大槪場內偉觀이되리라더라

계획인데 공업전습소 기술자 나카무라中村 모 씨는 우 모형을 채용採用하기 위하여 낭자曩者에 동지同地에 출장하여 현금現今 차此에 종사하는 중이라. <중략> 공진회 출품계획에 대하여는 당국자의 가장 신고辛苦한 바이라 전기 경주의 석불급석벽石佛及石壁의 모형은 대개 장내의 위관偉觀이 되리라더라.

원 위치의 경주 남산 석조여래상
(『조선고적도보』제5책)

여기서 말하는 '신라조 석불 3구'는 경주 삼릉계야사불과 감산사 석불 2구(석조미륵보살입상과 감산사아미타여래입상)를 지목하고 있다. 이 내용을 보면 1914년 10월 이전에 이미 감산사 석불이 발견되었다는 얘긴데, 삼릉계약사불은 1911년에 세키노 일행의 고적조사에서 이미 그 존재가 확인되었고,[519] 감산사의 석불에 대해서는 그 발견 시기가 명확하지 않다. 『순종실록부록』 제5권 1914년 6월 27일자 기사를 보면,

519 『朝鮮古蹟調査略報告』, 1914년 9월.

사무관事務官 스에마츠 구마히코末松熊彦를 3 주간에 한하여 경북의 달성, 칠곡, 영천, 경주, 경산, 청도와 경남의 밀양 등의 군에 출장 가서 고적古蹟에서 박물관의 참고 자료로 쓰일 수 있는 것을 찾아오도록 하였다.

하는 기사가 보이고 있어 혹 이 당시에 경주를 조사하면서 발견한 것이 아닌지? 하는 의혹이 있으나 이것도 명확하지 않다.

발견 시기에 대한 의혹은 남지만 경복궁으로 옮겨진 후 시정5년기념공진회의 미술관에 본관 1층 정면에 삼릉계약사불을, 정면 계단의 좌우에 감산사 석불을 배치하였다. 이 같은 상태는 미술관이 총독부박물관으로 개칭될 때까지 그대로 두었다.[520]

해방 이후에는 어떻게 진열했는지는 잘 알 수 없으나 『동아일보』 1962년 12월 13일자의 「국보순례」란을 보면,

서울 경복궁 안에 있는 문화재관리국 청사

중앙에 약사여래좌상(경주 남산에서 가져온 것), 좌우에는 감산사에서 가져온 아미타여래 · 미륵보살입상을 배치 (『朝鮮彙報』, 대정5년 1월)

조선총독부박물관 내부 전시장의 경주 삼릉계약사여래불 진열 상태

520 中吉功, 「新羅甘山寺石造彌勒 · 阿彌陀像について」, 『朝鮮學報』 제9輯, 1956년 3월, p.275.

1층복도에서 2층으로 올라가는 계단 바로 아래 벽에 사람 키보다 조금 큰 돌石造 미륵보살 하나가 붙어 서있다. '그저 그런 것이 있구나!' 정도로 생각하겠지만 알고 보면 우리나라 대표적 고대조각의 하나로 손꼽히는 국보 제81호 감산사 석조미륵보살입상이 바로 이 석상이다.

하고 있어, 서로 분리하여 진열한 것으로 보인다.

1915년 4월

구로이타 가쓰미(黑板勝美)의 조선사적유물조사와 그의 행적
-1915년(4월 22일~8월 2일)을 中心으로-

Ⅰ. 머리말

대륙침략의 야욕에 사로잡힌 일제는 그 첫 단계로 1871년 7월에 병부성兵部省 내에 육군참모국(후에 陸軍參謀本部)을 설치하고, 이곳에서 한국과 만주 일대에 밀정을 파견하여 대륙진출을 위한 정탐활동偵探活動[521]을 하는 한편 대륙침략의 명분 찾기에 골몰했다. 그 명분은 바로 그들의 『고사기古事記』, 『일본서

521 村上勝彦, 「隣邦軍事密偵と兵要地誌」, 『朝鮮地誌略』, 1981, 復刻板, 京仁文化社, 1997 影印, pp.3-4.

기日本書紀』 등을 바탕으로 만들어낸 '임나일본부任那日本府' 에서 찾고자 했다.[522] 때마침 1883년 일본 육군참모본부의 밀정 사코 가게노부酒匂景信 중위가 광개토대왕릉비의 비문碑文: 雙鉤加墨本을 일본으로 가져감을 계기로[523] '임나일본부설'을 정설화 한다. 일본으로 가져간 비문은 일본 육군 참모본부에서 극비리 해독작업이 이루어져[524] 일본 아세아협회에서 1889년 6월에 『회여록會餘錄』 제5집

522 최재석의 『고대한일관계사 연구 비판』(경인문화사, 2010)에 의하면, 일본 육군참모본부에서는 1880년에 이미 『皇朝兵史』만들어 한국 고대사를 왜곡하고 일본이 고대 한반도를 지배한 것으로 조작하고 있다.
1882년에는 육군참모본부 편찬과에서 『任那考』가 작성되었는데, 佐伯有淸의 『研究史 廣開土王碑』(吉川弘文館, 1974, p.30)에 의하면, 『任那考』의 표지에는 「編纂課備付第227号/任那考稿/全」이라 되어 있고 卷末에는 「明治十五年八月十一日/編纂課」라고 기록하고 있으며, 부록으로 『任那國名考』싣고 있다고 한다. 『任那考』는 참모본부 편찬과에서 1882년 8월에 편찬한 것으로, 酒匂가 쌍구가묵본(雙鉤假墨本 : 雙鉤摹本)을 일본으로 반출하기 전으로, 이것은 학자들의 한국사를 본격적으로 연구하기 전의 일이다. 일본육군참모본부가 고대사의 허구를 만들어내어 조선침략의 발판으로 삼고자 얼마나 노력을 하였는지를 엿볼 수 있다.

523 酒匂가 廣開土王碑文을 日本으로 가져간 해를, 『對支回顧錄』(東亞同文會, 1936)에 나타난 酒匂의 관련 기록에, "13년(1880) 9월 淸國 派遣命令을 받고 .... 17년(1884) 5월 砲兵大尉로 진급함과 동시에 귀국명령을 받아 名古屋 포병제3연대 중대장에 임명되었다" 하고 있으나, 佐伯有淸과 李進熙 교수는 『參謀本部歷史草案』文 '明治16년(1883)項' 중에는 酒匂景信이 이 해 8월 8일에 우장에서 참모본부장에게 보낸 문서와 여기에 첨부한 淸國 公使館部 武官 福島安正大尉의 文書 및 이 해 9월 3일자 關西局長 桂太郎 대좌의 '酒匂景信 旅行 要請에 붙이는 意見'(酒匂의 귀국코스 변경 신청에 대한 1883년 9월 3일자의 답신), 宮崎종합박물관에 있는 辭令 등을 종합해 보면 1883년 10월 말까지는 일본에 돌아와 있지 않으면 아니 됨을 밝히고 있다.

524 이 비에는 당시 고구려 및 주변 여러 나라와의 관계를 파악할 수 있는 내용들을 담고 있는데 그 가운데는 倭人들과의 관계가 많이 기술되어 있다. 이것이 때 마침 東洋制覇의 꿈에 취해 있던 일본 군국주의자들에 의해 그들의 고대사에 유리하도록 해석하려는데 신경을 경주하였다. 碑文의 解釋은 1884년부터 1889년 사이 參謀本部 編纂課가 中心이 되어 진행되었고 각자의 해석에 대해 당시의 고명한 國學者 및 歷史家들이 동원되어 校閱하였다.
李進熙의 「廣開土王陵碑文の謎」(『思想』 575號 1972년 5월 岩波書店)에 의하면, 靑江秀의 「碑文考證文」에는 栗田寬, 重村不能在가 校閱을 했다고 나타나 있으며, 佐伯有淸의 『廣開土王碑と參謀本部』(1976년 吉川弘文館)와 『研究史 廣開土王碑』(1974년 吉川弘文

에 그 석문釋文 등을 수록하여[525] 발표함으로서 대륙진출의 야욕에 불타던 일제의 민심을 더욱 부추겼다.[526] 광개토대왕비문에 고구려 원정 대상으로 자주 나타나는 왜병 관계 기사를 '임나일본부'의 이론적 근거로 만들기 위해 연구가 시작되어[527] 이 같은 내용은 역사적 사실을 뒷받침해 주는 다시없는 한국 측 자료

館)에 의하면, 橫井忠直의 「高句麗古碑考」(宮內廳書陵府藏)의 제2면 8행의 '新羅城'의 註解, 제2면 9행의 '任那伽羅', '安羅' 의 註解에 '修史館考按'이 있어 수사관 編纂官이 검토했다는 것을 말해주고 있다. 수사관은 현재의 東京大學 史料編纂所의 前身으로 修史官이라 칭하던 시기는 明治10년(1877) 1월부터 동 19년(1886) 1월까지 9년간으로 당시 編修官으로는 일본의 근대사학을 개척한 重野安繹, 川田剛, 久米邦武, 星野恒이었다고 한다. 그런데 5年間이나 그와 같은 작업이 있었다는 것은 세상에 알려지지 않았다.

525 『會餘錄』5집에는 釋文과 寫眞石版의 「高句麗古碑文」,「高句麗碑出土記」, 「高句麗古碑考」가 收載되어 있는데, 佐伯有淸에 의하면(『廣開土王碑と參謀本部』, 吉川弘文館, 1976, pp.111-112), 『會餘錄』에 수록된 「高句麗古碑考」에는 "明治21년 10월 橫井忠直識)"이라 記해 있고, 無窮會圖書館과 京都大學附屬圖書館에 소장되어 있는 「高麗古碑考」에도 "明治21년 10월 橫井忠直 識"이라고 기록된 점으로 보아 이 두 본을 바탕으로 마지막으로 수정한 것을 『會餘錄』에 수록한 것으로 보인다고 한다.

526 『會餘錄』 제5집은 광개토왕비 특집으로 출간하였다. 佐伯有淸의 『廣開土王碑と參謀本部』(1976, 吉川弘文館, pp.121-122)에 의하면, 간행 후엔 즉시 《時事新報》, 《東京新聞》 등의 신문지상에 출판광고를 싣고 그 광고문에 "비문 중에는 우리가 일찍이 백제, 신라, 임나가라를 정복했던 사실이 기록되어 있다", "우리 皇國人의 威武의 찬란함", "실로 歷史家의 考證과 書家 書刻師의 規範이 되는 것" 등의 말과 아울러 "倭人은 그 국경을 가득 채우리" 라는 것을 전체란의 표제로 삼았으니, 그 목적이 어디에 있는지를 보여 주고 있다.

527 『會餘錄』제5집 공간 이후 최초의 광개토왕비문의 연구는 이에 의거한 첫 논문이 1891년에 菅政友에 의해 「高句麗好太王碑銘考」(『史學會雜誌』 第22號-25號, 1891)가 발표되고, 이어 1893년에는 那珂通世의 「高句麗古碑考」(『史學雜誌』 第47號, 49號, 1893)가 발표되었다. 그 후 5년 뒤에 1989년 三宅米吉는 帝國博物館에 있는 縮小寫眞石版, 회여록비문, 帝國博物館 所藏의 橫田忠直의 「高句麗古碑考」, 菅政友의 「高句麗好太王碑銘考」, 那珂通世의 「高句麗古碑考」 등을 참고로 하여 「高麗古碑考」(『考古學會雜誌』 第2-1, 3號, 1898)를 발표하였다.

이들의 논문 사이에는 碑文字句에 일부 차이가 있고 결자 및 해석에서도 약간의 차이가 있으나 고대일본이 신라와 백제를 臣民으로 삼고 고구려의 대군과 싸웠다는 점을 강조하고 있는 점은 일치하고 있다.

라고 주장했던 것이다.[528] 이로써 당시 한반도 남부의 가야지역에 소위 '임나일본부'의 존재를 기정사실화하였으며, 동시에 이를 당시의 식민정권으로 취급하여 한반도를 침략하기 위한 역사적 근거로 조작하였다.[529]

이상의 일련의 과정을 통하여 대륙침략의 명분을 축적한 일제는 각 방면으로 한국 연구에 박차를 가했다. 청일전쟁 전후의 시기는 한국 문제가 조야朝野의 관심을 강하게 모은 시대로서, 학계의 눈도 일제히 한국에 쏠려 있었다. 역사학뿐만 아니라 언어, 지리, 법제 등 여러 부문에서도 한국 연구가 한창이었다.[530] 러일전쟁에 의해서 한국에 대한 일본의 독점적 지배권이 확립되고, 한국강점이 행해지는 단계가 되자 한국을 확실하게 지배하기 위한 본격적인 연구가 시작되었다.[531] 일제강점이 시작되자 일본의 한국지배를 합리화하기 위한

---

528 『會餘錄』 제5집의 출간은 하나의 중대한 사건으로 일제의 한국침략과 대륙진출의 야욕을 공포한 것이나 다름없다. 그 末尾에 다음과 같이 誤導하면서 대대적인 선전을 하였다. 碑文 중에 우리나라와 큰 관계를 가진 사항이 있다. 즉 '辛卯年에 倭가 바다를 건너가 백제와 신라를 破하여 臣民으로 만들었다' 한 구절이다. 자고로 중국과 한국의 史書들은 다만 우리나라가 변방을 침노하고 사신을 보낸바 사실들을 기록하고 있으나 아직 「백제와 신라가 우리나라에 臣屬했다」는 것을 쓴 바 없다. 그것은 史家들이 우리나라의 忌諱를 두려워함에서다. 그러나 이 碑는 삼국이 정립한 고구려인이 건립한 것으로 백제와 신라의 國諱에 掛意할 필요가 없다. 능히 그 날의 일을 1600년 후의 오늘에 이르러 暴露하게 된 것이다(橫井忠直, 「高句麗古碑考」, 『會餘錄』第五集, 亞細亞協會, 明治22년(1889) 6월).

529 王健群, 「"任那日本府"와 "倭의 五王"」(譯 : 金英熙), 『伽倻文化』 제5호, 伽倻文化研究院, 1992, p.221.

530 旗田巍(李基東 譯), 「日本에 있어서의 韓國史 研究의 傳統」, 『韓國史 市民講座』 제1집, 一潮閣, 1987년 9월, p.78.

531 「東洋歷史地理研究の勃興」, 『歷史地理』 제11권 제3호, p.76에 의하면,
明治37, 38년 戰役의 결과 한국은 일본의 보호 하에 있고, 淸國의 일부는 일본의 세력범위로서 일본은 동양의 覇者로서의 위치를 하게 되었다고 한다.
「時評」, 『歷史地理』 제15권 2호, 歷史地理學會, 1910년 2월, pp.88-89.에 의하면,
1909년에는 대륙진출이 야망으로 각 방면이 연구가 활발하던 시기로 언어학, 인류학, 고고학, 역사학, 지리학 방면에서 경쟁을 하듯 학술적 연구에 종사하여 만철회사의 조

작업과[532] 아울러 각 분야를 보다 세밀히 알아서 한국의 지배체제를 강화하기 위한 단계로 고적조사사업이 본격화 되었다. 또한 당시 일본학계에서는 일본과 동아시아의 관계, 일본의 역사와 근원을 밝히기 위한 연구가 활발해 지면서 한국의 연구는 그들 학계의 의욕을 채우는데 필수적인 것이었다.[533]

1915년에 들어서면 일제의 한국강점 정당화 작업은 최고조에 달하여, 1915년 9월에 개최되는 '시정5주년기념공진회'를 위해 조선총독부정치의 실적을 포장하여 선전하기에 여념이 없던 시기이다. 이 시기에 임나일본부와 관련한 조사를 위해 구로이타 가쓰미黑板勝美가 한국에 건너오게 된다. 1915년 4월에 구로이타 가쓰미黑板勝美는 조선총독부와는 별개로 도쿄제국대학의 명령으로 출장하여 백여 일간 상대사 연구의 자료를 수집하기 위해 한국의 사적유물을 조사했다.

구로이타 가쓰미(1874~1946)는 1901년 도쿄제국대학 사료편찬원에 임명되었으며, 1902년에 도쿄제국대학 문과대학 강사에 임명된 이후 1935년 정년퇴임까지 도쿄제국대학에서 역사를 강의했다. 1905년에는 도쿄제국대학 문과대학 조교

사부에서는 白鳥 박사를 총재로 만주의 역사 지리의 촉탁으로 연구에 종사하고 그 밑에 松井, 箭內 박사가 임하여 연구를 속행했다. 또 桑原, 守野 박사는 문부성 유학생으로 청국을 여행하고 지리, 인정을 시찰하는 연구 여행을 했다. 또 市村, 塚本, 關野는 각자 전문방면에서 滿淸지방의 유물조사를 했다. 白鳥 일행은 만주지방을 조사하고 한국에서 고문서를 수집하고 京都大學에서는 조선의 金石集帖 구입했다. 한국 방면에서는 關野 박사가 탁지부의 촉탁으로 건축, 유물 조사에 종사하고, 萩野 박사는 東京帝國大學의 명으로 한국사적조사에 종사 그 풍속 등을 조사했다.

532 국권침탈이 이루어지자 『歷史地理』의 臨時增刊號로 '朝鮮號'가 발행되고, 「本誌記念號發刊」(『歷史地理』 제16권 제4호, 1910년 10월. p.102)에서 "韓國併合은 本邦史上 특필한 것으로 이 천재일우의 사실에 대한 역사적 연구와 아울러 일한의 역사적 관계를 밝히는 것이 우리 역사지리학 연구에 종사하는 자의 임무다"라 하고 있다.

533 白鳥庫吉은 「韓國の日本に對する歷史的政策」(『史學界』 제7권 제7호, 1905년 7월, p.1)에서, "일본과 한국은 오래전부터 금일에 까지 밀접한 관계를 가지고 있는 고로 조선에 대한 연구는 일본인이 극히 필요하다고 생각한다"고 하고 있다.

수 겸 사료편찬관에 임명되었으며, 『일본역사 중등교과서日本歷史 中等敎科書』를 간행했다. 1908년에는 『국사의 연구』 초판을 간행하고 1913년에는 재판을 간행했다. 1929년부터는 정창원보고조사위원회회원正倉院寶庫調査委員會會員으로 활동했다. 그의 한국에서의 활동은 1915년 처음 한국에 건너와 조선고적유물을 조사한 이후, 1915년에 총독부박물관을 개설되고 1916년 7월 4일부로 「고적급유물보존규칙」을 발포하고 동시에 「고적조사위원회규정」과 「박물관협의회」가 발족되면서 구로이타는 고적조사위원의 한 사람으로 임명되어 이때부터 고적조사에 참여하게 된다. 특히 『일본서기』를 건드릴 수 없는 성경聖經으로 가정하고 이른바 '황국사관皇國史觀'의 초석을 다진 자로서[534] 한국역사에서 단군을 제외하고 왜곡된 조선사 간행을 기획 주도한 점은[535] 한국역사에 미친 악영향이 지대하다할 수 있다. 이래 해방 전까지 조선고적조사위원, 박물관협의회, 조선사편찬위원회, 조선고적연구회, 조선보물고적명승전연기념물보존회 등 한국의 역사와 문화재에 깊이 관계하여 가장 큰 영향력을 행사한 사람이기도 하다. 이 같은 일본 학계의 거두인 구로이타의 한국 고적유물의 연구를 위한 도한渡韓은 그의 명성에 비해 늦은 감이 있지만 그가 처음 한국에 건너와 각지를 조사한 의미는 적지 않은 무게를 가지고 있다.

구로이타는 한국의 사적유물을 조사한 약 1년 후인 1916년 7월 19일부로 도쿄제국대학 총장에게 『조선사적유물조사복명서』를 제출했다. 하지만 그는 이에 앞서 1915년에 한국에서 조사 활동을 하는 동안 『매일신보』에 「고대사상의 일선관계」(1915년 4월 29일부터 5월 1일까지 3회), 「문화사상으로 관한 일선의 관계」(1915년 6월 8일자), 「남선사적의 답사」(1915년 7월 29일부터 8월 17일까지 15

534 崔在錫, 「黑板勝美의 日本 古代史論 批判」, 『정신문화연구』 13권 1호, 1990.
535 朝鮮總督府 朝鮮史編修會, 『朝鮮史編修會 槪要』, 1938.

회)등을 발표하고, 1921년에는 1915년의 조사 내용을 중심으로 「조선의 역사적 관찰」(1921년 9월 19일부터 9월 26일까지 6회)을 발표했다. 이는 그의 한국에서의 사적유물 조사와 관련한 내용으로 '임나일본부'를 주내용으로 하고 있다.

구로이타의 도한은 각계의 관심사였고, 그가 한국에서 유적 유물을 조사하는 동안 수차의 강연은 물론이고, 이와 관련하여 1915년 이후 신문지상에 발표한 내용은 다분히 의도적인 것으로서, 당시 대내외적으로 미친 파급은 상당하다 할 수 있다. 구로이타가 1915년에 한국에서 조사한 사적유물을 살펴보고, 그의 행적을 통해 임나일본부설을 어떻게 활용했는지를 살펴보고자 한다.

Ⅱ. 조선사적유물조사의 목적

구로이타는 『조선사적유물조사복명서』의 '서언'에서 금회 출장의 목적은 "실지를 답사하여 고고학, 역사지리학 방면을 관찰함으로써 상대사의 연구 자료로 삼고자 함" 이라고 밝히고 있다. 또 「남선사적의 답사(1)」에서 "나는 일본 상대사 연구에는 먼저 남조선의 연구로부터 착수함이 가할 줄로 생각하여 이런 관계로부터 남선을 위주로 하고 북선은 후에 할 바이라" 하며 그 우선순위를 밝히고, 「남선사적의 답사(2)」 에서는 "낙동강 유역은 옛날 신라, 임나의 경역지점境域地點인데 임나는 우리 일본부日本府 소재지라 즉 일본이 남선을 지배할 때의 총독과 같은 것이 있었던 곳이라 여사히 낙동강 유역의 연구가 상대사에 있어 필요" 하다는 점을 밝히고 있어 그의 연구는 고대의 한일관계에 있어 '임나

일본부설'에 초점을 두고 있음을 알 수 있다.[536]

또 「남선사적의 답사(5)」에서 "당시에 신라를 반대한 일본의 세력 범위 내가 임나任那인데 당시 일본의 세력 범위는 어느 곳까지 미치었는가" 하는 점과 「남선사적의 답사(6)」에서 "상대 일본의 영유였던 일본부라는 것이 어느 곳에 있었던가" 하는 점을 밝히는 것이 가장 우선적 과제로 삼고 있다. 곧 '고대 일본의 한반도에서의 세력 범위'와 '일본부의 위치'를 규명함으로써 이런 내용을 기정사실화함과 소위 '임나일본부' 설을 더욱 구체화하여 이를 활용하고자 물증 자료를 찾고자 한 것이다.

그런데 한국 사서에 대한 구로이타의 태도를 보면,

> 조선사朝鮮史의 연구는 종래 다수한 학자의 연구한바 이미 다소 명료明瞭한 점도 있으나 상대上代의 역사에 이르러서는 금일까지 불명한 점이 적지 않으니 이는 필경 조선에 재래在來로 정확한 기록이 매우 적고 또 조선인이 사학 연구에 대하여 비상非常히 냉담冷談한 것에 기인함이라 고로 금일에 우리들은 저 고려시대에 출판된 삼국사기, 삼국유사와 같은 서책을 근거하여 그

---

536 黑板勝美가 「朝鮮의 歷史的 觀察一」(『每日申報』 1921년 9월 19일자)에서 밝힌 내용을 보면, "내가 조선에 來하여 연구하여 보겠다는 動機는 최초 大正3년의 여름 九州지방에 가서 조사할 시에 우연히 일본해 해전에 의하여 그 이름이 나타나게 된 冲島라 이르는 섬에 1차 往하랴한 것인데 이 冲島란 섬은 <중략> 日本書紀의 神功皇后가 조선에 來하였던 路程이 沖島의 航路를 이용한 것이오. 일층 문화적 교섭이 조선과 일본 間에 如何하게 있었던 것을 알고자 하는 바이다. 불행히 조선에 來하는 시기를 오랫동안 얻지 못하고 있다가 冲島란 섬에 來하랴 한 것이 動機"가 되었다고 밝히고 있다.
그러나 이 같은 動機에 대해 李成市는 「黑板勝美를 통해 본 식민지와 역사학」(『韓國文化』 23호, 서울대학교 한국문화연구소, 1999년 6월, p.247)에서 의문을 제시하고 있다. 즉 그의 여행 시기가 『반도사』 편찬의 계획 시기와 겹치고, 末松保和의 회고를 들어 "黑板이 편수회의 창설에 앞서 '大正4년 무렵부터' 총독부의 조사에 관계하고 있었던 것"임을 들고 있다.

일반을 추정할 뿐에 불과하나 조선 상대의 연구는 바로 일본 상대의 역사와 밀접한 관계가 있어 그 연구는 옮겨 일본 사학계의 중요한 연구 과제가 될 것이다. 그런데 조선에 아직 정확한 기록을 가지지 못한 고로 우리들은 이 지역에 대하여 유적 유물을 탐사하고 이로 인하여 연구할 방법 외에는 다른 방법이 없다(黑板勝美, 「南鮮史蹟의 踏査(1)」, 『每日申報』1915년 7월 29일자).

처음부터 한국의 사서는 경시하고 오직 일본의 기록만이 사실인 것으로 미화하는 여느 일본 학자들의 범위에서 벗어나지 못한 상태에서 조사에 임하는 태도를 볼 수 있다.[537] 즉 임나에 대한 기록이 『삼국사기』에 나타나지 않는 다는 이유만으로 그 사료적 가치를 부정하는 것은 물론 한국사의 초기 역사마저 부정하고 있는 것이다.[538] 『일본서기』에 대해서는 "서기의 문文이 태반太半 조선인 및 그 자손의 손으로 서書한 재료材料를 다소 취사取捨하여 절발적切拔的으로 계합繼合" 한 것으로 "조선의 사적을 연구하는 학자도 제일에 읽지 않으면 불가하고 일본의 조정에서 제일로 출래出來한" 것으로, "일본서기를 읽으면 일본서

537 이런 견해는 今西龍도 마찬가지다. 今西龍은 「朝鮮古蹟調査 2」(『每日申報』 1918년 2월 13일자)에서 한국 史書에 대해 다음과 같이 기술하고 있다.
조선에서는 任那에 대하여 글로 남아 있는 書籍은 진실로 적고 <중략> 조선에서의 가장 오래된 서적이라 함은 三國史記와 三國遺事뿐인데 이러한 등의 書物에는 任那를 좁은 의미로 사용하여 加羅의 一國의 명칭으로 사용함에 불가한 것이므로 장구한 역사를 作함에 있어 이를 極短히 書置한 것은 당연한 것일 줄 생각한다. 다만 任那라 하는 것에 대해 三國史記의 强首傳 중에 强首가 "臣은 元任那加羅의 士"라 하였고 그리고 또 하나는 부산의 西에 있는 창원의 김해왕족의 古碑에는 김해왕족의 事까지 任那王族이라 書한 것이 있고 기타 2, 3 任那라 하는 자를 사용한 것이 조선에 있으나 이는 근년 조선인이 일본의 書物을 읽고서 書出한 것이므로 연구의 재료로는 何等 가치가 無하도다.
538 崔在錫, 「계획된 픽션 '任那日本府說'」, 『韓國論壇』, 1991년 6월, p.30.

기의 감사感謝한 점이 금일까지 사고思考하는 이상으로 승인되리로다" 하고 있다.[539] 즉 일본의 사서는 한국인의 손에 의해 만들어 진 부분도 많기 때문에 한국의 역사도 일본의 사서를 따라야 한다는 것이다.

자기네들의 『일본서기』 등은 중시하면서 조선의 역사기록을 부정하고 조선에서 찾을 수 있는 유적 유물에 의존하여 자기들의 역사에 끼워 맞추기를 하겠다는 의도를 볼 수 있다. 그래서 고대 한일 관계의 역사적 사실은 일본 사서를 따르고 이를 보완하기 위해 한국의 유물을 조사하겠다는 야심인 것이다.

이상으로 볼 때 그의 조사 목적은 크게 세 가지로 압축할 수 있겠다. 첫째 고대 한반도에 있어서의 일본의 세력 범위, 둘째 임나일본부의 위치, 셋째 임나일본부의 미화로 볼 수 있다.

Ⅲ. 고적 및 유물 조사

1. 조사의 행적

구로이타의 조선에서의 일정은 그 「조선사적유물조사복명서」[540]에 나타나

539 黑板勝美, 「古代史上의 日鮮關係(2)」, 『每日申報』 1915년 4월 30일자.

540 黑板勝美, 「朝鮮史蹟遺物調査復命書」는 黑板勝美先生生誕百年記念會編으로, 1974년에 간행한 『黑板勝美先生遺文』에 실려 있다.
이 復命書는 1916년 7월 19일부로 동경제국대학총장에게 復命한 것으로, 緖言, 第1 古墳의 調査, 第2 山城의 調査, 第3 南鮮海岸의 調査, 第4 新羅文化의 調査, 第5 百濟文化의 調査, 第6 平壤 및 開城附近의 調査, 結論, 圖版, 附錄(參考資料採集目錄, 參考古文書採集目錄, 參考資料寫眞目錄)으로 構成하고, 緖言 앞에 일정 날짜와 장소를 간략

있으며, 그의 일정에 따라 행적을 살펴본다.

구로이타는 1915년 4월 6일에 도쿄제국대학으로부터 학술 조사를 위한 조선에의 출장을 명받아 4월 17일 도쿄역을 출발하였다.

1915년 4월 21일 부산에 도착한 구로이타는 부산중학교장 히로타廣田와 함께 경성으로 향했다. 그는 기자들에게 말하길, "그동안 대학에서 강의를 하면서 조선고대사 연구를 위해 조선답사 연구를 희망해 왔는데 이번에 대학에서 이를 받아들여 조선에 건너오게 되었다. 답사기간은 약 3개월을 잡고 경성에서 머물면서 제반적인 것을 챙기고, 경주, 부산을 돌아서 마산, 목포를 경유하여 경성으로 돌아왔다가 평양으로 향할 예정이다" 이라고 했다. 그는 "임나任那라는 국가는 역사상 실로 흥미 있는 호과제好課題로 그 옛날에 일본과의 관계가 깊다. 임나와 신라, 백제의 국경의 연구에 이르기까지 대사업으로 생각한다" 라고 하며 낙동강 연안의 역사상을 탐구하여 임나, 신라, 백제의 국경을 연구하겠다는 포부를 밝히기도 했다.[541]

4월 22일에 경성에 도착한 구로이타는 8일간 머물면서 여행에 대한 제반 준비를 하였다. 구로이타의 내한은 국내 인사들의 환영과 함께 관심의 대상이었다.[542] 신문지상에도 그의 동향을 수시로 보도했다.

하게 기록하고 있다.
黑板勝美, 「朝鮮史蹟遺物調查復命書」, 『黑板勝美先生遺文』, 吉川弘文館, 1974.

541 『釜山日報』 1915년 4월 24일자.

542 그가 처음 경성에 도착했을 때의 모습을 다음과 같이 기술하고 있다.
내가 경성에 來하였을 時에 경성에 있는 內地人, 조선인이 합동하여 환영하는 것을 받았는데 그 때 비로소 기생의 가요를 들었다. 그러나 그것만으로는 조선이라는 기분이 나지 않는다 하였더니 某 조선인이 그러면 자기 집으로 가서 조선 요리로 1차 환영을 할 것이니 진정한 조선의 기분을 맛보라 함으로 나는 이에 찬성하고 즉시 그 조선인의 집으로 가 조선식의 長烟管으로 喫煙하면서 노래를 청하고 이때에 비로소 조선에서는 如斯한 기분으로 있다는 듯한 감을 얻었다(黑板勝美, 「朝鮮의 歷史的 觀察二」, 『每日申

4월 24일에는 야마가타山縣 정무총감이 저녁 7시에 조선호텔에 묵고 있는 구로이타를 초대하여 만찬회를 열어 주었다.[543]

4월 29일에는 총독부독서회에서 초빙한 강연회에 참석하여 제2회의실에서 「근대사학의 연구」라는 제목의 강연을 하였다.[544]

4월 29일까지 여행에 관한 제반 준비를 끝낸 구로이타는 조선인에게 좀 더 쉽게 접근하기 위해 일본복장 대신 조선복장을 하고[545] 출발을 했는데, 통역을 맡은 조선총독부 학무국 편집과 촉탁 가토 간가쿠加藤灌覺와 사진기사 1인이 동행했다.

鈴木 道長官 所藏의 도금불상
(復命書 圖版7)

4월 30일에 남대문역을 출발, 조치원역에 하차하여 제1목적지인 충청북도 청주에 도착했다. 청주에서 1박을 하는 동안 지방 인사들을 만났는데 소장유물의 감정을 요구한 자들도 있었다. 그 중에는 스스키鈴木 도장관 소장의 도금불상 1구를 보았는

報』 1921년 9월 20일자).

543 『매일신보』 1915년 4월 23일자, 4월 25일자.

544 黑坂勝美, 「近代史學의 硏究」, 『每日申報』 1915년 4월 29일자.

545 黑板勝美는 "조선을 巡遊함에는 일본복이나 양복을 착용하면 지방에 가서 친밀한 감이 없으므로 조선복을 착용하는 것이 모든 것에 편리할 듯하여 조선복을 입고 朝鮮馬를 사용하여 각 처를 순회하였다. 당시에는 나의 서투런 조선복을 입은 사진이 신문에 게재되었으니 즉 이와 같이 하여 조선에 친밀하려고 하였다. <중략> 나는 전부터 되도록 그 지역에 들어가면 그 지방인이 되어서 지방인과 동화하지 않으면 그 나라의 역사를 알지 못한다 하나니, 오즉 표면에만 나타난 것만은 결코 그 전체가 아니다. 표면에 있는 것만으로서 역사라 생각할 것 같으면 이는 공허한 것"이라고 하고 있다(黑板勝美, 「朝鮮의 歷史的 觀察二」, 『每日申報』 1921년 9월 20일자).

데 "겨우 높이가 3촌에 불과한 소상이지만 신라미술의 특장特長을 발휘하고 있는 통일신라 초기에 속하는 것" 이라고 하며 그의 복명서에 도판을 싣고 있다.[546]

청주에서 출발한 구로이타 일행은 5월 1일 저녁에 충주에 도착을 했는데, 많은 방문객 중에 불상광배佛像光背를 가지고 온 사람이 있었다. 하지만 구로이타는 다른 방문객들 때문에 직접 보지 못하고 대신 동행한 가토 간가쿠加藤灌覺에게 대신 보게 하였는데, 가토는 광배에 새겨진 명문銘文을 탁본하여 이것을 보고 불상광배의 귀함을 발견하게 된다. 이 과정은 『매일신보』 1915년 8월 14일자에 게재한 「남선사적의 답사(13)」에서 '충주에서 발견한 불상의 광배'란 소제목으로 발표했는데, 다음과 같은 내용을 담고 있다.

> 충주에서 발견한 불상佛像의 광배光背
>
> 백제유물이라는 것은 당시의 고분도 학자의 연구에 상上치 아니하고 또 전래품의 불상과 같은 것도 아직 확연한 것이 발견되지 못한 지라 여사히 백제시대의 유물은 거의 현존한 것이 없는지라 최초에 내가 경성을 출발하여 이번 여행에 오를 때에도 이 여행 중에 백제의 유물을 발견하고자 하여 적은 희망을 가졌었더니 경성을 출발한 제2일에 충청남도 충주에 도착한 저녁에 한 사람이 나를 방문하여 불상의 광배를 가지고 왔더라. 그러한데 교巧히 나는 많은 방문자들이 있음으로 총독부에서 동행한 가토加藤 씨로 하여금 나를 대신하여 보게 하였더니 가토는 그 불상을 한 번 보고 그 광배의 명문을 탁본으로 하여 나에게 보인지라 나는 잡념이 없이 그 명문을 본 시時에 거의 나를

546 黑板勝美, 「朝鮮史蹟遺物調査復命書」, p.57.

잊고 응시하였노라. 그러한데 다시 중복하여 그 명문을 읽은 즉 보통의 육조불六朝佛의 것과 동일하여 별로 다른 곳은 없으나 제1 그 서풍書風이 과혹過酷히 법륭사法隆寺의 본존국보약사불本尊國寶藥師佛의 광배에 있는 명문銘文과 유사한 점을 가지고 있는 고로 홀연忽然히 백제불이라는 사事를 예상하였노라. 그러한데 점점漸漸 속續하여 왕往하는 간間에 하부下部라 칭稱한 성性이 보인지라 이 상방上方이라든지 하방下方이라든지를 현現한 문자는 옛날 백제의 명名에 재在한 것인데 이는 일본서기 등에도 수 개 소의 실례가 유재遺在하니 백제를 제한 외는 당시의 신라 또는 고구려의 인명에는 여사한 문자가 아직 발견치 못한 바이니 이는 확실히 백제불이라는 것을 믿노라. 그러한 고로 이튿날 아침에 다시 불상을 보고자 했으나 불행히 소장자가 부재함으로 충주를 출발하였더니 그 후 2주간 여에 내가 대구의 여숙旅宿에 도착한 때에 이 불상은 여숙에 와서 있는지라 이 때 바로 배관한 즉 그 표면은 동히 법륭사불상의 광배와 동일한 것으로 생각할 만큼 유사하고, 또 화염火焰의 모양과 화불化佛의 양각의 웅휘한 기상 등은 이것이 아국에 재하면 하여何如하든지 스이코천황推古天皇시대 전후의 것이라고 생각할 만한 진귀한 불상이더라. 그 불상의 고는 약 4촌이오 광배는 도금인데 그 배부背部를 본 즉 명문의 제1행간에 는 "건흥오년세재병진建興五年歲在丙辰"의 8자가 보이는데 당시 백제에는 연호가 유함과 같은 일은 하등 문헌류에도 보이지 못한 사事이오.

구로이타 일행이 대구에 처음 도착한 날이 5월 17일이므로 이날 불상광배를 매입한 구로이타는 조사한 후에 총독부박물관에 입고시킨다. 후일 일본으로 귀국 후에 불상광배에 대한 강연이나 논문으로 발표하기도 했다. 1916년 1

‘高麗時代初期 弘法大禪師墓塔 및 新羅時代의 鐵佛’(復命書 圖版9)

월 25일에는 고고학회 <본회1월례회>가 도쿄제국대학에서 개최되었다. 이때 구로이타는 「백제시대불상」이란 제목으로 강연을 하였다. 구로이타는 1915년 남선 연구 여행 중 채집한 고기물에 대하여 설명을 했다. 그 중에 불상광배에 대한 ‘건흥오년세재병진재명建興五年歲在丙辰在銘’의 탁본을 제시하였다. 이 광배는 충주의 어떤 사람의 소유로 지금 총독부에서 양수했다고 했다.[547]

5월 2일에는 충주군청에 옮겨 놓은 홍법대사실상탑과 철불을 조사하고, 복명서에는 ‘고려시대 초기 홍법대선사묘탑弘法大禪師墓塔 및 신라시대의 철불鐵佛’ 이라는 제하의 사진을 게재하고 있다.[548]

547 「考古學會記事」, 『考古學雜誌』 제6권 제6호, 1916년 2월, pp.55-56.

548 1927년 9월 조선총독부에서 발행한 『朝鮮』의 ‘弘法大師碑及法鏡大師碑’ 조에, “本碑는 충주읍 동방40리 동량면 하천리 개천사 跡에 在하니 비석은 고려조 시대에 건설한 것인데 그 유래는 詳知어려우나 당시의 高僧 弘法大師碑及法鏡大師의 공덕을 讚稱하야 영구히 후세에 전하고자 건설한 것이라고 한다. 同所에 天福8년에 건설한 홍법대사의 실상탑이 有하더니 大正4년 10월에 소위 국보보존상 경성 경복궁내에 이전하고 법경대사의 비만 其樣存置하였다” 라고 기술하고 있다.

1933년에 發行한 李英 編 『忠州發展史』(忠州發展史刊行會)에도 1915년 10월에 景福宮內로 移轉하였다고 기록하고 있다.

장준식의 「중원지방의 석조부도」(『충북의 석조미술』, 충북개발연구원 부설 충북학 연구소, 2000, p.302)에 의하면, 1915년 6월에 村上友次郎가 발행한 충주지방의 풍물사진을 담은 『最近之忠州』 라는 책자에 ‘충주군청정내금불과 실상탑’이라는 제하의 사진이 실려 있다고 한다.

따라서 黑板勝美의 복명서에는 충주군청을 언급하지 않았지만 『最近之忠州』에 실린 사진이 忠州郡廳內라고 하니, 黑板勝美의 복명서에 나타난 사진 역시 忠州郡廳임을 알 수 이후 충주군청을 거쳐 충북 단양에 도착하여 죽령의 산신당을 조사하고, 죽령산 신사竹嶺山神社에서 토마잔결土馬殘缺을 발견했다.

5월 3일에는 죽령을 넘어 풍기에 도착했다. 풍기에서는 풍기공립보통학교장이 소장한 풍기 서제리에서 발견한 석기를 열람하고 석기의 출토지를 답사하여 복명서에 도판으로 제시하고 있다.

풍기 서제리 석기시대 유적

5월 4일에는 경북 풍기를 나와 순흥에 들어가게 되면 가야고개라 부르는 곳에 이르게 되는데 이곳에서 일대의 산상山上의 고분군을 보았는데 풍화로 반은 붕괴되고 완전한 것이 거의 없었다.[549] 순흥에서는 한 개인이 소장하고 있는 토

있다. 黑板勝美가 충주에 도착한 것이 5월 1일 저녁이라고 하고 있기 때문에 충주군청에 들른 것은 단양으로 떠나기 전 1915년 5월 2일로 추정된다. 또한 弘法大禪師墓塔 및 鐵佛이 진열된 모습을 보면 깨끗하게 정돈된 정원에 철책으로 단정하게 보호하고 있어 잠시 보관하고 있었던 것이 아니라 상당기간 진열을 목적으로 하고 있었음을 알 수 있다. 군청에 있던 이 불상의 원래 위치는 알 수 없으며『古蹟及遺物登錄臺帳抄錄』(1924년 4월)에는 "登錄番號 第36號, 忠州 南門外 鐵佛像, 忠州郡 忠州邑內, 雙手 共히 折損"이라고 기재하고 있으며, 1934년에 보물로 지정되었다.
조선총독부 촉탁 小泉顯夫가 1933년 3월 6일부터 3월 14일까지 충청북도 내 등록 고적유물을 조사한 후 제출한 復命書(「忠淸北道 古蹟遺物 保存狀況 調査」,『國立中央博物館 所藏 朝鮮總督府博物館 公文書』)에 의하면, "登錄番號 第36號 忠州 南門外 鐵佛像. 忠州郡 忠州邑 榮町 116番地, 西本願寺 忠州布敎所 內, 1932년 12월 27일부 충주지사 보고에 의하면 등록대장 기재의 소재지가 現存과 같이 된 것은 1928년 4월 20일로 충주읍내 영정 116번지 서본원사포교소 본당 앞에 이전하였다"고 한다. 현재 보물 제 98호로 지정되어 충청북도 충주시 지현동 대원사에 모셔져 있다

549 1915년 10월 19일에 개최한 일본고고학회의 례회에서 黑板勝美는「南朝鮮の古墳に就

숙수사지의 사리탑의 基石(復命書 圖版20)

원융국사비(復命書 圖版21)

기를 보고, 소수서원을 조사하고, 숙수사지의 사리탑의 기석基石 등을 조사했다.

5월 5일에는 부석사에 도착하여 부석사 무량수전, 조사당 등을 비롯한 유물을 조사하고, 파괴되어 넘어져 있는 원융국사비圓融國師碑를 조사하고 원융국사비편 5개를 채집하여 갔다.

5월 6일에는 태백산사고를 조사하고, 5월 7일에는 구 봉화를 거쳐 태자사지를 조사하고 태자사지의 사진을 싣고 있다.

5월 8일에는 예안을 경유하여 안동에 도착했다. 안동 일대의 조사는 14일까지 상당한 시일을 소비하여 조사를 했다.

5월 9일에는 읍지 중에 신용할 만한 것이라 하는 『영가지永嘉志』를 열람하고 영가지에 나타난 '융지리왜총薩地里倭塚'이란 기사를 보고 활지리活地里; 또는 薩地里로 향

て」란 제목의 강연에서, 풍기로부터 1, 2리 東의 순흥에서 古墳帶를 발견했으며, 이곳의 고분은 山腹에 모여 있어 假稱 聯珠式로 命名했다고 한다.

했다.[550] 5월 10일 아침에 비가 오는 중에 낙동강을 거슬러 올라가면서 강안을 조사하고 계곡리에 숙박을 했다.

太子寺址(復命書 圖版22)

5월 11일에는 활지리로 들어가 읍민에게 고분의 소재를 알기위해 인부를 징발하여 수색하기 시작하여 반일을 소비해도 찾지 못했다. 돌아오는 길에 임하면 임하리 일대의 석불과 석탑을 조사했는데, 불가곡佛家谷의 석불좌상과 5층석탑, 대사곡大寺谷석탑, 중리中里5층석탑, 상층은 잃어버리고 겨우 2층만 남아 있지만 대석臺石에는 불상이 부조되어 있는 월림사지月林寺址석탑은 복명서에 그 사진들을 삽도插圖로 싣고 있다.[551]

이 중에서 특히 주목되는 것은 불가곡의 석불좌상으로, 안동시청에서 소개하는 지명 유래를 보면 "이곳을 '한절골'이라고도 부르는데 임하1리 남쪽에 있는 곳으로 이곳에 옛날 큰절이 있다고 하여 마을 명칭이 유래한다. 현재 절은 없어지고 이 절터를 원림사지로 추정하고 있으며, 그 주위에 원림사지 오층석탑, 임하동중앙연화좌대 석불좌상蓮花座臺 石佛坐像 등이 산재되어 있어 이곳이 절터였음을 보여준다"라고 소개하고 있다. 현재 이 석불좌상은 두부를 잃고 오른팔도 손실된 모습으로

550 1915년 10월 19일에 개최한 일본고고학회의 례회에서 黑板勝美는 「南朝鮮の古墳に就て」란 제목의 강연(「考古學會記事」, 『고고학잡지』 제6권 제3호, 1915년 11월)에서 "薩地里는 安東의 北6里 정도의 곳"이라고 하는 이디인지를 확인할 수 없다.

551 黑板勝美, 「朝鮮史蹟遺物調査復命書」, pp.58-59.

月林寺址석탑(復命書 插圖47)

佛家谷의 석불좌상(復命書 插圖43)

대석 역시 흐트러지거나 일부 결실되어 있다.[552] 구로이타의 복명서에 나타난 석불좌상의 모습은 파괴되기 이전의 모습을 가지고 있어 중요한 자료라 할 수 있다.

5월 12일에는 안동에서 도산서원, 안동읍 서악사, 안동 흥복사전탑, 안동 삼대사三大師 유물을 조사하고 이퇴계 선생의 유물을 열람했다.

5월 13일에는 하회리에서 류성룡 후손가에서 임진왜란 때의 사료인 류성룡 유품 총 410점을 조사 열람했다.

5월 14일에는 막곡산의 고적을 조사하고, 5월 15일에는 일직을 경유하여 안평으로 향했다.

5월 16일에는 군위군에 이르러 조사를 했다.

5월 17일에는 경북서기 기무라木村가 소장한 유물들을 열람하고, 일본인 메사키目崎가 소장한 정락사淨樂寺석탑 내에서 출토된 사리함을 열람했다.

552 사)우리문화재찾기운동본부, 경상북도, 『경북지역의 문화재 수난과 국외반출사』, '『조선보물고적조사자료』에 나타난 석탑 및 석불의 현상' 조.

거창군읍의 고분에서 발견한 부장품(復命書 插圖54)

5월 18일에는 대구 부근을 조사하고, 대구의 한 고물상에서 경남 거창의 한 고분에서 출토되었다고 하는 금환, 구옥을 비롯한 다수의 도굴품을 보았다.

5월 19일에는 경주를 경유하여 포항에 도착하여 조사를 하고, 5월 20일에는 다시 경주로 들어오게 된다. 경주에서는 오사카 긴타로大阪金太郎의 수집품을 열람했다.

5월 23일에는 명활산성과 남산성을 조사했다.

경주로 내려간 구로이타는 경주 내동면 보문리 명활산록의 한 고분을 발굴하기 위해 총독부에 허가신청을 냈다. 5월 24일에 발굴허가의 수락이 총독부로부터 전보로 전해오자 24일 바로 발굴에 착수 했다.[553] 조사를 한 고분은 경주 읍내면

보문리고분 발굴 모습(復命書 圖版52)

553 『釜山日報』 1915년 5월 27일자.

보문리 명활산성록의 연주식連珠式으로 배열된 3기의 고분 중 하나로 높이 약 6칸여, 봉토가 매우 견고하여 작업은 예정 이상으로 곤란하여 4일 후에 겨우 적석총임을 알 수 있었다. 계속 조사를 하고 싶었으나 일정이 급하여 정남면 약 5칸3척의 지점에서 발굴을 중지하였다고 한다.[554]

『매일신보』에는 이 고분의 발굴에 대해 다음과 같은 기사를 남기고 있다.

> 신라이전의 고분, 흑판박사의 발굴
>
> 기보와 같이 선내鮮內 고분 조사에 착수하여 위선爲先 경주에 이른 구로이타 문학박사는 동지 내동면 보문리 명활산록의 고분발굴을 하였는데 이 고분은 높이 4칸3분, 원 직경 15칸이라 위선 남면으로부터 폭6척, 길이 6칸에 이르는 통로를 굴취掘取한 즉 내부는 직반상直盤上에 납관納棺하였는데 이는 신라 이전의 사事이 판명되었고 신라 그 성기盛期 조사로는 조금 실망하였으나 상고연구상上古研究上에는 적지 않은 이익을 얻었다더라.[555]

보문리의 고분을 발굴하면서 부근을 조사했는데, 금당평金堂坪이라 부르는 곳으로부터 '동요東窯' 라는 문자가 있는 고와를 획득하고, 사천왕사지로부터 불상의 일부로 생각되는 부조를 가진 전甎의 파편, 문자와, 유문전, 도기잔편 등을 획獲했다. 무열왕릉, 백률사, 문무왕릉, 성덕대왕릉, 분황사지 불국사 석굴암, 황룡사지를 조사하고 부근에서 와당편을 채집했다.

5월 27일에는 불국사를 경유하여 석굴암을 조사했다. 구로이타의 복명서에

554 黑板勝美, 「朝鮮史蹟遺物調査復命書」, p.14.
555 『每日申報』 1915년 5월 30일자.

는 석굴암의 감실 내에 있는 보살상 사진을 게재하고 있는데, 감실 밖 외부에 놓여 있는 모습을 담고 있다.

5월 28일에는 울산지역을 조사하고, 5월 29일에는 언양을 거쳐 양산 통도사의 유물을 조사했다. 5월 30일에는 양산 물금역勿禁驛을 경유하여 오후 7시에 부산에 도착하여 나루토鳴戸지점에 투숙했다.

5월 31일 오전부터 부산중학교장 문학사 히로타 나오사후로廣田直三郎와 함께 부산진 성적城跡을 조사하고, 오후3시부터는 부산교육회 주최로 구 부산민단역소에서 약 1시간 반 동안 강연을 하였다.[556]

강연 제목은 「문화사상文化史上으로 관觀한 일선日鮮의 관계」로, 그 대요는 다음과 같다.

> 백제문명 유입 일본. 전술한바와 같이 일선 교통은 신공황후 정벌의 때로부터 <중략> 임나에 대한 일본의 세력이 비상히 증가함을 따라 백제와 일본 간이 비상히 친밀하게 되고 백제의 문명은 비상한 세로써 일본에 유입하였으며, 백제는 또 일본의 세력에 의하여 신라에 저항하고 아울러 일본에 호의를 표하였는데 백제는 지금의 충청도 부근이라 그 전성기에 세력이 전라도까지 미치었으니, 후에 백제가 신라에게 망할 때에 백제의 왕자는 그 일족과 함께 백제의 문명을 가지고 일본에 망명하니 <중략> 백제의 사실은 조선에서는 단절되고 일본의 『서기書紀』 중에 잔존하였다.[557]

---

556 『釜山日報』 1915년 6월 1일자, 6월 2일자.
557 黑坂勝美, 「文化史上으로 觀한 日鮮의 關係」, 『每日申報』 1915년 6월 7일자.

강연을 마치고 구로이타 일행은 밤 11시 열차로 대구로 향했다.

6월 1일에는 대구의 달벌성과 성산동 사문산성沙門山城을 조사하고 토기편을 채집했다.[558] 이 조사에서는, "삼랑진의 상류 달성군내에 있는 성산동城山洞의 도선장渡船場과 같은 것도 하반河畔에 산성이 유하고 고분이 유有하여 교통운수의 편리한 지점이니 이곳은 대구 고령 간의 가도에 임하여 낭자曩者(저번) 일로전쟁 당시에도 아군의 병참선兵站線의 일부가 되어 이곳으로부터 대구까지 철도를 놓아 물자의 수송을 도圖하던 지점이라 이로 유由하여 보건대 옛날이나 지금이나 동일한 요지要地가 판연判然하여 실로 호자료가 될 바이로다"[559]라고 하고 있다.

武内 소유의 순금불상
(復命書 揷圖51)

6월 2일에는 경북 성주로 가서 성산산성 조사하면서 와편을 채집하고 산성 아래 고분에서 도기편을 채집했다. 성주에서 왜관 간 가도변의 고려시대 7층탑 조사했다.

6월 3일에는 왜관을 거쳐 김천에 도착하여 김천읍외 고분에서 도기 잔편을 채집했다.

6월 4일에는 김천 금오산록의 갈항사지를 조사하고, 또한 사지에서 와편 및 전편을 채집했으며

558 대구광역시 달성군 화원읍의 유래를 보면, "화원은 본래 설화현인데 신라경덕왕때 옥포, 화원, 성서, 월배 일부를 합하여 화원현이라 불렀고, 현청이 현 화원읍 명곡리에 있었다고 한다. 그 후 조선조 숙종때 화현내면으로 개칭, 행정구역은 현 설화리, 천내리, 명곡리, 성산리이었다. 1914년 4월 1일 면 폐합시 화현내면과 인흥면을 합하여 화원면이 되었다. 화원동산 내에는 신라때 축조된 것으로 전하는 구라리성지와 성산리 고분군이 있다" 하고 있어 黑板이 기록한 '달성군 花縣面 城山洞'은 현재의 대구광역시 달성군 화원면 城山里를 지목하는 것 같다.

559 黑板勝美, 「南鮮史蹟의 踏査(十)」, 『每日申報』 1915년 8월 11일자.

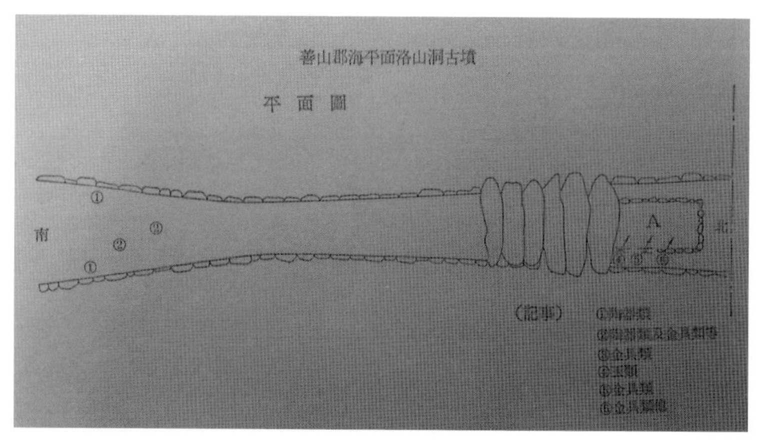

선산군 해평면 낙산동고분 평면도

석탑에 새겨진 각자를 조사하고 쌍탑의 모습이 담긴 사지의 모습을 사진으로 남겼다. 이후 상주로 향하여 상주 사벌산성沙伐山城을 조사하고, 상주읍내 일본인 다케우치武内 소유의 순금불상과 상주금광 소장 미나토 이구타로湊幾太郎의 소유 고려시대 청동7층탑을 열람했다.

6월 5일에는 선산에 도착하여 선산 해평면 대문동석탑, 해평면 도리사의 유물을 조사하고, 지방민으로부터 금환 1개를 매입하기도 했다.

6월 7일부터 기무라木村 경상북도 서기와 함께 선산군 해평면 낙산동(구명 일선)에 있는 고분을 발굴했다. 이곳은 선산읍에서 1리 가량 떨어진 낙동강의 좌안에 해당하는 곳으로 이미 밀굴한 것이 많았다고 하며,

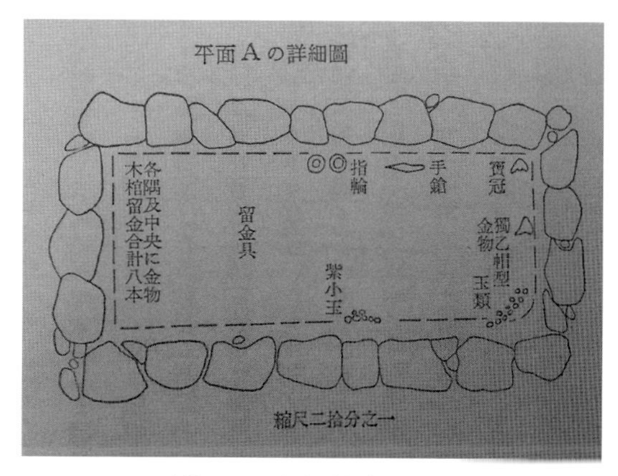

낙산동고분 상세도(復命書 18쪽)

이곳에서 높이 2장9척 여의 원분圓墳인 선산읍내 부호가의 묘 후방에 있는 가장 완전한 고분을 선정하여 발굴을 하였다. 봉토가 매우 견고하여 작업이 곤란하였으며, 1장6척에 이르러 처음 광의 개석에 도달하였다. 광 내부에는 석벽 내로 유입된 토사가 응고되었으며, 중앙으로부터 북방과 남방에 상대相對하여 2구의 시신을 안장했다. 부장품으로는 남방으로부터 도기류 및 목관의 금구金具, 마구馬具 등이 출토되고, 그리고 북방에서 장 6척, 폭 3척의 석곽 내부에서 목관의 금구를 발견했다. 또 수정水晶, 구옥勾玉, 유리소옥琉璃小玉, 은지륜銀指輪, 창신槍身, 대금구帶金具 및 보관寶冠의 일부로 생각되는 금구 등을 발견했다.[560]

구로이타는 「남선사적의 답사(9)」에서,

> 선산의 고분에서도 중앙부에서 소少히 협狹하고 장長이 7칸의 석곽을 발굴하여 그 안에는 2인의 유해를 두부頭部를 합하여 좌우에 횡와橫臥케한 형적이 있음을 발견하였는데 이로 인하여 보면 조선에 있는 고분의 종류는 다종다양에 걸쳐 재在함이 그 연구와 같음도 각 지방에 대하여 종종種種한 연구를 요할 터인즉 금일에 조선의 고분이 여하한 것이라 하는 사事를 속단함은 시기가 상조相早하다고 생각하는 바로다.[561]

하고 있다. 당시 신문에는 선산 해평동 고분 발굴에 대해 다음과 같은 기사를 남기고 있다.

---

560 黑板勝美, 「朝鮮史蹟遺物調査復命書」, pp.15-16.
561 黑板勝美, 「南鮮史蹟의 踏査(九)」, 『每日申報』 1915년 8월 10일자.

고적 발견

선자 구로이타黑板 박사는 조선고적조사 하기 위하여 각 지방을 시찰함은 기보旣報와 같거니와 지난 6월 7일 기무라木村 경상북도 서기와 같이 선산군 해평면 낙산동(구명 일선)에 있는 고분을 발굴한 즉 長이 7칸, 폭 3척, 고는 약 5척되는 1석곽이 유한데 이를 전후 2부로 나누어 전후 양부에 사체 각 1개를 목관에 매몰한 형적이 유하고 전부前部 사체측死體側에는 1척 1, 2촌 되는 단도短刀와 관정棺釘이 유하고 후부後部는 곡옥曲玉 1개, 유리옥琉璃玉 20개, 금지륜金指輪 2개 등이 유하였고,[562]

1917년에 선산의 고분을 조사한 이마니시 류今西龍에 의하면 구로이타가 조사한 고분은 선산의 고분 제6구 정묘산군鄭墓山群 제113호분에 해당하는 것으로 이마니시는 다음과 같이 기술하고 있다.

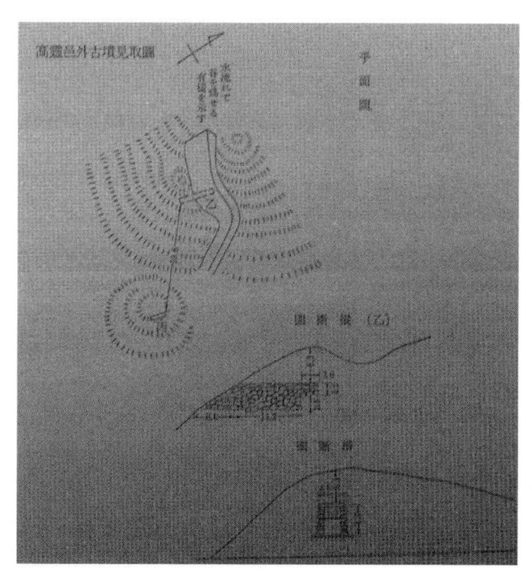

고령 乙墳(復命書 23쪽)

일산一山의 주위를 자리 잡은 대토고大土高 23척 군群 중의 최고지점에 있고 봉토 또한 최대이다. 2.3년전 구로이타黑板 고적조사원이 이것을 발굴 조사하였다고 한다. 전문

562 『每日申報』 1915년 6월 20일자.

傳聞하는 바에 의하면 완전한 광壙이 유존有存하고 금환 등의 유물이 있었다고 한다. 그 상세한 사실을 모르는 것이 유감이다.[563]

6월 9일에는 낙동강을 내려와 왜관으로 향했으며, 6월 10일에는 대구를 경유하여 고령으로 갔다. 고령에서 초자옥硝子玉의 소구옥小勾玉 1개 및 유리옥 5개를 구득購得했다.

고령 주산主山의 동방의 고분군은 이미 도굴된 것이 적지 않았다. 고령군의 주산이라 부르는 곳의 동남쪽은 마치 산 꼬리가 길게 펼쳐져 있는 것 같이 작은 언덕을 이루고 있었다. 이곳은 1910년에 세키노關野와 야쓰이谷井가 조사하여 "지형과 이 고와편으로 보아 전해지는 설과 같이 이곳이 가야시대의 왕궁지로 인식하는 것이 타당하다고 믿는다" 라고 하며 대가야의 왕궁지로 추정했다.[564] 세키노 일행은 이곳에서 고와 등을 채집하여 일본으로 가져 가[565] 1912년 도쿄공과대학 건축학과 제4회 전람회에 전시하는 등 일찍부터 일인들의 주목을 받아 왔었다.

구로이타는 총독부로부터 허가를 받아 고령 주산 동방에서 갑, 을, 병 3기의 고분을 발굴했다. 갑분은 상하 2개 처의 석곽으로 이루어진 하나의 원분 모양으로 만들었다. 상부의 석곽은 길이 1장4척, 높이 3척으로, 부장품으로는 입구에서 도기 4개, 직도 1본, 은제환 3개 및 잔편 1개 그 외 도기 3개를 발견했다. 그리고 하부

563 今四龍,「慶尙北道 善山郡 古蹟調査報告」,『大正6年度 古蹟調査報告』, 朝鮮總督府, 1919, p.69.

564 關野貞,「伽倻時代 遺蹟」,『考古學雜誌』第1卷 7號, 1911, p.3.

565『朝鮮古蹟圖譜 第 3冊』도판 764-767이 東京 工科大學藏으로 되어 있다.
青柳南冥 編,『朝鮮國寶的遺物及古蹟大全』, 京城新聞社, 1927년의 16쪽과 22쪽에도 東京文科大學藏으로 기록된 수 점의 고령출토 유물이 수록되어 있다.

의 석곽은 길이 2장5척, 높이 6척, 폭 3척에 이르렀다. 부장품으로는 유골 및 도기 등이 입구 및 속에서 유존하는데 불과했다. 갑분에서 동으로 10여 칸 떨어진 곳에 원분의 정부頂部에 하나의 소석곽이 노출된 것乙墳이 있어 하부를 발굴하였는데 갑분과 동일계통에 속하는 것으로 이미 발굴이 되어 하등의 부장품을 얻을 수 없었다. 또 부근에 한 작은 고분丙墳을 1, 2인의 인부를 시켜 봉토를 제거하고 바로 석곽에 도달했다. 먼저 남면 지복석地覆石의 내측內側에서 철제차입정鐵製差込錠과 같은 것 1개, 완전한 비轡 1개, 입구에서 도기 4개, 석관石棺에서 직도 1본 및 금환 2개를 발견하고, 관외에서 도기 12개를 발견했다.[566]

고령 주산고분 출토 부장품(復命書 圖版72)

이 발굴에 대해 구로이타는 「남선사적의 답사」에서, "옛날 대가야의 땅인 경상북도 고령에서 발굴한 고분의 연구와 여如함도 이를 이미 발굴한 동일 장소의 고분과 비교 연구한 즉 위선爲先 석곽의 위치 방식상方式上에 다름이 있을 뿐 아니라 금회 남조선에서 처음 나의 눈에 닿은 상대의 석관石棺이 발견한 바이니 종래의 예를 거據한 즉 보통의 다수한 목곽木槨의 안에 목관을 안치함에 불구하고 차此에는 석관을 안치한 점이 심히 진귀한 것"[567]이라고 하고 있다.

『매일신보』 1915년 6월 20일자에는 다음과 같은 기사가 있다.

566 黑板勝美, 「朝鮮史蹟遺物調査復命書」, pp.16~20.
567 黑板勝美, 「南鮮史蹟의 답사9」, 『매일신보』 1915년 8월 10일자.

고령군 고령면 보통학교 소재 후산에 재한 고분을 발굴한 즉 사체골반 외는 하등 물物이 무無하나 그 고분 부근을 보니 굴칙掘則 역시 장 5척되는 석관이 유한지라 그 석관 외부에는 수십 개 토기, 정錠 1개, 등鐙 1개, 비轡 1개. 창 1본이 유有하고 내부에는 백치白齒 수 본, 그 부근에 소형의 금환 1개, 은도 1본을 발견하였는데 이러한 등의 사적을 본 즉 삼국시대로부터 신라초기의 물이라고 구로이타黑板 박사는 적언的言하였다더라.

고령에서 고분을 발굴하는 동안 고령 주산산성主山山城, 관동산성館洞山城을 조사했다.

6월 13일에는 고령을 출발하여 해인사에 도착했다. 해인사 유물을 조사하고 해인사 조석편彫石片을 채집하고, 반야사지 원경왕사비를 조사했다. 6월 14일에는 경남 합천군 죽고동에서 고려시대의 석불3체를 조사하고, 합천 읍외의 산성을 조사했다.[568]

6월 15일에는 경남 창녕으로 가 16일까지 창녕 읍내면 말흘리末屹里에서 반육조半肉彫의 석불, 당간 및 5층석탑 및 원화오년元和五年 배명背銘의 지장석상地藏石像을 조사했다. 창녕의 목마산성牧馬山城과 그 아래 석불을 조사하고, 창녕 진흥왕순수비, 창녕 3층석탑을 조사했다.

---

568 『每日申報』에는 黑板의 일정에 대한 소식을 전하고 있는데 다음과 같다.

흑판박사 소식

흑판승미 씨는 본월 11일에 합천 해인사에 래착하여 해사의 역사를 조사한 후 합천군읍 및 창령 마산등을 경유하여 진주군으로 래착할 예정이다(『每日申報』 1915년 6월 15일자).

흑판 박사는 목하 경남지방 고적, 고문서를 조사 중인데 본월 14일 오후 8시에 가야산 해인사에 도착하였다가 이튿날 15일 오전 11시에 해인사를 출발하여 합천읍으로 향했다(『每日申報』 1915년 6월 20일자).

6월 17일에는 영산 칠원을 경유하여 마산 일대를 조사했다.

6월 18일에는 진해에 이르러 다시 마산, 진주로 향했다. 이때부터는 주로 배를 이용하여 조사를 했는데, "진해에 래來한 것은 세관의 작은 석유발동기선이었으므로 만조滿潮할 것 같으면 어디든지 갈 수 있게 됨으로서 수遂히 전라남도 여수 부근까지 갔다. 그래서 종래에는 섬진강을 거슬러 올라가 하동까지 가고 그로부터 전라남도를 거쳐 충청남도에 들어가 백제의 구도를 시찰하고 군산에 들어와 그 부근의 지세를 조사"[569]했다고 한다.

진주읍 東古墳 出土品(復命書 揷圖24)

6월 19일에는 진주에서 진주읍외의 고분 소재지를 답사하고 촉석산성, 고려시대 범종을 조사했다. 또 진주읍외의 한 고분에서 발굴한 부장품을 진주경찰서에 보관하고 있다는 말을 듣고 부장품을 조사하고 고분의 실지를 답사했다.

진주읍 東古墳(復命書 揷圖23)

6월 20일에는 함안에 도착하여 21일까지 조사를 했다.[570] 경남 함안에서 발굴한 고분은 말이산 석곽분으로 마산에

569 黑板勝美,「朝鮮의 歷史的 觀察(一)」,『每日申報』 1921년 9월 19일자.

570 黑板의 復命書에는 6월 20일과 21일은 함안 지역에 있었던 것으로 기록하고 있는데, 이 기간 동안에 잠시 부산을 다녀왔음인지,『每日申報』 1915년 6월 25일자에는 "흑판래부산 중 흑판 박사는 사료조사를 마치고 21일 8시에 자동차로 출발 함안을 향했다"는

서 진주에 이르는 가도의 측에서 가양왕궁지라 하는 곳에 멀지않은 곳이다. 부근에는 이미 도굴된 것이 많이 있고 그 중 하나를 조사했는데 하등의 유물을 발견할 수 없었다. 또 함안의 가야산성 조사, 함안읍 동 산성리 산성을 조사했다.

6월 22일 오후에는 마산 지역을 조사했다.

6월 23일에는 삼랑진에서 구포로 가 구포 감통포 고성지를 조사하고, 김해에 도착하여 주촌면 류하리고분 조사했다. 『조선보물고적조사자료』에는 주촌면 양동리의 산 경사면에는 고분 20기가 있었으나 부근에 도기 파편이 산재하다는 것으로 보아 역시 이는 도굴의 흔적이라 할 수 있다. 주촌면 류하리에는 약 15기의 고분이 있으나 그 성토 아래 많은 것이 석곽이 노출되고 도기 파편이 산재하여 역시 대부분 도굴된 것으로 추측케 하고 있다.[571]

6월 24일부터는 김해 수로왕비릉 근처에 있는 고분을 발굴하게 된다. 이곳 고분 발굴에 관한 내용은 구로이타의 고분발굴이 있다하여 경상북도 김해의 출장을 명받아 발굴조사에 임장했던 나오시名越의 기록에 일부 나타나 있다.

구로이타가 발굴한 김해의 고분은 수로왕비릉에서 동으로 1정町 내외에 반붕괴된 고분이 있고 그 동으로 약 반정에 이미 도굴되어 현실이 노출된 원총圓塚과 그 남쪽에 있는 직경 9칸의 대원총을 발굴하게 된다. 고로이타는 헌병과 군청 직원에게 수속을 마치고 발굴 전의 전경을 촬영하고, 그 고분 주위를 실측한 후 이미 발굴된 고분과 왕비릉의 방각 등을 참고하여 남방 측면으로부터 발굴하기로 했다. 한편 도굴된 고분의 현실 내의 쌓인 흙을 끌어내었는데 현실은 직경 9척 가량이 남았고 천정에는 칠漆이 칠해져 있고 그 칠漆에는 미세한 패편貝片이 남아 있었다.

기사가 보인다.

571 『朝鮮寶物古蹟資料』, 朝鮮總督府, 1942, pp.356~358.

대원총은 15인의 인부가 동원되었으며 첫날은 오후 7시까지 계속되었다.[572]

25일 오전에는 대원총을 발굴하는 동안 봉황대라 부르는 악릉岳陵 근처에 있는 패총을 발굴하였다. 패총은 길이 50칸, 광이 5칸 가량으로 패의 사이에 토기의 파편이 삽재揷在해 있어 이를 채집하였다. 오후에는 대원총 발굴 상소로 갔는데 이미 대부분 진척하여 현실의 일부가 열리고 다수한 구경꾼이 있었으나 근접한 자를 금하였으며, 밤에는 수비군을 두어 지키게 했다. 밤에는 김해보통학교에서 구로이타의 강연이 있었는데, 그 요점은 "남조선은 내궁가內宮家를 설치한 곳이오. 조정의 직할지가 되어 일본의 영토가 된 사事가 있으니 일본부日本府의 재宰는 태재부太宰府의 재宰니 우리 세력의 발전한 시時는 임나일본부가 되고 퇴수退守한 때는 규슈九州의 일본부, 일본부는 조선의 태재부더라. <중략> 한국병합은 임나일본

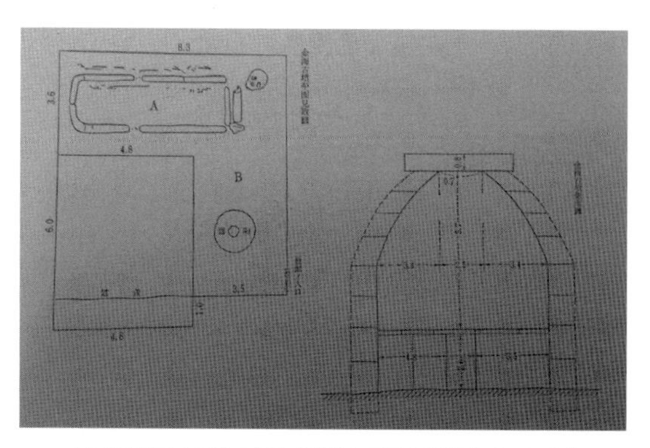

수로왕비릉 근처 고분(대원총) 見取圖(復命書 25쪽)

李舜臣 忠烈祠(復命書 圖版98)

572 名越, 「任那故地紀行(上)」, 『每日申報』 1915년 7월 22일자.

부의 부활復活이니 우리도 상고에 재在함과 같이 동국동문화同國同文化라는 사상이 유有하면 진정한 병합이 될지로다" 라고 했다.[573]

6월 26일 오전에도 패총 발굴을 계속했다. 구로이타는 패총은 "일부면 족하니 깊이 파라"는 의견이었다. 패총의 구릉 아래 인가가 있어 우물을 팔 때 우물 아래까지 같은 모양의 패가 있었으며, 발굴 중인 패총에서는 녹골鹿骨의 침針이 출토되었다. 패총을 발굴하던 중에 사람이 와서 대원총 발굴을 마쳤다고 소식을 전해왔다. 구로이타는 패총을 떠나 고분으로 가면서 송림에서 식사를 간단히 하고 대원총고분 내의 조사에 착수하였다.[574]

구로이타가 발굴한 대원총大圓塚은 김해 우부면 수로왕비릉 근처의 고분[575]으로 높이 1장6척의 원분으로 부장품으로 두개골 부분에서 금환 2개, 허리부분에서 도자刀子 1본, 족부에서 순금사절純金絲切의 금장식金裝飾 등을 발견했다. 또 이 고분에서 나온 두개골 및 치아는 일본으로 가지고 가 의과대학 해부학연구실장 히세베長谷部 박사에게 조사를 청하였다.[576]

6월 26일 오전에는 패총 발굴을 계속했다. 오후에는 웅천을 경유하여 고성으로 이동하여 고성산성지와 고성고분군을 답사했다.

6월 27일에는 통영일대 및 거제도산성을 조사했다. 해안조사에는 우사미宇佐

---

573 名越, 「任那故地紀行(下)」『每日申報』 1915년 7월 24일자.

574 名越, 「任那故地紀行(下)」, 『每日申報』 1 915년 7월 24일자.

575 『조선보물고적조사자료(朝鮮寶物古蹟調査資料)』에는 하동면, 예안면, 좌부면 삼산리, 주천면 양동리, 류하리 등 4개소에 39기가 기록되어 있는데, 下東里, 禮安里 고분은 田中에 1기가 있었으나 도굴되어 石槨이 露出되고 陶器破片이 나타났다. 左部面 三山里의 고분은 직경 약 7칸에 이르는 3기가 있었는데 1기는 1915년에 黑板勝美에 의해 발굴되고 나머지는 일찍이 도굴된 흔적이 있었다. 다고 하는 데, 黑板이 발굴한 고분의 위치를 착각한 것인지, 아니면 黑板이 다른 고분을 더 발굴한 것인지는 잘 알 수가 없다.

576 黑板勝美, 「朝鮮史蹟遺物調査復命書」, p.28.

美 내무부장관, 세키야關屋 학무국장, 사사키佐佐木 경상남도청장관, 야마구치山口 해군방위대장, 야노矢野 부산세관장의 적극적인 지원으로 이루어졌다. 특히 부산세관 소속의 통영출장소의 소증기小蒸汽는 석유발동기선으로, 만조 때에는 연안 깊은 곳까지 들어갈 수 있어 여러모로 편리했다고 한다.

6월 28일에는 통영 이순신 충렬사忠烈祠, 한산도 제승정制勝亭 비를 조사하고 삼천포로 향했다.

6월 29일에는 전남 순천의 순천성倭城 조사를 마치고 밤에 광양만에 가박假泊을 하고, 6월 30일 여명에 여수로 가서 여수 고진성古鎭城, 고장성지古長城址를 조사했는데, "섬진강 하구로부터 멀지 않는 여수만의 남방에서 한 성벽을 보았는데 이는 여수 부근 장성리라 하는 촌인데 역시 해변에 재하여 소제蘇堤로부터 오천梧川까지 여수반도의 두부를 횡단하였으니 이 장성은 주로 와코우和寇시대의 방비하기 위한 조선 측의 축성한 것"[577]이라고 한다.

7월 1일에는 섬진강을 거슬러 경상남도 하동으로 갔다. 이에 대해 「남선사적의 답사(10)」에서는 다음과 같이 기술하고 있다.

> 우선 섬진강 하구로부터 만조를 틈타 석유발동기선으로 소항溯航하여 양안兩岸의 각 요소를 조사하고 하동河東이라 하는 곳까지 가서 상륙하였노라. 여사히 하여 부근의 사적을 순찰하였는데 물론 2, 3일 간으로 다사진多沙津이나 다사성의 지점을 정함은 곤란한 것이나 그 중의 2, 3개소는 확실히 그 추정지로 하여 유력한 곳으로 생각하였노라. 하동읍의 착선장과 같

577 黑板勝美, 「南鮮史蹟의 답사(十)」, 『每日申報』 1915년 8월 11일자.

은 것은 지금에도 만조가 유有한 곳이오. 현재에도 50석 중량을 실은 선박이 정박하여 미곡 등을 나르더라.[578]

7월 2일에는 하동군 횡보면 원리 및 하동의 섬진강 유역에서 마전면 신방촌 산성지, 악양면 산성지, 원촌산성지, 원촌리의 고분군을 조사했다.

7월 3일에는 화개장대花開場垈를 답사했다.

7월 4일에는 전남 구례에서 구례 풍성산성風城山城, 화엄사 석경石經을 조사하고 석경편石經片을 수집하고, 지리산 율치栗峙를 넘어 남원군으로 들어갔다. 「남선사적의 답사(11)」에서는, "강을 거슬러 올라간즉 구례라는 곳에도 발권식鉢卷式의 고산성을 발견하였고 또 구례로부터 남원을 지나는 도중에 그 중앙에 동형同形의 2개소의 산성을 보았고 다시 백제시대의 고도古道를 따라 지리산맥의 저부低部인 율치의 영嶺을 넘어 남원의 평야 즉 섬진강 상류로 나왔다"고[579] 한다.

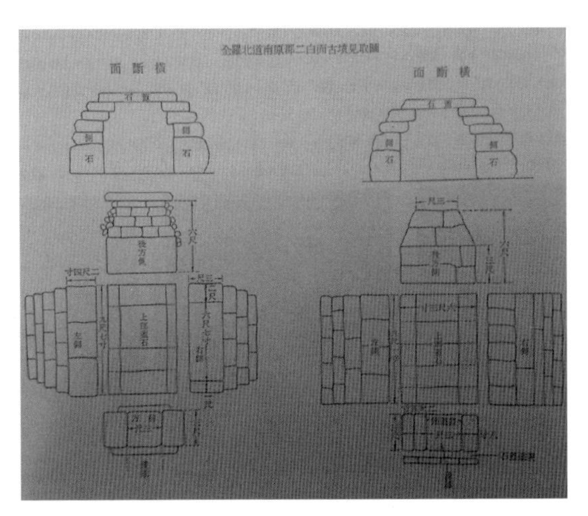

남원군 이백면 고분 見取圖(復命書 29쪽)

7월 5일부터는 남원 만복사지 석불, 석탑, 당간 등을 조사하고 만복사 뒤편 구릉에서 자기편을 채집하고, 교룡산성交龍山城, 남원 이백면 백제식고분, 용담리 석

578 黑板勝美, 「南鮮史蹟의 踏査(十)」, 『每日申報』 1915년 8월 11일자.
579 黑板勝美, 「南鮮史蹟의 踏査(十一)」, 『每日申報』 1915년 8월 12일자.

탑, 석등을 조사하고 남원 부근에서 와편을 채집했다.

7월 7일에는 임실을 경유하여 전라북도 전주를 지나 충남 논산을 향했다.

7월 8일에는 충청남도 논산을 경유하여 공주로 들어가 충청남도청에 보관하고 있는 석기류를 열람하고, 도중에 노성산성魯城山城을 보고, 계룡산사기소에서 도기잔편을 채집했다.

7월 9일에는 부여로 가 능산리의 고분을 발굴했다. 능산리고분군은 백제왕릉이라 전하는 것으로 산복에 6기의 고분이 일군을 이루고 있는데 상하 2열, 1열 각 3개 처로 되어 있다. 이 중에서 구로이타가 발굴한 것은 하열 중앙에 있는 규묘가 가장 큰고분中下塚과 그 서편에 있는 가장 규묘가 적은 고분西下塚을 8일간에 걸쳐 발굴을 했다. 중하총은 고분의 저부는 주위 42칸 4분, 높이 1장3척의 대고분이다. 이미 1차 발굴(도굴)을 거친 것으로 봉토 중에서 목관의 파편, 도금두병鍍金頭鋲을 발견되었으며 목관이 안치된 흔적이 있는 곳에서 골편骨片, 목관의 정釘 등을 발견했다. 서하총도 역시 이미 발굴의 형적이 있는 것으로 벽의 일부에 사람이 출입할 수 있는 구멍이 있었다.[580] 중하총의 고분을 발굴할 때 성토盛土 중에서 찾은 토기파편 중에 '義'라는 자가 새긴 것도 출토되었다.[581] 발굴 마지막 날인 7월 15일에는 세키노 타다시關

만복사지 석불(復命書 圖版104)

580 黑板勝美, 「朝鮮史蹟遺物調査復命書」, p.32.

581 黑坂勝美, 「南鮮史蹟의 踏査(十四)」, 『每日申報』 1915년 8월 15일자.

野貞 일행이 도착하여 함께 조사하였는데, 세키노는 구로이타의 발굴에 대해 "6기의 고분이 일군을 이루어 구로이타 박사가 수일 전에 이미 그곳에서 가장 큰 것을 발굴하고 다시 가장 작은 것을 발굴하고 있었다"고 하며, 중하총에 대해서는 일군 중 가장 거대한 고분으로 구로이타가 발굴한 것으로 이미 옛날에 도굴을 당했고, 봉토 중에서 목관의 파편, 금두병金頭鋲이 발견되었다고 한다. 그리고 서하총은 일군의 고분 중 가장 작은 규묘의 고분으로 역시 옛날에 도굴당하여 부장품은 남아있지 않았다. 분묘의 형식을 밝히는데 그쳤다고 한다.[582]

부여 능산리 고분을 발굴하는 동안 그 일대의 조사를 겸했는데, 정림사지와 부소산성에 넘어져 있는 유인원의 비를 조사하고 부소산성에서는 고와를 얻는데 "부여에서 획獲한 부소산상扶蘇山上의 고와古瓦에는 연편蓮片의 일부에 불과하나 여하히 우수한 것인지 실로 당시의 건축미술을 견見함에 족하다"고 기술하고 있다.

7월 17일에는 금강을 내려와 강경을 경유하여 군산으로 향했는데, "백촌강의 전장이 지금의 금강의 어느 곳에 재在하였던가를 연구하려고 시試하였는데 이에는 금강의 흐름의 변천이 있는 것을 보고 그 조사에 해당하는 동시에 수군水軍으로 취할 전략적 방면으로부터 지점을 정하지 아니하면 불가하겠음으로 나는 부여로부터 배를 빌려 이를 내려와 군산까지 갔는데 조수潮

劉仁願紀功碑(復命書 圖版13)

582 關野貞, 「百濟の遺蹟」, 『考古學雜誌』 제6권 3호, 1915년 11월.

水의 관계로 익일 오전 4시경에 군산에 도착하여 반은 그 연안을 조사함을 얻지 못한 것이 유감이나 부소산의 나성羅城이 다하는 변邊을 본즉 금강유역이 현재와 달라져 있는 것은 명료"[583]하다고 하고 있다.

7월 18일에는 열차편으로 공주로, 그리고 7월 19일에는 대전을 경유하여 경성으로, 평안남도 평양으로 올라갔다.

7월 20일부터는 평양 부근의 조사에 나섰는데 평양 부근의 조사 기간은 겨우 3일에 지나지 않았다. 제1일은 대동강안 토성 부근, 제2일은 강서의 고구려고분, 최후의 하루는 안학성지 및 대성산성 등을 탐방하였다. 낙랑군치지로 추정되는 평양 대동강안 토성 내를 조사하여 남문지로 상상되는 곳에서 와당 및 전을 등을 채십하고, 오수전五銖錢 2개, 동족銅鏃 2개를 채집했다. 이 중 오수전 1개와 동족 1개는 조선총독부에 기증했다. 다음으로 토성과 대동강을 사이에 두고 상대相對하고 있는 기자정전箕子井田의 유적 답사하고 겨우 2시간을 소비하여 조사과정에서 토성에서 발견한 동양식의 문양을 가진 와전파편을 채집하기도 했다.[584]

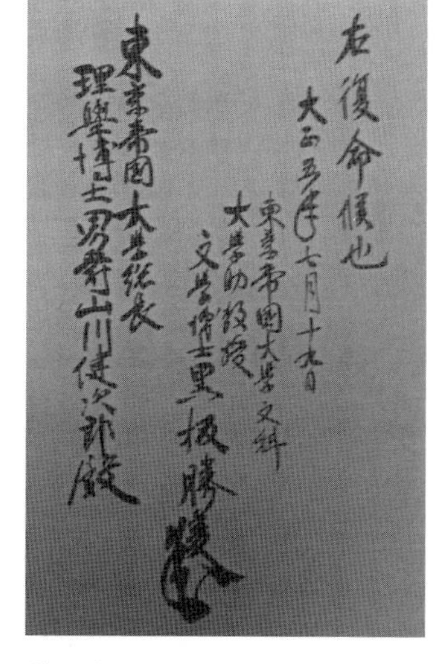

「朝鮮史蹟遺物調査復命書」(末尾自書)

7월 24일에는 개성에 도착하여 26일까지 반월성지 및 선죽교, 남문루의 범종 등을 조사하고 병이 나서 조사를 제대로 하지 못했다고 한다.

7월 27일에는 경성으로 돌아왔다.

7월 28일에는 총독부로 고다마兒玉 국장을

583 黑坂勝美, 「南鮮史蹟의 踏杳(十五)」, 『每日申報』 1915년 8월 17일자.
584 黑板勝美, 「朝鮮史蹟遺物調査復命書」, p.64.

방문하고, 7월 29일 저녁에는 데라우치寺內 총독의 초대를 받아 총독관저에서 만찬을 했다.[585]

8월 2일에는 경성 남대문 발 열차로 동경으로 향했다. 8월 6일에 동경에 도착함으로 1915년 구로이타의 한국 여행은 종식한다.

그가 1915년 4월 21일에 부산에 첫발을 들여놓은 후 8월 2일 경성을 떠나기까지 총 104일을 소비한 셈이다. 이 기간에 조사한 구역은 상상외로 광대하다 할 수 있다. 여기에는 조선총독부는 물론이고 각지의 유지들의 도움이 컸다할 수 있다.[586]

2. 조사에 따른 유물의 수집 및 반출

구로이타가 1915년에 발굴한 고분은 몇 기인지는 정확히 밝혀지지 않았으나[587] 그는 한국의 사적과 그 유물이 비교적 능히 보존된 것은 "한국인은 원래 유물을 수집하는 취미를 가지지 않았으며, 또 역사의 연구에 냉담한 결과로 유물을 파괴하지도 않았고 보호하지도 않았으며 그대로 방임한 상태였다"고 하며, 그렇기 때문에 "이것은 우리들에는 다행한 점이라 나도 이번에 유익한 사료를 상상 이상으로 수집할 수 있었다"고 하고 있어[588] 상당한 유물을 수집했음을 알 수 있다.

---

585 『每日申報』 1915년 7월 29일자, 7월 30일자.

586 黑板勝美가 經過하는 곳마다 도청, 군청, 경무부 및 민간유지들이 諸種의 便宜를 圖謀하여 예정이상의 연구조사를 마칠 수 있었다(「朝鮮史蹟遺物調査復命書」, p.10).

587 早乙女雅博은 「新羅の考古學調査 100年の硏究」(『朝鮮史硏究會論文集』 39, 朝鮮史硏究會, 2001년 10월, p.67)에서, 黑板勝美는 선산, 고령 등지에서 7, 8개소를 발굴했다고 하며, 黑板勝美는 「南鮮史蹟의 踏査(4)」(『每日申報』 1915년 8월 3일자)에서, "今回에 낙동강 유역의 여행에서 이미 발굴한 고분(盜掘墳)에 대하여 凡 20, 30個所의 조사를 試하였다"고 한다.

588 黑板勝美, 「南鮮史蹟의 踏査(3)」, 『每日申報』 1915년 8월 1일자.

1915년 10월 19일에 도쿄제국대학에서 개최한 일본 고고학회의 10월례회에서 강연한 내용을 보면 "수집한 사진과 발굴품은 아직 도착하지 않았으므로 운운云云"[589] 하는 것을 보면 그가 한국 땅을 떠나 2개월 반이나 지난 후에도 한국에서 수집한 유물들은 도착하지 않고 1915년 10월 19일 이후에나 일본에 도착했음을 알 수 있다.

그가 발굴한 유물이나 습득한 유물들은 아직 '고적급유물보존규칙'이 나오기 전이긴 하지만 1912년 5월 7일에 공포한 제령 제23호와 총독부령 제97호 '유실물 기타의 물건에 관한 건'에 의한다면, 발굴 및 습득 유물들은 해당지역의 경찰서나 군청 등에 보관했어야 하지만, 아무런 제지를 받지 않고 반출한 것이다.

1916년 1월 25일에는 고고학회 본회1월례회가 도쿄제국대학에서 개최되었다. 이때 구로이타는 「백제시대불상」 이란 제목으로 강연을 하고 1915년 남선연구 여행 중 채집한 고기물에 대하여 설명을 했다. 그 중에 불상광배에 대한 '건흥오년세재병진재명建興五年歲在丙辰在銘'의 탁본을 제시하고, 또 그가 채집한 관계의 매장물에 대해 설명했다. "지참한 많은 마구의 잔결류는 선산의 고분에서 나온 것으로 그 고분은 장방형으로 장 7칸여, 중에는 2개의 사해死骸가 있다"고 설명을 하고, 평양토성 방면에서 채집한 오수전 및 와전 등에 대해 설명을 하였다. 기타 금환, 토기 등을 진열하고 설명을 했다.[590]

구로이타는 평양 일대를 조사한 후 유물 수집에 대해 "나는 이 토성에서 한시대의 와를 발견하였으며 오수전五銖錢이라는 한시대의 전도 출하고 청동으로 만든 시족矢鏃도 출하였다. 이런 등은 내가 왕往하였을 시에 습득한 것도 있

589 「考古學會記事」, 『考古學雜誌』 第6卷 3號, 考古學會, 1915년 11일, pp.70-71.
590 「考古學會記事」, 『考古學雜誌』 제6권 6號, 1916년 2월, pp.55-56.

고 그 근처에 있는 아해 등이 습취拾取한 것을 소액의 금전으로 매수한 것도 있다. 이는 대학의 별실에 보관하였다"[591]하는 점으로 보아 그가 수집해간 유물들은 동경제국대학 문과대학의 별실에 특별히 보관했던 것으로 알 수 있다.

구로이타가 일본으로 반출한 유물의 일부는『조선고적도보』에 실리기도 했다. 이마니시 류今西龍는『대정6년도 고적조사보고』에서 고령 고분 수집품에 대해 "대정4년도에 구로이타 위원의 발굴품 및 이 지방 수집품 역시『조선고적도보』권3에 실려 있다"[592]고 하는 바,『조선고적도보』제3권을 보면 가야 유물로 도판 793, 794, 810번이 '동경 문과대학 장'으로 실려 있다. 이 '동경 문과대학 장'으로 되어 있는 '고령 수집 구옥 및 소옥' 과 '선산 출토의 금환'이 바로 구로이타가 반출한 것으로 보인다.

구로이타가 어디서 어떤 유물을 수집했는지는 정확히 알 수 없으나[593] 반출한 것은 스스로 밝힌 <참고자료채집목록>로 복명서에 수록되어 있다.

구로이타가 1915년에 수집 및 반출한 유물을 정리해 보면 대략 다음과 같다('반출'로 표시한 것은 <參考資料採集目錄>에 나타난 것임).

장소	물품명	수량	비고
충북 죽령산 신사	土馬 殘缺	1	1915년 5월 2일 채집, 반출
경북 순흥 紹修書院	石佛螺髮	1	5월 4일 채집, 반출
경북 순흥 부석사	浮石寺 圓融國師碑石 殘缺	5	5월 5일 채집, 반출

591 黑板勝美,「朝鮮의 歷史的 觀察」,『每日申報』1921년 9월 21일자.

592 今西龍,『大正6年度 古蹟調査 報告書』p.440.

593 梅原末治는 黑板勝美의 조사에 대해 남선지방에 있어서의 黑板勝美 박사의 발굴조사는 서둘러서 상당수에 이르지만, 이런 등의 보고서 간행은 완고했다. 총독부박물관에조차 기록이 결하고 있어 거의 밝혀지지 않고 있다고 한다(梅原末治,『朝鮮古代の墓制』國書刊行會, 1972, p.155(주석4)).

장소	물품명	수량	비고
충주	"建興五年歲在丙辰" 銘 佛像光背	1	5월 17일 대구에서 구입, 총독부박물관에 입고
경주 사천왕사지	瓦璫片	14	5월 20일~26일 채집, 반출
경주 사천왕사지	唐草瓦片	6	5월 20일~26일 채집, 반출
경주 사천왕사지	文字瓦片 等	12	5월 20일~26일 채집, 반출
경주 사천왕사지	甎	2	5월 20일~26일 채집, 반출
경주 사천왕사지	甎(四天王像 일부로 생각되는 조각이 있음)	2片	5월 20일~26일 채집, 반출
경주 사천왕사지	有紋甎 殘片	1	5월 20일~26일 채집, 반출
경주 사천왕사지	黃綠琉璃甎 殘片	8	5월 20일~26일 채집, 반출
경주 사천왕사지	獅子面付陶器脚 殘片	1	5월 20일~26일 채집, 반출
경주 황룡사지 부근	瓦璫片	2	5월 20일~26일 채집, 반출
경주 보문리 고분	瓦片	3	5월 20일~26일 채집, 반출
경주 보문리 고분	彫石片	1	5월 20일~26일 채집, 반출
경주 보문리 고분	陶器	1	5월 20일~26일 채집, 반출
경주 괘릉리	遺骸被瓦	1	5월 20일~26일 채집, 반출
경북 대구 달성산동 사문산성지	土器片	?	6월 1일 채집, 반출
경북 성주군 성산	瓦 殘片	6	6월 2일 채집, 반출
성주군 성상산성하 고분	陶器 殘片		6월 2일 채집, 반출
경북 김천군 김천읍 外 고분	陶器 殘片		6월 3일 채집, 반출
경북 금오산 갈항사지	瓦片	6	6월 4일 채집, 반출
경북 금오산 갈항사지	無紋甎 斷片		6월 4일 채집, 반출
선산 해평면	金環	1	6월 5일 매입, 반출

장소	물품명	수량	비고
경북 선산군 해평면 낙산동 고분	金環	1	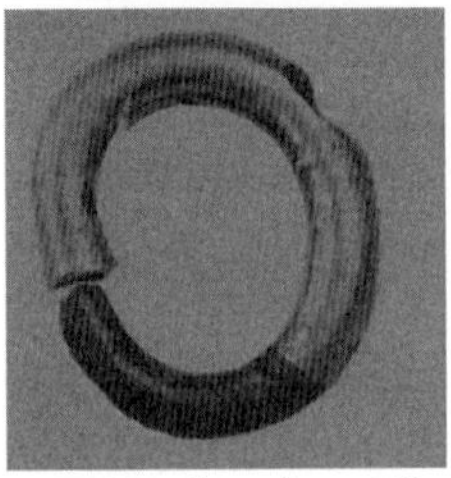 古蹟圖譜3권, 도판810 6월 7일 채집, 반출
경북 선산군 해평면 낙산동 고분	直刀, 鐵刀, 帶金具, 馬具, 木槌, 寶冠의 일부로 생각되는 金具, 釘 等 殘片 약50		6월 7일 채집, 반출
경북 고령 주산 고분	勾玉	1	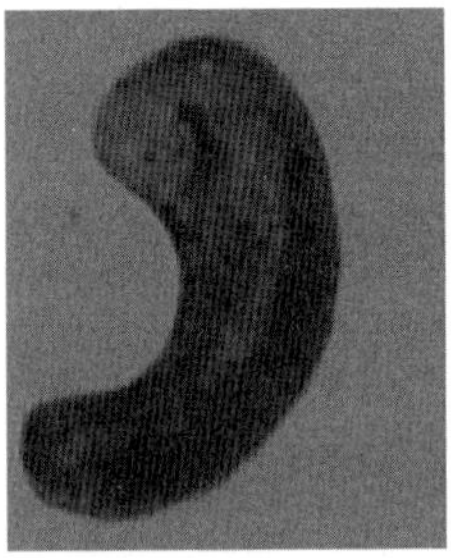 古蹟圖譜3권, 도판793 6월 10일 구입, 반출
경북 고령 주산 고분	琉璃玉	5	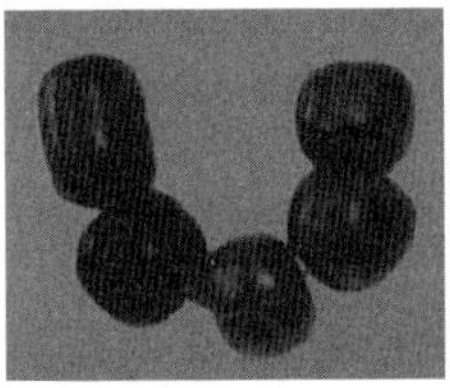 古蹟圖譜3권, 도판794 6월 10일 구입, 반출
고령 주산 동방 갑분(上槨)	陶器	4	6월 10일~13일 채집
고령 주산 동방 갑분(上槨)	直刀	1	6월 10일~13일 채집
고령 주산 동방 갑분(上槨)	銀製環	3	6월 10일~13일 채집
고령 주산 동방 갑분(上槨)	銀製環 殘片	1	6월 10일~13일 채집

장소	물품명	수량	비고
고령 주산 동방 갑분(上槨)	陶器	3	6월 10일~13일 채집
고령 주산 동방 갑분(下槨)	遺骨 및 陶器		6월 10일~13일 채집
고령 주산 동방 병분	鐵製差込錠과 같은 것	1	6월 10일~13일 채집
고령 주산 동방 병분	완전한 轡	1	6월 10일~13일 채집
고령 주산 동방 병분	陶器	4	6월 10일~13일 채집
고령 주산 동방 병분	直刀	1	6월 10일~13일 채집
고령 주산 동방 병분	金環	2	6월 10일~13일 채집
고령 주산 동방 병분	陶器	12	6월 10일~13일 채집
경남 합천군 해인사	彫石片	1	6월 13일~14일 채집, 반출
김해 패총	土器破片		6월 25일~26일 채집
김해 패총	鹿骨의 針		6월 25일~26일 채집
김해 수로왕릉비 근처 대원총	頭蓋骨 및 齒牙		6월 26일 채집
김해 수로왕릉비 근처 대원총	金環 2개,	2	6월 26일 채집
김해 수로왕릉비 근처 대원총	刀子 1본,	1	6월 26일 채집
김해 수로왕릉비 근처 대원총	純金絲切의 金裝飾	1	6월 26일 채집
전남 구례군 화엄사	石經片	1	7월 4일 채집, 반출
전북 남원	平瓦 殘片	7	7월 5일 채집, 반출
전북 남원 만복사 후 구릉	磁器 殘片	13	7월 5일 채집, 반출
충남 부여군 계룡산하 沙器所	磁器 殘片	27	7월 8일 채집, 반출
부여 능산리 고분(중하총)	木棺破片, 鍍金頭鋲, 骨片, 木棺의 釘, '義'字銘의 土器破片		7월 9일~15일 채집
충남 부여군 부소산성	瓦瑠片	1	7월 9일~7월 15일 채집, 반출
충남 부여군 부소산성	刻字瓦 等	10	7월 9일~7월 15일 채집, 반출

장소	물품명	수량	비고
평남 평양 대동강안 토성	五銖錢	2	 7월 20일 채집, 五銖錢 2개 중 1개는 반출하고 1개는 총독부박물관
평남 평양 대동강안 토성	銅鏃	2	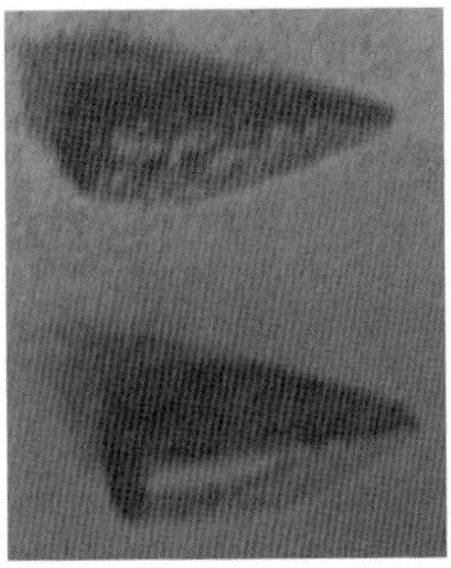 7월 20일 채집, 1개는 반출하고 이 중 1개는 총독부박물관
평남 평양 대동강안 토성	樂浪 瓦璫	1	7월 20일 채집, 반출
평남 평양 대동강안 토성	樂浪 甎	3	7월 20일 채집, 반출
평남 평양 대동강안 토성	樂浪 甎 殘片	2	7월 20일 채집, 반출
평남 평양 대동강안 토성내	瓦片	20	 탁본 7월 20일 채집, 반출
평양 대동군 안학궁	瓦片	9	7월 22일 채집, 반출
경북도청서기 木村靜雄 기증	土器 殘片	3	반출

장소	물품명	수량	비고
경북도청서기 木村靜雄 기증	土器把手	9	반출
경북도청서기 木村靜雄 기증	平瓦 殘片	4	반출
경북 고령보통학교장 八波善吉 기증	鐙 殘片	1	반출
경북 고령보통학교장 八波善吉 기증	銜 殘片	1	반출
고령보통학교장 八波善吉 기증	獅子面付陶器脚 殘片	1	반출
고령보통학교장 八波善吉 기증	土器把手	8	반출
고령보통학교장 八波善吉 기증	土製錘	2	반출
고령보통학교장 八波善吉 기증	土瓦	1	반출
	李退溪 筆 四端七情分理氣論	1通	반출
	甲午三月日慶州府南面伊助村第一川面?里第十統戶籍單子	1通	반출
	丙午正月日慶州府內面校洞里戶籍單子	1通	반출
	乾隆二十年九月二十九日水田放賣券	1通	반출
	乾隆二十一年正月二十二日田地放賣券	1通	반출
	乾隆五十一年二月二十二日田地放賣券	1通	반출
	乾隆五十八年五月四日田地放賣券	1通	반출
	道光十六年九月十五日田地放賣券	1通	반출
	丙戌四月日婢放賣券	1通	반출
	甲子四月十六日手記憑	1通	반출
	그 외 金石拓本類		반출

Ⅳ. 조사에 따른 구로이타 가쓰미黑板勝美의 주장

1. 고대 일본의 세력권

구로이타는 「남선사적의 답사」에서 한반도에서의 고대 일본의 세력권을 다음과 같이 주장하고 있다.

> 낙동강 유역은 옛날 신라, 임나의 경역지점境域地點인데 임나는 우리 일본부 소재지라 즉 일본이 남선을 지배할 때의 총독과 같은 것이 있었던 곳이라 여사히 낙동강 유역의 연구가 상대사에 있어 필요할 뿐 아니라 부산, 진해만, 곤양만昆陽灣에 까지 일대의 해안도 역시 고래古來로부터 우리 일본인이 배를 띄웠던 곳임이 역사적으로 <중략> 섬진상은 원래 백제가 일본에 조공朝貢하던 시 또는 일본이 백제로 병을 보내던 때의 통로이오. 연안은 일시 일본의 영유領有에 귀歸하였으나 후에 이를 백제에 사賜한 바이더라(黑坂勝美, 「남선사적의 답사(2)」, 『매일신보』 1915년 7월 30일자).

> 옛날 일본과 조선의 관계에 대하여 이를 볼 진데 당시 일본은 여하히 할지라도 남조선 연안에 있는 제도권制度權을 장악함에 있지 않으면 안되었을 줄 생각하노니, 즉 현대와 비교하면 크고 적음 넓고 좁음의 다른 것은 있다할지라도 여하간 당시의 일본이 남선의 연해를 우리 세력하에 있었을 것은 필연이라 생각한다. 그러한데 상대에 있는 남선연해의 아(일본)의 세력범위는 현재의 부산항으로부터 전라남도의 해안 여수항에 이르는 일

대의 연안 즉 낙동강 하구로부터 섬진강의 하구까지를 한한 해상일 줄로 생각하노니 차간此間에 포확包擴된 연안과 및 그 무수한 도서는 필연 일본의 세력하에 재在치 안이치 못하였을지니(黑板勝美, 「남선사적의 답사(5)」, 『매일신보』 1915년 8월 5일자).

지금의 섬진강 유역이라는 것은 일찍이 일본의 영지領地가 되었으나 후에 백제에 사賜한 토지인데 섬진강의 강안과 그 유역은 옛날의 일본과 백제와의 사이를 결結한 첩경捷徑인데 백제의 문물공예는 이 도途를 경유하여 일본에 건너오고 또 일본으로부터 백제 이북으로 병을 움직임에도 항상 이 하河를 소항遡航한 것이오. 백제의 수도인 공주와 부여로부터 일본으로 교통함에 가장 가까운 길이더라(黑板勝美, 「남선사적의 답사(10)」, 『매일신보』 1915년 8월 11일자).

이상의 그의 주장은 낙동강과 섬진강을 중심으로 통행할 수 있는 모든 범위와 남해안과 서해안 일부를 중심으로 한 모든 도서島嶼와 해상을 장악했다고 하고 있다. 이는 당시 신라권을 제외한 한반도 남부 전체를 그들의 제도권 안에 들었다고 주장하는 것이 된다. 한 걸음 더 나아가 "북선과 일본과의 관계는 저 호태왕好太王의 비문을 볼지라도 옛날 우리 일본인이 조선의 북변까지 진출하여 왕래하였던 일을 증證한 것이니 결코 무관계라고는 말할 수 없을 것이다"[594]라고 하고 있다. 이는 과장이 아니라 완전 날조로 이와 같은 경우가 되기

594 黑板勝美, 「南鮮史蹟의 踏査(一)」, 『每日申報』 1915년 7월 29일자.

위해서는 해안은 물론이고 낙동강, 섬진강연안을 완전히 장악하지 않으면 교통 그 자체가 불가한 것이다. 과연 당시에 일본 자체가 그만한 육·해전을 감당할 수 있는 막강한 군사력을 갖춘 국가가 있었는가. 그의 주장대로 낙동강 유역과 섬진강유역을 장악하려면 신라와 백제를 장악하지 않고는 불가한 것이다. 이를 억지 주장하기 위해 만들어 낸 것이 한반도 남부경영설이다.

그들이 주장하는바 한반도 남부경영설이라는 것은 광개토대왕비문에 등장하는 이른바 신묘년辛卯年(391) 조 기사를 비롯한 왜병관계 기사[595]를 끌어와 이를 일본 고대의 역사서인『일본서기』신공기神功紀 기사와 결부시켜 해석하므로써[596] 일본의 야마토조정大和朝廷이 낙동강 하류의 임나지역에 '임나일본부'를 설치하여 남부조선을 200여 년간 통치했다는 증빙자료로 삼고자 했다. 즉 왜가 4세기 당시 현해탄을 건너서 가야, 신라, 백제를 정복하고 고구려와 대결 할 수 있었던 야마토大和정권이 일본에 존재했다는 것이다. 이런 사실이 일본이 만든 자료가 아니라 그 당시 왜와

595 일제가 釋文한 문제의 釋文은 辛卯年(391)기사와 庚子年(400)기사로 그 내용은,
辛卯年 記事.
百殘新羅舊是屬民, 由來朝貢, 而倭以辛卯年來渡海, 破百殘□□新羅以爲臣民.
백잔(百濟)과 신라는 예부터 속민으로서 조공을 바쳐 왔었다. 그런데 왜가 신묘년에 바다를 건너와 백잔과 신라를 파하여 신민으로 삼았다.
庚子年 記事.
十年庚子, 教遣步騎五萬, 往救新羅, 從男居城, 至新羅城, 倭滿其中,
官軍方至, 倭賊退, ...□背息追, 至任那加羅, 從拔城, 城卽歸服,
安羅人戍兵, 拔新羅城, □城倭滿, 倭潰城大□ ...
10년 경자에 보병과 기병 5만을 보내어 신라를 구원하였다. 남거성을 경유하여 신라성에 들어가니 그 안에 왜병이 가득하였는데 관군이 도착하자 왜적이 퇴각하였다. ....(이하원문8자결자)... 뒤를 돌아서 추격하여 임나가라에 이르러 계속하여 성을 함락하니 성이 곧 항복했다. 안라인 주둔군이 ...., 신라성, □성에 왜가 가득했다. 왜는 성을 무너뜨렸다.

596 李基東,「研究의 現況과 問題點」,『韓國史 市民講座』제3집, 1988. p.10; 金鉉球,「'任那日本府' 연구의 현황과 문제점」,『韓國史 市民講座』제11집, 1992.

대결한 고구려의 금석문에 나타난 것이기 때문에 신뢰할 수밖에 없다는 것이다.[597]

그들의 주장하는 바의 광개토대왕비문은 사코 가게노부酒匂景信가 현지에서 제작 또는 구입하는 과정에서 원비의 일부를 훼손시켰을 가능성이 농후하다는 점과[598] 석회를 바르고 자획을 새로 파서 조작造作하는 석회도부石灰塗付의 만행이 자행되어 자형字形이 애매한 것은 작업자가 마음대로 만들어 놓았기 때문에[599] 자형이 달라졌음은 물론 문자를 탈바꿈한 것이 적지 않았다.[600] 처음에는

---

597 黑板勝美는 『(更訂)國史の研究』(岩波書店, 1932, pp.53-54)에서 神功皇后의 新羅克服은 조선의 史籍인 三國史記에도 何等의 記載가 없다는 것을 밝히고, 好太王碑의 辛卯年 記事를 들고 있다. 또 新羅, 高句麗가 日本에 朝貢하고 일본이 任那를 統監하고 백제는 일본에 依賴하여 국가를 保存했다고 하고 있다.
小田省吾는 「朝鮮古代の民族と其の遺蹟(下)」(『朝鮮と建築』 第2輯 3卷, p.15)에서, "高句麗와 日本이 衝突하기에 이르렀다. 일본이 평양으로 와 고구려와 전쟁을 하였다. 이러한 등의 事蹟은 일본 역사에도, 조선의 역사에도 결여되어 전하지 않는다. 다행히 현재 존재하는 同王(好太王碑를 稱)에 의해 밝혀졌다" 라고 하고 있다.
『考古學雜誌』 '彙報'의 「白鳥博士任那の興亡を說く」(『考古學雜誌』 제1권 제8호, 1911년 4월, p.62)에서는, "日本이 三國을 服屬시킨 것은 지금 청국의 성경성 집안현 동구에 있는 高麗好太王碑에 보여, 이는 일본의 敵인 고려의 비문에 보일 정도로 確實한 것이다"라고 하고 있다.

598 徐榮洙, 「廣開土大王陵碑文과 征服記事 再檢討」, 『歷史學報』 第96輯, 1982; 李進熙, 「廣開土王陵碑研究에 있어서 諸問題」, 『史學雜誌』 第83編 第7號, 1974. p.3; 朴眞奭, 「辛卯年記事 再論」, 『廣開土好太王碑 研究 100年』, 학연문화사, 1996, p.379; 손영종, 『廣開土王陵碑文의 研究』, 도서출판 중심, 2001, p.38; 李亨求, 朴魯姬「廣開土大王陵碑文의 所謂辛卯年記事에 대하여」, 『東方學志』 29, 1981.

599 중국학자 徐建新이 「中國學界에서 高句麗好太王碑 碑文과 拓本 研究」 "徐建新(徐日範 옮김), 「中國學界에서의 高句麗 好太王碑 碑文과 拓本 研究」, 『廣開土好太王碑 研究 100年』(학연문화사, 1996, p.111)에서 제시한 <資料1> '북경 王少箴 舊藏本에 첨부된 姚華의 발문 四'에 나타난 것을 보면, 落款 날짜는 1917년 10월 하순으로 글 가운데는 "近聞爲日本人所侵守, 不許椎搨(捶拓)矣"라 것이 보이고 있어 적어도 당시 일본인들이 광개토대왕비의 取拓에 관여하고 있었음을 알 수 있다.

600 關野貞, 「滿洲 輯安縣 及び 平壤附近に於ける 高句麗時代の遺蹟」, 『考古學雜誌』 5-4, 1914년 12월, p.2; 關野貞, 「國內城 及び 丸都城の位置」, 『史學雜誌』 제25編 12號, p.5; 今西龍, 「廣開土境好太王陵碑に就て」, 『朝鮮古史の研究』, pp.451-455, 今西龍, 『朝鮮古史の研究』, p.454; 『丹齋 申采浩先生全集』(改訂版) 上卷, 1977, p.212; 三宅俊成, 「安東省輯安

뚜렷하게 탁출拓出되었던 문자가 세월이 지나면서 석회가 엄동에 얼었다가 기온이 상승하면서 녹아 터져 박리현상이 일어나 1907년부터는 일부의 문자가 무너져 내리기 시작하였으며,[601] 1918년 구로이타가 조사했을 때에도 덧붙인 석회가 떨어져 나간 모습이 뚜렷하게 나타남으로서 비면에 석회를 바르고 새로 각자刻字한 모습이 나타나 있었다.[602]

비문의 파괴 탈락에 대해서도 이끼를 없애기 위해 우분을 바르고 불로 태우는 과정에서 일부 파괴되었다는 것은[603] 당시 여러 정황으로 보아 이해가 가지만 그처럼 많은 결자가 나온다는 것은 의문을 가지지 않을 수 없다.[604] 많은 결자에 대해 일본 측은 지하출현설地下出現說[605]까지 들고 있으나 이 같은 지하출현

縣城附近 高句麗の遺蹟」, 『滿蒙』第十六年 九月, 特輯號, p.20; 李進熙, 「廣開土王陵碑文の謎」, 『思想』 575號, 岩波書店, 1972년 5월, p.84; 李進熙, 「日本에서의 廣開土王碑 연구」, 『東方學志』 43, 1984; 李進熙, 「광개토대왕비를 둘러싼 근년의 논쟁」, 『박영석박사화갑기념한국사학논총』, 1992. 『고구려사논문선집』 제7권; 佐伯有淸, 「高句麗廣開土王碑をめぐる諸問題(李進熙氏の所論によせて)」, 『歷史學硏究』 401號, 1973년 10월, 歷史學硏究會 編輯, p. 45; 王健群 著/ 李東錫 譯, 『廣開土王碑 硏究』, 역민사, 1985, p.26; 「滿洲國安東省 輯安縣에 있어서의 高句麗遺蹟의 調査」, 『靑丘學叢』, 1936년 2월, pp.171-172.

601 1903년 양수경이 입수한 탁본에는 그토록 자획이 뚜렷하게 나타났으나 1907년 프랑스 사반느가 탁한 탁본에는 '來'자가 반쯤 무너진다(이진희 ,「日本에서의 廣開土王碑 연구」, 『東方學志』 43, 1984).

602 「大正7年度古蹟調査成績」, 『朝鮮彙報』, 朝鮮總督府, 1919년 8월; 『歷史地理』 第32卷 5號, 1918년 11월, 彙報 '本會109會例會', p.78.

603 文定昌의 「考證文件」(『廣開土大王勳績碑文論』 第2卷, 柏文堂, 1977)에는 談國桓의 「手札」(『遼東文獻徵略』, 1925), 楊守敬의 『高句麗廣開土好太王談德碑跋』, 顧燮光의 『夢碧簃石言』(1918). 歐陽輔의 『集古求眞』(1921)를 소개하고 있는데 모두 비문의 일부 파괴에 대해 우분을 바르고 불로 태우는 과정에서 나타난 것으로 기술하고 있으며, 『輯安縣誌』(1930년)에서도 같은 내용으로 기술하고 있다.

604 문정창은 화강암은 3000도 이상의 열이 아니면 파열 또는 용해되지 않고 소똥불은 아무리 많이 쌓인 모닥불이라도 800도~1,200도 이상은 오르지 않는다는 점을 지적하고 있다.

605 橫井忠直, 「高句麗碑出土記」, 『會餘錄』 제5집, 1889; 菅政友, 「高句麗好太王碑銘考」,

설은 1905년 도리이 류조鳥居龍藏가 학자로서는 처음으로 현지를 답사함으로써 부정될 수밖에 없었으며, 그 후 1913년에 세키노 타다시關野貞, 이마니시 류今西龍 등이 또 다시 광개토대왕릉비를 조사하면서 터무니없는 것임이 밝혀졌다.

이후 1918년 수일에 걸쳐 능비의 기초석基礎石까지 조사한 구로이타는 1918년 11월『역사지리』'본회109회례회' 에서 희한한 발상을 하였다. "비는 높이가 2장2척, 4면의 폭6척 내지 4척, 상방서남上方西南의 일각一角(2면우단)이 결손缺損되어 문자가 없게 되었다. 이것은 비가 한번 넘어져 일각이 훼손된 것으로 대석의 균열도 그때 일어난 것"[606]이라고 주장하고 있다. 비의 제2면과 제3면의 파괴된 글자의 원인을 이처럼 터무니없는 구실로 무마하려 했다. 일제의 일부 학자들은 '구로이타 가쓰미가 수일에 걸쳐 광개토대왕릉비를 정밀조사하고 능비의 근저根底를 발굴하여 기초석의 존재를 확인한 결과 비가 일찍이 도괴되었던 것을 증명' 한 것으로[607] 능비의 도괴를 정설화定說化하려 했으나 이는 금방 무산되었다.[608]

이것으로서 일제가 한국침략을 역사적으로 정당화하기 위해 광개토대왕릉

『史學會雜誌』第22號-25號, 1891; 三宅米吉,「高麗古碑考」,『考古學會雜誌』第2-1, 3號, 1898; 淺見倫太郎,「日韓交涉史蹟に關する 二千年來の金石遺文」,『朝鮮及滿洲之硏究』第1輯, 1914년 12월, 朝鮮雜誌社發行, pp.300-301.

606 『歷史地理』第32卷 5號, 1918년 11월, 彙報 '本會109會例會', p.78.

607 藤田亮策,「朝鮮古蹟調査」,『朝鮮學論考』, 藤田先生記念事業會刊, 1963, p.86.

608 이에 대해 처음 반기를 든 사람은 池內宏로, 그는 黑板勝美의 조사에서 碑身이 한번 倒壞되었다가 再建되었다고 하나 어느 때인지 직접 전하는 文獻이 없으며 금일에 보이는 碑面의 일부 특히 그 隅角의 剝損한 것은 光緖初에 비석을 발견한 후 두텁게 비면을 덮고 있는 소태를 제거하여 탁출이 가능했고 이때 不用意한 작업에 의해 생긴 것이다. 따라서 이는 비석의 발견 이전에 비신의 倒仆를 입증할 근거가 없음을 지적하고 있다(池內宏,「廣開土王碑發見の由來と碑石の現狀」,『史學雜誌』제49編, 1938, p.27).

비문을 아전인수격我田引水格으로[609] 교묘하게 활용한 것이다.[610]

유영지劉永智는 일본서기의 오진천황應神天皇 3년(272)과 호태왕비문 중의 신묘

609 『會餘錄』 제5집(1889) 横井忠直의 釋文 '百殘新羅舊是屬民(제1면 8행) 由來朝貢而倭以未卯年來渡海破百殘□□斤羅以爲臣民(제1면 9행)'의 신묘년기사 '百殘□□新羅'의 해석에 있어서도, 1891년 管政友는 缺字 '□□' 에 대해 '百殘[?]擊]新羅' 로 해석했으며(菅政友에 의해 「高句麗好太王碑銘考」(『史學會雜誌』 第22號-25號, 1891)), 1893년 那珂通世는 결자 □□에 대해 '任那 또는 加羅'로 해석하였으며(「高句麗古碑考」, 『史學雜誌』 第47號, 49號, 1893), 三宅米吉는 결자 '□□' 에 대해 '更討'로 해야 한다고 주장하였으며(「高麗古碑考」, 『考古學會雜誌』 第2-1, 3號, 1898), 『奉天通志』(奉天省廳, 1934)에서는 百殘□□□羅以爲臣民에서 □안에는 '隨破新'으로 주장하는 등 모두가 '來渡海破' 의 주어를 '倭'로 해석하는 것도 부족하여 이 부분의 결자에 대해 고대 한반도의 남부를 마치 일본이 지배한 것을 강화하는 문자를 넣음으로써 그들의 해석을 견고히 하려고 했다.
이 부분에서 倭를 주어로 보는 일제의 해석에 대해서, 鄭寅普는 주어를 마땅히 왜가 아닌 고구려임을 밝히고 있다(鄭寅普, 「廣開土境平安好太王陵碑文釋略」, 『薝園國學散藁』, 文敎社, 1955). 중국학자 박진석은 일본육군참모본부가 중심이 되어 형성된 '渡海破'의 주어를 倭로 봄으로써 고대일본이 한반도 남부를 지배했다고 인정하는 이른바 '通說' 觀點에 따르면 辛卯年 기사 가운데 '來'와 '渡海' 사이에 엄중한 모순이 생긴다고(朴眞奭, 「辛卯年記事 再論」, 『廣開土好太王碑 研究 100年』, 학연문화사, 1996, p.372), 정인보의 해석을 뒷받침하고 있으며, 김영배는 신묘년기사의 '來渡海'에서 '來'자는 문자의 字形上으로 맞지 않음을 지적하고 있다(김영배, 「廣開土王碑新研究1」, p.26).

610 이러한 例는 1920년 朝鮮教育研究會에서 편찬한 『尋常小學日本歷史補充教材教授參考書』(朝鮮教育研究會 編纂 『尋常小學日本歷史補充教材教授參考書』, 1920, 朝鮮總督府, pp.20~38)에 다음과 같이 잘 나타나 있다.
'三韓' 條에, "친히 바다를 건너 신라를 征服하여 따르게 하고, 또 將軍을 보내어 任那의 諸國을 平定하여 이를 保護하고, <중략> 백제, 고구려의 二國은 使臣을 보내어 朝貢을 하고 함께 屬國의 禮를 取하였다"하고, 또 '日本府 其一'의 '敎授要旨'조에서는 "本科에서는 日本府를 중심으로 하는 신라, 고구려, 백제 三國鼎立時의 有樣을 가르치고 북방에서 일어난 고구려에 대해, 韓種族의 諸國이 일본의 힘을 빌어 그 국가를 보존할 수 있었다는 것을 알게 한다"하고, '說話要領' 조에서는 "神功皇后가 신라를 친히 征服하고, 후에 고구려, 백제 二國을 服屬케 한 것은 이미 앞에서 述하였다. 여기에서는 조정에서 日本府를 任那에 置하고 將軍을 보내어 오랫동안 韓을 다스렸다는 것과, 신라, 고구려, 백제 삼국은 일본에 朝貢하고 특히 신라와 백제 두 나라는 王族을 인질로 일본조정에 보내오게 됨으로써 屬國의 禮를 다하는 誠意를 表했다"는 것을 설명하고, '備考'에서는 "현재 만주 盛京城 輯安縣에 존재한 廣開土王陵碑文에 밝히고 있다" 라고 하고 있다.

년辛卯年(391)은 서로 맞아떨어지지 않는데 한반도 남부지역의 통치는 맞지 않는다는 점을 지적하였다.[611] 박진석朴眞奭은 신묘년기사의 왜倭의 실체에 대하여 지적하였는데, 그때까지 일본은 분산성을 극복하지 못했으며 당시의 왜는 틀림없이 여러 소국 가운데 하나에 불가했을 것이다. 따라서 이러한 정황에서 왜가 바다를 건너 백제와 신라를 정복하여 저들의 신민으로 삼았다는 것은 상상하기 어려운 것이라고 지적했다.[612] 최재석 역시 신공황후 때에 대가야에 일본부가 있었다는 주장은 일본의 항해수준, 야마토大和 왜의 출현 시기 등 어느 시각에서도 허구임을 지적하고 있다.[613] 또 신묘년 기사의 그들의 해석에 따르면 백제와 신라는 이미 왜의 민民으로 전락되었으며 왜가 이 지역의 통치자로 군림한 것으로 된다. 이점에 대하여 중국학자 왕건군王健群은 남진하는 가운데서 마땅히 역량을 발휘하여 자기의 속민屬民이었던 백제와 신라를 정복한 왜를 타격해야 할 것이지 피정복자인 백제를 타격할 수 없는 것이다. 그럼에도 불구하고 비문에 따르면 영락永樂6년(396)에 고구려는 5만의 대군을 동원하여 왜를 친 것이 아니라 백제를 쳐서 크게 승리하였던 것이다. 따라서 실권자로서의 왜는 나타나지 않았음을 지적했다.[614]

무엇보다도 일본 학자들의 해석에서 가장 맞지 않는 것은 신묘년 기사에서 왜가 주체 내지는 주어로 해석하고 있다는 것이다. 장수왕이 이 비를 세운 목적은 제 1면에 "立碑銘記勳績, 以示後世焉" 이라 하여 부왕의 훈적勳績을 적어

611 劉永智(徐日範 옮김), 「好太王碑의 發見과 釋文 硏究」, 『廣開土好太王碑 硏究 100年』, 학연문화사, 1996.

612 朴眞奭, 「辛卯年記事 再論」, 『廣開土好太王碑 硏究 100年』, 학연문화사, 1996.

613 최재석, 『고대한일관계사 연구 비판』, 경인문화사, 2010.

614 王建群, 賈士金, 方起東 『好太王碑와 高句麗遺蹟』, 1988, 讀賣新聞社; 王健群 著 / 李東錫 譯, 『廣開土王碑 硏究』, 역민사, 1985.

후세에 길이 전하기 위한 것이다. 그런데 일본학자들의 해석대로라면 도리어 큰 타격이 되는 것이다. 이런 사실을 훈적비로서의 호태왕비문에 적어 넣을 리는 만무한 일인 것이다. 물론 신묘년기사에 "백잔과 신라는 본래 고구려의 속민으로써 종래 계속 조공을 해왔다" 한 부분은 사실과 먼 과장이기는 하지만, 그것을 과장이라고 보는 이상 해석상의 이견이 일어날 것이 없다.[615]

그렇다면 왜의 실체는 무엇인가? 이들은 북규슈北九州의 백제 계통의 왜로서 고국을 위하여 동원된 사람들로[616] 백제의 조종에 따라 고구려 신라와의 전쟁에 참가하게 되었던 것이다.[617] 이를 고고유물로서 입증한 사람은 일본학자 오

615 千寬宇는『伽倻史硏究』(1991, 一潮閣, p.110)에서, 신라는 고구려에 王族을 人質로 보내는 등 다소 從屬的인 입장에서 수호를 하고 있기는 하나 '屬民', '朝貢' 등은 사실과 다르고, 더구나 백제는 고구려와 격전을 벌려온 호적수이었다. 그럼에도 불구하고 屬民이라 한 것은, 百濟王系가 고구려에서 남하하였고, 新羅王系도 고구려와 연고가 있다는 전승이 있으므로, 혹시 그런 전승이 영향을 주었을지 모른다고 하고 있으며,
金錫亨은『古代韓日關係史』(p.399)에서, 高句麗는 倭가 辛卯年에 왔다고 한 그전에, 즉 광개토왕 통치에 先行한 옛날부터 白殘과 新羅는 고구려의 屬民이었다고 하는 말로부터 시작되었다. '屬民'이라 하는 것은 문자 그대로 隷屬된 백성의 뜻이므로 이 두 나라가 屬國이었다는 것이다. 이는 비문 작성자의 誇張일 것이다. 고구려 귀족들이 백제, 신라를 자기네들 보다 못한 존재로 보고 말한 것이나 실지로 백제와 신라가 屬民, 屬國된 일은 없었다. 朝貢해 왔다는 것도 3국간의 정치, 경제적인 관계를 誇張한 것이라고 한다.

616 金錫亨,『古代韓日關係史』, 한마당, 1988.

617 손영종은『廣開土王碑 硏究』(도서출판 중심, 2001)에서, 광개토대왕릉비에 나타나는 왜가 백제의 指揮下에 움직이게 되는 이유를 다음과 같이 설명하고 있다.
"4세기 中葉에 이르러 伽倻本國이 백제의 손아래 동맹자로 전락(『일본서기』 권19, 흠명기2년 4월)되는 것과 함께 필연적 결과로 北九州 일대의 弁辰- 伽倻系統 小國들도 백제의 영향 밑에 놓이게 되었다. 이때부터 北九州 일대의 조선계통의 소국들은 다 백제의 조종 밑에 움직이는 존재가 되었다. 그 결과로 북구주 倭王國聯合 역시 친백제, 친가야적 존재로서 백제의 강한 영향 밑에 놓이게 되었던 것이라고 생각할 수 있다. 바로 그렇기 때문에 북구주 일대의 왜는 4세기 말 5세기 초에 자기의 이익을 추구하면서도 백제의 조종에 따라 고구려 · 신라와의 전쟁에 참가하게 되었던 것이다."

쿠노 마사오奧野正男로, 오쿠노 마사오는 호태왕비문에 나타난 '왜'의 실체에 대하여, 야마토大和에 속하는 5세기 초의 큰 고분에서 출토되는 부장품들은 모두가 주술적呪術的 성격을 띤 거울, 도검, 구슬 등으로 기마전이나 산성전을 능숙하게 할 수 있는 고구려, 신라군과 전쟁을 하고 바다를 건너 대외침략을 할 수 있는 성격을 끌어내기는 곤란하다고 지적하고, 그러나 5세기 전반기의 규슈九州 북부 일대의 고분들에서는 조선 특히 백제, 가야지방에서 쓰이던 것과 같은 말자갈을 비롯한 마구류 등이 출토된 점을 들어 광개토왕릉비에 등장하는 '왜'는 야마토정부大和政府가 아니라 규슈九州 북부의 백제계, 가야계의 도래세력渡來勢力으로 인정하고, "김석형의 『고대 조일관계사-대화정권과 임나』 에서 나타낸 것과 그 견해를 기본적으로 일치하다" 하며, 백제왕의 요청에 의해 고구려 신라의 남침을 방어하기 위해 백제 가야지역에 원군을 간 것으로 결국 백제의 군사 지휘 하에 움직인 것을 인정하고 있다.[618]

또 '日本' 이란 국명은 『삼국사기』 신라본기, 문무왕文武王10년 12월, "왜국倭國은 일본日本으로 경호更號하였다"는 기록만 보일 뿐, 일본 사서에서는 8세기 중반까지도 여전히 대왜국大倭國과 대양덕국大養德國으로 자칭하였으며 일본 국호를 개칭한 시기는 7세기 후반이다.[619] 신공황후의 삼한정벌은 근거가 없는 황당한 신화일 뿐이며[620] 따라서 '일본부日本府'란 것은 용어 자체에서도 성립될 수가 없는 것이다.

---

618 奧野正男, 「好太王碑文の [倭]と渡來集團」, 『(東アジアの)古代文化』 제43호, 1985 春, pp.134~140.

619 崔在錫, 「계획된 픽션 '任那日本府說'」, 『한국논단』, 1991년 6월; 王健群, 「"任那日本府"와 "倭의 五王"」(譯 : 金英熙), 『伽倻文化』 제5호, 伽倻文化研究院, 1992.

620 李鍾旭, 「廣開土王陵碑 및 『三國史記』에 보이는 '倭兵'의 正體」, 『韓國史 市民講座』 제11집, 199; 王健群, 「"任那日本府"와 "倭의 五王"」(譯 : 金英熙), 『伽倻文化』 제5호, 伽倻文化研究院, 1992.

2. 임나일본부의 위치

구로이타는 일본부에 대해, "임나의 일본부 소재지의 연구에 대하여는 다만 김해와 함안이라 함이 학자의 일치되는 견해" 라고 하면서 일본부를 2기로 구분하여 제1기는 김해, 제2기에는 함안에 위치했다고 주장하고 있다.

제1기가 김해에 있어야 하는 이유에 대해서는, 중국과 일본이 교통할 때 그 교통의 중계 장소가 김해이고, 또한 김해의 대가야가 신라로부터 압박을 받았고 일본은 여기에 간섭을 했기 때문에 김해에 있어야 한다는 것이다.[621] 그러나 "그 소재 지점의 추정에 대하여는 불문에 붙인 고로 실제에 당하여 토지의 형세와 산성, 고분의 관계 등을 생각하여 다소 이의 추정을 시도하여 보았다"고 하며, 그 위치를 다음과 같이 주장하고 있다.

> 남조선 연안의 제해권制海權을 당악當握하여 일본과의 연락을 보保함에 가장 편리한 지점되는 사事를 요할 지오. 또 일본부의 위치는 김해국에 재한 가장 중요한 도로의 간선幹線을 거拒할 사事가 필요하니 즉 일단一旦에 사가 유하면 수륙양방이 함께 기機를 응應하여 직접 출병을 득할 편리한 지점 즉 소위 교통의 요충에 해당하는 지세 됨을 요할지니 하자何者오 할지면, 당시 임나일본부에 대하여 항상 반항적 태도를 가지고 있는 신라에 대하

王健群은 『고서기』, 『일본서기』에서는 神功皇后가 西征할 때 고기떼들이 그녀의 배를 떠받들어 사나운 파도를 넘어 新羅國土를 함몰시키고, 신라왕이 결국 항복하자 그를 養馬部로 삼았다고 하는 이야기는 신화로 간주해야지 역사사실로 받아들이는 것은 옳지 못하다고 하고 있다.

621 黑板勝美, 「朝鮮의 歷史的 觀察三」, 『每日申報』 1921년 9월 21일자.

여는 충분한 위압威壓을 가하여 그 반속국半屬國되는 관계를 보保하는 상에 도 혹 낙동강 하구를 일본의 세력범위로 하여 유지함에도 병을 움직일 필요가 있으므로, 이상 각종의 요건을 종합하여 살펴보건대 나의 의견으로는 지금의 김해군 주촌면 내의 일부의 계곡에 타각拖推된 천원天原이 당시의 일본부의 적蹟이 아닌가 하고 권정權定한 바이니 그 지점은 지금의 김해 읍내에서 1리 정도의 곳인데 주위에는 5개의 산성을 둘러 갖춤이 견고하더라(黑坂勝美, 「남선사적의 답사(7)」, 『매일신보』 1915년 8월 7일자).

기록에 의한 것이 아니라 남조선 연안의 제해권을 장악하여 일본과의 연락을 취하기 가장 편리한 지점, 즉 수륙양방이 함께 직접 출병을 할 수 있는 편리한 교통의 요충지를 가상하여 지점을 설정하고 있다. 여기에 가장 부합되는 지점으로 김해의 주정촌이 바로 그들이 주장하는 제1기의 일본부가 위치한 곳으로 보고 있다.

제2기의 일본부의 위치에 대해서는, "함안의 일본부라 하는 것은 당시 임나 내의 김해 방면의 일본세력이 쇠약한 결과로 일시 사방으로 퇴각한 시대에 둔 것"이라고 하며, 그 위치의 구적舊蹟을 찾음에 있어서도 김해에 있는 일본부의 위치를 추정하는 것과 같은 방식으로 교통의 요충지를 첫째 주건으로 하고, 일본과 후방 연락을 취하기 가장 편리한 조건을 가진 위치를 설정하여 "내 생각에는 지금의 함안읍내가 공恐컨대 옛날 일본부의 적蹟"이라고 하고 있다.

당시의 안라가야왕부安羅伽倻王府는 어디에 있었던가 할지면 읍내로부터 무려 10리가량의 마산으로부터 진주에 통한 가도로부터 5, 6정을 들어간 곳에 왕궁의 폐허廢墟의 적跡이라고 전하는 곳이 있고 그 후방에는 산성을 축조한 산을 부負하였으니 이 산성은 그 부근 일대를 지배하는 지점을 점거하였더라. 그러한데 지세로써 보면 지금의 읍내가 고지高地요 읍내의 북인 산성은 왕궁 북에 대하여 이를 지배함과 같은 형세이오. 또 마산으로부터 함안읍에 들어오는 입구에는 하나의 산성이 있어 가도 2, 3십리의 사이를 守하여 있으니 안나국 전체의 중심으로는 소위 가야왕궁 전기지傳記地가 적당하고 또 고분의 분포도 왕궁 뒤 산성으로부터 연주식連珠式으로 배열하여 영구한 사이에 산성 부근이 중심이 되었던 사事를 시示하였는데 지금의 읍내에는 하나도 대고분이 남아있는 것이 없는 것은 또한 일본부의 설치가 짧은 방증傍證이라 하는 사事를 득得할 지로다.

고로 여사한 지세와 함께 부근에 있는 고분의 분포, 산성의 형세 등을 종합하여 보건데 지금의 함안의 계곡이 즉 안라의 일본부지가 되는 것이 추정됨을 얻은 것과 같음에 나는 이를 따라 다시 정밀히 조사코저하노라(黑坂勝美, 「남선사적의 답사(8)」, 『매일신보』 1915년 8월 8일자).

이상과 같이 구로이타의 주장은 그의 조사 경로에서도 수로와 육로를 함께 활용하여 조사한 것처럼, 당시 가장 요충지가 되는 지점을 일본부의 위치로 추정하고 있는 것이다. 어차피 문헌 기록상에도 위치가 존재하지 않는지라, 당시에 한국의 남부지역을 속국으로 지배하고 있다는 전제하에서 수로와 육로를 살펴 지형이나 교통상 가장 유력하게 남부지역을 통치하기 편리한 지역을 설정하고 있는 것이다.[622]

---

622 「南鮮史蹟의 踏査(六)」(『每日申報』 1915년 8월 6일자)에서 "상대에 있어서는 제1착으로 가능적 교통의 편리한 지점을 택할 필요가 있으니 이는 전술과 같이 일본과의 연락을 확실히 보유해야 일본과 교통로되는 해상의 연락을 끊을 일이 없고 항상 적보다 우월한 제해권을 얻어 적에게 대항하여 자유로 출병할 최대조건이 되는 동시에 낙동강 유역에 있는 일본의 세력 범위

이상의 그의 주장은 어디까지나 그의 가상적 추정에 불과한 것으로, "김해와 함안에 있는 우리 일본부의 소재지 추정을 시試하였는데 여사한 연구를 행함에는 지세와 함께 고분 등으로부터 발굴한 옛날의 유물에 의하여 고고학적 연구를 시試할 필요가 물론 있도다" 하면서 유물에 대한 근거를 찾으려 했다. 앞의 구로이타의 조사 일정에서 보는 바와 같이 구로이타는 1915년 6월 20일부터 21일까지는 함안 말이산 석곽분을 조사하고 또 함안의 가야산성, 함안읍 동 산성리 산성을 조사했다. 그리고 6월 23일에는 김해에 도착하여 주촌면 류하리고분을 조사하고, 6월 24일부터 26일까지는 김해 수로왕릉비 근처에 있는 반붕괴된 고분과 그 남쪽에 있는 직경 9칸의 대원총을 발굴하고, 패총을 발굴했다. 하지만 결국 아무런 근거를 찾지 못하고 다음과 같이 변명하고 있다.

> 고분 등에서 발견된 토기와 여如함도 확실히 일본식日本式이라고 말할 것을 발견치 못하였으나, 일본인이 사용하던 것이 아니라고도 단정함을 얻지 못한 것이 있으니 저 김해 일본부의 유적인 주정촌酒井村의 고분과 같음도 현재는 발굴되어 착란錯亂하여 일본인의 고분인지 조선인의 고분인지 하는 조사와 같음은 금후에 있는 연구일 줄 믿는 바이다. 나의 사량思量으로는 주정촌의 고분이 금일에 재在하여 모두 일본인의 고분이라 단정함도 얻을 수 없고 그 내에서 발견된 토기가 단單히 조선식朝鮮式이라 하는 것뿐으로써 일본인의 고분임을 부정할 사事도 불능不能하다 하노니 혹은 각처에서 발견된 금환, 곡옥과 여如함도 그 중에 존存한 일본취미日本趣味의 자者에 대하여 연

를 지배함에는 여하한 지점이 가장 적합한가 혹은 인나이 경계를 접하여 있는 디수의 소국 즉 반속국과 같은 나라를 지배함에 가장 적합한 곳"에 일본부가 위치했을 것으로 추정하고 있다.

> 구할 필요도 있는 고로 가성적可成的 다방면의 지방으로부터 다수한 재료를 수집하여 치밀緻密한 비교연구를 행한 후에 시始히 일본인의 고분도 발견될 터이오(黑板勝美, 「남선사적의 답사(9)」, 『매일신보』 1915년 8월 10일자).

그의 조사에서 일본식은 발견되지 않고 조선식 유물만이 나오자 "이미 도굴 파괴되어 구분이 어렵지만 거기에는 일본취미의 것도 있을 것인데 이는 좀 더 폭넓게 다방면의 지방의 것도 연구를 해보면 발견될 것" 이라는 것이다. 그 이유는 조선 문화의 정도가 일본에 비해 높았기 때문에 "당시 조선에 재한 일본 부장품과 분묘와 같음도 모두 조선식을 모방" 하였기 때문에 구분하기 힘이 드는 것으로, 확실히 일본인이 사용하던 것이 아니라고도 단정 할 수 없다고 주장하고 있다. 즉 실제 조선의 문화는 당시 일본보다도 그 수준이 높았기 때문에, 조선에 있는 일본인의 문화도 결국은 높은 조선의 문화를 모방하여 설사 일본인의 무덤이라 할지라도 그 부장품은 조선식으로 모방하여 현재로서는 판단하기 어렵다고 주장하고 있는 것이다. 수준이 낮은 일본 문화가 우수한 조선의 문화를 모방하는 것이 순리이다. 그렇다면 구로이타의 주장대로 "조선반도가 일본 및 중국의 양국 간에 개재介在하여 항상 세력이 있는 나라에 지배된 것도 사실인데 중국 세력 하에 재在할지라도 북방의 민은 중국풍에 감화感化되고 그 남방에 속한 것은 일본풍을 혼효混淆하였다"[623]고 하는 주장은 바로 모순에 빠지게 되는 것이다.

"그러나 점차로 이런 등의 조사가 진행됨에 따라 옛날 일본인의 고분이란 것도 판명함을 얻을 시기가 있을 것을 나는 기대하고 있으니…" 라고 후일을 기

623 黑板勝美, 「南鮮史蹟의 踏査(五)」, 『매일신보』 1915년 8월 일자.

약하고 있으나 1915년 이후에도 수차 경상남북도 지역을 조사하여[624] 물증을 찾으려고 노력 했으나 나타나지 않았다. 구로이타는 일본서기의 허구에 따라 임나일본부가 김해, 함안 등지에 있었던 것으로 보고 이곳에서 그 단서를 찾으려고 노력하였으나 허사였음인지, 『(갱정)국사의 연구』 각설 상권 '한토복속시대韓土服屬時代' 조에서, "임나일본부가 처음 대가야 즉 지금의 경상남도 김해지방에 있었다는 것만은 분명하지만 그 자취는 이미 사라져서 다시 이것을 찾을 방법도 없는 것은 유감이다"[625]라고 토로하고 있다.

따라서 그의 견해는 어디까지나 현재의 안목에서 본 지세 등으로 유리하게 추론할 뿐이지 증거사료는 하나도 내놓지 못했다.

3. 일본부와 한국 강점의 왜곡

구로이타는 고조선을 인정하지 않고[626] 조선 역사는 기자조선으로부터 시작

---

624 1917년 8월 27일부터 9월 13일까지 고적조사위원 黑板勝美, 조선총독부 촉탁 野守健, 고원 澤俊一은 경상북도 고령 및 경상남도 김해에서 고적조사를 실시한 후 조사 내용과 수집 유물목록, 사진원판목록, 실측도 목록을 첨부하여 같은 해 9월 21일에 복명서를 제출했다. 8월 28일부터 9월 6일까지 고령군 고령면 지산동 주산의 고분군 중 제12호, 제18호, 제22호, 제25호 등 4기를 발굴했다. 9월 8일부터 9일까지 김해군 우부면 회현리에서 가야시대의 분묘 3기 중 제2호분을 발굴했다. 9월 10일부터 12일까지는 주촌면 농소리 倭城址 및 양동리 歌谷山城, 가라면 죽림리 竹島山城, 장유면 내덕리 龍頭山城을 조사하고 류하리에서 가야시대의 고분 유적을 조사하여 상당한 유물을 발견했다(『국립중앙박물관 소장 조선총독부박물관 공문서』, 「黑板 古蹟調査委員 提出 古蹟調査出張復命書」). 1918년 7월에도 경남 일대의 산성지를 집중적으로 조사했다(「大正7年度古蹟調査成績」, 『朝鮮彙報』, 朝鮮總督府, 1919년 8월).

625 黑板勝美, 『(更訂)國史の硏究』, 岩波書店, 1932, p.57.

626 黑板勝美의 檀君 부정은 1934년 7월 30일 朝鮮史編修會 제8회 위원회에서 崔南善과의 問答에서도 잘 나타나 있다(『朝鮮史編修會事業概要』, 朝鮮總督府朝鮮史編修會,

한 것이라고 하고, 조선에 중국인이 발전하여 식민지를 만들었고, 고구려, 백제, 신라가 생겨난 것은 순전히 중국의 내부소동으로 인해 세력이 쇠한 까닭으로 규정하고 있다.[627] 그리고 신라가 통일을 했어도 당의 세력에 벗어날 수 없었고, 고려에 들어와도 원이나 송의 세력을 벗어날 수 없었다고 하면서 "반도국 국민은 완전히 생활케 하며 완전한 정부와 국가를 조출造出한 적이 없었다"[628]고 왜곡하고 있다. 이러한 주장은 그가 1916년 3월부터 관계하였던[629] 조선반도사 편찬의 주안主眼인 "일본인과 한국인이 동족임을 명확히 하고, 고대부터 한국은 피폐되고 빈약했으나 지금에 이르러 성세聖世의 혜택을 받아 처음으로 인생의 행복을 얻을 수 있게 되었다는 것을 상술詳述하는 것"[630] 과 일치하고 있다.

일단 한국은 독립할 수 있는 능력이 전혀 없는 나라로 규정하고, "조선은 중국에 사대하면서 그동안 독립을 하지 못한 국가로서 러일전쟁 이후 통감부가 설치되어 중국에 대한 사대사상이 멀어지고 자연히 한일합병의 주장이 일어나는 데 이것이 바로 사대사상을 버리는 것" 이며, "그것이 가장 완전한 방책方策이라 하여 자玆에 일한병합日韓併合이 생긴 것" 이라고 주장하고 있다. 그리고 "일한병합이라는 것이 이 사대사상을 제거하는 제일 큰 도순道順" 이라고 하며 "일한병합에 의하여 실로 완전한 독립국민"이 된 것이라고 주장하고 있다.[631]

1938년 6월, pp.66-67).

627 黑板勝美, 「朝鮮歷史의 觀察(3)」, 『매일신보』 1921년 9월 21일자.

628 黑板勝美, 「朝鮮歷史의 觀察(4)」, 『매일신보』 1921년 9월 22일자.

629 朝鮮半島史編纂은 1915년 7월에 착수하고 1916년 1월에 자료 수집에 착수하여 贊議 柳正秀 以下 15명의 副贊議에게 編史事務를 담당케 하고, 동년 3월에 京都大學 교수 三浦周行, 同大學 강사 今西龍, 東京大學 교수 黑板勝美를 囑託으로 임명하여 지도 감독에 임하게 했다(朝鮮總督府中樞院, 『朝鮮慣習制度調査事業概要』, 1938, p.141).

630 朝鮮總督府, 『朝鮮半島史編成ノ要旨及順序;朝鮮人名彙考編纂ノ要旨及順序』, 1916, p.4-5.

631 黑坂勝美, 「朝鮮의 歷史的 觀察(六)」, 『매일신보』 1921년 9월 26일자.

앞에서 임나일본부를 통감부에 비유하고, 이제 더 나아가 한국 강점을 합병으로 가장하여 완전한 독립국으로 만들었다고 억지 주장을 하는 것이다. 한국은 식민국이어야만 하는 운명적 태생으로 규정하고 주체사상을 갖지 못하게 하여 한국합병을 받아들이게 하려는 속셈인 것이다.

구로이타가 주장하는 '일본부' 라는 것은 구한말 통감부와 같은 것으로서 그곳에 병대兵隊를 보내어 대가라를 보호국으로 하여 백제나 신라의 세력을 발전케 하지 않도록 제어制禦하는 역할만 했지 결코 영토적 의미나 침략이 아니라고 주장하고 있다. "신라를 처음부터 멸하고자 하는 모양은 조금도 보이지 않으니 만일 일본이 영토침략의 생각을 가졌더라면 반드시 그 나라를 멸하였을 것이다" 라고 하고, 더 나아가 "일본은 그 때에 신라를 망하게 하고 백제를 멸하고 동시에 남조선은 이미 일본에 합병合併되었을 지도 모른다"고 하고 있다.[632] 즉 말하자면 일본은 충분한 역량을 가지고 있었지만 결코 영토적 야심은 가지지 않았고 단지 가야를 보호국으로 하여 신라와 백제의 세력을 억제시켜 평화를 도모圖謀하는 역할만을 했다는 것이다.

또한 일본에 건너간 한국인의 대우에 대해서는,

> 일본에 도래한 조선인이 각 방면에서 활동하여 국력을 발전케 하되 다만 문학뿐만 아니라 실업이나 상업이나 또는 교통에 야마토민족大和民族을 도와 점점 이를 융성케 한 것은 융화동화融和同化한 결과라 하여도 무방하니 아마 일본 국민은 조선인을 이민족으로써 대우치 아니하였으며 신공황후

632 黑坂勝美, 「朝鮮의 歷史的 觀察(四)」, 『每日申報』 1921년 9월 22일자.

이후 조선에 출병한 것이 기차幾次이나 포로로 내지內地에 보낸 조선인은 1인도 없었고 황도皇都되는 지방 야마토에까지 다수한 조선인에게 토지를 주어 개발한 형적形迹이 있으니 가와우치河內 등은 그 대부분에 조선인의 자손이 번식하여 이를 개발한 곳이오. 또 동북지방에는 우에노上野, 시모스케下野, 무사시武藏 등도 조선인을 이주케 한 사事가 있다.

세계 역사상 일본인 같이 이민족을 대우함에 관대하고 심절深切한 자者는 없으니 이는 현재 규슈의 열국이 적의 포로하는 법과 일본인이 이를 대우함에 비교하여도 명약관화明若觀火하다. 타국의 침략을 받아 혹독한 경우를 당한 사事가 거의 없으므로 타를 대우함에도 관대하거니와 실로 일본국 민성民性의 미점美點이오 또 일본제국이 현재 및 장래에 대성할 양색良索이라 하여도 가할 뿐만 아니라 내가 경성에 여행하여 이 동화정책同化政策의 착착 진행함을 보았고 이심裏心으로 희열함을 이기지 못하는 바이다(黑板勝美, 「古代史上의 日鮮關係(3)」, 『매일신보』 1915년 5월 1일자).

임나에 일본부를 치置한 후부터 신공황후의 삼한정벌 이래 누차계기屢次繼起한 일선의 관계에 대하여 아조선我祖先은 결코 이를 이민족으로 지목指目치 아니하고 그 귀화인歸化人에 대하여 결코 정복자가 피정복자를 대우함과 같은 태도가 추호도 없어 오히려 국민동등 이상의 대우를 한 것은 역사상 명확한 사실이다(黑板勝美, 「文化史上으로 觀한 日鮮의 關係」, 『매일신보』 1915년 6월 8일자).

구로이타는 한국의 강점을 '임나일본부의 부활復活' 라는 용어를 사용하여 정당화하려하고 있다. 1915년 6월 30일 부산민단역소 누상에서 부산교육회를 위하여 「문화사상으로 관한 일선의 관계」 라는 제목으로 강연을 했는데 그 핵심 내용으로 "한국병합은 임나일본부의 부활이니 우리도 상고에 재在함과 같이 동국동문화同國同文化라는 사상이 유하면 진眞히 병합이 될지로다"[633] 하고 있다. 한국 강점을 임나일본부의 부활로 연결한 다음, 임나일본부 시대의 일본은 일본으로 건너온 조선인을 융성하게 대우하고 조금도 악의가 없었다고 주장을 하고 있다. 이 같은 주장은 앞으로 한국 강점이 한국인을 홀대하는 일이 없고 늘 온정을 베푼다는 것으로 가장하기 위한 방편으로, 임나일본부가 한국에 대해 우호적이었던 것처럼 '합병'이란 미명하의 한국 강점도 한국인을 위한 것이라는 방향으로 귀결시키려는 속셈인 것이다.

Ⅴ. 맺음말

구로이타 가쓰미가 한국에 건너온 시기는 일제가 조선총독부정치의 실적을 포장하여 한국 강점을 정당화하는 작업이 최고조에 달해있던 시점이었다. 구로이타의 조사가 표면적으로는 도쿄대의 명에 의한 것이라고 했지만, 조선총독부의 입장에서는 한국 강점의 미화에 이론적 권위를 가진 자의 지원이 필요했던 것이다. 때문에 조선총독부는 구로이타의 조사와 강연을 적극 지원했으며, 구로이타 역시 조사와 병행하여 강론을 통해 한국 강점의 미화에 열을 올렸다.

구로이타의 태도는 "조선에 아직 정확한 기록을 가지지 못한 고로 우리는 이 지역에 대하여 유적 유물을 탐사하고 이로 인하여 연구할 방법 외에는 다른 방법이 없다" 라고 하며 한국의 사료를 완전히 부정하고 일본서기의 황당한 이야기를 근거로

633 名越, 「任那故地紀行(下)」, 『每日申報』 1915년 7월 24일자.

하여 이를 합리화시키는 종속물從屬物로서 한국의 유적 유물을 조사했던 것이다. 즉 일제의 한국 침략을 목적으로 꾸민 소위 임나일본부설을 기정사실화하고 이를 학술적으로 뒷받침할 수 있는 물적 증거를 찾아 한국 지배에 활용하고자 하였던 것이다.

그의 조사방법은 어디까지나 일본의 고대 한반도의 남부경영을 전제로 하여, 한국 지형에서 지배상 가장 유리한 지점을 그들의 거점으로 설정하여 조사를 했다. 하지만 그가 주장하는 임나일본부의 위치는 물론이거니와 그가 목적한 바의 아무런 물적 증거자료를 찾지 못했다. 비록 그가 아무런 관련 자료를 찾지 못했지만 애매모호한 표현으로 이를 변명함으로써 구로이타 이후 조사자들에게 집요하고도 지속적인 조사를 불러오게 됨으로 인해 경상남북도, 전남지역의 고분은 막대한 피해를 초래하게 되었다.

1915년의 구로이타의 조사와 강연은 한국의 역사에 부정적 요소를 확대하고 한반도의 문화를 왜소화하는 작업에 치중하여, 한국은 고래古來로 타율적 역사를 형성해 왔으며 자주적이고 주체적 발전능력이 결여된 민족으로 규정하여 한국 강점이 필연적이라는 것을 강조하고 있다. 또한 한국 강점의 정당성을 끌어내기 위하여 임나일본부설을 정설화하고 이것이 한국에 해를 끼친 것이 아니라 도움을 준 것으로 꾸미고, 한국 강점을 임나일본부의 부활로 꾸며 조선에 도움을 주고자 한 것이라고 억지 주장을 하고 있다.

구로이타는 조사는 표면적으로는 "실지를 답사하여 고고학, 역사지리학 방면을 관찰함으로써 상대사의 연구 자료로 삼고자" 조사한다고 했으나, 내면적인 목적은 일본의 식민정책 목적에 부합하여 조선인을 세뇌하고 순조롭게 지배하기 위한 사상적인 근거를 마련하는데 있었던 것이다.

1915년 4월 24일

석왕사(釋王寺) 화재

함경남도 안변군 석왕사는 백련당 서편에 있는 온돌을 수선하여 방을 말리기 위해 불을 피우던 중에 24일 오후 11시경에 실화하여 일연당日蓮堂, 천서각天書閣을 소실하였다.[634]

석왕사

634 『每日申報』 1915년 4월 27일자, 29일자.

색인

ㅇ

ㅈ